MJ Kelley '84

D1268008

TEXTOS LINGUÍSTICOS
DEL MEDIOEVO ESPAÑOL

TEXTOS LINGÜÍSTICOS
DEL MEDIOEVO ESPAÑOL

Preparados con Introducciones y Glosario

POR

D. J. GIFFORD

Y

F. W. HODCROFT

Segunda edición, corregida

Editorial
THE DOLPHIN BOOK CO. LTD.
OXFORD
1966

Printed in Spain for The Dolphin Book Co. Ltd.,
Oxford, by Artes Gráficas Soler, S. A.

Depósito Legal: V. 2 988-1966

PRÓLOGO

El propósito del presente libro es suplir la falta, que hace tiempo viene sintiéndose, de una antología de textos lingüísticos representativos de los principales dialectos de la España medieval. Al escoger los textos que a continuación ofrecemos, hemos intentado reunir, dentro de los límites de un manual de proporciones relativamente modestas, una colección de textos que sirviera de punto de partida para los estudiantes universitarios deseosos de conocer a fondo este interesantísimo aspecto de la filología española. Se trata, pues, de un libro hecho principalmente para estudiantes, por lo que hemos preferido omitir, salvo en algunos casos de especial interés, todo texto que pudiera considerarse como mezcla de dialectos, no obstante los problemas que tal criterio puede plantear, problemas que no son para resueltos en un libro de esta índole.

Aparte de la sección titulada 'Textos misceláneos', nos hemos propuesto como regla general clasificar nuestros textos con arreglo a su lugar de origen, real o supuesto, anteponiendo como título a cada serie de los mismos el nombre de una región. Evitamos así en dichos títulos el uso de adjetivos como *leonés* y *aragonés,* simplificaciones que, además de ocultar la cuestión de la complejidad en los límites lingüísticos, son poco aptas para expresar las muchas variedades de un habla que pueden existir dentro de una región determinada. En los pocos casos donde no seguimos este criterio, añadimos una nota justificativa al texto en cuestión.

Además de los textos que podrían llamarse puramente literarios, hemos incluido glosas, documentos notariales y trozos de fueros y de inventarios, creyendo que sólo así es posible aproximarse a un concepto adecuado de los dialectos del medioevo español, al menos en su forma escrita. Una mayor riqueza documental de las regiones de Navarra y Aragón explica la abundancia de textos pertenecientes a dichas regiones, no obstante la preeminencia histórica del castellano frente a los demás dialectos.

La mayoría de nuestros textos están tomados de libros o artículos publicados durante los últimos cincuenta años, aunque hemos incluido también algunos copiados directamente de manuscritos, o, cuando esto no ha sido posible, de fotocopias o microfilms de los mismos. Claro es que tan varia procedencia supone cierta diversidad de criterios en lo que se refiere a puntuación, resolución de abreviaturas, etc., diversidad que hemos procurado respetar, siguiendo al pie de la letra cada uno de los textos ajenos que copiamos, salvo cuando indicamos en una nota lo contrario. Sin embargo, nos hemos apartado de esta norma en dos puntos: no reproducimos la ſ, representándola siempre por "s", y por los varios signos que indican abreviatura de la conjunción "y" escribimos siempre "&".

En cuanto a los documentos copiados por nosotros mismos, seguimos la regla general en lo que se refiere al uso de los paréntesis, letra cursiva, etcétera: la cursiva indica resolución de abreviaturas, los paréntesis cuadrados contienen letras o palabras que suponemos omitidas en el original, y los redondos las que juzgamos superfluas. Los puntos suspensivos indican omisión de letras o palabras, bien por nosotros, o bien por los editores cuya versión reproducimos, habiendo unos pocos casos (v. gr., los §§ 60 y 61) en que estos puntos se emplean en un mismo texto con ambas finalidades.

Responden también a las necesidades de los estudiantes que pudieran usar este manual, el glosario y los breves párrafos de introducción que anteponemos a cada una de las principales secciones del libro. El glosario contiene todas las palabras del texto que por algún detalle de su forma no pueden considerarse como pertenecientes al castellano moderno, lo que no sólo beneficiará al estudiante sino que proporcionará al estudioso un registro de voces medievales.

Nos es grato expresar aquí nuestro profundo agradecimiento a las siguientes personas, que, con sus consejos, su erudición y su paciencia, han contribuido valiosamente a la composición de este libro: Rev. A. W. Argyle, Professor T. B. W. Reid, Mr. D. A. F. M. Russell, y Professor P. E. L. R. Russell, de la Universidad de Oxford; Rev. P. Durán Gudiol, Archivero de la Catedral de Huesca; Mr. J. L. Gili, editor del libro; Professor I. González Llubera, de la Universidad de Belfast; Dr. L. P. Harvey, del Queen Mary College, Universidad de Londres; Dr. L. Jenaro MacLennan, y Professor J. W. Rees, de la Universidad de Manchester; Dr. I. Macpherson, de la Universidad de Durham; Dr. Arsenio Pacheco, Miss M. G. Rankine, y Mrs. J. D. Wallace, de la Universidad de St. Andrews. Reconocemos también con gratitud la ayuda prestada por varias bibliotecas de España, especialmente la Biblioteca Nacional, el Archivo Real y General de Navarra, el Archivo de la Corona de Aragón, el Archivo General de Simancas, la Biblioteca del Real Monasterio de El Escorial y el Archivo Histórico Provincial de Huesca, así como el Archivo de la Catedral de la misma ciudad.

D. J. Gifford
University of St. Andrews
F. W. Hodcroft
University of Oxford

NOTA A LA SEGUNDA EDICIÓN

En atención a los reparos hechos por los eruditos que citamos abajo, esta segunda edición presenta las siguientes modificaciones: los renglones de cada texto van numerados para facilitar el uso del glosario, donde las palabras se citan por texto y renglón; el glosario aparece corregido y aumentado; se ha añadido una lista de topónimos que figuran en los textos, y al final un mapa donde se indican los partidos judiciales para facilitar la localización de los topónimos.

En tres casos (§§ 40, 93 y 96) publicamos una versión propia en vez de la que utilizamos en la primera edición.

Hemos tenido en cuenta, para la segunda edición, las siguientes recensiones de la primera:

KURT BALDINGER, *Zeitschrift für Romanische Philologie,* LXXIX, 1963, págs. 642-644.

EMANUEL S. GEORGES, *Romance Philology,* XVI, 1962, páginas 122-127.

BERNARD POTTIER, *Bulletin Hispanique,* LXIII, 1961, págs. 100-104.

P. RUSSELL-GEBBETT, *Bulletin of Hispanic Studies,* XXXVII, 1960, págs. 232-237.

NORMAN P. SACKS, *Hispanic Review,* XXX, 1962, págs. 346-348.

ARNOLD H. WEISS, *Hispania,* XLIII, 1960, págs. 484-485.

NOTA. *Los textos números 1-19 y 38-59 han sido preparados por D. J. Gifford, y los números 20-37 y 60-123 por F. W. Hodcroft, quien preparó también el glosario correspondiente a los textos 60-123. El glosario de los textos restantes se debe a D. J. Gifford.*

Textos de
Castilla

INTRODUCCIÓN

En el complejo de variaciones sufridas por el latín vulgar hablado en la Península es posible distinguir, hacia los siglos noveno y décimo, tres grupos principales: El occidental, que se desarrollará para producir el llamado gallego-portugués; el central, del que nacerán el castellano y dialectos afines, y el oriental, que nos dará el catalán y sus variantes el balear y el valenciano.

Nos interesan en este libro las hablas del grupo central, pero sin olvidar, naturalmente, las diversas matizaciones que las mismas sufren en su contacto con los vecinos orientales y occidentales, ni la presión que sobre ellas ejercen el árabe del sur o el norteño vascuence.

El nacimiento del castellano, originariamente el habla de una pequeña región al norte de Castilla la Vieja, es un hecho de fundamental importancia para la historia del español. El afortunado éxito militar del reino de Castilla en la Reconquista, y la importante influencia que éste ejerció en la historia política de los diversos reinos cristianos, fueron factores de prestigio que contribuyeron a la supremacía de una lengua que comenzó como simple variante del latín ibérico.

La Grafía. Como las fuentes de que disponemos para cualquier estudio del castellano medieval forzosamente han de proceder de la lengua escrita, consideraremos brevemente la cuestión de la grafía. Como es sabido, la grafía del romance deriva del latín, y la mayoría de los sonidos representados pasaron del uno al otro sin dificultad. Pero los nuevos sonidos del romance —ciertos diptongos y sonidos palatales, por ejemplo— hubieron de representarse por nuevas grafías, lo que creó gran confusión ortográfica. En cuanto a las vocales, los diptongos derivados de Ĕ y Ŏ tónicas del latín se escribieron por lo general con dos vocales (*ie, ue*), aunque hubo cierta vacilación, como se verá en el § 7 (*furos*) o en el § 15 (*timpo, celo*, etc.). Las consonantes presentan un cuadro más complejo, sobre todo en cuanto a las palatales: *a*) Las grafías *g, i, gg, ih* se usaron tanto para la sonora [ẑ] como para la sorda [ĉ]: así *cogere* (§ 7), *guego* (§ 14), *coianlo* (§ 13) frente a *nog* (§ 16), *peggare* (§ 6), *barbeiar* (§ 7), *despeiado* (§ 7), *leio* (§ 16). [1] La grafía *gg* por [ĉ], particularmente castellana, se puede comparar con la *bb* de la escritura árabe, que representa *p* (§ 54). *b*) La *ñ* moderna se representó a veces por *in* (*doina*, § 17), *ni* (*senior*, § 15), *nn* (*cabannas*, § 6), *n* sencilla (*duenas*, § 12) o *gn* (*ligna*, § 6). *c*) La *l* palatal se escribió con *li* etimológica (*filio*, § 13), *l* sencilla (*falar*, § 15), pero las más veces en Castilla con *ll* como ahora. *d*) El sonido [š] se representaba por *x* (*dexan*, § 14), *ys* (*royso*, § 7), *s* (*esida*, § 16), *sc* (*pascere*, § 8). *e*) Entre otras grafías nótense la alternancia entre *b, u, v* (*bez, bacas*, § 8, etc.) y la *ch* por la oclusiva *k* (*achest*, § 15).

ÉPOCA 804-1150. En los primeros textos incluimos documentos del bajo latín en que asoman cada vez más las formas y los fenómenos de la lengua hablada. Aunque la mayoría de estos textos no existen sino en copias, no carecen por eso de interés. Para citar tan sólo algunos ejemplos entre los más antiguos, nótese el diptongo en *Peniellam* y *Losaciella* (§ 2), *fueros* (§ 4), *Obieto* (§ 5), así como la forma arcaica *seneiras* (§ 3). Los textos de los §§ 1 y 2 ofrecen un contraste interesante: compárese, por ejemplo, *Meuma, Gaubea, Fraxino, carraria* con *Mioma, Gouia, Fresno, karrera*. Se dan también casos de monoptongación como el de *ae > e*, ejemplificado por *ecclesie* (e c c l e s i a e) (2).

Respecto a las consonantes, la sonorización de las sordas se manifiesta en *calçada* (§ 2), *eglesia* (§ 1), *semdero* (§ 6); la reducción de grupos latinos como -NF-, -NS- en *efant* (§ 9), *defesa* (§ 6); la resolución de grupos difíciles en *serna* (§ 5. Cf. *senra*, § 4). Los efectos de la yod, que no existía origina-

---

[1] Menéndez Pidal cita además grafías como *conceggo, conceiho, magiolo Naghara,* frente a *Sangiz, eiar, Sanggeç, Saniho* (*Orígenes del español,* 3.ª ed., Madrid, 1950, págs. 59-62).

riamente en latín, se adivinan ya en *calzata* (§ 1), *vinias* (§ 3), *peggare* (§ 6), y -*ct*- se reduce a -*t*- en *fita* (§ 1), *Frutuosi* (§ 3).

El verbo ofrece también formas de interés, como por ejemplo en el § 9: *exiod, seia, saquoron*, etc. Nótense además formas pronominales como *li* (§ 7), y conglomerados propios también del leonés, como *enna* (§ 6), y enclíticos como *dabal* (§ 9), etcétera.

Por lo que se refiere al léxico, nos hallamos desde el principio ante palabras romances como *gasalianes, presuras* (§ 1), y construcciones como *saquent li los occulos* (§ 7), que apenas se ocultan bajo su ligero disfraz latino.

Así logramos discernir, a través de documentos de los siglos IX a XII, las primeras formas castellanas y dialectales. A partir de la segunda mitad del siglo XII la lengua hablada se establecerá definitivamente como lengua escrita.

ÉPOCA 1150-1250. Sería tarea poco menos que imposible estudiar a fondo el vasto campo lingüístico que nos revelan los textos de esta época en el breve espacio de que disponemos, ya que nos hallamos con los primeros monumentos literarios del castellano. Sirvan, pues, unas breves notas: [1]

a) Durante esta época, y aun antes, los rasgos particulares del dialecto castellano estaban en proceso de evolución. Algunos de éstos coincidían con los rasgos de dialectos colindantes: *ai>e, au>o* (*karrera* § 2, *Gouia* § 2), o la asimilación *mb>m* (*amos* § 14), o la palatalización de *pl-cl-fl* iniciales (*lorando, lamando* § 14, pronunciados sin duda *llorando, llamando*). Pero también tuvo el castellano sus características propias: 1.ª) la *f*- inicial, aunque conservada en la lengua escrita, dio lugar a una *h* aspirada, o se perdió (véanse *Errant* § 8, *Ormazuela* § 19); 2.ª) la G- J- latinas se perdieron ante *e, i* átonas (*ermano* § 13); 3.ª) SĆ, SCi̯ y STi̯ daban *ç* (*vços* § 14); 4.ª) la yod impidió la diptongación de Ĕ, Ŏ tónicas del latín (*ojos* § 9); 5.ª) -Li̯- dio [dž] (*gelas, mugieres*, § 14); 6.ª) hubo menos variedad en la forma de los diptongos castellanos procedentes

    [1] Seguimos en líneas generales el esquema del desarrollo del castellano de los siglos XII y XIII trazado por R. LAPESA, *Historia de la lengua española* (3.ª ed., Madrid, 1955).

de Ě y Ŏ latinas que en otros dialectos, aunque las asonancias del *Poema de Mio Cid* atestiguan un sonido *o* o *uo* como característico de la versión original del poema. Lo mismo se ha atribuido al *Auto de los Reyes Magos* (§ 15), donde hallamos formas indecisas como *celo, cilo, bonos, pusto,* y a la *Disputa entre el alma y el cuerpo,* donde el poeta original habría escrito en vez de *fuera* y *plera,* **fuora* y **pluora;* 7.ª) -CT- dio *ch (fecha* § 13).

b) Hay que tener en cuenta que también aparecen variedades dialectales dentro de la región castellana misma. Así, formas como *eicho* § 17, *Peydrez* § 19, *moier* § 17, etc. El mismo *Poema de Mio Cid* contiene dialectalismos como *alegreya, firgades, noves,* etc.

c) A la vez que se desarrollaban los aspectos dialectales del castellano, éste iba imponiéndose a través de su autoridad política como lengua nacional. Sobre todo, se impuso como lengua literaria.

En sus comienzos, este lenguaje literario padeció mucha inseguridad fonética, como apunta Lapesa. [1] Por ejemplo, formas como *cobdo* § 14 (véase también *semdero* § 6) recuerdan vocales protónicas o postónicas cuya pérdida daba lugar a grupos de consonantes hoy inadmisibles (*bd, md,* etc.). Al final de la palabra hubo mucha vacilación en cuanto a la *e:* así, *bine, pace,* pero *achest* § 15. En la tercera persona del verbo, hubo muchos casos donde la *-t* o *-d* se conservaba (véase § 9, *pidiodle, matod,* etc.). Asimismo el timbre de vocales átonas era susceptible de variación (*sultura* § 14), y como antes, los pronombres enclíticos se apocopaban: *A quem* (§ 14), *Plegem* (§ 18). Sonidos de distintas voces se juntaban: *gelas* (§ 14), *aoralo* (§ 15), *adobasse* (§ 14), *nimbla* (§ 14).

Hubo mucha variedad en las formas verbales (véanse *miseran* § 8, *ueidas* § 15) y vacilación en el imperfecto en *-ie* o *-ia* (*dizia* § 18, *durmie* § 14). El imperfecto y el pretérito se usaban casi indistintamente, aunque la elección de uno u otro tiempo podía haber dependido del criterio estético del autor.

---

[1]   Obra citada, pág. 147.

Con participio de verbo intransitivo, el verbo auxiliar *aver* ('haber') empezaba a sustituir a *ser*; así, *una strela es nacida* § 15, pero *a rastado* § 14. En tiempos compuestos con *aver* el participio concordaba por lo general con el complemento directo: *derecho fizieron por que las han dexadas* § 14. Participios invariables se usaban cada vez con más frecuencia en el siglo XIII.

Las funciones gramaticales tenían mucha flexibilidad: el adjetivo se confundía a veces con el adverbio, y las conjunciones tenían una mayor pluralidad de significado: *cuando las non queriedes* § 14 (cuando = puesto que); *Sobre un-prado pusmi tiesta que nom fiziese mal la siesta* § 18 (que = para que).

D. J. G.

ÉPOCA 1250-1500.[1] El § 21, primera sección, ejemplifica el lenguaje de los 108 primeros capítulos de la *Primera crónica general*, el cual es más arcaico que el del resto de la obra. Son características de esta primera parte de la *Crónica* las formas apocopadas del tipo *quier*, y otras debidas a la fonética sintáctica, como *daquellas, tod aquella*. Por otra parte, el resto de la *Crónica*, ejemplificado por la segunda sección del § 21, se caracteriza por el uso del llamado "castellano drecho", preferido por el mismo Alfonso X y que tiende a rechazar las formas apocopadas (*quiere, parte*, pero *grand*, y *end* junto con *ende*; *de aquella, todo el*, pero *contral*), aunque sigue en boga la *l* enclítica de *cal* 'ca le', etc. El "castellano drecho" conserva la F- inicial latina de *fecho*, etc., y en lo que se refiere al orden de las palabras, tolera la intercalación de palabras entre pronombre y verbo: *ca lo non fazie*. En esta segunda sección se puede apreciar también una variedad sintáctica que no se encuentra en textos anteriores a Alfonso X, si bien quedan resabios del abuso de la conjunción *e*, típico de la sintaxis de éstos.

En esta época primitiva de la literatura castellana, era normal que el participio pasivo de un verbo transitivo concertara

---

[1] Este estudio está inspirado en R. LAPESA, *Historia de la lengua española* (3.ª ed., Madrid, 1955). Véanse especialmente los capítulos IX y X de la obra del Sr. Lapesa.

con el complemento directo del mismo (*ouo conquista toda Esperia*), aunque se dan también ejemplos de participio invariable.

En el siglo xiv queda dominante la *f-* inicial en *fazer*<f a c e r e, etc. En vez de la terminación *-ie(s)* del pretérito imperfecto y del condicional se encuentra *-ia(s)* en la mayoría de los autores (*-ie* se usa aún, si bien raras veces, en la segunda mitad del siglo xv: véase el § 35, *matarie*). Durante este período van siendo menos frecuentes las formas contractas de futuro y condicional, como por ejemplo *pornian* (§ 27, *Rimado de Palacio*).

Hacia fines del siglo xiv estaba consumada la restitución de la *-e* final a las palabras que la tienen hoy en día, quedando como únicas excepciones ciertas alternancias de formas verbales como *faz, faze,* y los pronombres *le* y *se* en posición enclítica. Nótese, empero, que en el § 23, de principios del siglo xiv, [1] Juan Manuel ejemplifica ya la tendencia a restituir la *-e* final incluso en estos casos [2]: *dize, fizole* (pero *quel, librol, diol,* etc.). El § 23 prefiere también la terminación *-ia* a *-ie* en imperfectos y condicionales.

El rústico lenguaje de la serrana en su diálogo con el Arcipreste de Hita (§ 25) tiene arcaísmos como *promed* por *promete,* mientras que el mismo Arcipreste dice aquí *leuon* 'llevóme', *ffiz* 'hice', *diz* (pero también *dize*), *trax* 'traje'. Sin embargo, el § 25, como el § 23, usa la terminación *-ia* más que *-ie* en imperfecto y condicional.

Mientras que el Arcipreste dice *fermosa* y la serrana *faremos,* con *f-* inicial conservada, aquél dice *heda* 'fea' y ésta *hadreduro,* formas que atestiguan un cambio *f- >h-* todavía no admitido por las personas letradas de aquella época.

Durante todo este siglo siguió siendo admisible la concordancia de participio pasivo y complemento directo en los tiempos perfectos del verbo, aunque ocurren también casos de no concordancia como *auia fecho... enojos* (§ 23, *Libro de Patronio*).

---

[1] El MS. es de principios del siglo xv, como lo es también el del § 25 mencionado abajo.

[2] Para un estudio más detallado de la *-e* final en el castellano del siglo xiv, véase R. LAPESA, obra citada, págs. 173 y 174.

Sofrir (§ 29, *Siervo libre de amor*, y § 37, *La Celestina*) y *recebir* (§ 37) demuestran que en estos dos infinitivos continuaban en vigor durante todo el siglo XV las vocales *o, e,* etimológicas. La forma *fiz,* sin *-e* final, permanece hasta muy entrado este siglo (véase el § 30, documento de 1432).

Antes de 1475 continúan las vacilaciones, empezadas en el siglo XIV, entre las formas *-ades, -aes, -ais,* etc. de segunda persona plural de los tiempos presentes. (Véase, para las formas con *-d-,* el *Proemio al Condestable de Portugal* § 33, escrito a mediados de siglo.) No se encuentran las formas con *-d-* desde 1475 en adelante. Se mantiene también en este período la vacilación entre las tres formas *gran, grand, grande*: en textos escritos entre 1430 y 1460 cada una de estas tres formas se encuentra antepuesta a sustantivos que empiezan por vocal (§§ 29, 32 y 34, respectivamente).

El § 31 (*Arçipreste de Talavera*) muestra en *cruzadillos,* etc., preferencia por la forma *-illo* del sufijo que representa al latino *-e l l u.* La variante *-iello,* preferida por Alfonso X el Sabio, iba desapareciendo ya en el último tercio del siglo XIV.

Hacia fines del siglo XV desaparece la alternancia *-t, -d* finales, quedando la *-d* como única forma admisible. El § 29 parece ser el último de nuestros textos castellanos con ejemplos de *-t* final: *deslealtat, voluntat.* La *f-* inicial se mantuvo en la lengua literaria hasta fines de este siglo, y entre nuestros textos castellanos sólo los tres últimos usan *h-* uniformemente.

Desde 1475 disminuye la anteposición del artículo al adjetivo posesivo (cfr. en el § 29 *de mi enemigo padre* y *al su offendido ayo*). Los textos castellanos no ofrecen ejemplos del uso de este artículo después del § 33 (*Proemio al Condestable de Portugal*). Perdura en la misma época la forma verbal *fuemos* 'fuimos' (§ 36, *Gramática castellana* de Nebrija).

En el siglo XV, *ser,* que desde los orígenes del idioma había sido más frecuente que *haber* como auxiliar en los tiempos compuestos de verbos intransitivos y reflexivos, iba cediendo el paso a éste, y era ya corriente el participio invariable en estos tiempos del verbo: *ayan... uenido, se ayan acostunbrado, no he visto obra alguna,* § 33. El pronombre dativo *ge* en, por ejemplo, *que ge lo dió* (§ 31, *Arçipreste de Talavera*), se iba trocando en este mismo siglo por *se*. Los pronombres *nadie* y *nada* y el adverbio *jamás* tenían ya valor negativo propio, siendo posible usarlos en este sentido, cuando iban antepuestos al verbo, sin el adverbio *no*, que antes solía acompañarlos en oraciones negativas: *jamas sabia estar solo* (§ 34, *Generaciones y semblanzas*).

El uso de la preposición *a* con acusativo de persona, del cual se encuentran ejemplos en textos primitivos como el *Cantar de mío Cid* y la *Primera crónica general*, iba generalizándose durante el siglo xv, aunque la frase *por ver mi Elicia* (§ 37, *La Celestina*) demuestra que aun a fines del siglo era potestativo el uso de esta *a*.[1] También en esta época se hacía corriente el uso de la *a* entre *ir, venir*, etc. y un infinitivo, cf. *venia a hazer* (§ 35, *Cárcel de amor*); antes se construían estas locuciones ora con la *a*, ora sin ella (cf. *yr buscar*, § 28).

El futuro perifrástico del tipo *matarme ha* (§ 37) era todavía corriente a fines de este período.

Durante todo el siglo xv la influencia de la prosa latina era notable en la literatura castellana. La admiración que los españoles cultos sentían por la literatura grecorromana se reflejaba en su afán de imitar el estilo amplio y reposado de los autores clásicos. Así es como se introdujo en la literatura castellana una nota de grandilocuencia, un tanto exagerada no pocas veces, obtenida por medio de procedimientos estilísticos tales como el abundante uso del adjetivo, incluso de dos o tres adjetivos casi sinónimos, y la frecuente anteposición del mismo al sustantivo. Contribuyen también a este efecto grandilocuente el uso del participio activo con valor de gerundio moderno (o, en ciertos casos, con valor de oración de relativo), la colocación del verbo al final de la frase, y el paralelismo entre dos o más cláusulas o frases de una misma oración, recurso este último que explota con notable efecto el autor del § 35 y que produce a veces efectos semejantes a los de la prosa rimada, como por ejemplo en *que no con menos razón el rey deuiera hazella que la reyna pedilla*. Otro artificio estilístico muy cultivado por los

---

[1] La vacilación respecto al uso de la *a* con acusativo de persona se observa no sólo en el primer *auto* de *La Celestina*, sino también en los veinte *autos* restantes. Véase J. VALLEJO, 'Notas sobre «La Celestina»: ¿uno o dos autores?', *Revista de filología española* XI (1924), pág. 402.

autores de la época son las amplificaciones de un concepto mediante una sucesión más o menos larga de términos casi sinónimos, como por ejemplo en el § 37 donde habla Celestina de recibir en su manto *los golpes, los desuíos, los menosprecios, desdenes.* Nótese por fin en el § 37 la construcción de infinitivo con que Sempronio comienza su discurso.

Todos estos rasgos, combinados con una cierta facilidad en elaborar oraciones largas y complejas, son muy característicos de la época. La primera mitad del siglo ofrece ejemplos de estas tendencias en su aspecto más exagerado, y el § 32 (*Laberinto de Fortuna*) es típico de su autor en el uso de palabras cultas como *onusto, múriçe,* que enriquecen en esta época el léxico del idioma.

Es en los últimos años del siglo xv, pasados ya los primeros momentos del entusiasmo clasicista, cuando el idioma castellano, habiendo asimilado gran parte de esta nueva influencia, empieza a aprovecharla con más moderación y mejor éxito en obras como *La Celestina* de Fernando de Rojas, maestro no sólo del estilo culto sino también del habla popular de criados y gente de la más baja sociedad. Por otra parte, este dualismo se advierte también en el § 31 (*Arcipreste de Talavera*).

A fines del medioevo, la lengua castellana, tan cerca de la madurez, encuentra en Nebrija, autor de la *Gramática castellana* (§ 36), un filólogo de primer orden, capaz de sistematizar, de "reduzir en artificio", el idioma de un pueblo unido ya, y destinado a la conquista de un vasto imperio.

F. W. H.

1

Año 804

JUAN FUNDA LA IGLESIA DE VALPUESTA
(Provincia de Burgos) [1]

Sub Christi nomine et diuino imperio. Ego Ihoannes episco- [1]
pus sic ueni in locum que uocitant Ualle Conposita et inueni
ibi eglesia deserta uocabulo Sancte Marie Uirginis et feci ibi
fita sub regimine Domino Adefonso principe Obetau, et construxi uel confirmabi ipsam eglesia in ipso loco et feci ibi pre- [5]
suras cum meos gasalianes mecum comorantes: id [est] illorum
terminum de Meuma usque collatu de Pineto et per sum Penna
usque ad Uilla Alta: et de alia parte de illo moiare usque ad
Cancellata et exinde ad Sancti Emeteri et Celedoni iqsta calzata
qui pergit ad Ualle de Gaubea et suos molinos in flumine [10]
Flumenzello... Et exinde in alio loco que uocitant Lausa, nomine Fraxino, de Rranta usque ad eraza sancta Marie subtus
carraria, usque ad Uallilio de Fonte Carrcizeto et inde usque
ad Calzata...

2

Año 804

ALFONSO II OTORGA LAS TIERRAS SUSODICHAS A
LA IGLESIA DE VALPUESTA
(Provincia de Burgos) [2]

In nomine Sancte et Indiuidue Trinitatis Patris et Filii et [1]
Spiritus Sancti, amen. Ego Adefonsus gratia Dei rex Oueten-
sium... Dono etiam huic prefate ecclesie proprios terminos de
Mioma usque ad collatum de Pineto; et per soma penna usque

[1] L. BARRAU-DIHIGO, 'Chartes de l'église de Valpuesta', *Revue Hispani-que*, VII (1900), pág. 282. Copia de mediados del siglo xi. A. C. Floriano *Diplomática española en el periodo astur* (Oviedo, 1949, I, 107), sospecha que este texto y el siguiente son falsificaciones del siglo xi.
[2] L. BARRAU-DIHIGO, 'Chartes de l'église de Valpuesta', *Revue Hispani-que*, VII (1900), pág. 290. Copia de mediados del siglo xi.

5 ad Uillam Altam; et de alia parte, de illo molare usque ad
Cancellatam; et exinde ad Sanctum Emeterium et Celedonium
pro calçada que pergit ad Uallem de Gouia usque in Pen-
niellam...

Super hec adicio in loco que uocitant Losaciella Formale
10 cum suos terminos et suos directos; et Uilla Luminoso... et
Fresno cum terminis nominatis de Reianta usque ad Sanctam
Mariam subtus karrera usque ad Uallilium de fonte Karsiçedo,
et deinde usque ad Calçada...

3

Año 831

PROFLINIA DONA SUS BIENES A STO. TORIBIO
DE LIÉBANA
(*Provincia de Santander*) [1]

1   ...Ego Proflinia concedo Christo et eglesie sancte omnia
quidquid michi dominus et maritus meus donabit in dotis
titulum uel donationis, billas, domicilia, vinias, terras, pomares
in territorio Liuanensi in Barao et in Xecenia... et... donamus
5 adque concedimus domne et patrone nostre gloriosisime Sancte
Marie Uirginis quidquid abemus in Barao duas portiones; terciam uero porcionem ad Lone in Barao; ibidem in Lone
horreum, cortes, seneiras III, sibe exitis, gressum uel regressum;
ad Sancto Petro in Secenia omnia quidquid ibidem est escepto
10 quod ad Sancto Uincentio dedimus in Bargandale id est casa
et horreum et illa binia nobella de Faffilane; et ad Camarbenia
ad Sancto Petro et ad Fonticellas ad Sancto Romano illa conficta de illa parte ubi domnus Itila abitabit... Terras uero,
iumenta, bobes, baccas, sibe et peccora dum bixerimus abeamus
15 ex inde tolleracionem, post obitum uero nostrum sit concessum
eglesie sancte sibe de bestito quam et de omnibus; de homines
uero nostra sibe quod liberabimus sibe etiam quodquod in

---

¹ L. SÁNCHEZ BELDA, *El cartulario de Santo Toribio de Liébana* (Madrid, 1948), pág. 11. Copia de principios del siglo xiv.

seruicio abemus sint liberi post nostrum obitum adque ingenui
adque adderentes patrocinium solum in festiuitate Sancti Tome
et Sancti Frutuosi... 20

4

Año 844

FREDULFO DONA SUS BIENES A LA IGLESIA
DE VALPUESTA
(Provincia de Burgos) [1]

In Dei Nomine... Ego Fredulfus episcopus sic conmendo 1
meo kapo ad atrium Sancte Marie uel ad Domno meo Ioannes
Episcopus cum tota mea portione... et omnia mea rem in loco
que uocitant Elzeto cum fueros de totas nostras absque aliquis
uis causa, id est, de illa costegera de Ualle Conposita usque 5
ad illa uinea de Ual Sorazanes, et deinde ad illo plano de Elzeto
et ad Sancta Maria de Uallelio usque ad illa senra de Pobalias,
absque mea portione, ubi potuerimus inuenire, et de illas custodias, de illas uineas de alios omnes que sunt de alios locos, et
omnes que sunt nominatos de Elzeto, senices et iubines, uiriis 10
atque feminis, posuimus inter nos fuero que nos fratres poniamus custodiero de Sancta Maria de Ualle Conpossita...

5

Año 940

DIEGO, OBISPO, DONA TODOS SUS BIENES A LA
IGLESIA DE VALPUESTA
(Provincia de Burgos) [2]

In Dei nomine. Ego Didacus episcopus hedificaui kasas in 1
Uilla Merosa, in solares de meo tio Fradulfo episcopo, et cooperui eclesias et plantaui uineas et confirmaui agros et ortales...

---

[1] L. BARRAU-DIHIGO, 'Chartes de l'église de Valpuesta', Revue Hispanique, VII (1900), págs. 294. Copia de la segunda mitad del siglo xi.
[2] L. BARRAU-DIHIGO, 'Chartes de l'église de Valpuesta', Revue Hispanique, VII (1900), pág. 321. Copia de la primera mitad del siglo xi.

et construi omnia usuale in regula Sancti Petri et Sancti Romani,
5 Sancti Ihoannis, et tradidi caput meum in Sancte Marię in
Balle Posita, et ipsas kasas que laborabi in Uilla Merosa cum
regulantes de Sancte Marie, et cum pane et uino et carne de
regula Sanctę Marie, et leuabimus matera de IIIIᵒʳ casas et
I orreo et tectus de III ecclesias de Ualle Posita, et composui-
10 mus de ipsa matera casas et eclesias in Uilla Merosa, et restaurabimus eas, et posuimus ibi de ganato de Ualle Posita kaballum
et IIII bobes et asino; et dedimus pro una serna de Ualle
Sorrozana equa cum suo potro et boue ad Didaco Fredenandoz,
et pro ipso ganato qui fuit de regula Sancte Marię.
15 Ego Didacus episcopus feci cum meos germanos Fredenando Blascoz, Didaco Fredenandoz, uel omnes uicinos de Uilla
Merosa, fecimus alia et concedimus ad regula Sancte Marie...
serna de Ualle Sorrozana et illas de Paubalias, una subtus
karrera qui pergit ad Elzeto et alia serna de super karrera...
20 Obieco testis... Beila testis... Obieco presbiter. Era
DCCCCLXXVIIIª, regnante Domino Ranimiro in Obieto et
comite Fredenando Gondesalbiz in Castella.

6
Año 1044

FUERO DE LAS DEHESAS DE MADRIZ Y DERECHOS QUE EN ELLAS TIENEN LOS PUEBLOS VECINOS
(Provincia de Logroño) [1]

1 Fuero de defesas de Matrice. In Auantinos habent .II.ᵃˢ
defesas: vna delos labradios usque ad semdero qui exit per
serum & uadit ad ualleziello. Altera defesa delo labratio usque
ad semdero qui exit sub serna de fonte Baiuue. Et si fillaren
5 aliquem de Uilla Gundissaluo facientem ligna, por asino .II.ᵒˢ
arienzos donet, & por homine .I.º arienzo. Et si in uia fillarent
eos, debent uenire ad uillam & accipere fidiatorem, & si nega-

---

1 R. MENÉNDEZ PIDAL, Documentos lingüísticos de España, I: Reino
de Castilla (Madrid, 1919), pág. 115. Copia de comienzos del siglo XIII.
Colocamos este texto de la Rioja Alta aquí (y no en otra sección) por
ser a nuestro parecer de más interés para el estudio del desarrollo del
castellano medieval.

rent & dixerint quod non inciderunt ligna, cum quale se custiero
acceperit amano pro iurare, debent referire illi de Uilla Gundissaluo cum altero simile; et illi de Uilla Gundissaluo istas 10
defesas non habuerunt deuetatas de pascere, solumodo de
matera & ligna cedere; et cuesta braço de ambas partes defesa
de Matrize, et de alteris uillis non debent ibi pascere. Et Uilla
Gonzaluo & Cordoujn & Terrero indie pasceran usque potuerint,
& pernoctem ad suas casas, si non los boues domitos; et por 15
fuero exient ad capannas nueuas et ficaran cabannas, et deinde
a iuso & ad sursum por opotieren pasceran; & de cabannas
nueuas ajuso pasceran tota die, & in nocte aretro... Et in dias
de rege Garsia, Sancho Lopez fuit custiero, & inserna de rege
matod .I. puerco de Uilla Gunzaluo, & rex Garsia mandauit 20
peggare, & serna apreciare et peggare. E indias de rege Garsia
enna uilla ubi .I.° germano aut tres ouiesset, uno alzariet mano
por facendera facere, & alteros ibant se ubi uolebant; et si non
abiet qui alzasset manum, dimittebat totam suam hereditatem &
ibat se... 25

7

Año 1074

FUERO DE PALENZUELA
(Provincia de Palencia) [1]

   Hec est scriptura firmitatis quam fecit Aldefonsus rex baro- 1
nibus de Palenciola Comitis, tam presentibus quam futuris, de
bonos furos ut habeant quos habuerunt in diebus comitis Sancii
tam illi qui hibi sunt morantes quam illi qui advenientes fuerint
pro hic morari, ut dent in unoquoque anno quatuor sernas et 5
in istas sernas quicumque eos levaverit duobus diebus det eis
panem et vinum... Et si hoc non dederint, non vadant illud.

   Istas quatuor sernas faciant a barbeiar et a sembrar et a
segar et a trillar. Similiter omnes ministrales qui non habuerint
boves, dent quatuor denarios in marcio et plus nichil... 10

---

   [1] P. Luciano Serrano, 'Colección diplomática de San Salvador de El
Moral', Fuentes para la historia de Castilla, t. I (Madrid, 1906), pág. 17.
Copia de 1299.

Homo de Palençiola qui omiziero fuerit, non sit sagudado ab ullo homine de Sancto Christoforo en acca... ni de Pedrafita en acca...: Homo de Palenciola in primo anno quo duxerit uxorem, non faciat sernam neque facenderam aliquam. Mulier
15 que embiddare non faciat sernam fasta cabo de anno, neque pauset pausadero en sua casa...

Homo de Palenciola qui fecerit omicidium sua manu in villa aut extra villam, non pectet ad palacium nisi tantum medietatem illius mobilis quod fuerit intra suam casam; aut si abuerit
20 fructum de pane aut vino por cogere, non det ad palacium nada nisi del ganado...

Quemcumque latronem ceperint homines de Palentiola cum [f]urto, saquent li los occulos sine ulla calumpnia qualiscumque fuerit latro.
25 Nullus homo de Palenciola sit celariero neque aerero neque portero neque merino si ipse noluerit et non det anumpda nec fonsadera nec royso nec maneria nec nubzo ad nullum dominum quem habeant nec clericus nec laycus...

Unusquísque vestrum sive infançon sive villano qui voltam
30 habuerit, intus villam habeant unum forum; extra villam habeant sua onrra. Hominis de Palenciola non habent forum de lidiar cum scuto aut cum baston nec cum ferro nec cum calida. Et si homo de Palenciola voltam fecerit in mercado, non sit captus ni despeiado...

8

Año 1100

PLEITO SOBRE PASTOS ENTRE LAS ALDEAS DE FRANDOVÍNEZ Y BUNIEL
(*Provincia de Burgos*) [1]

1   ...Secu*n*do idus may, festa *sancti* Isidori epi*scopi*, leuaro*n*se homines de Bonille cu*m* suo ganato & trociero*n* Aslanzo*n*, & pasceba*n*t erbas de terminos que no*n* debeba*n*t pascere de Uilla

---

¹   R. MENÉNDEZ PIDAL, *Documentos lingüísticos de España* (Madrid, 1919), pág. 195. Original.

Uela Ferrando Uillez; dicouos quomo uiderunt homines de
Uilla Uela quod pascebant in suos terminos, &irati sunt, &- 5
acceperunt unam baccam & adduxeronla ad Uilla Uela; et
uenerunt homines de Bonil & dederunt fidiator por la baca por
tal qual mandasen iudices de Castella. Et miso Dominico Quin-
llaz fidiator ad FortunQuisandez, por tal cke si exissent los de
Bonil con eltermino, quesoluessent elfidiator por quallemiseran, 10
et si exissen los deBilla Uela & los Uilla Ferrando Uilliz cum
suo termino adsi quomo erat directo, que pectasen los de Bonil
la uaca alos de Uilla Uela &alos de Uilla Ferrando Uillez, et
si non tornassen la uaca quomo lasacaron, che pectasen .XVI.
solidos de denarijs quomo fuit labaca apreciada. Et super istum 15
factum leuaronse homines de Uilla Uela & de Uilla Ferrando
Ujllez, &dixerunt ad mieuida DidacAlbarez: "Sennor, sea tumercede & defende nuestros terminos & nuestros exidos ad si
quomo fecit semper tua generatjo". Et leuos miuida DiacAlbarez & fuit ad Bonil, &dixit ad totum concilium: "Barones de 20
Bonil, date mihi hominem cum quo accipiam iudicium". Et
dieron aFferrant Monnuz por manu, que quale iudicio presiese
Ferrant Monuz conDiac Abbarez che aesso extidiesent los de
Boniel; et presieron iudicio de GonzaluoNunez de Cascagare,
et iudicauit que portal cosa de erbatico che diesen dos pedones 25
equales, et placuit aDiac Albarez &ad Ferrant Monuz, &
robraron el plazo inmanu de Gonzaluo Nunez. Et equarunt los
peones, & lidjo por los deUilla Uela &de Uilla Ferrando Uillez
Oueco Albarez, & por los de Bonil Saluador Garciez, & foron
equados in kalendas junias, .VI.ª feria; et altero die sabato 30
fecerunt la lide et lidiaron inmanu de Ferrant Monuz & de Uela
Annaiaz, et fecit Deus omnipotens suam uirtutem et iudicauit
per diretum & superauit elpeon de DiacAlbarez al peon de
Errant Monnuz. Et posuerunt terminum & moione fito usque
inAslanzon. Et si trociese ganado de Boniel aAslanzon, si tro- 35
ciere bez de bacas, che coman la uaca, et de grege de ouegas,
che comant carneros, et de uez de puercos, co[mant] porcos.
Et istud fuit adfirmatum ualde...

9

Mediados del Siglo XII

FAZAÑAS O DECISIONES JUDICIALES
DE PALENZUELA
(Provincia de Palencia) [1]

1   Prima facania que fuit facta in Palençia pro el Rey Don
Alonso en Viminbre de Extremadura. [Tomó a?] Tres latrones
et embiod los a conçejo de Palencia que los ajustitiasen et
justiciaro[n] los al foro que los dierat el Rey D.Alfons. Et
5 saquoron los los ojos por nombre Monio Cidez et Dominus Fa
Lainez et Blaso Teilez et Mandiso Conceio et nihil pectauerit
et hec est.

...De alia facaña. Ibat Christobal Macarifo cum vino a Vurgos et exiod el Portero ad el et pidiodle del vino et dabal del
10 so binal et non quisso si non del costal et sobre esto matodlo
et el portero era de la efant de Bimbre e demando el merino
de la Infanta homecillo e mandod por suo foro pectar el medio
moble.

...De alia facañia de los ciel[er]os que moraban en palaçio
15 et segabansè las mieses et levantodse con ello e foron epos ellos
e çedaron los por medio el palacio e dando en ellos a piedras
et a barallod esta voz de la derotella del Palacio Mio Cidez
D.Gutier delzina et foron al Rey. Vino a Castro et non pagtaron
nada.

20   De alia facaña. En cassa Micael Saluadorez seia vna olla
cum calida ad igneum et trastornod la olla sobre la moça et
muriod et pectaren la olla a Palaçio.

De facania. Matod Micael Galego et suo hermano vno escudero de Petro Ruiz de Torquemada et demandabit ista voçe
25 Petro Ruiz de Torquemada et juzgo suo foro que pectaron el
medio de suo peguiar...

―――――――
    [1] A. GARCÍA GALLO, 'Una colección de fazañas castellanas del siglo XII',
Anuario de Historia del Derecho Español, XI (1934), págs. 530-1. Se encuen-
tra recogida como apéndice al Fuero de Palenzuela en una copia moderna
del siglo XVI, encuadernada con copias de otros textos en la *Colección de
Fueros*, vol. V, fols. 279r-279v., Biblioteca del Palacio Nacional de Madrid,
MS. 697. La hoja perteneció antes a otro códice, en el que formó el fol. 41.
El texto ha sido revisado por el propio copista. Cf. el núm. 7.

10

Año 1188

LA ABADESA DE LAS HUELGAS DA UNA TIERRA A MEDIAS A DON FÉLIX Y A LOBO

(*Provincia de Burgos*) [1]

...Ego donna Sol, abbadessa de Sancta Maria la Real de Bur- 1
gos, do una terra que es en Duraton, a medias, a poner maiolo,
a don Feles et a Lobo & con toda sua frontada del rio; & que
fagan en el rio de duos molinos fata tres, otro si a medias, &
los molinos que sean fectos fata Sant Michael, & que los faga 5
don Feles & don Lobo, asi quomo molinos deuen seder con
todo suo apareiamento. Et de pues que los molinos fueren
fectos, si agua abinere que crebante en la pesquera alguna cosa,
que lo fagan a medias; & si portello en los molinos alguno
crebantaret, otrosi a medias; & si la pesquera o los molinos 10
leuare el agua ques assolen, que los faga don Feles et don
Lobo. Et esta terra que sea la media oganno posta & que lo
labren lo doganno si maes non puderen duas uices, et lo al
que remanecere que sea posto logo otro anno, & desend arriba
que lo labren cadanno tres uices. *Et* quando el maiolo leuare 15
& los molinos fueren fectos & moleren, quando el abadessa
quisere, que partan. *Et* desta terra son aladannos: Iohan Martinez, filio de Martin Anaiaz; & de alia parte Martin Martinez,
filio de Martin Domingez; & de alia parte Gonsaluo Martinez & Domingo Petrez, filio de Petro Sordo, & una terra de 20
Sancto Domingo que tene en fronte. *Et* dio por mano el abadessa a frair Iohan que fue de Mazola, que los metesse en la
terra & en el rio a medias, a fondos terra; & el metiolos en ello,
otro si quomo el abbadessa mando...

---

[1] R. MENÉNDEZ PIDAL, *Documentos lingüísticos de España* (Madrid, 1919), pág. 201. Original.

11

Año 1191

DON PEDRO ALPOLLECHEN DA A POBLAR LA ALDEA VILLA ALGARIVA A JUAN DOMÍNGUEZ

(Entre Arcicollar y Toledo) [1]

1   In nomine domini. Ego don Pedro Alpollechen do a poblar
a Joan Domingez, fillo de don Oria et alos ke uinieren conel,
akella mia aldea ke dizen Uilla Algariua; & dola ad atal foro
a poblar, kem den .VI. fanegas de trigo & otras .VI. *fanega*s
5 de ordeo cadanno iugo, et a la sementera una obra, & otra al
baruecho, & otra al segar; et doles solar en ke fagan casas & en
ke moren, & ke moren hi con suas mulleres & con sos fillos,
& non cambien la morancia en otro lugar, foras end en Toledo
dentro. E assi cumo ua la carrera de Toledo ad Arcicolla, de
10 diestro, quanto hi plantaren de uinna, aian ellos la medietad
et den a mi la otra medietad; & quando a mi ploguiere de
partir, ke partamos, & si non, kem den el sesmo de las uuas
& kelo lieuen al lagar a Uilla Algariua; et de quanto lauraren
en el reganno, kem den el quarto. Et si cambiaren la morancia
15 de Uilla Algariua foras de Toledo, ke perdan quanto hi lauraren en Uilla Algariua. E ego don Pedro Alpollechen otorgo
esta heredad a estos pobladores & a sos fillos & a sos nietos
& aest foro, & ke uendan & empennen, et kem den mias calon-
nas, a foro de Toledo.

    [1] R. MENÉNDEZ PIDAL, *Documentos lingüísticos de España* (Madrid, 1919),
pág. 352. Original.

12

Año 1199

RESOLUCIÓN DE UN PLEITO SOBRE EL MOLINO DE
AJUVARTE, CERCA DE SANTO DOMINGO
DE LA CALZADA
(Provincia de Logroño) [1]

Sabida cosa es q*ue* Iague de Sarrato*n* gano el moleo d*e* 1
Oiouarth del molino de suso del abat don P., qual hora che
fuesse ala que moliesse, dando sue machila; e molio eli esos
filios. E sobre esti moleo batieron un o*mne* de S*ancto* Domi*n*go.
Peso al arcidiagno ealos gano*n*ges, e uedaron lis el moleo. Sobre 5
esto pe*n*draron e moujeron pleito, e fueron ante don Diago;
& iugo don Diago que eitassen sortes los canonges, e a e*qui*
cadisse la suert, che iurasse sobre la quatuor eua*n*gelia que
no*n* aujen derectura sobre a chel molino de moleo auer ni*n*-
guno; e cadio la suert de la jura a don Adam el calonge; e 10
fue la jura soltada de los filios de Iague de Cerraton por .XII.
m*orabedis* que lis diero*n* los calonges de S*ancto* Domi*n*igo, e
partieron se pagados e soltaron la jura e el moleo atoda la
derectura q*u*e auien ad auer en aquel molino...

13

Hacia el año 1206

AVENENCIA ENTRE LOS HERMANOS Y LA MUJER
DE DON GARCÍA
(Uclés, provincia de Cuenca) [2]

Sabida cosa fue, q*ue* don G*arci*a Ezquerra destino toda su*a* 1
fazienda en mano de don M*a*rtin de Leforin & d*e* su sobrina
dona Toda; et dixer*on* don M*a*rtin & dona Toda est destina-

---

[1] R. Menéndez Pidal, *Documentos lingüísticos de España* (Madrid, 1919),
pág. 121. Copia coetánea del original.
[2] R. Menéndez Pidae, *Documentos lingüísticos de España* (Madrid, 1919),
pág. 418. Original.

miento a su mulier ante los freires de Ucles & credidit eos de
5 quanto dixieron. Et sobre esto auinos la mulier de don Garcia
con los ermanos de don Garcia & con don Lop de Uarea, que
ouiesse so filio la heredat de Uilar de Canas con todos sos
terminos, assi quemo el rei la dio a don Garcia, & todas las
armas de fierro & de fust, et dona Sancha ouiesse toda la ropa
10 & los basos de plata & las azemilas & la heredat de Tegeros
por arras con todo so termino, assi quemo el rei la dio a don
Garcia ; et mientre dona Sancha fuere bibda non aia poder
so filio, ni otro ninguno en uoz del, del fazer ninguna contraria en aquela heredat. Et si por auentura dona Sancha mu-
15 riere o casare, esta heredat remanezca al filio de don Garcia ;
et si el filio de don Garcia muriere que non aia filios, toda la
auandicta heredat assi quemo la deuie auer el filio, con quanto
que ouiere, remanezca a la orden de sancto Iacobo por sua
alma & de sos parientes. Fueras aquesto, todo lo que deuien a
20 don Garcia coianlo de souno & pagen todas las debdas de souno,
et que partan todos los ganados dona Sancha & so filio por
medio. Et mager quiera ningun de elos, non aia poder des repentir de aqueste pleito. E ista conueniencia & particion fue
fecha ante el comendador don Pero Martinez & ante el prior
25 don Ferrando Perez de Ucles, & don Lop de Uarea & don
Garcia dOriz, & todo el conuento de Ucles.

14
¿Segunda mitad del Siglo XII?

POEMA DE MIO CID [1]

El Cid desterrado

1 Delos sos oios tan fuerte mientre lorando,
Tornaua la cabeça & estaua los catando.
Vio puertas abiertas & vços sin cañados,
Alcandaras uazias sin pielles & sin mantos

1 R. MENÉNDEZ PIDAL, 'Cantar de Mio Cid': texto, gramática y vocabulario, t. III (Madrid, 1956), págs. 909, 959, 976, 1003. Los fragmentos re-
producidos corresponden respectivamente a los versos 1-30, 1699-1735,
2278-2310 y 3258-3290 de la edición paleográfica. Copia del año 1307.

E sin falcones & sin adtores mudados. 5
Sospiro myo Çid, ca mucho auie grandes cuydados.
Ffablo myo Çid bien & tan mesurado:
"Grado ati, señor padre, que estas en alto!
Esto me an buelto myos enemigos malos."
Alli pienssan de aguiiar, alli sueltan las ʀiendas. 10
Ala ᴇxida de Biuar ouieron la corneia diestra,
E entrando a Burgos ouieron la siniestra.
Meçio myo Çid los ombros & en grameo la tiesta:
"Albricia, Albarffanez, ca echados somos de tierra!"
Myo Çid Ruy Diaz por Burgos en traua, 15
En su conpaña .Lx. pendones; exien lo uer mugieres & uarones,
Burgeses & burgesas por las finiestras son,
Plorando delos oios, tanto auyen el dolor.
Delas sus bocas todos dizian una ʀazon:
"Dios, que buen vassalo, si ouiesse buen Señor!" 20
Conbidar le yen de grado, mas ninguno non osaua:
El ʀey don Alfonsso tanto auie la grand saña,
Antes dela noche en Burgos del entro su carta,
Con grand ʀecabdo & fuerte mientre sellada:
Que a myo Çid Ruy Diaz, que nadi nol diessen posada, 25
E a quel que gela diesse sopiesse uera palabra,
Que perderie los aueres & mas los oios dela cara,
E aun demas los cuerpos & las almas.
Grande duelo auien las yentes christianas;
Asconden se de myo Çid, ca nol osan dezir nada. 30

(ll. 1-30)

La batalla con Yúcef

Es dia es salido & la noch entrada es,
Nos detardan de adobasse essas yentes christianas.
Alos mediados gallos, antes de la mañana,
El obispo don Iheronimo la missa les cantaua;
La missa dicha, grant sultura les daua: 35
"El que a qui muriere lidiando de cara,
Prendol yo los pecados, & Dios le abra el alma.
Auos, Çid don Rodrigo, en buen ora çinxiestes espada,
Hyo uos cante la missa por aquesta mañana;

40 Pido uos vn don & seam presentado:
   Las feridas primeras que las aya yo otorgadas."
   Dixo el Campeador: "desa qui uos sean mandadas."
   Salidos son todos armados por las torres de Vançia, [1]
   Mio Çid alos sos vassalos tan bien los acordando.
45 Dexan alas puertas omnes de grant Recabdo.
   Dio salto myo Çid en Bauieca el so cauallo;
   De todas guarnizones muy bien es adobado.
   La seña sacan fuera, de Valençia dieron salto,
   Quatro mill menos xxx con myo Çid van a cabo,
50 Alos çinquaenta mill van los ferir de grado;
   Aluar Aluarez & Aluar Saluadorez & Minaya Albarfanez
   Entraron les del otro cabo.
   Plogo al Criador & ouieron los de arrancar.
   Myo Çid en pleo la lança, al espada metio mano,
55 Atantos mata de moros que non fueron contados;
   Por el cobdo a yuso la sangre destellando;
   Al Rey Yuçef tres colpes le ouo dados,
   Salios le de sol espada, ca muchol andido el cauallo,
   Metios le en Guiera, vn castiello palaçiano;
60 Myo Çid el de Biuar fasta alli lego en alcaz,
   Con otros quel con sigen de sus buenos vassallos.
   Desdalli se torno el que en buen ora nasco,
   Mucho era alegre delo que an caçado.
   Ali preçio aBauieca dela cabeça fasta acabo.
65 Toda esta ganançia en su mano a rastado.
   Los .L. mill por cuenta fuero notados:
   Non escaparon mas de çiento & quatro.

                                                    (ll. 1699-1735)

                        Los infantes y el león

   En Valençia sey myo Çid con todos sus vassallos,
   Con el amos sus yernos los yfantes de Carrion.
70 Yazies en vn escaño, durmie el Campeador,
   Mala sobreuienta, sabed, que les cuntio:
   Salios de la Red & desatos el Leon.

---

[1] Valencia. Pidal sustituye *Quarto* (*Cantar de Mio Cid*, pág. 879).

En grant miedo se vieron por medio dela cort;
En braçan los mantos los del Campeador,
E çercan el escaño & fincan sobre so señor.   75
Ferran Gonçalez non vio alli dos alçasse, nin camara abierta
Metios sol escaño, tanto ouo el pauor.   [nin torre;
Diego Gonçalez por la puerta salio,
Diziendo dela boca: "non vere Carrion!"
Tras vna viga lagar metios con grant pauor;   80
El manto & el brial todo suzio lo saco.
En esto desperto el que en buen ora naçio;
Vio çercado el escaño de sus buenos varones:
"Ques esto, mesnadas, o que queredes uos?"
"Hya señor ondrado, Rebata nos dio el Leon."   85
Myo Çid finco el cobdo, en pie se leuanto,
El manto trae alcuello, & adelino pora Leon;
El Leon quando lo vio, assi en vergonço,
Ante myo Çid la cabeça premio & el Rostro finco;
Myo Çid don Rodrigo alcuello lo tomo,   90
E lieua lo adestrando, enla Red le metio.
Amarauilla lo han quantos que yson,
Etornaron seal apalaçio pora la cort.
Myo Çid por sos yernos demando & nolos fallo;
Mager los estan lamando, ninguno non Responde.   95
Quando los fallaron & ellos vinieron, assi vinieron sin color;
Non viestes tal guego commo yua por la cort;
Mandolo vedar myo Çid el Campeador.
Muchos touieron por enbaydos los yfantes de Carrion,
Fiera cosa les pesa desto que les cuntio.   100

                                    (ll. 2278-2310)

El reto del Cid a los infantes y la respuesta de
García Ordóñez

"Dezid ¿que uos mereçi, yfantes, en juego o en vero
O en alguna Razon? aqui lo meiorare a juuizyo dela cort.
¿A quem descubriestes las telas del coraçon?
Ala salida de Valençia mis fijas vos di yo,
Con muy grand ondra & averes a nombre;   105
Quando las non queriedes, ya canes traydores,

¿Por que las saçauades de Valençia sus honores?
¿A que las firiestes a çinchas & a espolones?
Solas las dexastes enel ʀobredo de Corpes,
110 Alas bestias fieras & alas aues del mont;
Por quanto les fiziestes menos valedes vos.
Si non ʀecudedes, vea lo esta cort."
El conde don Garçia en pie se leuantaua;
"Merçed, ya ʀey, el meior de toda España!
115 Vezos myo Çid allas cortes pregonadas;
Dexola creçer & luenga trae la barba;
Los vnos le han miedo & los otros espanta.
Los de Carrion son de natura tal,
Non gelas deuien querer sus fijas por varraganas,
120 O quien gelas diera por pareias opor veladas?
Derecho fizieron por que las han dexadas.
Quanto el dize non gelo preçiamos nada."
Essora el Campeador prisos ala barba;
"Grado aDios que çielo & tierra manda!
125 Por esso es luega queadeliçio fue criada,
Que avedes uos, conde, por ʀetraer la mi barba?
Ca de quando nasco adeliçio fue criada,
Ca non me priso aella fijo de mugier nada,
Nimbla messo fijo de moro nin de christiana,
130 Commo yo auos, conde, enel castiello de Cabra;
Quando pris a Cabra, & auos por la barba,
Non youo ʀapaz que non messo su pulgada;
La que yo messe avn non es eguada."

(ll. 3258-3290)

15

Siglo XII

AUTO DE LOS REYES MAGOS [1]

Escena I: *Caspar, solo*:

Dios criador, qual marauila   1
no se qual es achesta strela!
Agora primas la e ueida,
poco timpo a que es nacida.
Nacido es el Criador   5
que es de la gentes senior?
Non es uerdad non se que digo,
todo esto non uale uno figo;
otra nocte me lo catare,
si es uertad, bine lo sabre.   10
(*pausa*)
Bine es uertad lo que io digo?
en todo, en todo lo prohio.
Non pudet seer otra sennal?
Achesto es i non es al;
nacido es Dios, por uer, de fembra   15
in achest mes de december.
Ala ire o que fure, aoralo e,
por Dios de todos lo terne.

Baltasar, solo

Esta strela non se dond uinet,
quin la trae o quin la tine.   20
Porque es achesta sennal?
en mos dias on ui atal.
Certas nacido es en tirra
aquel qui en pace i en guera
senior a a seer da oriente   25
de todos hata in occidente.

¹ Edición de R. Menéndez Pidal en *Revista de Archivos, Bibliotecas y Museos*, IV (1900), pág. 453. ¿MS. del siglo XII?

Por tres noches me lo uere
i mas de uero lo sabre.
(*pausa*)
En todo, en todo es nacido?
30   n*on* se si algo e ueido.
ire, lo aorare,
i pregare i rogare.

Melchior, solo

Ual, Criador, atal faci*n*da
fu nu*n*quas algua*n*dre falada
35   o en escriptura trubada?
Tal estrela n*on* es in celo,
desto so io bono strelero;
bine lo ueo sines escarno
que uno om*n*e es nacido de carne,
40   que es senior de todo el mu*n*do,
asi cumo el cilo es redo*n*do;
de todas gentes senior sera
i todo seglo iugura
Es? n*on* es?
45   cudo que uerdad es.
Ueer lo e otra uegada,
si es uertad o si es nada.
(*pausa*)
Nacido es el Criador
de todas las gentes maior;
50   bine lo [u]eo que es uerdad,
ire ala, par caridad.

ESCENA II: *Caspar a Baltasar*

D*ios* uos salue, senior; sodes uos strelero?
dezidme la uertad, de uos sabelo quiro
[Vedes tal marauila?
55   nacida] es una strela.

Baltasar

Nacido es el Criador,
que de las gentes es senior.
Ire, lo aorare.

Caspar

Io otrosi rogar lo e.

Melchior a los otros dos:

Seniores, a qual tirra, o que[redes] andar?   60
queredes ir conmigo al Criador rogar?
Auedes lo ueido? io lo uo [aor]ar.

Caspar

Nos imos otrosi, sil podremos falar.
Andemos tras el strela, ueremos el logar.

Melchior

Cumo podremos prouar si es homne mortal   65
o si es reì de terra o si celestrial?

Baltasar

Queredes bine saber cumo lo sabremos?
oro, mira i acenso a el ofrecremos:
si fure rei de terra, el oro quera;
si fure omne mortal, la mira tomara;   70
si rei celestrial, estos dos dexara,
tomara el encenso quel pertenecera.

Caspar y Melchior

Andemos i asi lo fagamos.

Escena III: *Caspar y los otros dos
reyes, a Herodes*

Salue te el Criador, Dios te curie de mal
un poco te dizeremos, non te queremos al,   75
Dios te de longa uita i te curie de mal;
imos in romeria aquel rei adorar
que es nacido in tirra, nol podemos fallar.

Herodes

Que decides, o ides? a quin ides buscar?
80   de qual te*rr*a uenides, o queredes andar?
Decid me uostros nombres, no m' los querades celar.

Caspar

A mi dizen Caspar,
est otro Melchior, ad achest Baltasar.
Rei, un rei es nacido que es senior de ti*rr*a,
85   que mandara el *s*eclo en grant pace sines gera.

Herodes

Es asi por uertad?

Caspar

Si, rei, por caridad.

Herodes

I cumo lo sabedes?
ia prouado lo auedes?

Caspar

90   Rei, uertad te dizremos,
que *pr*ouado lo auemos.

Melchior

Esto es gra*n*d ma[*ra*]uila.
un strela es nacida.

Baltasar

Se*nn*al face que es nacido
95   i i*n* carne humana uenido.

Herodes

Qua*n*to i a que la uistes
i que la *p*ercibistis?

Caspar

Tredze dias a,
i mais n*on* auera,
que la auemos ueida   100
i bine percebida.

Herodes

Pus andad i buscad
i a el adorad
i por aqui tornad.
Io ala ire   105
i adoralo e.

Escena IV: *Herodes, solo*

¿Qui*n* uio numquas tal mal,
sobre rei otro tal!
Aun n*on* so io morto
ni so la te*r*ra pusto!   110
rei otro sobre mi?
nu*m*quas atal n*on* ui!
El seglo ua a caga,
ia n*on* se que me faga;
por uertad no lo creo   115
ata que io lo ueo.
Uenga mio maiordo[*ma*]
q*ui* mios aueres toma.
(*Sale el mayordomo*)
Idme por mios abades
i por mis podestades   120
i por mios scriuanos
i por meos gramatgos
i por mios streleros
i por mios retoricos;
dezir m'an la uertad, si iace i*n* escripto   125
o si lo saben elos o si lo a*n* sabido.

ESCENA V: *Salen los Sabios de la Corte*
Rei qque te plaze? he nos uenidos.

Herodes

I traedes uostros escriptos?

Los Sabios

Rei, si traemos,
130   los meiores que nos auemos.

Herodes

Pus catad,
dezid me la uertad,
si es aquel om*n*e nacido
que esto tres rees m'an dicho.
135   Di, rabi, la uertad, si tu lo as sabido.

El Rabí

Po[r] ueras uo lo digo
que no lo [*fallo*] escripto

Otro Rabí al Primero

Hamihala, cumo eres enartado!
por que eres rabi cla*m*ado?
140   Non ente*n*des las profecias,
las que nos dixo Ieremias.
Par mi lei, nos somos erados!
por que non somos acordados?
por que no*n* dezimos uertad?

Rabí Primero

145   Io no*n* la se, par caridad.

Rabí Segundo

Por que no la auemos usada
ni en nostras uocas es falada.

·16

Siglos XII - XIII

DISPUTA DEL ALMA Y EL CUERPO [1]

[S]i q*ue*reedes oir lo q*ue* uos quiero dezir,   1
dizre uos lo q*ue* ui, nol uos i quedo fallir.
Un sabad[o e]sient, dom[*i*]ngo amanezient,
ui una gra*n*t uision en mio leio dormient:
era*m'* asem[eian]t q*ue* so un lenzuelo nueuo   5
jazia un cuerpo de uemne muerto;
ell alma era fuera [e] fuert mientre q*ue* plera,
ell ama es ent esida, desnuda ca non uestida,
e guisa [d'u]n jfant fazie duelo tan gra*n*t.
Tan gra*n*t duelo fazie al cuerpo maldizie,   10
fazi [ta]n gra*n*t de duelo e maldizie al cuerpo;
al cuerpo dixo ell alma: "de ti lieuo ma[la] fama!
tot siemp*re* t'maldizre, ca por ti penare,
q*ue* nu*n*ca fecist cosa q*ue* semeias fer[mo]sa,
ni de nog ni de dia de lo q*ue* io q*ue*ria;   15
nu*n*ca fust a altar por j buena oferda dar
ni diez[mo] ni prim*i*cia ni buena penite*n*ci[a];
ni fecist oracion nu*n*ca de corazo[*n*],
cua[*n*]do iuas all el[gue]si[*a*] asentauaste a conseia,
i fazies tos conseios e todos tos(dos) treb[e]ios;   20
apostol ni martjr [nu*n*ca] quisist seruir,
iure par la tu tiesta q*ue* no curaries fiesta,
nu*n*ca de nigun santo no [cure]st so disa*n*to
mas not faran los santos aiuda mas q*ue* a una bestia muda;
mezquino, mal[fadado], ta' mal ora fuest nado!   25
q*ue* tu fu[*este*] tan rico, agora eres mesquinu!
di*m*, o so*n* tos d*i*neros que tu mi[sist e*n*] estero?
o los tos mo*rauedis* azaris et melequis
.q*ue* solies manear et a menudo contar?

[1] Edición de R. Menéndez Pidal en *Revista de Archivos, Bibliotecas y Museos,* IV (1900), pág. 450. Ms. de principios del siglo XIII.

30   o son los pala[fres] q*ue* los quendes ie los res
te solien dar por to loseniar?
los cauallos corientes, las espuelas [pu]nentes,
las mulas bien amblantes, asuueras traina*n*tes,
los frenos esorados, los [petr]ales dorados,
35   las copas d'oro fino con q*ue* beuies to uino?
do son tos bestime*n*tos? ¿o los [tos] guarnime*n*tos
que tu solies festir e tanbien te..."

(aquí termina el fragmento)

17

Año 1219

FUERO DE LAS QUINTANILLAS
(*Provincia de Burgos*)

1   Jn Dei nomine. Notum sit om*n*ib*us* hominib*us* tam p*re*sen-
tis q*ua*m futuris, que jo don R*odrigo* Rodriguez, en uno con
mja moier doina Agnes Peidrez e por salud de nostras almas,
damos e otorgamos estos foros al concejo de las Q*u*intanjelas:
5 Q*ue* ningun om*n*e q*ue* mojra so parede o agua, o q*ue*l mate
bestja ol queme fuego, o q*ue* sea ejchado en t*er*mino, o padre
o h*er*mano q*ue*l mate por ocazion, e dotras ocaziones q*ue* jazen
j mochas, q*ue* non sean pechados, j el uezino q*ui*l matar peche
.C. s*ueldo*s. E de todas las caloinas q*ue* fizieren, la meitat les
10 eicho en tierra. E maneria toda q*u*ita. E todas estas cosas q*u*i
aquj son dichas sin erra sean demandadas. Esto les do jo q*ue*
aian por fuero: el q*u*i oujer jogo de bojs de .j. mor*auedi*; el
q*u*i oujer un boi, de medio morauedj; e esto q*ue* lo den por
la sant Migael; e el q*u*i oujer jogo de bois, por la sa*n*t Martin
15 de .ij. s*ueldo*s en enfurcjon; j el q*u*i oujër un boj de .j. s*ueldo*.
E esto den por todos sos fueros...

---

¹ R. Menéndez Pidal, *Documentos lingüísticos de España* (Madrid, 1919), pág. 215. Original.

18
Primera mitad del siglo XIII

RAZÓN DE AMOR [1]

Qui triste tiene su coraçon   1
benga oyr esta razon.
Odra razon acabada,
feyta d'amor e bien rymada.
Vn-escolar la ʀimo   5
que sie[m]pre duenas amo;
mas sie[m]pre ouo cryança
en-Alemania y-en-Fra[n]çia,
moro mucho en-Lombardia
pora [a]prender cortesia.   10
En-el-mes d'abril, depues yantar,
estaua so un-oliuar.
Entre-çimas d'un mançanar
un-uaso de plata ui estar;
pleno era d'un claro uino   15
que era uermeio e fino;
cubierto era de-tal mesura
no-lo tocas la calentura.
Vna-duena lo-y-eua-puesto,
que era senora del uerto,   20
que quan su amigo uiniese,
d'a quel uino à beuer-le-disse.
Qui de tal uino ouiesse
en-la-mana quan comiesse:
e dello ouiesse cada-dia   25
nu[n]cas mas enfermarya.
Aʀiba del mançanar
otro uaso ui estar;

---

[1] R. Menéndez Pidal, 'Razón de amor con los denuestos del agua y el vino', *Revue Hispanique*, XIII (1905), pág. 602. El MS. es del siglo xv, aunque el original arranca del siglo xiii.
    Nótese la presencia de formas aragonesas, v. gr.: *cortesa*, *pleno*, etc.

pleno era d'un agua fryda

30 que en-el mançanar se-naçia.

Beuiera d'ela de grado,

mas oui-miedo que era encantado.

Sobre un-prado pusmi tiesta,

que nom fiziese mal la siesta ;

35 parti de mi-las uistiduras,

que nom fizies mal la calentura.

Plegem a-una fuente p(er)erenal,

nu[n]ca fue omne que uies-tall ;

tan grant uirtud en-si-auia,

40 que-de-la-frydor que-d'i-yxia,

cient pasadas adeʀedor

non sintryades la calor.

Todas yeruas que bien olien

la-fuent çerca-si las tenie :

45 y es la saluia, y-sson· as ʀosas,

y-el liryo e las uiolas ;

otras tantas yeruas y-auia

que sol-no[m]bra no-las sabria ;

mas ell-olor que d'i yxia

50 A-omne muerto ʀessuçitarya.

Prys del agua un-bocado

e-fuy todo esfryado.

En-mi mano prys una-flor,

sabet, non-toda la peyor ;

55 e quis cantar de fin amor.

Mas ui uenir una doncela,

pues naçi, non ui tan bella :

bla[n]ca era e beʀmeia,

cabelos cortos sobr'ell-oreia,

60 fruente bla[n]ca e loçana,

cara fresca como maçana ;

naryz egual e dreyta,

nunca uiestes tan-bien feyta ;

oios negros e ʀidientes,

65 boca a ʀazon e bla[n]cos dientes ;

labros uermeios, non muy d[e]lgados,
por uerdat bien mesurados;
por la çentura delgada,
bien esta[n]t e mesurada;
el-manto e su-brial   70
de xamet era, que non d'al;
vn-so[m]brero tien en-la tiesta,
que nom fiziese mal la-siesta;
vnas luuas tien-en la-mano,
sabet, non ie-las dio uilano.   75
D[e] las flores uiene tomando,
en-alta uoz d'amor cantando.
E deçia: "ay, meu amigo,
si-me uere yamas contigo!
Amet sempre, e amare   80
quanto que biua sere!
Por que eres escolar,
quis quiere te deuria mas amar.
Nunqua odi de homne deçir
que-tanta bona manera ouo en-si.   85
Mas amaria contigo estar
que-toda Espana mandar.
Mas d'una cosa so cuitada:
e miedo-de seder enganada;
que dizen que otra duena,   90
cortesa e bela e bona,
te quiere tan gran ben,
por-ti pie[r]de su sen;
e por eso e-pauor
que a-esa quieras meior.   95
Mas s'io-te uies una uegada,
a-plan me queryes por amada!"
Quant la-mia senor esto dizia,
sabet, a-mi non uidia;
pero se que no -me conoçia,   100
que de mi non foyrya.

Yo non fiz aqui como uilano,
leuem e pris la por la-mano;
junniemos amos en-par
105   e posamos so ell-oliuar.
Dix le-yo: "dezit, la-mia senor,
si ssupiestes nu[n]ca d'amor?"
Diz ella "a-plan, con grant amor ando,
mas non connozco mi amado;
110   pero dizem un-su mesaiero
que-es clerygo e non caualero,
sabe muio de trobar
de leyer e de cantar;
dizem que es de buenas yentes,
115   mencebo barua punnientes."
—"Por Dios, que-digades, la mia senor,
que donas tenedes por la su amo?"
—"Estas luuas y-es-capiello,
est'oral y-est'aniello
120   enbio a-mi es meu amigo,
que-por la-su amor trayo con migo."
Yo connoçi luego las alfayas,
que yo-ie-las auia enbiadas;
ela connoçio una-mi-ci[n]ta man a-mano,
125   qu'ela la-fiziera con-la-su mano.
Tolios el manto de los o[n]bros,
besome-la-boca e por los oios;
tan gran sabor de mi auia,
sol-fablar non me-podia.
130   "Dios senor, a ti-loa[do]
quant conozco meu amado!
agora e-tod bien [comigo]
quant conozco meo amigo!"
Vna grant pieça ali-estando,
135   de nuestro amor ementando,
elam dixo: "el-mio senor, oram serya d[e] tornar,
si a-uos non fuese en pesar."

Yol dix: "yt la-mia senor, pues que yr queredes,
mas de mi amor pensat, fe-que deuedes."
Elam dixo: "bien seguro seyt de-mi amor,   140
no-uos camiare por un enperador."......

19
Año 1240

DON GONZALO GUTIÉRREZ Y DOÑA OZENDA
VENDEN A LA ABADESA DE VALCÁRCEL SU
HEREDAD EN SAN PANTALEONES
(Provincia de Burgos) [1]

In Dei nomine et eius gratia. Notum sit omnibus hominibus 1
tam presentibus quam futuris quod ego Don Gonzalo Gutierrez,
filio de Don Gutier Diaz de Ormazuela, con mi mugier Doña
Ozenda, de bonos cueres é de bonas voluntades vendemos á
vos Doña Sancha Gutierrez abbadessa de Sancta Cruz de Var- 5
carzel, la nuestra heredad que avemos en Sant Pantaleones, que
es cerca de Brulles, quanto que hi avemos todo, en mont e en
fuent, con entradas e con exidas, e quantos prados avemos en
la presa que es cerca de Quintaniella, e el solar que es en la
villa de Quintaniella, todo per nombrado assi cum es dicho 10
vendemos é otorgamos por C. e XXX morabetis, e somos pagados de precio e de robra.

End es fiador de sanamiento de sanar, e de redrar de tod
omme qui deve heredar, Don Peydro Roiz Dolmos. Huius rey
testes: de filios-dalgo: Don Gutier Peydrez de Arniellas, Garci 15
Peydrez so hermano... Diago Roiz filio de Roy Maerich...

[1] P. LUCIANO SERRANO, 'Documentos del monasterio de Santa Cruz de Valcárcel', *Revista de Archivos, Bibliotecas y Museos*, XII (1905), pág. 240. Original.

20
Primera mitad del siglo XIII

LA VIRGEN MARÍA CUENTA EL PRENDIMIENTO DE CRISTO [1]

1   1. Tanto podio el monge la razon afincar
qe ovo alos cielos el clamor apurar;
disso Santa Maria —"Pensemos de tornar:
non quiere esti monge darnos ningun vagar."

5   2. Descendio la gloriosa, vino ala posada
do orava el monge la capiella colgada;
dissoli —"Dios te salve, la mi alma laçdrada,
por ati dar confuerto e fecha grant llamada."

3. —"Duenna" —disso el monge— "si tu eres Maria,
10   la qe de las tus tetas mamantest a Messia,
io a ti demandava, en esso contendia,
ca toda en ti iace la esperanza mia."

4. —"Fraire" —disso la Duenna— "non dubdes en la cosa,
io so donna Maria, de Iosep la esposa;
15   el tu ruego me trae apriessa e cueitossa,
quiero qe compongamos io e tu una prossa."

5. —"Sennora" —diz el monge— "io bien so savidor
qe toccar non te puede tristicia nin dolor,
ca eres en la gloria de Dios nuestro Sennor,
20   mas tu busca conseio, fesme esta amor:

6. Ruegote qe me digas luego delas primeras,
quando Christo fo presso, si tu con elli eras,
tu como los catavas o con quales oieras;
ruegote qe lo digas por algunas maneras."

---

[1] GONZALO DE BERCEO (fines del siglo XII - mediados del XIII), *Duelo de la Virgen*, según el MS. 93 de la Abadía de Santo Domingo de Silos, el cual, con ser del siglo XVIII, parece ser el más fidedigno de los manuscritos de las obras de Berceo. Debemos la reproducción de estas estrofas a la amabilidad del Sr. B. Dutton, de la Universidad de Londres, autor de una tesis titulada 'The language of Gonzalo de Berceo' (Londres, 1958, inédita). Nuestro trozo empieza en el fol. 66r. del MS. La puntuación es nuestra.

7. —"Fraire" —disso la Duenna— "es me cosa pessada   25
refrescar las mis penas, ca so glorificada,
pero la mi fetila nola he oblidada,
ca en el corazon la tengo bien fincada.

8. Nin vieio nin mancebo nin muger maridada
non sufrio tal lacerio nin murio tan lançdada,   30
ca io fui biscocha et fui bisassada ;
la pena de Maria nunque serie asmada.

9. El dia dela Cena quando fuemos cenados,
prissiemos Corpus Domini unos dulces bocados,
fizose un roido de peones armados,   35
entraron por la casa como endiablados.

10. El Pastor sovo firme, non desso la posada,
la grey delas oveias [1] fo todo derramada,
prisieron al Cordero essa falsa cruzada,
guiando los el lobo qe priso la soldada.   40

11. Con esta sobrevienta qe nos era venida
perdi toda la sangre, iogui amodorrida,
qerria seer muerta mas qe sofrir tal vida,
si muerta me oviessen ovieranme guarida.

12. Quando cobre el sesso, catem a derredor,   45
nin vidi los discipulos, nin vidi al Pastor,
lo de primas fue queta mas esta mui maior,
non havia conseio de haver nul sabor.

13. Fui en pos los lobos qe al Pastor levavan,
reptando los a firmes porqe ami desavan,   50
ellos por las mis voces tres agallas non davan,
ca por lo qe vinieran con recabdo tornavan.

14. Facien planto sobeio la[s] hermaniellas mias,
ambas batien sus pechos sobre las almesias,
andavan aiulando fueras por las erias :   55
del mi fiio dulcissimo ambas eran sus tias.

15. Maria la de Magdalo delli non se partie,
ca, fuera io, de todas ella maes lo qerie ;
facie amargo duelo, maior no lo podrie,
a todas qebrantava lo qe ella facie.   60

---

[1] El copista tachó *ovellas*, sustituyéndolo por *oveias*.

16. Quando todas las otras avien queta tan fiera,
¿qui asmarie la queta de la qe lo pariera?
Io sabia el pleito, qui fo o don vi(e?)niera,
ca de la leche misma mia lo apaciera.

65   17. Pararonlo en bragas, tollieronli la saia,
todos por una boca li dicien, 'baia, vaia,
qebrantava los sabados; qual merecio, tal haia:
sera enforcado hasta la siesta caya'."

21

Segunda mitad del siglo XIII

HÉRCULES DA A ESPAÑA EL NOMBRE [1]

1   Ya oyestes desuso cuemo Caco fue uençudo y Hercules
segudol fasta Moncayo o el solie morar, e andandol buscando
por aquella tierra, semeiol muy buena, e por end poblo una
cibdat, al pie de Moncayo, dunas yentes que uinieran con el
5 de Grecia: los unos eran duna tierra que dizien Tiro, los otros
dotra que dizien Ausona, e por esso pusso nombre a la uilla
Tirasona, e oy en dia le llaman Taraçona. E pues que esto ouo
fecho, començo dir conquiriendo tod aquella tierra, fasta que
llego a un logar quel semeio que deuie poblar, e fizo y una
10 fortaleza e pusol nombre Urgel, que quier dezir en latin tanto
cuemo apremiamiento, ca sin falla tod aquella tierra mas la
gano el por premia que por amor. E desque ouo esto fecho,
de las diez naues que el troxiera, dexara la una de comienço
en Caliz, e leuara las nueve consigo a Galizia; e desi mando
15 que fincassen las ocho alli e quel aduxiessen la nouena; e al
logar o ella arribo semeiol que auie y buen logar de poblar, e
mando fazer y una uilla, e pusol nombre Barca nona, que quier
dezir tanto cuemo la nouena barca; e agora llaman le Barcilona. Desque Hercules ouo conquista toda Esperia e tornada
20 en so sennorio, ouo sabor dir andar por el mundo por las

    [1] R. MENÉNDEZ PIDAL, *Primera crónica general de España...* (Ma-
drid, 1955), cap. 8, t. I, pág. 10.

otras tierras e prouar los grandes fechos que y fallasse; empero non quiso que fincasse la tierra sin omnes de so linage, en manera que por los que el y dexasse, fuesse sabudo que el la ganara; e por esso la poblo daquellas yentes que troxiera consigo que eran de Grecia, e puso en cada logar omnes de so linage. E sobre todos fizo sennor un so sobrino, que criara de pequenno, que auie nombre Espan; y esto fizo el por quel prouara por much esforçado e de buen seso; e por amor del camio el nombre a la tierra que ante dizien Esperia e pusol nombre Espanna.   30

INTRODUCCIÓN EN ESPAÑA DEL RITO FRANCÉS [1]

...Aun el fecho del trasmudamiento deste officio de la Santa Eglesia non quedo por aqui; et nasciendo grand contienda en la clerezia et en el pueblo que tenien en uno contral rey don Alffonso, al cabo fablando y muchos, et aduziendo unas razones et otras, por que eran ellos omnes buenos como obispos et arçobispos et el comun de la clerezia et omnes religiosos de orden, et el fecho era sobre santidad et seruicio de Dios, al cabo plogo al rey et a la otra parte esta abenencia que fue y ementada: que fuesse fecha una grand foguera de lenna en aquella plaça do los caualleros lidiaran, et que fuessen aduchos dos libros, buenos amos, de aquell officio, ell uno del toledano, ell otro del frances, et que fuessen puestos en medio de aquella foguera; et mandandolo el primas don Bernaldo, et otorgandolo todo el comun del pueblo que alli era ayuntado, que ayunassen todos aquel dia, et que el primas et el legado et la clerizia que estidiessen sobre ell ayuno en oracion. Et fue fecho assi. Et ellos faziendo esto, todos ayunando et aorando muy omildosamientre a Dios, aquellos dos libros fueron puestos en la foguera; et el libro dell officio frances quexauase con el fuego et queriesse apegar a el, et el libro estonces dio salto sobre todas las llamas, et saliosse de la foguera ueyendolo todos; et alabaron a Dios por aquel miraglo tan grand que alli dennara mostrar; et el libro dell officio de Toledo finco en la fo-

---

[1] Obra citada, cap. 872, t. II, pág. 543.

guera sin todo danno, de guisa que en ninguna cosa non le
55 contanxo el fuego nin le fizo mal ninguno. Mas el rey don Alffonso, como era de grand coraçon et porfioso et siguie lo que
començara et que su uoluntat era, que los omnes non le podien
desuiar ende, nin se espanto por aquel miraglo que alli contecie,
nin se mouio por ruego quel fiziessen, nin se quiso dexar de
60 lo que el querie; mas menazando de muerte a los que contrallassen, a los unos que los matarie, a los otros que los desfarie
de toda su tierra, mando tomar ell officio de Francia et que
usassen dell. Et tomaronle todos quando uieron que a fazer les
era por fuerça, et que tan afincadamientre era uoluntad del
65 rey; et fue leuado por toda Espanna et guardado por todos los
terminos de su regno. Et llorando todos et doliendosse por este
trasmudamiento dell officio de la eglesia, leuantosse estonces
alli este prouerbio que retraen aun oy las yentes et dize assi:
"o quieren reys, alla uan leys".—Et prouerbio quiere dezir tanto
70 como palabra de fazanna, et siempre quiere mostrar seso et
castigo et ensennamiento; et leuantaronle los uieios et las uieias;
et Salamon fizo dend un libro et es escripto en la Biblia con
los otros muchos libros de la Ley, et dizenle el "Libro de los
prouerbios de Salamon".—Et desde estonces ell officio galli-
75 cano, fascas ell officio frances, tanbien en el Salterio como en
las otras leendas fue alli recebido estonces en las Espannas et
guardado, lo que nunqua antes fuera. Et maguer que en algunos
monesterios guardaron yaquanto tiempo despues el de Espanna,
et el traslado del salterio aun oy se reza en algunas de las egle-
80 sias cathedrales et en los monesterios mayores: pero al comun,
el de Francia anda por toda la tierra, et aquel usan al comun
en la escriptura de las letras et en ell officio. Aun fecho fue
esto al alli en aquella corte por meior ordenança del seruicio
de Dios: que Ricardo, aquel legado que dixiemos de la corte
85 de Roma, que perdio alli el poder de su mandaderia, cal uedo
el primas don Bernaldo que non usasse del, ca lo non fazie
como deuie. Et començo esse primas don Bernaldo de estonces
a ordenar las eglesias en las Espannas; et assi lo deue oy esto
fazer por derecho ell arçobispo de Toledo, que es primas de las
90 Espannas.

22
Año 1311

LOS PROVISORES DEL OBISPADO DE CALAHORRA
RECONOCEN CIERTOS DERECHOS DEL CABILDO DE
ARMENTIA (*Vitoria*) [1]

Sepan quantos esta carta vieren, commo nos Joh*an* Rodri-   1
guez de Roias, arcidiagno de Calahorra, et Gonçal Y*uannez* de
Baztan, thesorero de Calahorra & de la Calçada, vicarios gene-
*ra*les & pr*o*uisores sede vaca*n*te en*e*l obi*s*pado, otorgamos &
conoscemos q*ue* en razon q*ue* nos demandauamos auos el ca-   5
billo de los canonigos de Sant Andres de Arme*n*tia el q*ua*rto
del vino de Triujn*n*u & de sus aldeas & del arcidianadgo de
Alaua, tan bien dela pomada commo del vino, & vna racio*n*
dela calongia con sus p*r*estamos q*ue* es annexa ala dicha obi*s*-
palia, fiziemos uos citar pora ante nos, & ...... por q*ue* fallamos 10
q*ue* sodes en possession pacifica de luengos tie*m*pos a aca,
delos q*ua*les hominu*m* memoria jn co*n*trariu*m* non existit, de
recibir & coger & tomar & auer el vino & el beurage de todós
los qu*a*rtos sobredich*o*s; et otrossi por q*ue* fallamos q*ue*la dicha
calongia & los p*r*estamos della ha el obi*s*po de Calahorra en 15
la dicha egle*s*ia de Arme*n*tia, assi com*m*o canonigo & non com-
*m*o prelado, & es contado en nume*r*o de los .XII. cano*n*igos
q*ue* y son; et non aujendo en*e*l dich*o* obi*s*pado obi*s*po, vaga la
dicha calongia con sus prestamos fasta q*ue* y sea confirmado &
consegrado, & los fructos & las rentas della son & deuen seer 20
del cabillo, segund q*ue* delas otras calongias vaca*n*tes dende;
por ende nos, aujdo n*uest*ro acuerdo com*m*o dich*o* es con om*n*es
letrados & sabidores de derech*o* entodas las razones sobredichas & en cada una dellas, damos uos por q*ui*tos & por libres &
por absueltos de todas las demandas q*ue* uos faziamos...   25

[1] R. MENÉNDEZ PIDAL, *Documentos lingüísticos de España* (Madrid, 1919),
I, pág. 189.

23
Años 1328-1329

HISTORIA DE UN ERMITAÑO Y EL REY RICARDO DE INGLATERRA [1]

1   Señor conde Lucanor, dixo Patronio: vn ermitaño era muy
santo & de buena vida; & fizole Dios tanta merçed quel prometio & le aseguro que avria la gloria de parayso, & el ermitaño agradesçio mucho esto aDios. Et seyendo desto seguro,
5 pidio a Dios por merçed quel mostrase, quien auie de ser su
conpañero en parayso. & como quier que Nuestro Señor le
enbiase dezir algunas vezes conel angel que non fazia bien en
demandar tal cosa; pero tanto se afinco ensu petiçion que touo
por bien Nuestro Señor del rresponder; et enbiol dezir quel
10 rrey Rricarte de Yngla terra & el serian conpañeros en parayso.
Et desta rrazon non plogo al hirmitaño; ca el conosçia muy
bien al rrey, & sabia que era omne guerrero & que auia muertos
& rrobados & desapoderados muchas gentes, & sienpre le viera
fazer vida muy contralla dela suya & que paresçia muy· alon-
15 gado dela carrera de saluacion. & por esto estaua de muy mal
talante. Et des que Dios lo vido· asi estar, enbiol dezir por su
angel que non se quexase, nin se marauillase dello; ca fuese
çierto que mas seruiçio fiziera aDios & mas meresçiera el rrey
Rricarte envn salto que saltara quel ermitaño en quantas bue-
20 nas obras fiziera en su vida. El ermitaño se marauillo mucho &
preguntol como podia esto ser. Et el angel le dixo que sopiese
quel rrey de Françia & el rrey de Yngla terra pasaron a vltra-
mar; & el dia que llegaron al puerto yendo todos armados para
tomar la tierra vieron en la rribera tanta muchedunbre de moros
25 que tomaron dubda, si podrian salir atierra. Entonçes enbio
adezir el rrey de Françia al rrey de Yngla terra que viniese
aquella naue do el estaua & que acordarian como auian de fazer. Et el rrey de Yngla terra que estaba en su cauallo, quando

---

[1] JUAN MANUEL (1282-1348?), *El libro de Patronio o El Conde Lucanor*,
ed. E. Krapf (Vigo, 1902), pág. 19. La letra del códice usado por Krapf es
de principios del siglo XV.

esto oyo, dixo al mandadero del rrey de Françia quel dixiese
desu parte que bien sabia que auia fecho muchos enojos & 30
muchos pesares eneste mundo aDios & alas gentes & que sienpre le pidia merçed aDios quel truxiese a tienpo quel fiziese
emienda por el su cuerpo, & que loado Dios que cobdiçiaua
mucho quese ally muriese, pues que auia fecho la emienda que
pudiera, & que ante que de su tierra se partiese que era çierto 35
quel avrie Dios merçed al alma, & si los moros fuesen vençidos
que tomaria Dios mucho seruiçio, & serian todos de buena ventura. Et des que esta rrazon ouo dicho, encomendo el cuerpo &
el alma aDios & pidiol por merçed quel acorriese, & sinose del
signo de la cruz & mando alos suyos quel ayudasen. Et luego 40
dio delas espuelas al cauallo & el cauallo salto enla mar contra
la rribera de los moros. & como quier que estauan çerca del
puerto, non era la mar tan baxa quel rrey & el cauallo non se
sumiesen & que non paresçiese dellos nada. Mas Dios como
señor piadoso & acordandose dela palabra del euangelio que 45
dize, non quiero yo la muerte del pecador, mas quiero que se
torne ami &. ç. &., acorriol estonçes al rrey de Yngla terra &
librol de la muerte para este mundo & diol vida perdurable, &
escapol de aquel peligro del agua, & endereço alos moros.

24

Año 1335

FERNANDO GIL VENDE UNAS HEREDADES A GON-
ZALO MARTÍN [1]
(Trujillo, Plasencia)

...e otrossi vos vendemos dos cassas que sson en la dicha 1
aldea... con todo quanto otro derecho nos en la dicha aldea
auemos & en ssu termino, con cassas & cassares & çercas &
corrales & cortinales & pastos & heredamjentos & vinnas &
huertos & exidos, por mjll & çinquaenta marauedis desta mo- 5

[1] R. MENÉNDEZ PIDAL, Documentos lingüísticos de España, pág. 443. Original.

neda hussada que agora anda, que ffazen diez dineros el ma-
rauedi; llos quales marauedis nos rreçebimos de vos... por que
rrenunçiamos las leyes del derecho de ffuerça & de enganno...
Et daquilo damos & apoderamos enello auos Gonçalo Martin,
10 dicho conprador quelo ayades para vos & para vuestros herederos por vuestro propio, libre & quito por jur de heredat para
ssienpre jamas... para ffazer enello & en dello todo lo que
vos por bien toujerdes... Et damos poder aqual quier alcalle
ojuez de qual quier villa olugar ante quien esta carta paresçier,
15 que nos lo faga assi tener & complir, ssegund sobredicho es, et
nos prende por la dicha pena, ssi enella cayeremos, & entregue
auos, el dicho Gonçalo Martin & a vuestros herederos... Et
qual quier quela prenda ola entrega, que por esta rrazon en
nuestros bienes ffuere ffecha, conprare, nos gela ffazemos ssana;
20 et qual carta o qual recabdo dela vendida ffuere ffecha, nos la
otorgamos, et que vos entreguen delos dichos marauedis dela
dicha pena & delas costas, & dannos & menoscabos, que vos
por esta rrazon rreçibierdes, doblados... Et por que esto ssea
ffirme & non venga ende dubda, rogamos a los omnes bonos
25 que aqui sseran dichos, que ffuessen desto testigos...

25

Año 1343

UN ENCUENTRO EN LA SIERRA [1]

1   Passando vna mañana por el puerto de mal angosto,
salteome vna serrana ala asomada del rrostro:
«fade maja», —diz,— «donde andas, que buscas oque demandas,
«por aqueste puerto angosto».—

---

[1] Estrofas 959-971 del Ms. S. del *Libro de buen amor* de JUAN RUIZ,
Arcipreste de Hita (1283?-1350?), según la edición de J. Ducamin (Tou-
louse, 1901), pág. 169. Ducamin distingue dos tipos de z: una que es la de
'trazo superior prolongado', la cual representamos aquí por z, y otra en
forma de sigma griega, la cual representamos por ṡ. Esta sigma se emplea
también en el manuscrito con valor de s, en cuyo caso la transcribimos ṡ.
No hemos respetado la distinción del copista entre la s larga y la normal,
ni la de Ducamin entre i larga y j. El manuscrito fue copiado hacia 1417.

Dixele yo ala pregunta: «vome faźja sotos aluos».—   5
diz: «el pecado barruntas en fablar verbos tan blauos,
«que por esta encontrada que yo tengo guardada
«non pasan los omes sanos.»—

Parose me enel sendero la gaha rroyn, heda:
«ala he», —diz,— «escudero, aqui estare yo queda,   10
«fasta que algo me prometas, por mucho que te arremetas,
«non pasaras la vereda».—

Dixele yo: «por djos vaquera non me estorues mj jornada,
«tirate de la carrera que non trax para ty nada».—
ella diz: «dende te torna, por somo sierra trastorna,   15
«que non avras aqui passada».—

La chata endiablada ¡que santillan la confonda!
arrojome la cayada e Rodeome la fonda,
en avento me el dardo, diz: «para el padre verdadero
«tu me pagaras oy la rroda».—   20

ffaźja njeue e granźaua, diome la chata luego,
fascas que me amenaźaua: «pagan sino veras juego».—
dixel yo: «pardios, fermosa, deźjr vos he vna cosa:
«mas querria estar al fuego».—

Dyz: «yo leuare acassa e mostrar te he el camjno,   25
«fazer te he fuego e blasa, darte he del pan e del vjno;
«¡alae! promed algo e tener te he por fydalgo,
«buena mañana te vjno».—

yo, con mjedo E aReźjdo, prometil vna garnacha
E mandel para el vestido vna bronca E vn pancha.   30
Ella diz: «dam mas, amjgo, anda aca, trete con mjgo,
«non ayas mjedo al escacha».—

Tomome Reźjo por la mano, en su pescueço puso
como açuron lyujano e leuon la cuesta ayusso:
«hadre duro, non te espantes, que byen te dare que yantes,   35
«como es de la sierra vso».—

Pusso me mucho ayna en vna venta con su enhoto,
diome foguera de enźjna, mucho gaçapo de ssoto,
buenas perdiźes asadas, fogaças mal amassadas,
40 de buena carne de choto.

de buen vjno vn quartero, manteca de vacaś mucha,
mucho queso assadero, leche, natas e vna trucha;
diźe luego: «hade duro, comamos deste pan duro,
«despues faremos la lucha».—

45 desque fuy vn poco estando, fuyme desatyriźjendo;
como me yua calentando, ansy me yua sonrriendo;
oteome la pastora, diź: «ya, conpañon, agora
«creo que vo entendjendo».—

La vaquera traujessa diz: «luchemos vn Rato,
50 «lyeua te dende apriesa, desbuelue te de aqueś hato».—
por la muñeca me priso, oue de faźer quanto quiso;
creo que ffiz buen barato.

26

Año 1367

ENRIQUE DE TRASTÁMARA CONFIRMA AL MONAS-
TERIO DE ARLANZA SUS PRIVILEGIOS. *(Burgos)*[1]

1 ...por que ellos ssean tenjdos de rrogar a Dios por ell alma
del rrey don Alffonsso nuestro padre, que Dios perdone, &
por la nuestra vida & por la nuestra ssalud & de la rreyna donna Johana, mj mugier & dell jnffante don Johan mjo ffijo pri-
5 mero eredero, otorgamos les & conffirmamos les todos los
preujllegios & cartas & libertades & ffranquezas & graçias &
donaçiones & ssentençias & buenos vsos & buenas costunbres,
que an el dicho monesterio & abbat & conuento, et las que ovie-
ron & de que vsaron ssienpre en tienpo delos rreyes onde
10 nos venjmos; et mandamos que les valan & les ssean guar-

¹ R. Menéndez Pidal, *Documentos lingüísticos de España*, pág. 263.
Original.

dadas & ma*n*tenjdas en todo, bien & conplida me*n*te ssegund
q*ue* en ellas sse contiene, et ssegu*nt* q*ue* les valiero*n* & ffueron
guardadas & ma*n*tenjdas en tie*n*po de los otros rreyes, onde
nos venjmos, & en el n*ue*s*t*ro, ffasta aq*ui.* Et deffendemos ffirme
me*n*te q*ue* njnguno non ssea osado de yr nj*n* de passar contra 15
njnguna cosa de lo q*ue* enlos dichos priujllejos & cartas & libertades & ssentençias & ffranq*ue*zas & graçias & donaçio*n*es
dize, nj*n* contra njngu*n*a cosa dellas, sola pena q*ue* en ellas sse
contiene, nj*n* contra los buenos vsos & buenas costunbres q*ue*
an & deuen auer com*m*o dicho es, ca qual q*ui*er o q*u*ales q*ui*er 20
q*ue*lo ffiziessen & contra esta co*n*ffirmaçion, q*ue* les nos ffazemos, les passasse, pechar nos ya en pena, por cada vez, en
coto mjll m*arauedis* desta moneda q*ue* sse vsa & al dicho abbat
& co*n*uento, o a q*ui*en ssu boz touiesse, todos los dan*n*os & menoscabos q*ue* por ende rreçibiessen doblados. 25

27

Año 1386

LA JUSTICIA CORROMPIDA POR EL DINERO [1]

El que en fazer justiçia non cata tenpramiento,   1
& por quexa o por saña faze sobrepujamiento,
E por que sea loado que es de buen rregimiento,
Este tal non faz justiçia, mas faz destruymiento.

Por los nuestros pecados en esto fallesçemos: 5
Los que cargo de justiçia en algund lugar tenemos,
Sy algunt tienpo acaesçe que alguno enforquemos,
Esto es por que es pobre & que loados seremos.

Sy toviere el malfechor alguna cosa que dar,
Luego falla veynte leys que le puedan ayudar;   10
E dize luego: «Amigos, aqui mucho ay de cuydar
«Sy deue morir este ome, o sy deue escapar.»

[1] Estrofas 348-362 del *Rimado de palacio* de PERO LÓPEZ DE AYALA (1332-1407), según el MS. E publicado por Albert F. Kuersteiner en *Poesias del canciller Pero López de Ayala* (N. Y., 1920). El MS. es de fines del siglo XIV o principios del XV.

Sy va dando o prometiendo algo al adelantado,
Alongar se ha su pleyto fasta que sea enfriado;
15 E despues en vna noche, por que non fue bien guardado,
Fuyo de la cadena: nunca rrastro del han fallado.

Sy el cuytado es muy pobre & non tiene cabdal,
Non le valdran parientes nin avn el decretal:
«Muera, muera, dizen todos por este cuytado tal,
20 «Ca es ladron manifiesto e meresçe mucho mal.»

Da nos el rrey ofiçios por nos fazer merçed,
E sus villas & lugares en justiçia mantener;
E como nos lo rregimos, Dios nos quiera defender:
Bien puedo fablar en esto, que en ello abre que ver.

25 Con mugeres e con fijos y nos ymos morar,
E con perros e con cabaña nuestra casa asentar,
Las posadas de la villa las mejores señalar,
Ado moren mis omes que saben bien furtar.

Syn el propio salario demandamos les ayuda;
30 Da nos lo mala mente, avn que la fruente les sua;
El que buen juez en su villa tener cuyda
Tiene vna mala yerua, que peor puede¹ que rruda.

E ponemos luego y al nuestro lugar teniente,
Que perquiera e escuche sy fallara açidente,
35 Por que nos algo lleuemos & sea bien rregidente,
Sy alguno estropieça, faga cuenta que es doliente.

Luego es puesto en la cadena, cargado de cadenas,
Que non vea sol nin luna, menazando que ha de aver penas;
Pero sy diese vn paño de Melinas con sus trenas,
40 Valer y a piedat: non le pornian de las almenas.

Viene luego el terçero; diz: «Señor, ¿que fue aquesto?

«Este es ome llano, synple e de buen gesto;
«De ser sus fiadores, qual quier de nos sera presto
«De tornar lo a la cadena.» Digo yo: «Otro es el testo.

_____
¹ MS. N: *fiede.*

«Este es vn grant traydor, meresçe ser enforcado;   45
«Dias ha que lo meresçe por ome mal enfamado;
«Sy agora el rrey lo sopiese, por çierto seria pagado,
«Por quanto yo lo tomara & lo tengo rrecabdado.»

Viene aqui aparte, a fablar, vn mercador;
Diz: «Dat me aqueste ome, pues so vuestro seruidor;   50
«Tomad de mi en joyas, para vuestro tajador,
«Estos seys marcos de plata, o en oro su valor.»

Digo le yo: «Non faria por çierto tan mal fecho;
«Vos bien me conosçedes, non j me pago de confecho,
«Pero por vuestra onrra, sy entendedes y prouecho,   55
«Lleuad lo a vuestra casa, non vos salga de so el techo.

«Non lo sepa ninguno, nin lo tengades en juego,
«Ca me perderian el miedo los malfechores luego;
«Dezid le que se castige, de mi parte yo vos rruego,
«Ca en amar la justiçia ardo como el fuego.»   60

28

Fines del siglo XIV o primeros del XV

VERSOS DE ALFONSO ÁLVAREZ DE VILLASANDINO
(h. 1350 - h. 1424) [1]

Este dezir fizo el dicho Alfonso Aluarez al noble Rey don   1
Juan por manera de gasajado por aver del merçed.

Sennor, non puedo fallar
qujen vn aluala me faga,
ca njnguno non se paga   5
de me tanto ayudar;
& por mas me destornar
la ventura en este fecho,
non fallo lugar njn trecho
commo vos pueda fablar.   10

[1] *Cancionero de Baena, reproduced in facsimile from the unique manuscript in the Bibliothèque Nationale. Foreword by Henry R. Lang.* (Hispanic Society of America, New York, 1926), f. 21v. El MS. es de mediados del siglo xv.

Pongamos, sennor, que falle
qujen el aluala me escriua:
mj ventura es tan esquiua
que falle qujen la contralle;
15   & yo pienso por la calle,
que avn que me libredes, sennor,
¿que faremos sy el Prior
y non pone su fyrmalle?
Avn que aquesto todo sea,
20   sy el arçobispo sse enoja,
¡guay del tryste que se moja
& non vee, marguer otea,
nada de lo quel desea,
sy non yr guardar palaçio,
25   do resçibe tal canssaçio
que a las vezes ffaronea!

E puesto questos temblores
fuessen todos ya pasados,
¿commo sofryran, cuytados,
30   los mjs pies tantos dolores?
Yr buscar los contadores
&, despues de aqueste afan,
es en dubda sy queran
pagar los recabdadores.

29

Año 1430

ARDANLIER SE DESPIDE DE LA PRINCESA YRENA[1]

Ffabla el actor.

1   Declarada la dubdosa muerte, y fecha la prueva dela cruel
espada, el dessentido Ardanlyer añadio las afortunadas quexas
al triste e amargoso llanto, maldiciendo la fadal presunçion e

---

[1] JUAN RODRÍGUEZ DE LA CÁMARA (m. h. 1450), *El siervo libre de amor*, ed. A. Paz y Melia (Madrid, 1884), pág. 62. De las notas del Sr. Paz y Melia inferimos que se sirvió del códice Bib. Nac. Q. 224, cuya letra es 'del último tercio del siglo xv'.

tan çercano debdo como naturaleza le diera con su capital
enemigo, rey Croes de Mondoya, desconoçido padre; e con 5
gran arrepentimiento demando perdonança al su offendido ayo
Lamidoras, que ya tratava en son de padre, rogandole por los
bienes dela criança, despues de su muerte passasse en la dulçe
Françia, e haziendo la salua con la deuida profierta de aquel ala
fyja del Rey, conla secreta llaue presentase la epistola que 10
Ardanlier escriuio ala ynfante Yrena, desta manera siguiente:

—«Muy esclareçida ynfante, reçibe ya del tu Ardanlier las
postrimeras saludes, con la secreta llaue, por la qual, desque
libre, ven en sabiduria delos affortunados casos que despues
de nuestro despido, por desastre dela syniestra fortuna, han 15
venido a mi, tu carçelero. No te mueva dubda la muy agra
relaçion de aquellos que por Lamidoras, mi segundo padre,
avras en mayor estoria. Al qual, no menos que a mi, te ruego
otorgues la creençia, syn culpa de mi, en condenacion de mi
enemigo padre, rey Croes de Mondoya, mereçedor delas penas 20
que naturaleza me requiere sofrir, por fuyr la cruel vengança
de aquel cuya sangre no menos se esparze, esparziendose la
propia mia, que en fyn dela epistola presente sera derramada,
porque los dos partesanos dela vida del plazer devan juntamente moryr e padeçer. E ya solo pavor he de mi, predicarse 25
de mi tan grand crueldat, e como es de consentyr yo ser amado
y no amador de tal presyonera de mi! ¡O desseada Yrena! No
quieras dar el nombre cruel al piadoso amador, ni mas affligir
al afflito! Piensa lo que creo pensaras sy tu fueras madama
Lyessa, segun que Yrena, e vieras a mi, requestado de nueva 30
señora, amar, en despreçio y oluidança de ty; creo no lo ouieras
en grado, mas con grand rrazon predicarias a mi desleal. Pues
no menos la señora de mi lo syntiera por un grand agraviamiento, vyniendo en conocimiento de mi voluntat; que te juro por la
deessa Minerua, a quien devo la fe, desque entendida la fyrme 35
fe tuya, siempre ardy en intrynseco amor de ty, que por fuyr
la deslealtat, ella ni tu sabydoras, nin fuera de mi otra persona
byua, saluo aquel que solo conoçedor es delos pensamientos.
A el llamo en condenaçion mia, sy la presente carece de verdat,
a ty, cuya vista rreçibe enel logar de la mia, e el seso de aquella 40
en logar de my postrymera fabla. Besa por mi las manos al

muy poderoso Rey e señora Reyna, tus progenitores, e salua
las damas, prinçipes y lyndos omnes de su rreal corte que saben
de amor, en amistad e conoçencia de mi. E tu, amada Yrena,
45 alegrate y sey bien aventurada. Del secreto palaçio, con muchas
palabras, ala hora quel tu Ardanlyer fallecio el spiritu.»

30

Año 1432

JUAN II, DESDE VALLADOLID, OTORGA EL USO DE LA DIVISA DE LA BANDA A FERNANDO DE VALLECILLO [1]

1 Yo el rey, por este mj aluala do liçençia a avos Fernando
de Vallezillo, para que podades traer y trayades la mj debisa
dela banda en vuestras ropas & armas & guarniçiones, y en
todas las otras cosas que la traen & acostunbran traer las otras
5 que de mj tjenen la semejante liçençia; y desto os mande dar
este mj aluala, firmado de mj nonbre, en primero de abril, año
del naçimjento de nuestro salbador Cristo de mjl & quatro
çientos ytreintaydos años. Yo el rey. Yo Diego Riuero la fiz
escreuir, por mandado de nuestro señor el rey.

31

Año 1438

UN PASEO EN MULA PRESTADA [2]

1 Estas cosas e otras demandan prestadas, segund más e menos, la que lo non tiene, e segund es su estado, unas de más,
otras de menos. A las unas fallesçe, a una alguna cosa e a otras

---

[1] R. MENÉNDEZ PIDAL, Documentos lingüísticos de España, pág. 308.
Original.
[2] ALFONSO MARTÍNEZ DE TOLEDO (1398-1466+), Arçipreste de Talavera,
ed. Mario Penna (Torino, s. d.), pág. 116. El texto del Sr. Penna hace
posible cotejar la versión manuscrita (año 1466) con la de la primera
impresión conocida (año 1498). Reproducimos aquí lo que corresponde a la
versión manuscrita. Dice el Sr. Penna (pág. lvi) que, para facilitar la lectura del texto, ha modernizado la ortografía de éste en lo que se refiere
al uso de la v.

más de quatro, e a otras todo junto el arreo que han de sacar.
E aun las mugeres e moças demandan enprestadas; e sy a   5
cavallo quieren yr, la mula prestada; moço que la lieve la
falda; dos o tres o quatro onbres de pie en torno della que la
guarden non cayga—e ellos por el lodo fasta la rrodilla e muertos de frío, o sudando en verano como puercos de cansánçio,
trotando tras su mula a par della—teniéndola e ella faziendo 10
desgayres como que se acuesta, e que se lleguen a tenella, la
mano al uno en el onbro e la otra mano en la cabeça del otro;
sus braços e alas abiertos como clueca que quiere volar, levan-
tándose en la sylla; e do vee que la miran faziendo de la boca
jestos doloriosos, quexándose a vezes, dolyéndose a rratos, 15
diziendo: «¡Avad, que me caygo! ¡Yuy, qué mala sylla! ¡Yuy,
qué mala mula! El paso lieva alto; toda vo quebrantada;
trota e non anbla. Duéleme la mano de dar sofrenadas, cuytada.
Molida me lieva toda. ¿Qué será de mí?». E va faziendo planto
como de Magdalena.   20

E sy algund escudero la lieva de la rrienda e ay gente que
la miren, dize: «¡Ay, amigos, adobadme estas faldas; endereçadme este estribo! ¡Yuy, que la sylla se tuerçe!». E esto a
fin que estén allý un poquito con ella e que sea mirada. Todo
esto se faze con vanagloria, orgullo, e loçanía. E muchas destas 25
van por la calle arreadas, que quando tornan a casa e han tornado a cada qual lo suyo, quedan con rropas de asý a tanda,
rrotas, rraýdas, e descosydas, llenas de suziedad e mal apare-
jadas. ¡Quién se las vido e las vee dentro en su casa! Pasan
con pan e çebolla, queso con rrávanos, e aun tan buen día, e 30
dan a entender fuera que todo es oro lo que luze.

E más fuerte te diré, que aun a la vezindad dan a entender
que alcançan oro e moro, algo e mucho byen, e tórnase el tal
oro en lazería farta e muchas fadas malas. E después býa a
llorar, filar la rrueca e el torno, fazer alvaneguillas, echandillos, 35
cruzadillos, sudarios, bolsyllas; broslar almohadas, fruteros,
pañezuelos; coser camisas estiradillas; fazer almanacas de
cuentas e muchas otras cosas; e tan buen día que fallen que
fazer, que non les falle el jornal a dies cornados. ¡Pero quién

40 se las vido señoras de escuderos, mugeres e moças e onbres de
pie, faziéndoles rreverençia todos quantos pasavan, pensando
ser muger de onbre de veynte lanças, o de un tal fija o sobrina!

SOBRE LAS VENTAJAS DE SER POBRE [1]

Toma esto por conclusyón: que quanto el mesquino del
omne mayor es e más alcança, tanto es mayor la su cobdiçia
45 e la su avariçia a perder; que antes, quando poco alcança, es,
de aquello poco, franco; e quando mucho alcança non le es
más dar, despengar, o enprestar que sacalle el ojo. Los parientes
e amigos que pobres le avían bueno, rrico le perdieron del todo;
que ya non conosçe amigos nin parientes, nin los quiere ver;
50 antes niega padre e madre; que non son ellos sus padre e
madre, nin los otros sus parientes nin amigos. Fízole Dios byen,
e él non lo conosçe, e donde devería dar graçias a Dios e ser
bueno, nin conosçe a Dios que ge lo dio, nin conosçe a los
suyos, nin a sý mesmo. Asý lo traen engañado el mundo e el
55 diablo, por donde muere mala muerte e lieva el cuerpo la tierra
e los gusanos; e la ánima los diablos; e las riquezas los parientes, o quiçá quien non las pensava heredar nin gozar dellas.
E asý quando acaeçe que este tal muere, quanto mayor es su
rriqueza e más tyene, tanto es mayor a la dolor quando muere,
60 a la muerte e a la pena della, e tanto le ha más miedo terrible.
E quanto es menor el omne, de menor estado, e quanto menos
tyene, tanto menos ha de pena e menos le duele la muerte. E
el que ama el mundo, e el que menos tiene, menos cura dél, o
muera o byva, o sea dello lo que fuere, eso le da por morir que
65 por bevir.

¹ Obra citada, pág. 197.

32
Año 1444

VERSOS SOBRE LA GLORIA Y LA TRISTEZA QUE PERTENECEN AL ESTADO REAL [1]

220   Alçamos los ojos ya contra la gloria   1
del çerco costante de nuestros presentes,
donde fallamos las insines gentes
de los que non muere jamás su memoria;
e vimos la fama vulgar e notoria,   5
loor de los reyes de España la clara,
con la trabea real e tiara
que son las insinias de noble vitoria.

221   Al nuestro rey magno bienaventurado
vi sobre todos en muy firme silla,   10
dino de reyno mayor de Castilla,
velloso león a sus pies por estrado:
vestido de múriçe ropa de estado,
ebúrneo çeptro mandava su diestra
e rica corona la mano siniestra,   15
más prefulgente que el çielo estrellado.

222   Tal lo fallaron ya los oradores
en la su villa de fuego çercada,
quando le vino la grand enbaxada
de bárbaros reyes e grandes señores;   20
e tal lo dexaron los que con onores
buelven alegres de dones onustos,
don Juan alabando sobre los Agustos
por sus facundos interpretadores.

---

[1] JUAN DE MENA (1411-1456), *El laberinto de Fortuna*, ed. J. Manuel Blecua (Madrid, 1943), estrofas 220-229. La edición está hecha sobre la de Foulché-Delbosc (Mâcon, 1904), teniendo a la vista la de Hernán Núñez (Valladolid, 1536) y la del Brocense (Salamanca, 1582), cuyo cotejo hace al señor Blecua preferir *que* por *do* de FD en el 224g y *conde[n]sa* por *avideza* de FD en el 228a.

223   Perded la cobdiçia, vos, pobres mortales,
de aqueste trïunfo e de todas sus leyes:
do vedes los grandes señores e reyes
enbidia no os fagan sus grandes caudales,
los quales son una simiente de males
que deve fuir qualquier entendido,
ya mayormente que bien discutido
las vuestras riquezas son más naturales.

224   Enbidia más triste padeçen aquellos
de bienes diversos a vosotros dados,
que non la cobdiçia que por sus reinados
todos vosotros podéis aver dellos:
ca todos vosotros queredes ser ellos
sólo por uso de la su riqueza,
y ellos vosotros, que naturaleza
vos fizo conplidos de dones más bellos.

225   Hanvos enbidia de la fermosura
quando la suya non bien se conforma,
hanvos enbidia la fermosa forma
e muchas vegadas la desenboltura,
hanvos enbidia prudençia e mesura,
fuerça e corage, e más la salud:
pues ved ser en ellos non toda virtud,
nin toda en riquezas la buena ventura.

226   Demás que Fortuna con grandes señores
estado tranquilo les menos escucha,
e más a menudo los tienta de lucha
e anda jugando con los sus onores;
e como los rayos las torres mayores
fieren enantes que non las baxuras,
assí dan los Fados sus desaventuras
más a los grandes que no a los menores.

227   ¡O vida segura la mansa pobreza,
dádiva santa desagradeçida!
Rica se llama, non pobre, la vida
del que se contenta bevir sin riqueza;

la trémula casa, umill en baxeza,
de Amiclas el pobre muy poco temía
la mano del Çésar que el mundo regía,
maguer que llamasse con grand fortaleza.

228   La grande conde[n]sa de la tiranía   65
vimos, venidos al ínfimo çentro,
do muchos señores están tan adentro,
que non sé qué lengua les esplicaría;
vimos entre ellos, sin ver alegría,
los tres Dionisios siracusanos,   70
con otro linage cruel de tiranos
que Dios en el mundo por plagas envía.

229   Yonus primero falló la moneda,
e firió de cuño los mistos metales,
al qual yo maldigo, pues tantos de males   75
causó en la simiente que nunca va queda:
por ésta justiçia se nos deséreda,
los reynos por ésta nos escandalizan,
por ésta los grandes assí tiranizan,
que non sé quien biva seguro nin pueda.   80

33
Año 1448 ó 1449

LAS TRES CLASES DE POESÍA [1]

Commo pues o por qual manera, señor muy virtuoso, estas   1
sçiençias ayan primeramente uenido en mano de los romançis-
tas o vulgares, creo seria difiçil inquisiçion & vna trabajosa
pesquisa. Pero dexadas agora las regiones, tierras & comarcas
mas longinicas & mas separadas de nos, no es de dubdar que   5
vniuersalmente en todas de sienpre estas sçiençias se ayan

_____

[1] LUIGI SORRENTO, 'Il Proemio del Marchese di Santillana', *Revue Hispanique*, LV (1922), pág. 28. La edición del señor Sorrento corresponde a un MS del siglo XV. El Marqués de Santillana (1398-1458) escribió el *Proemio* en 1448 ó 1449.

acostunbrado & acostunbran, & aun en muchas dellas en estos
tres grados, es a saber: sublime, mediocre & infymo. Sublime
se podria dezir por aquellos que las sus obras escriuieron en
10 lengua griega & latyna, digo metrificando. Mediocre vsaron
aquellos que en vulgar escriuieron, asy commo Guido Janun-
çello boloñes & Arnaldo Daniel proençal. E commo quier que
destos yo no he visto obra alguna; pero quieren algunos auer
ellos sido los primeros que escriuieron terçio rimo & aun sone-
15 tos en romançe. E asy commo dize el philosofo, de los primeros,
primera es la especulaçion. Infimos son aquellos que syn
ningund orden, regla, nin cuento fazen estos romançes & can-
tares de que las gentes de baxa & seruil condiçion se alegran.
Despues de Guido & Arnaldo Daniel, Dante escriuio en terçio
20 rimo elegantemente las sus tres comedias: Infierno, Purgato-
rio & Parayso; miçer Françisco Petrarcha sus Triunphos;
Checo D'Ascholi el libro De proprietatibus rerum; & Iohan
Bocaçio el libro que Ninfal se intitula, aunque ayunto a el
prosas de grande eloquençia a la manera del Boeçio consola-
25 torio. Estos & muchos otros escriuieron en otra forma de metros
en lengua ytalica que sonetos & cançiones morales se llaman.

CULTIVADORES DEL ARTE DE LA POESÍA [1]

Pero de todos estos, muy magnifico señor, asy ytalicos
commo proençales, lemosis, catalanes, castellanos, portugueses
& gallegos & aun de qualesquier otras nasçiones se adelantaron
& antepusieron los gallicos çesalpinos & de la prouinçia de
Equitania en solepnizar & dar honor a estas artes. La forma
& manera commo, dexo agora de recontar, por quanto ya en el
prologo de los mis Prouerbios se ha mençionado. Por las quales
cosas & aun por otras muchas, que por mi & mas por quien
35 mas supiesse se podrian ampliar & dezir, podra sentyr & conosçer la vuestra magnifiçençia en quanta reputaçion, extima
& comendaçion estas sçiençias auerse deuen, & quanto uos,
señor muy virtuoso, deuedes extymar que aquellas dueñas, que
en torno de la fuente de Elicon inçessantemente dançan, en tan

---

[1] Obra citada, pág. 48.

nueua edad no inmeritamente a la su conpañia vos ayan resçe- 40
bido. Por tanto, señor, quanto yo puedo exorto & amonesto a
la vuestra magnifiçençia que, asy en la inquisiçion de los fermosos poemas commo en la polida horden & regla de aquellos,
en tanto que Cloto filare la estanbre, vuestro muy eleuado
sentido & pluma no çessen, por tal que, quando Antropos cor- 45
tare la tela, no menos delficos que marçiales honores & glorias
obtengades.

34
Mediados del siglo XV

RETRATO DE UN MAESTRE DE CALATRAVA [1]

El segundo acto de aquel tienpo, era, segunt se lee en el 1
libro de Ester, que el rey Asuero de Persia tenia un libro de
los serviçios que le eran fechos e de los galardones que por
ellos diera. Sin dubda, notables actos e dinos de loor guardar
la memoria de los nobles linajes o de los serviçios fechos a los 5
reyes e a las republicas, de lo cual poca cura se faze en Castilla e, a dizir verdad, es poco nesçesario, ca, en este tienpo,
aquel es mas noble que es mas rico. Pues ¿para que cataremos
el libro de los linajes, ca en la riqueza fallaremos la nobleza
dellos? Otrosi, los serviçios no es nesçesario de se escriuir para 10
memoria, ca los reyes non dan galardon a quien mejor sirue
nin a quien mas uirtuosamente obra, sinon a quien mas les sigue
la uoluntad e los conplaze; pues superfluo e demasiado fuera
poner en letras tales dos actos, riqueza e lisonjas.

E, boluiendo al proposito, fue este maestre don Gonçalo 15
Nuñes muy feo de rostro, el cuerpo grueso, el cuello muy corto,
los onbros altos; fue de muy grande esfuerço; ouose muy bien

---

[1] FERNÁN PÉREZ DE GUZMÁN (1378?-1460?), *Generaciones y semblanzas*,
ed. J. Domínguez Bordona (Madrid, 1924), pág. 51. La edición es 'transcripción del manuscrito Escurialense [del siglo xv], teniendo a la vista
la copia de Madrid y las ediciones de 1512, 1517 y 1775. De este modo
puede ofrecerse en su pureza el texto de Pérez de Guzmán...'. Para más
pormenores referentes al criterio adoptado por el señor Domínguez Bordona remitimos a la nota en la página xxxiv de la citada edición; aquí
sólo hacemos constar que *uno*, *quando*, *mucho* del MS. se transcriben
respectivamente *uno*, *cuando*, *mucho*.

en las armas. Onbre corto de rason, muy alegre e de grant conpañia con los suyos, ca jamas sabia estar solo, sino entre todos
20 los suyos. Fue muy franco, pero non ordenadamente sinon
a uoluntad, ansi que se podia llamar prodigo, e, a mi ver, este
estremo de prodigalidad, aunque sea viçioso, es mijor o menos
malo que el de la auariçia, porque de los grandes dones del
prodigo se aprouechan a muchos e muestran grandeza de
25 coraçon. Fue este maestro muy disoluto [1] açerca de las mugeres.
E ansi, con tales virtudes e uiçios, alcançó muy grande estado
e grant fama e renonbre. Ouo en su conpañia grandes onbres
e algunos que non biuian con el, pero auian dineros del cada
año. Murio en hedad de setenta años.

35

Año 1492

UNA REINA SUPLICA POR LA VIDA DE SU HIJA [2]

1   La desesperança del responder del rey fué para los que la
oyan causa de graue tristeza; y como yo triste viese que aquel
remedio me era contrario, busqué el que creya muy prouechoso,
que era suplicar a la reyna le suplicase al rey por la saluación
5 de Laureola. Y yendo a ella con este acuerdo, como aquella
que tanto participaua en el dolor de la hija, topéla en vna sala,
que venía a hazer lo que yo quería dezille, aconpañada de muchas generosas dueñas y amas cuya auctoridad bastaua para
alcançar qualquiera cosa, por iniusta y graue que fuera, quanto
10 más aquella que no con menos razón el rey deuiera hazella
que la reyna pedilla. La qual, puestas las rodillas en el suelo,
le dixo palabras assí sabias para culpalle como piadosas para
amansallo.

Dezíale la moderación que conuiene a los reyes, reprehen-
15 díale la perseverança de su yra, acordáuale que era padre,
habláuale razones tan discretas para notar como lastymadas

---

[1] MS. Esc.: *disulto*.
[2] DIEGO DE SAN PEDRO, *Cárcel de amor*, ed. S. Gili y Gaya (*Diego de San Pedro, Obras*, Madrid, 1?50), pág. 169.

para sentir, suplicáuale que si tan cruel iuyzio dispusiese, se
quisiese satisfazer con matar a ella, que tenía los más días
pasados, y dexase a Laureola, tan dina de la vida; prouáuale
que la muerte de la salua matarie la fama del iuez y el beuir 20
de la iuzgada y los bienes de la que suplicaua. Mas tan endu-
recido estaua el rey en su propósito, que no pudieron para con
él las razones que dixo ni las lágrimas que derramó; y assí
se boluió a su cámara con poca fuerça para llorar y menos para
beuir.   25

36

Año 1492

SE JUSTIFICA LA COMPOSICIÓN DE UNA GRAMÁTICA EN LENGUA VULGAR [1]

...Por que si otro tanto en nuestra lengua no se haze como   1
en aquellas, en vano vuestros cronistas & estoriadores escriven
& encomiendan a immortalidad la memoria de vuestros loables
hechos & nos otros tentamos de passar en castellano las cosas
peregrinas & estrannas, pues que aqueste no puede ser sino   5
nagocio de pocos annos. I sera necessaria una de dos cosas:
o que la memoria de vuestras hazannas perezca con la lengua,
o que ande peregrinando por las naciones estrangeras pues
que no tiene propria casa en que pueda morar. En la çania
dela cual io quise echar la primera piedra & hazer en nuestra 10
lengua lo que zeno doto en la griega & Crates en la latina. Los
cuales, aun que fueron vencidos delos que despues dellos escriuieron, alo menos fue aquella su gloria & sera nuestra: que
fuemos los primeros inuentores de obra tan necessaria. lo cual
hezimos enel tiempo mas oportuno que nunca fue hasta aqui, 15

---

[1] ANTONIO DE NEBRIJA (1441?-1522), *Gramática castellana*. Nos servi-
mos de la reproducción fototípica de la edición príncipe de 1492, publicada
por E. Walberg (Halle, 1909), cuyas páginas no están numeradas; el
trozo que reproducimos se encuentra en las páginas cuarta y quinta. No
nos atenemos siempre a la puntuación del original.

por estar ia nuestra lengua tanto en la cumbre que mas se puede temer el decendimiento della que esperar la subida. I seguir se a otro no menor provecho que aqueste alos ombres de nuestra lengua que querran estudiar la gramatica del latin. Por que
20 despues que sintieren bien el arte del castellano, lo cual no sera mui dificile por que es sobre la lengua que ia ellos sienten, cuando passaren al latin no avra cosa tan escura que no se les haga mui ligera; maior mente entreveniendo aquel arte dela gramatica que me mandó hazer vuestra alteza contraponiendo
25 linea por linea el romance al latin. Por la cual forma de en-sennar no seria maravilla saber la gramatica latina, no digo io en pocos meses, mas aun en pocos dias; & mucho mejor que hasta aqui se deprendia en muchos annos.

37

Ultimo decenio del siglo XV

SOLILOQUIO DE UN CRIADO INDECISO [1]

1 CALISTO.—Ve con el diablo.

SEMPRONIO.—No creo, según pienso, yr conmigo el que con-tigo queda. ¡O desuentura! ¡o súbito mal! ¿qual fue tan contrario acontescimiento que assi tan presto robó el alegría
5 deste hombre; é lo que peor es, junto con ella el seso? ¿dexarle he solo o entraré alla? si le dexo matarse ha; si entro alla matarme ha; quedese, no me curo; más vale que muera aquel á quien es enojosa la vida, que no yo que huelgo con ella; avnque por ál no desseasse biuir, sino por ver mi Elicia, me
10 deuria guardar de peligros. Pero si se mata sin otro testigo, yo quedo obligado á dar cuenta de su vida; quiero entrar. Mas

[1] FERNANDO DE ROJAS (c. 1475-1541), *Tragicomedia de Calisto y Melibea,* ed. Eugenio Krapf (Vigo, 1899), 'conforme a la edición de Valencia, de 1514', pág. 26. La primera edición de esta obra parece ser de 1499. Cabe la posibilidad de que el primer auto sea de otra mano, y de fecha algo más temprana que el resto de la obra.

puesto que entre, no quiere consolacion ni consejo; assaz es
señal mortal no querer sanar. Con todo, quiérole dexar vn
poco desbraue, madure; que oydo he dezir, que es peligro abrir
ó apremiar las postemas duras, porque mas se enconan; esté 15
vn poco; dexemos llorar al que dolor tiene; que las lágrimas
é sospiros mucho desenconan el coraçon dolorido. E avn si
delante me tiene, más conmigo se encenderá; que el sol más
arde, donde puede reuerberar; la vista á quien objeto no se
antepone, cansa; y quando aquel es cerca, agúzase. Por esso 20
quiérome soffrir vn poco; si entretanto se matare, muera; quiça
con algo me quedaré que otro no sabe, con que mude el pelo
malo. Avnque malo es esperar salud en muerte ajena. E quiça
me engaña el diablo; y si muere, matarme han, é yran allá
la soga y el calderón. Por otra parte dizen los sabios, que es 25
grande descanso á los affligidos tener con quien puedan sus
cuytas llorar, y que la llaga interior más empesce. Pues en estos
extremos en que estoy perplexo, lo más sano es entrar, y soffrirle
y consolarle, porque si possible es sanar sin arte ni aparejo,
mas ligero es guarescer por arte y procura.   30

CELESTINA TRAE NOTICIAS FAVORABLES [1]

CALISTO.—Si no quieres, reyna y señora mía, que desespere
é vaya mi ánima condenada á perpetua pena, oyendo essas
cosas, certifícame breuemente si no ouo buen fin tu demanda
gloriosa, é la cruda é rigurosa muestra de aquel gesto angélico
é matador; pues todo esso mas es señal de odio que de amor. 35

CELESTINA.—La mayor gloria que al secreto officio de la
abeja se da, á la qual los discretos deuen imitar, es que todas
las cosas por ella tocadas conuierte en mejor de lo que son.
Desta manera me he auido con las çahareñas razones y esqui-
uas de Melibea. Todo su rigor traygo conuertido en miel, su 40
yra en mansedumbre, su aceleramiento en sossiego. ¿Pues, á
qué piensas que yua allá la vieja Celestina, á quien tú demás
de su merecimiento magníficamente galardonaste, sino ablandar

---

su saña, á sofrir su accidente, á ser escudo de tu absencia, á
45 recebir en mi manto los golpes, los desuíos, los menosprecios,
desdenes que muestran aquellas en los principios de sus reque-
rimientos de amor, para que sea después en mas tenida su
dádiua? Que á quien mas quieren, peor hablan; é si assí no
fuesse, ninguna differencia auría entre las públicas que aman,
50 á las escondidas donzellas; si todas dixiesen sí á la entrada
de su primer requerimiento, en viendo que de alguno eran ama-
das; las quales, avnque están abrasadas y encendidas de biuos
fuegos de amor, por su honestidad muestran vn frío esterior,
vn sossegado vulto, vn apazible desuío, vn constante ánimo y
55 casto propósito, vnas palabras agras, que la propia lengua se
marauilla del gran sofrimiento suyo, que la hazen forçosamente confessar el contrario de lo que sienten. Assí que para
que tú descanses y tengas reposo, mientra te contare por estenso el processo de mi habla y la causa que tuue para entrar,
60 sabe, que el fin de su razón fué muy bueno.

CALISTO.—A^ora, señora, que me as dado seguro, para que
ose esperar todos los rigores de la respuesta, dí quanto man-
dares y como quisieres, que yo estaré atento; ya me reposa
el coraçón, ya descansa mi pensamiento, ya reciben las venas
65 y recobran su perdida sangre, ya he perdido temor, ya tengo
alegría. Subamos, si mandas, arriba; en mi cámara me dirás
por estenso lo que aquí he sabido en suma.

CELESTINA.—Subamos, señor.

Textos de
Asturias y León

INTRODUCCIÓN

EL estudio de las hablas rurales ha alcanzado tal grado de minuciosidad que, con frecuencia, cabe preguntarse cuál es en realidad el criterio aplicable para definir un dialecto. Con respecto a una *lengua*, el filólogo parece haber fijado, con más o menos razón, un sistema de fenómenos suficientemente diferenciados que le permiten establecer fronteras. Para un *dialecto* no existe semejante guía, y en último caso sólo la comunicación hablada y fluida entre los habitantes de un área determinada es lo que señala características lingüísticas, difíciles de clasificar, pero que tienen suficiente diversidad con respecto a regiones vecinas. El lingüista profesional es el único que observa y cataloga tales variantes, y cuanto más profundiza en su estudio, más imprecisas y menos satisfactorias le resultan las tradicionales divisiones dialectales.

El problema práctico de nuestro estudio surge fundamentalmente de la necesidad de establecer un fenómeno puramente hablado sobre la base única de los documentos escritos. Por ejemplo, ¿cuál fue el habla de los habitantes de Oviedo, y cómo es posible juzgarla partiendo de manuscritos redactados en aquella ciudad? Muchos eruditos han querido ver en los documentos de España un terreno fecundo en formas y variantes de la lengua hablada. [1] Al mismo tiempo, hay lingüistas reacios a aceptar la validez del testimonio documental para la reconstrucción de un dialecto determinado. Diego Catalán, entre otros, advierte que la falta de fidelidad de la lengua escrita con respecto a la lengua hablada no es siempre tenida en cuenta por

---

[1] «...der Einfluss der Volkssprache auf die Urkundensprache in Spanien [war] sehr stark..., vielleicht stärker als in irgendeinem anderen romanischen Lande...», BENGT LÖFSTEDT, «Zur Lexikographie der mittellateinischen Urkunden Spaniens», *Archivum Latinitatis Medii Aevi*, XXIX, 1959, pág. 5.

los medievalistas, y señala el hecho de que los documentos notariales y otros escritos jurídicos representan una lengua artifi-
cial.[2] Por esto, nos parece lógico afimar que el examen de
la lengua de los documentos de una región determinada debe
complementarse con el estudio de la lengua hablada hoy día en
dicha región.

Refiriéndonos ahora a los materiales de trabajo aquí reunidos, debemos hacer constar que la relativa pobreza de documentos medievales pertenecientes a Asturias y León, explica el
que no existan más colecciones como la de Staaff.[3] Esta esca-
sez, junto con la fuerte castellanización del lenguaje de los documentos astur-leoneses posteriores al siglo XIII, restringe el
campo de estudio, aunque no por eso lo hace menos interesante.

Ponen frontera a los dialectos astur-leoneses de hoy en día
los lados de un triángulo invertido con base en Asturias
y vértice opuesto en Zamora, en el área del cual es difícil
establecer tajantes divisiones dialectales entre las distintas comarcas. El aparentemente abigarrado entrecruzamiento de las iso-
glosas puede sugerir a primera vista una cierta falta de unidad.
Además, el efecto de nueve siglos de penetración por parte de
las hablas vecinas —el castellano y el gallego-portugués— en
nada contribuye a aclarar la confusa situación. Los textos que
siguen nos muestran cómo el complejo astur-leonés presenta
también en el medioevo características y problemas parecidos.

---

[2] DIEGO CATALÁN, *La escuela lingüística española y su concepción del
lenguaje* (Madrid, 1955), pág. 160. Sin embargo, más adelante (pág. 162)
añade: «Y, en verdad, para la lingüística no es interesante tan sólo aquella
lengua rural que permanece sustancialmente idéntica en el siglo VIII, en
el XIII y en el XX; interesa también, y más, la rebeldía de esa minoría que
se resiste a aceptar como norma el habla del vulgo iletrado. En la historia
de una lengua, el documento escrito desarraigado del habla local puede
servir de fundamento para el estudio de las corrientes culturales que en
aquellos siglos moldeaban la expresión cultivada frente al habla descuida-
da del común de las gentes».

[3] E. STAAFF, *L'ancien dialecte léonais d'après des chartes du XIIIe siècle*
(Uppsala, 1907). Obra fundamental para cualquier estudio del leonés es
R. MENÉNDEZ PIDAL, *El dialecto leonés* (Oviedo, 1962). El mismo autor tiene
reunidos algunos documentos leoneses en su obra *Orígenes del español*,
3.ª ed., Madrid, 1950. Otros textos se encuentran en cartularios, como el de
San Vicente de Oviedo, publicado por el P. Luciano Serrano (Madrid, 1929),
sobre el cual escribió un estudio lingüístico A. C. JENNINGS (*A linguistic
study of the Cartulario de San Vicente de Oviedo*, New York, 1940). Hay
también documentos publicados de los archivos episcopales, como el de
Salamanca (F. ONÍS y SÁNCHEZ, *Contribución al estudio del dialecto leonés*.
Examen filológico de algunos documentos de la Catedral de Salamanca,
Salamanca, 1909.) Las ediciones de fueros presentan muchos dialectalismos, por ejemplo la de los fueros de Zamora, Salamanca, Ledesma y Alba
de Tormes, publicada por A. Castro y F. de Onís, Madrid, 1916. Estudio
interesante sobre el lenguaje de un códice del Fuero Juzgo es el de M. GAR-
CÍA BLANCO, *Dialectalismos leoneses de un códice del Fuero Juzgo*, Salamanca, 1927.

Al objeto de facilitar el estudio de nuestros textos, será útil que recordemos las divisiones modernas de los dialectos asturleoneses propuestas por Menéndez Pidal:

1) El leonés occidental. Se habla en la región que linda de norte a sur con territorio gallego o portugués. (Cf. los §§ 47, 50 y 51).

2) El leonés central. Sólo hablado en Asturias. (Cf. los §§ 40, 41, 45 y 48).

3) El leonés oriental. Se extiende por el oriente de Asturias, León y Zamora, y a principios de este siglo tocaba también a Santander, Salamanca y Extremadura. (Cf. los §§ 42, 43, 44 y 46).

Entre el resto de los documentos que reproducimos en esta sección, pueden observarse ejemplos del latín popular leonés (§§ 38 y 39), y trozos de obras literarias que ejemplifican la fuerte castellanización de la lengua escrita leonesa durante los siglos XIV y XV (§§ 51 bis, 52 y 52 bis).

Indicamos brevemente a continuación algunos rasgos lingüísticos de los documentos de esta sección, comparándolos con las formas modernas de los dialectos leoneses.

VOCALES. Diptongos procedentes de $\bar{\text{E}}$ y $\bar{\text{O}}$ tónicas del latín se encuentran en varios textos, pero la proporción disminuye a medida que el lugar de origen de éstos se acerca a la zona gallega: *conuiento* § 44, *maiuelu* § 42 (cf. *conuento* § 46, *malolo* § 50).

El diptongo ante yod es raro en documentos de esta época: *uuoy* § 45. Staaff cita también nombres propios como *Abrueyo, Redrueyo,* así como *uuey* (h ŏ d i e) o *vuecho* (ŏ c t o), etc.

Lo mismo que en aragonés, hallamos una vacilación en la forma de los diptongos derivados de $\bar{\text{E}}$ y $\bar{\text{O}}$, dándose ejemplos de *uo* o *ua* (*vortos* § 45) y de *ia* (*tiampus* § 49 y *ya* § 46, representante este último de e s t y de e t latinos). Hoy sobrevive *uo* en Zamora, donde se oyen formas como *puorta,* y *ua* se da todavía en algunas palabras lo mismo en Asturias que en León. [1]

---

[1] V. V. GARCÍA DE DIEGO, *Manual de dialectología española* (Madrid, 1916), pág. 145.

El diptongo *ei* < AI se observa en *cordeiro* § 39, *feycha*, § 43, y *ou* < AU aparece en *cousa* § 47 y en otros documentos que provienen de la región lindante con Galicia.

En cuanto a las vocales átonas, la *i* se hace *e* en *termeno* § 49 (cf., por otra parte, *angilical* § 52 de la lengua literaria). Como en *fuercia* y *bracio* del leonés moderno, hay *i* epentética en *forciar* § 43. En posición final, la *e* se hace con frecuencia *i*, y la *o*, *u* (*esti* § 42, *maridu* § 48), fenómenos que se encuentran actualmente en el habla de Astorga. La *-o* final se hace a veces *e*: *nostre*, *otre* § 43. En el oeste se conserva la *-e* final: *abbade* § 47, *heredade* § 50, etc. [1]

CONSONANTES. Como en otros dialectos, la G- y la J- latinas se conservan ante *e*, *i* átonas: *germano* § 41, *ieneyro* § 50.

Los grupos iniciales latinos PL- y CL-, que en castellano dan *ll*, se hacen [ĉ] en el occidente de León y Asturias, como en gallego-portugués (*chamam* §§ 50 y 51, *chantado* § 51; cf., empero, *plenu* § 42). Staaff aduce ejemplos como *xosa* (c l a u s a), *xano* (p l a n u), [2] y Menéndez Pidal encuentra *Xayniz* (del apellido *Flainez*) en un documento de Toro, [3] formas que indican una variante [š] de esta evolución palatal.

El grupo palatal -Lị- se hace *y* (*muyer* § 44, *conceyo* § 43). En la región central se encuentran también formas como *fillos* § 48, *mulier* § 43. La reducción de *-ll-* a *-l-* (*muler*, *malolo* § 50) se halla hoy en el oeste de Asturias y León. [4]

El grupo latino -CT- se representa por formas tan varias como lo son *maldictu* (grafía etimológica, § 46), *ditu* § 49, *dreyto* § 40, *ouchure* § 49.

En cuanto a los grupos no palatales, -B'T- da *-ld-* en *deldas* § 48 (cf. asturiano moderno *coldo*, de c u b i t u), y -M'N- queda en *nomne* § 42, *pernomnada* § 45. Nótese también el grupo *-np-* en *tienpo* § 46, *tenplo* § 49.

Se pierde a veces la consonante entre dos vocales abiertas: *laor* § 44, *Mao* § 43 (cf. *rau*, de *rabo*, del asturiano moderno). Es frecuente la confusión entre *l* y *r*: *gouernaledes* § 44, *egrisia*

---

[1] La conservación de la *-e* final es muy frecuente también en el Fuero Juzgo. V. GARCÍA BLANCO, obra citada, pág. 25.
[2] STAAFF, obra citada, pág. 240.
[3] R. MENÉNDEZ PIDAL, *Orígenes del español*, 3.ª edic. (Madrid, 1950), pág. 238.
[4] GARCÍA DE DIEGO, obra citada, pág. 135.

§ 45, *plados* § 49, etc. (Cf. la *l* tras muda, que se hace *r* con frecuencia en el leonés moderno).

Nótese, por fin, la influencia gallega en la *-m* final de *sem* § 47, *sabam* § 51, etc.

FORMAS VERBALES. La fuerza de la analogía se nota en formas como *saban* §§ 43 y 46, subjuntivo basado en el indicativo (cf. castellano *sepan*), y *tomeste* § 52, *comprestes* § 45, cuya *e* tónica recuerda la de la primera persona singular *tomé, compré* (cf. *mateste* y *matemos* del leonés moderno). Otras formas del verbo, como *uiron, oyron* § 50, se encuentran todavía en Asturias y León. En Asturias existen aún participios en *-udo, -uda* como *conozuda* § 47.

Se nota la influencia gallega en *leyxardes* § 50, *queserdes* § 51.

En cuanto al verbo *ser*, nótense *ye* § 40, *yeramos* § 48, *ya* § 46, *fuse, furon* § 49, *fur* § 43, *sara* § 52 bis.

Es también de interés la forma *estodieron* § 52 bis, tercera persona plural del pretérito del verbo *estar*.

FORMAS NOMINALES. *Las dues* § 44 puede compararse con el plural del femenino *dues* en la Astorga de hoy. *Dies* § 47 debe compararse con los plurales del asturiano moderno del tipo *les vaques*, 'las vacas'. Nótese también que *las puertas* del § 51 bis rima con *pobres*, lo cual hace pensar en una forma original ** les portes*.

Entre las formas pronominales de nuestros textos son características *you* § 47, que se halla hoy en leonés y mirandés, y *li, llj* § 40, *lu* § 42.

Los artículos arcaicos *elos, ela* se presentan en los §§ 46 y 47, y la forma femenina *el* en *el otra* § 44. La fusión de preposición y artículo, muy frecuente en dialectos actuales, se ejemplifica por *ena* § 43, *enne* § 44, *conno* § 50, *atana* § 49, *pella* § 47.

Para terminar, obsérvense las siguientes grafías: [ĉ] se representa a veces por *g*, como en *peyge* § 49, y [š] por *ys* en *deleysela* § 43, o por *x* en *paxeres* § 45. [ŋ] se escribe o con *gn* etimológica (*cognocida* § 44), con *nn* (*dannados* § 45), o con *ni* (*vinia* § 38).

D. J. G.

38
Hacia el año 980

LISTA DE QUESOS GASTADOS POR EL DESPENSERO DEL CONVENTO DE SAN JUSTO Y PASTOR EN ROZUELA
(Provincia de León) [1]

Nodicia de kesos que espisit fra*ter* Semeno jn labore de 1
fra*tres*: jnilo bacelare de cirka S*ancte* Juste, kesos .U.; jnilo
alio de apate, .II. kesos; en que puseron organo, kesos .IIII.;
jnilo de Kastrelo, .I.; jnila uinia majore, .II.; que lebaron enfosado, .II. adila tore; que [le]baron aCegia .II. quando la 5
taliaron; ila mesa, .II.; que lebaron aLejone .I. ... alio ke
leba de soprino de Gomi de do...a...; .IIII. quespiseron quando
jlo rege uenit ad Rocola; .I. qua salbatore jbi uenit.

39
Hacia el año 1050 (?)

EMBARGO Y ATROPELLO PADECIDOS POR LA CASA DE SANTA MARÍA DE BEZDEMARBÁN
(Provincia de Zamora) [2]

Hec est noditia deganato de s*ancta* Maria de Uec de Mar- 1
uan que leuarunt jnde sajones. Id est: una mula cu*m* sua
sella et cum suo freno, et I.º ka uallo et II.ºˢ asinos et V.º oues
cu*m* suos filios; et VIII.º gallinas et I.ª anate; et VI.ᵉª exatas
et I.ª exola et I.º cadnato et [I.ª] asa de puçal et I.ª conga de 5
allaton et I.ª serra et I.ªˢ tonsorias; I.º manto et I.ª manta et
I.ª linia I.º ka pello jnuestito inpanno tiraz; I.º corio de boue
et alio de cauallo et III.ᵉˢ tordegas et III.ᵉˢ soueijos et IV.ᵉˢ
kapestros; VI.ᵉˢ uatannas pro perga minar, et I.ª perga mi-

---
[1] R. Menéndez Pidal, *Orígenes del español*, pág. 24. Original.
[2] R. Menéndez Pidal, *Orígenes del español*, pág. 25. Manuscrito en letra del siglo xi.

nata; I.º folle cabruno et I.º allifafe cordeiro; et filato pro 10
I.º lenzo; et I.ª cargatura de sal; et I.º cultello de mesa et
IIII.ᵒʳ faucinas de messe segar; et I.º silo pleno de ceuata,
pane et uino sine numero et I.ª caral de azeto; et una segur
et II.ᵒˢ escorçus...Et alias causas multas que non tenuimus...
Et quando dedit domno Migael Citiz illa casa ad illo abbate, 15
ille jacente jn suo lecto, uenit filio de Rodrigo Moniiz et suo
uassallo et prendiderunt suo clerigo ad sua uarua et souarunt
illum et jactarunt eum jn terra ad te suos pedes de illc abbate.

40

Hacia el año 1160

FRAGMENTO DEL FUERO DE AVILÉS Y LA SECCIÓN CORRESPONDIENTE DEL FUERO DE OVIEDO (1295), QUE SE BASÓ EN EL PRIMERO [1]

FUERO DE AVILÉS	FUERO DE OVIEDO
1a Si omne defora rancura ouer	Si omme de fuera rrancura ouiere 1b
deuezino deuilla & al maiorino	de uezino de la uilla. et al M.
uener elo rancurar ante	uinier et lo rrancurar ante
quel pindre, uaia lo maiorino	quel prendare. uaya el M. al
[al	uezino con el rrancuroso 5b
5a uezino cumlo rancuroso	de fuera. et digalo el M.
defora &digalo maiorino	al uezino. tu fulano da derecto
aluezino tu fula da direto	a este omme que ye rrancuroso de
aest omne quis ranculo de	ti. et si el uezino le derecto
ti. Esil uezino dreito	quesier dar por el M. 10b
10a liquiser dar por el maiorino,	uaya el M. con el uezino al plazo
uaialo maiorino cumlouezino	
[alplazo	

---

[1]   Nos basamos para este trozo en la reproducción fotográfica, lámina núm. 1 de la edición de A. FERNÁNDEZ-GUERRA Y ORBE, *El Fuero de Avilés* (Madrid, 1865). Contiene este Fuero una mezcla interesante de idiomas: «...un redactor extranjero trata de expresarse en el lenguaje de la región donde habita. De aquí resulta una extraña coexistencia de rasgos que proceden de romances tan distintos como el asturiano y el provenzal. No es que la mezcla de elementos lingüísticos provenzales e hispánicos sea, fuera de Cataluña, exclusiva del Fuero de Avilés... Sin embargo, la extensión del diploma de Avilés y la intensidad de sus provenzalismos hacen de él el mejor índice lingüístico de una realidad histórica complementaria de la que representan los Fueros de Estella y Jaca...» (Rafael Lapesa, *Asturiano y Provenzal en el Fuero de Avilés*, Salamanca, 1948, págs. 13-14).

aménedo & uala li &
aiudelo. Et sil uezino non
ouer fidiador buquelo maiori-
[no fidiador
15a emetalo uezino cum sua manu.
Quan se tornar acasa
noil do gentar ni cena
nil fazza seruitio perazo
sinon queser. E si fidiador
20a no il quesir dar perlo maiorino
alquereloso defora uaia sua
karrera illo rancuroso [et] el
maiorino non aia calumnia.
Et si-pindrar lo rancuroso
25a pois uenga lo maiorino cumlo
pindrado ediga tu fulano
sacala de to uezino
&daiel plazo cumlo
pindrador seu uizino [et] el
30a pindrado
saque sua pindra enfiada
daquel que peindro
siquer efiada sinon
com el podel & adduca
35a ameanedo aquel quereloso
defora euaia ala el uezino
perque p[en]draro[n] adaquel
plazo quetaillaren enon uaia
el maiorino cum el si non
40a quesiel perque non deo
fidiador antesque peindrasso
quando adel ueno. Et si el
defora ueno admedianedo &(?)ı
uezino non il for percui
45a pendrardon tornelo pindrado
illa pindra emano. Etornese
amano de uilla &apretelo
cumlo maiorino ata queuaia
[dar

a mezanedo. et uaya i et
ajudelo. e si el uezino non
ouier fiador. busquelo el mayor-
[domo
15b et metalo el juiçio con sua mano.
et quando se tornar para sua
[casa.
nonle dia a yantar nin a çenar.
nin le faga seruiçio por esto
si non quesier. et si fiador
20b llj non quesier dar por el M.
al querelloso de fuera. uaya su
carrera el rrancuroso. et el
M. non aya calonna ninguna.
etsi prendar el rrancuroso
25b despues. uenga el M. con el
prendado et diga. tu fulano
saca la prenda de to uezino.
et talle plazo con el
prendado et
30b saque sua prenda enfiada
de aquel que prendo.
si quesiere enfiada. si non
como el podiere et aduga
amezanedo aquel querelloso
35b de fuera. et uaya alla el uezino.
por quien prendaron a aqual
plazo tallaren. et non uaya
alla el M. con el si non
quesiere. por que non dio
40b fiador ante quel prendassen
quando a el uieno. Et si el
de fuera uenit a mezanedo. et
el uezino y non for por quien
prendaran. tomello prendado
45b la prenda en mano. et tornet
a mano en la uilla. et apiertenlo
con el M. ata que uaya dar

fidiador ape(d?)ela pi*n*dra   fiador. apres de la prenda.

50a &siluezino ameianedo for   Et si el uezino a mezanedo for

alplazo q*ue*taillare*n*   al plazo que tallaren.   50b

&eldefora n*on* uenir   et el de fora non uinjer.

aqu*el* qu*e*pi*n*drado e*s* saq*ue*   aquel que prendado es. saque

sua pindra edugala ameianedo. su prenda et adugala a meza-

[nedo.

41

Año 1186

MUÑO RODRÍGUEZ EMPEÑA SU HEREDAD EN FERES (VILLAELES)

(*Provincia de Palencia*) [1]

1   Jn d*e*i nomine Ego Monio Rodriguez auob*is* Pet*r*o Pelaez
de Arnales & uxor tua domna Taresa facio uob*is* karta de pignus
de hereditate quanta habeo in Feres . *pro* octoginta morabetinos
d*e* kalendas ianuarij usq*ue* ad nouem annos . que nola saq*ue*
5 de aq*u*estos noue annos adelantre sela q*u*isiere sacare sacala
por asi & no*n* por aotro. & si el morire saq*u*ela Pet*r*o Rodriguez
so germano . & sino*n* Martin Pet*r*iz . so tio . & si ellos moriren
saq*u*ella sos fillos el q*u*i p*r*imero diere estos morabetinos . &
istos homines q*u*e aq*u*i su*n*t nominatos enesta karta q*u*ela an
10 asacar. q*u*e por bona fe nola saq*u*en por aotro seno*n* por asi.
& sila q*u*isiere*n* uender q*u*anto otro om*n*e dier por ela por
uertat dallo do*n* Petro osua mulier do*n*n aTaresa...

42

Año 1229

MARTÍN DONA SU HEREDAD A LOS CLÉRIGOS DE SANTA MARÍA DE PIASCA

(*Provincia de Santander*) [2]

1   En el nomne de dios. Cosa conoçuda sea alos q*u*i son e
alos q*u*i sera*n* . que yo Marti*n*-couo . do ye otorgo . el mio

---

[1] E. STAAFF, *Étude sur l'ancien dialecte léonais d'après des chartes du XIIIᵉ siècle* (Uppsala, 1907), pág. 6. Original. Nótese que en este documento parecen confundirse las personas primera y tercera.
[2] E. STAAFF, *Étude sur l'ancien dialecte léonais d'après des chartes du XIIIᵉ siècle* (Uppsala, 1907), pág. 13. Original.

maiuelu delas uegas . alos clerigos de Sancta Maria de Piasca
por mi alma . pora so comun . sobre tal plet . ke cada armu
fagan oficiu plenu por mi alma . del entroydo ata la pascua . hi 5
el dia que lu fezieren . hayan . I . morauedi en pescadu é . vi
quarteros de pan . tres de trigo é tres de centeno poralos pobres . é tres pozales debuen uinu. Esta uinna tenga el capellan
del altar . con otru clerigu delos mayorales de casa . con consegu de sos conpaneros . de que cunplan aquesto. Si algun omne 10
esti pletu quisier crebantar . sea maldictu . ye descomungado .
ye con Iudas traidor en infiernu dannadu . ye peche en cotu .
. Lx.ª morabedis . al sennor de la tierra. ...

43

Año 1238

EL ABAD DON ESTEBAN CONFIRMA LOS FUEROS
DE NUEZ
(Provincia de Zamora) [1]

In Dei nomine Amen. Saban elos que agora son ye les que 1
an por venir que yo don Estevan dicho abbat de Morerola en
sembla con el convento de el mismo lugar, a vos, conceyo de
Noz de buen coraçon, ye de bona voluntat, ye por el amor
que vos avemos ... otorgamos vos ye confirmamos vos este foro, 5
convien a saber: cavadas ye posteria que fezierdes, avellas por
heredat vos ye vostros fiyos ye todo vostro linage por iammais,
asi que vos fagades a nos este foro de elas, morando ena villa
dar nos cada anno IIII soldos por el san Martin, ye ome que
fur morar a otro lugar ye venier laurar elas cavadas ou las 10
laurar outro por el dar a nos ela quinta del pan delas ... ye el
omme que por minguaa ou oita que aa ... digalo al nostro
frade, ye se lela quisier comprar ata cabo de XV dias, se non
véndala a vasallo del monesterio de Morerola desencalonnada,
pues que el frade non la quier comprar... Quien matar omme 15
peiche X morabedis al monesterio. Quien forciar fiya ayena ou
mulier ayena, peche X morabedis; quien ferir de la barba ariba

¹ J. RIUS SERRA, 'Nuevos fueros de tierras de Zamora', *Anuario de
Historia del Derecho Español*, Madrid, VI (1929), pág. 450. Original.

ye fezier livores peiche X morabedis al que recibe ela desorna,
ye sela otorgar al sennor recibala, se non deleysela: ... Manda-
20 mos asi de las cavadas se dalguno quisier vender cavada que
faga ou vinna asi quomo de suso dixiemos vendala al nostro
frade lealmientre por quanto la a otre dier, ye se el frade non
lela quisier comprar, véndala a uotro... Feicha ela carta en el
mes de Mao su la era MCCLXXVI ...

44

Año 1245

EL ABAD DE SAHAGÚN ARRIENDA UNA HACIENDA
A DOMINGO Y A MIORO SU MUJER
(Provincia de León) [1]

1   ...Cognocida cosa Sea a quantos esta carta ujren . como yo
don Garcia por la gracia de dios abbad de san Fagund con
uoluntad del conuiento des mismo logar damos auos Domingo
ferron . & a uuestra muyer dona Mioro . & a uuestro fijo Pedro
5 abbad la nuestra casa que yes del hospital de Auastas de yuso
con todas lasheredades. uertas . & uinas . & ferrenes . & quanto
a ena Neuza . & en uila Toquit . & en uila Lumbroso . & con
quanto deue auer : por tal pleyte que seades uassalos & filigreses . & familiares del hospital de sant Fagund sin otro senor .
10 & ternedes en casa siempre . III . yugos de bues buenos . con
que labredes la heredat nuestra & uuestra & se minguas destos .
III . yugos de bues quanto minguar mingue enla uuestra racion .
& todo lo al que dierdes a laor partiremos nos & uos por medio.
Las uinas labraredes bien de sus laores . & daredes la metad
15 a nos en saluo . la nuestra metad meteremos enas meiores cubas . & mientre coyeren el pan . & el uino estara hy nuestro
omne & gouernaledes uos. La eglisia seruiredes bien de lumbrera & de todas cosas necessarias . al obispo . & al arcidiagano . & al arciprestre los derechos que deuen auer dargelos

        [1] E. STAAFF, Étude sur l'ancien dialecte léonais d'après des chartes
du XIIIe siècle (Uppsala, 1907), pág. 34. Original.

edes . & de diezmo dela eglisia de pan & de uino & de legumbre 20
daredes toda la metad en saluo al hospital ...

Esta es la remenbrancia delas preseas que lexa Martin Paris
enne monasterio de Auasta de yuso. Ena bodega . vi . cubas .
las . iii . mayores. Las dues son de . viii . palmos el otra es
carral . vna mesa . vn pozal ‖ vna ferrada   25

45

Año 1246

GONZALO MUNIZ VENDE A RAMIRO FROLEZ
SU HEREDAD EN ESTELIELO
(Otero de las Dueñas, Provincia de León) [1]

...Yo Gonzaluo Moniz ensembla con mia muyer & con mios 1
fiyos vendémos áuos Don Ramíro Frolez & á uostra muyer
donna Aldonza quanta heredad nos auémos & auer deuémos
en Estelielo. Conujen assaber . con casas . solares . parte enna
egrisia.   Vórtos . Tierras . Prados . Paxeres. héras. aruores. 5
montes. fontes. diuisa. exidos. & retornamjentos . & con todas
suas derechuras & suas pertenencias quantas esta heredat ha &
auer deue. Esta heredat assi pornomnada uos uendemos con
todo so juro & con toda sua entegredat por . C.° & . XXX.ª
morabedis . & por todala heredat que uos comprestes entapia de 10
Pelay baruayón & de Maria Johan. Assi que desde úúoy dia en-
deléntre de nuastro juro sea mouida & desraida . & a uostro
segnorio sea traida & confirmada . que uos ades liure poder de
uender de donar . de fazer dela quanto uos ploguier en uida &
en muarte. Se porauentura dalguno de nuastra parte ó destranna 15
ó nos mismos mais contra esta carta de nuastra uendecion
uenier ó ueniermos, sean malditos & escomungados . & con
Judas enenfierno sean dannados . & a uos ó quien uóz desta
carta puxar peche. CCC.os morabedis . & pierda uoz . & esta
carta remanezca siempre firme   20

¹ E. Staaff, *Étude sur l'ancien dialecte léonais d'après des chartes du XIIIᵉ siècle* (Uppsala, 1907), pág. 140. Original.

46
Año 1247

DIEGO FERNÁNDEZ VENDE AL CONVENTO DE NOGALES TIERRA QUE POSEE EN MANGANESES
(Provincia de Zamora) [1]

1   In dei nomine amen. Saban elos que son. asi como elos que
ande seer. Que yo Diego Fernandez & mia mlr Maria Rodriguez. façemos carta de uendecion. auos fre Jacome para el conuento de Nogales de .i. linar que auemos enotermeno de Man-
5 ganeses. sola canpana de san Vicente. onde ya ben determenado. jaz carrera de Requeyxo. dela primera parte ficase ena
carrera. dela . ii . parte. & dela tercera parte linar de nos mismos
compradores. dela.iiii parte linar que fu de. Johan. Martinez
bezerayo. por precio de nomrado. que de uos recebimos .iii
10 Morabedis .ii. soldos. onde somos ben pagados. enenguna cosa
non remanes por dar. ese dalgujen uenjer de nostra generacion.
oude estranja contra este nostro feycho. ou contra este scripto
quesier uenir. oude mandar sea maldicto. & des comungado. &
con Iudas traydor en inferno danado. epeyche en couto dela
15 carta .vi. Morabedis . & medio. ela carta remanezca firme ...
    ...Yo Diego Fernandez & mia mlr Maria Rodriguez por
nos. & por nostras bonas somos uendedores. ya aredradores . ya
outorgadores detodo omre ou mlr que uos demandar este linar
de uandicto. e esta carta que fer mandeymos ya leer oymos
20 propria mente connostras manos ela robramos. ela outorgamos. ya este signo ena carta mandeymos y facer por firma para
todo tienpo. Omres que uiron. & que oyron[:] el prior de Manganeses. fre Remonde...Martin caluo. Domingo Perez scripsit.

---

¹ E. STAAFF, *Étude sur l'ancien dialecte léonais d'après des chartes du XIII siècle* (Uppsala, 1907), pág. 148. Original.

47

Año 1256

EL ABAD DE SAN ANDRÉS DE ESPINAREDA ARRIENDA UNA HACIENDA A PEDRO GARCÍA

(*Provincia de León*)[1]

Conuzuda cousa sea a q*u*antos esta carta uire*n* & audire*n*. Que you do*n* Steuano pella gr*aci*a de d*io*s abbade de Sa*n*t Andres dEspina*re*da Contodo el coue*n*to desse mismo lugar. Auos Pedro Garcia . & aūr̄a muler Marina Martiniz. & auos Joha*n* P*e*rez . & aūr̄a muler Maria Beneytez . & auos Vermudo P*e*rez . dam*os* uos & outorgam*os* ela n̄r̄a iugaria del out*er*o de Langre q*ue* ya dela n̄r̄a cozina . Contodos sous dereytos q*u*antos le p*er*teneze*n* en mo*n*te & en uilla . p*or*tal pleyto q*ue* aiades uos Pedro Garcia co*n*toda ūr̄a gen*er*atjo*n* q*ue* deuos vener q*ue* poblare*n* aq*ue*l lugar ela meatade desta iugaria . q*ue* uos Joha*n* P*e*rez. & Vermedo P*e*rez co*n* ūr̄a gen*er*atjo*n* ela outra meatade q*ue* poblare*n* aq*ue*l lugar et Séérdes uasalos del abbade de Sa*n*t Andres sem outro senorio . *et* darnos cada ano enre*n*-da .VI. modi*os* de ce*n*teno p*or* bona emina . del melor p*or*a desta h*er*edade . por S*anct*a M*ar*ia. de agosto . *et* pola festa de Sa*nt* Andres . XII . ss . de din*eros* . *et* VI. eminas de ce-uada... & VI regueyfas todas feytas de una emina pela bona detrigo. Et dar .V. ss . al abbade de Sa*n*t Andres por iantar cada ano . *et* este foro no crezca auos mays ne*n* mi*n*gue anos . *et* uos guarecer con essos outros n̄r̄os omes deluale como sem-pre guarecistes. *et* que*n* esta carta queser bricar al out*r*a parte pechele . c . mor*abedis* . & al rey peche . cc . mor*abedis* en couto . ffeyta ela carta . XV . dies andados de Junjo ...

[1] E. Staaff, *Étude sur l'ancien dialecte léonais d'après des chartes du XIIIe siècle* (Uppsala, 1907), pág. 153. Original.

48

Año 1258

DOMINGA IOHANIZ VENDE PARTE DE UNA CASA EN OVIEDO [1]

1 ...Ego. Dominga iohaniz. con mio maridu Pedro gil. et con
fillos nostros Nicolao. et Johan. fazemos Carta de vendicion.
Auos Maria bartholomé... vendemos...la Quarta que auemos
en una Casa. enna villa de Ouiedo. cerca santo Tisso. con la
5 Quarta de so Somberado...yela meetat de mia madre. donna
Maria pelaiz...ela Quarta de toda esta Casa et de so Somberado. ia decha assi determinada...vendemus auos Maria barto-
lome ia decha et beuemos vos ende vino: por precio que recebimos de uos XXVI mor. de Real moneda. que auiemos mucho
10 mester por pagar deldas que deuiemos. deque yeramos moyt
premiados. calos annos foront fortes. et de fames. et non auiemos guarimiento pora nos. nen pora Criar nostros fillos ia
dechos... Isti precio plogo anos et auos et del precio. tras vos
nulla ren non remaso. et simaes ual la quarta desta Casa et
15 del Sonberado quel precio. seya demetuda. assi que des de esti
dia en delantre de nostro jur seya fora... Si dalquiem esti nostro
fecho quisies corromper: assi nos conmo de nostra progenia
ho destranna. seya malditu de deus. et peche auos ho alqui
uestra uoz teuier, quanto en esta Carta cunta en dublo...

[1]   A. FERNÁNDEZ-GUERRA Y ORBE, El Fuero de Avilés (Madrid, 1865), pág. 74. Original.

49

Año 1264

TERESA SÁNCHEZ VENDE LA MITAD DE UNOS MOLINOS AL ABAD DE SAN ANDRÉS DE ESPINAREDA
(Provincia de León) [1]

Jn dei nomine. amen Connocida cousa sea por este escritu 1
que por todos tiampus sea valente. Que you donna Tereysa
Sanchez ffago carta de uendicion & de donacion auos don Arias
abbat de Santandres dEspinareda & al Conuentu dese miismu
lugar dela meatat delas molneras que ey enno termeno de Pon- 5
fferrada desde el pelago de Samartinu atana Ponte de San Pedro. Conuian asaber aruoles plados. teras entradas & salidas.
aguas quanto hi ey desdena gran cousa atana pequena & recibu de uos en precioen robracion xx.viii morabedis. &
quarta & lo de maes delo por alma de don Martinu & de mi. 10
quelo mandou a santAndres. Vendades. donedes. ffazade dello
& lo que quesierdes asi enna uida como enna morte. Se algun
ome de mia parte ou dela estrania contra esta uendicion & donacion quesier pasar oyou pasase ffuse malditu & descomungado & con Iudas traydor enno enffernu dannado & la uoz 15
del Rey peyge .c. morabedis. & auos dubre outra tantu en
tal lugar oin melor & de caya de uoz & la carta permanezca
& ffirmi. ffecha carta enno mes de ouchure. Era mill ccc.ii.
anos. Regnando el rey don Alffonso en Castella. en Toledo. en
Leon. en Gallizia don Pedro obispo en Astorga. Teniendo Pon- 20
fferrada los freyres del tenplo comendador Ruy Ffernandez alcalde Martin Ffernandez & Pedro Dominguez you donna Tereysa Sanchez esta carta que mandey fazer con amas manus
robro & conffirmu. Sobre todo esto soey outor pormi & por
mias bonas por guarr esta erdat de susu dita. & los que furon 25
presentes: don Nesteuan monge de sant Andres, *etc.*

---

[1] E. STAAFF, *Étude sur l'ancien dialecte léonais d'après des chartes du XIIIᵉ siècle* (Uppsala, 1907), pág. 154. Original.

50
Año 1266

EL ABAD DE SAN ANDRÉS DE ESPINAREDA DONA
UNAS TIERRAS A JUAN RODRÍGUEZ
(*Provincia de León*) [1]

1   Sabam quantos esta carta uirem & oyrem. Que you don
Arias pela gracia de dios Abbat de santAndres Conno Conuento
desse mismo lugar. Auos Johan Rodriguez & auossa muler
Xemena Iohanes. & auosso filo Girallo. Damos uos um poulo.
5   & um orto que auemos en Vila franca. El poulo iaz hu chamam
Bergonno. porterminos de Nicholao paleyro... et el orto iaz ala
olga porterminos de Ruy Perez. & de Johan falcon & por carera
antigua... & por heredade de Sam Nicholao. Este poulo & este
orto uos damos portal pleyto que los tengades de nos por enuos-
10   sa uida deuos todos tres. & que chantedes este poulo sobredito
todo de vinna. & que seia ben chantado ben enuinado todo ata
.viij. anos. segundo como ujrem ones bonos que he ben
enuinado todo. & laurardes ben & sem engano este malolo... &
auosso finamento deuos todos tres leyxardes nos este malolo &
15   este orto sobreditos con todas suas lauorias & con sous chanta-
dos liures & quitos que nenguno nonnos faga hy contraria. &
estos . v . ss . sobreditos dalos cadaano pola festa de sam
Martino. et qual delas partes aloutra parte esta carta britar
peche. L.ª morabedis a essa parte que recibir el torto... feyta
20   esta carta. IJ dies andados de ieneyro... Miguel Garcia prior
conf. Fernan Gonzaluez monge. conf. ...Pedro Perez uestiareyro. ... et outros muytos que esto uiron elo oyron...

---

    [1] E. STAAFF, *Étude sur l'ancien dialecte léonais d'après des chartes
du XIII* siècle* (Uppsala, 1907), pág. 156. Original.

51
Año 1273

GONZALO FERNÁNDEZ VENDE UNA VIÑA A PEDRO,
MONJE DE SAN ANDRÉS DE ESPINAREDA
(Provincia de León) [1]

...Sabam quantos esta carta uirem & oyrem. Que you Gonzalo   1
Fernandez & mia muler Orraca Martinez. Auos Pedro repila
monge de santAndres vendemos uos una nossa vinna que auemos ena vila que chamam el faueyro. Subla campanna desam
Nicholao. & Jaz enlugar nomrado alrouredo. porterminos de   5
todas partes delas vinnas dela enfermerya desantAndres. et recibimos deuos enprecio. & enrobracion . iiij . morabedis. Onde
somos deuos detodo este precio ben pagados. et fagades desta
vinna que queserdes auida & amorte. et Se algum omre de nossa
parte ou dextrana auos ou auossa parte esta carta passar oubri-   10
tar. doble uos esta vinna sobredita en melor lugar. & al Rey
peche. L.ª morabedis encouto. & esta carta sempre sea firme.
ffeyta esta carta. xviii . dies andados de Junio...

51 bis
Segunda mitad del siglo XIII

ELENA Y MARÍA [2]

Elena habla con desprecio de los clérigos

Esa ora dixo el rrey: 1
"yo vos lo de partirey".
    Elena de primero
touo la voz del cauallero:
"señor, cudado sy fuer de muerte,   5
ally ha el [3] grand conorte;

---

[1] E. STAAFF, *Étude sur l'ancien dialecte léonais d'après des chartes
du XIIIᵉ siècle* (Uppsala, 1907), pág. 162. Original.
[2] R. MENÉNDEZ PIDAL, 'Elena y María *(Disputa del clérigo y el caballero*.) Poesía leonesa inédita del siglo xiii', *Revista de Filología Española*,
I (1914), págs. 52-96. Copia del siglo xiv.
[3] Léase *ha el* [*abad*].

luego lo va vegitar,
con su calze comulgar.
Faz la casa de librar,
mandalo manefestar,
& valo [co]nsejar
quele de su auer pora misas cantar.
Ca diz que non ha tan buen ofiçio
commo de sacrifiçio,
de salterios rrezar
& de misas cantar.
Non manda dar a las puertas
nin a ospitales delos pobres;
tal cosa nunco [1] vi
todo lo quier para sy.
Mas se lo ve quexar
pora del siegro pasar,
veredes yr pora la casa
cruz & agua sagrada,
e los molazinos rrezando,
requien &ternan cantando,
los otros por las canpanas tirando,
los vnos a rrepicar
& los otros a en cordar.
Mas estas bondades
han todos los `abades:
len bien sus glosas
e cantan quirios & prosas,
crismar & bautizar
& omnes muertos soterrar.
Mas esto han los mesquinos,
sienpre sospiran por muerte de sus vezinos:
mucho le[s] p[laz]
quando hay muchas viudas o viudos
por leuaren muchas obradas & muchos bodigos.
Bien cura su panza
quelo non fierga la lança.

10

15

20

25

30

35

40

---

[1] Léase *nunca*.

Ca el mio señor
cauallero es de grañd ualor
non vi [nunca otro] mejor   45
que mas faga por mi amor.   (lín. 345-390)

52

¿Segunda mitad del siglo XIV?

LA ESTORIA DEL REY ANEMUR E DE IOSAPHAT
E DE BARLAAM [1]

Pues asi es, vayan se estas cosas, e esten a la audiençia de   1
las cosas que se diran e al juyzio la mansedunbre e la sabiduria.
E commo el rey otorgase la petiçion del, dixo: fago graçias a
dios por Iesu Christo, ca me defendio de la laguna de la misquindat e del lodo de la fez e mostrome carrera breue e rafez   5
e por la qual en este cuerpo flaco puedo aduzir conuersaçion
angilical, menospreciando la vanidat de las cosas presentes. Ca
commo contiendes tajar de nos el buen principal de todas las
cosas, que quier dezir la piadat, e desanparar a dios la qual cosa
es adelantar a todos los dapños: commo en esto podemos ser   10
en vno contigo?... E tu rrepoyas lo e denuestas contra la su
cruz, dando te todo a los deleytes corporales e somitido a las
pasiones desterraderas e ensuziado por error de los ydolos. Pues
asy es, sabe que non te consintire nin negare el mi bienfazedor
e saluador, aunque me eches a tragar a las bestias e aun que   15
me des al cuchiello e al fuego, la qual cosa agora es en tu pode-
rio. Ca non temo la muerte nin amo las cosas presentes a la
alegria de las quales se ayuntan toda tristeza e dolor. Despues
que el ouo dichas estas cosas, dixo el rey: O mesquino pensando de cada parte tu perdiçion, eres aduzido segund cuydo   20
a esta ventura; ca aguzeste la voluntad e la tu lengua, por que
dixieses esta fabla loca e vana. Mas sy en comienço del sermon

---

[1] Texto publicado por F. LAUCHERT, *Romanische Forschungen*, VII
(1893), pág. 336. El MS. es del siglo xv. Para una discusión sobre los
rasgos lingüísticos del *Iosaphat y Barlaam*, véase G. Moldenhauer, *Die
Legende von Barlaam und Iosaphat auf der Iberischen Halbinsel* (Halle,
1929).

non te ouiese promitido que de medio del consejo tirase la saña,
agora de todo en todo daria las tus carnes al fuego; mas porque
25 adelantado te me tomeste por tales palabras, sufro agora la tu
porfazadia, por cierto aun por la primera amistança mia contra
ti. Leuantate, pues asy es, e fuy de los mis ojos que non te vea
de aqui adelante e non te mate. Estonçe salio el varon de dios
e fuese al desierto, ... trestiçido por que non sofrio martirio.
30 Enpero cada dia sofria martirio en la conç[i]ençia lidiando contra los prinçipes e poderios e contra los rrectores del mundo
destas tiniebras. Estonçe el rey mas sañudo piensa mas graue
persecuçion contra los monges, e por mayor onrra... auia los
aguardadores de los ydolos.

52 bis

¿Primera mitad del siglo XIV?

LIBRO DE JOSEP DE ABARIMATIA [1]

Vaspasiano queda sanado de la lepra

1   E el primero anno que Titus fue enperador avyno que Vaspasiano su fijo fue tan gafo que omne del mundo non le queria
ver. Desto ovo Titus tan grand pesar que ninguna cosa que
fuese non le podia confortar. E fizo echar pregon por toda su
5 tierra quel que guaresciese su fijo quel daria tal don qual el
sopiese pedir. Mas non pudo fallar quel guaresciese. Contescio
que un cavallero que se llamava Barfano vino a Rroma, que
oyo ende fallar. E fue ante el enperador e dixol que fablaria
con su fijo por su pro. E el enperador fizolo levar a una fenies-
10 tra de su fijo do yazia solo. E fablo con el por aquella feniestra;
ca de otra manera non podia omne sofrir el mal olor que del
salya...
      Entonce le pregunto Vaspasiano si sabia alguna cosa que
lle podiese fazer pro. E el cavallero dixo: Sennor, yo fue asy
15 gafo quando moço. E el: Ay, amigo, commo guarescistes ende?

---
[1] K. PIETSCH, *Spanish Grail Fragments* (Chicago, 1924), I, págs. 7-11.
Manuscrito del año 1469.

Por Dios, dixo, por una propheta que crucificaron los judios
ha muy grand tuerto. E guaresciovos esta profecta? dixo Vaspasiano. Cierto, dixo el cavallero, sennor, sy. E dixo: Que vos
fizo? Dixo el cavallero: Non otra cosa que yo podiese entender
sy non solamente que me tannio. E luego a ojo de quantos y 20
estavan fue guarido que ningund mal non senti. Commo, dixo
Vaspasiano, tant grand poder avya que podia sanar los gafos?
Certas, dixo el cavallero, aun mas fazia; que rresucitava los
muertos...

Quando esto oyo Vaspasiano, fue muy alegre. Enbiolo dezir 25
a su padre lo quel dexiera el cavallero. E Titus dixo que enbiava saber sy podria aver alguna cosa de sus pannos. Sennor,
dixo Vaspasiano, sy podierdes rrogar a este cavallero que es
de la tierra. E dalde tanto de lo vuestro que sea bien satisfecho
porque vaya. E si yo guaresciere, yo le prometo que tome ven- 30
gança de quel fezieron los judios al profecta... E Titus lo guyso
muy bien e diol sus cartas selladas con su sello... Estonce fuese
aquel cavallero a Judea e dio las cartas del enperador a Felis
que era sennor de Judea. E quando Felix leyo las cartas, dixo:
Dezit quanto quesierdes; ca todo vos sara fecho. E el cavallero 35
dixo que feziese dar pregon que quyenquier que oviese alguna
cosa de las que fueran de Jesu Cristo, que las aduxiese antel,
e quien lo negase, que moriese por ello...

Ansy commo el mando, fue luego pregonado por Jerusalem
e por toda la tierra. Mas non vyno ninguno que dixiese nada 40
fuera una mugier que era de muy grand hedat, que avya por
nonbre Maria de Egipto, que ella vyno a Felix e traxol una
pieça de tovajas que guardara, muy grand tienpo avya, muy
onrradamente despues que Jesu Cristo fuera puesto en la cruz.
E dixol asy: Sennor el dia que Jesu Cristo fue puesto en la 45
cruz, pasava yo delante del e traya una pieça de tovajas. E
rrogome que gelas prestase por toler la su sudor del rrostro,
quel corria mucho. E despues que alinpio su rostro, muy bien
enbolvio toda la pieça e diola a mi. E levela para mi casa e
quando la desenbolvi, falle y la figura de su cara asy com- 50
mo sy fuera pintada en una paret. E de entonce aca guardela
e nunca vy enfermo a que lla posiese que non fuese guarido
con ella luego que gela ponia. E ella descobrio el panno, e

semejol que era la cara ally sennaladamente texida e tan bien
55 commo sy fuese y metida por molde. E aquel cavallero levo
aquel panno a Rroma... E quando lo vyo Vaspasiano que aun
estava a la feniestra, sintio que todos los mienbros se le aliviavan e começo de meter bozes de tan luenne commo lo vyera.
Dixo: Vos sodes el que traes la mi salud. El cavallero desco-
60 brio e desenbolvio las tovajas. E quando Vaspasiano vido la
figura, fue tan fermoso e tan sano commo nunca fuera...

E luego guyso su fazienda e movyo para yrse a Judea. E
fue con el aquel cavallero, e fizol sennor de toda su fazienda.
E quando fue en Jerusalem, fizo aduzir ante sy a Maria de
65 Egipto, e contole ella todos aquellos que eran bivos por cuyo
consejo e por qual rrazon Jesu Cristo prendiera muerte. E Vaspasiano fizolos todos prender e dixo que los quemaria todos...
E quando la mugier de Josep oyo estas nuevas, fue ella con
su fijo ante el enperador, e querellaronse de aquellos que pren-
70 dieron su sennor; ca despues de Josep saber non pudieron
nuevas. E el les pregunto por que le prendieran. E dixo la
mugier: Porque descendio a Jesu Cristo de la cruz e lo metio
en su monumento. E quando Vaspasiano oyo esta rrazon, dixo
que los quemaria se le non mostrasen do era. E ellos dexieron:
75 Bien nos podes vos quemar, mas non vos lo podemos dar; ca
non sabemos del parte. E ellos verdat dezian; ca non sa-
bian del.

(Vaspasiano encuentra a Cayfas, el cual le conduce a la
cárcel de Josep de Abarimatia):

E fizose descender ayuso de aquellos de que se el mas confiava. E quando descendio al fondon, vyo dentro atan grand
80 claridat commo si estodieran y mill candelas ençendidas. E
tirose a una parte e estudo muy quedo catando si veria a Josep.
E quando uvo mucho catado, llamo a Josep. E Josep alço la
cabeça e dixo: Quien me llama? Yo so, dixo, Vaspasiano, el
fijo del enperador de Rroma.

Textos misceláneos

de procedencia morisca
y judeo-española

INTRODUCCIÓN

HEMOS creído necesario en esta sección abandonar el agrupamiento de textos según las regiones, y simplemente reunir unos textos cuyo denominador común fuese su origen oriental: de aquí la miscelánea selección de textos mozárabes (§ 53), aljamiados (§§ 54, 55) y judeo-españoles (§§ 56-59 bis).

Nada está más lejos de la verdad que el suponer una conexión entre estos tres grupos. Los hemos reunido puramente por conveniencia, aunque difieren entre sí de manera tan fundamental como un dialecto difiere de otro. [1]

TEXTOS MOZÁRABES. [2] La masa de la burguesía romano-visigoda parece haber proporcionado el núcleo de la influencia mozárabe en la España musulmana, apareciendo como centros más importantes los de Andalucía, Toledo, Mérida, etc. Debemos recordar que incluso décadas después que la invasión árabe de 711 hubiese arrollado el país, la proporción entre los habitantes indígenas y los invasores era alrededor de siete millones frente a menos de treinta mil, y la mayoría de éstos consistía en una mezcla de árabes, bereberes y sirios. Al igual que los visigodos mismos unos siglos antes, una minoría habíase impuesto sobre una población muy superior. Sin embargo, mientras que los visigodos acabaron por incorporarse a la España romana, el

---

[1] El mozárabe es un complejo dialectal que arranca del latín hablado en Al-Andalus. El judeo-español, por otro lado, no es más que el romance (sea mozárabe, castellano, aragonés, leonés, etc.) hablado por judíos bajo el dominio árabe o cristiano, y refleja regiones y épocas distintas. La misma heterogeneidad se puede notar con respecto al habla de los mudéjares y los moriscos.

[2] Una valoración directa e interesante de lo que hasta hoy se sabe del mozárabe la ha hecho M. SANCHIS GUARNER en la *Enciclopedia Lingüística Hispánica* (Madrid, 1960), I, 293-342.

elemento mozárabe, originalmente muy fuerte, disminuyó en importancia a la par que cultural y lingüísticamente se arabizaba. Ya antes de finales del siglo X dejaba de ser considerada como minoría distinta.

Es interesante destacar el hecho de la incorporación por Almanzor en 980 de mozárabes al ejército que había de hostigar el norte de España con tanto éxito. El mozárabe como dialecto dejó de servir para uso normal y quedó relegado al nivel de un *patois*. A principios del siglo doce parece haber desaparecido como dialecto —o mejor dicho grupo de dialectos—, aunque se encuentran fragmentos posteriores. Los únicos textos del dialecto mozárabe que nos han llegado con alguna cohesión fueron descubiertos hace pocos años en las estrofas finales 'jarchas' de ciertos poemas arábigos y hebreos llamados 'muwaššaḥas' de los siglos XI al XIII. Estas estrofas, aparte de su interés literario, son de incalculable valor para nosotros, pues nos ayudan a formar una idea del ibero-romance primitivo. Los paralelos entre ellos y los dialectos de León y Aragón son muy significativos. [1]

En materia de fonética nótese lo siguiente:

Vocales: Nótese la diptongación de Ĕ Ŏ latinas ante yod en *welyos* (cf. *wélyo negro, wályo néger,* del año 1100), [2] y la vocal final de *alyenu* y *ellu*.

Consonantes: G- latina ante *e* átona da *y*: *yermanellas* (cf. *yenésta* 'hiniesta' (año 982), y *yenáir* 'enero' (año 1150), ambos mozárabes). [3]

Grupos de consonantes: -Li-, -C'L- latinas dan *li*: *filyol, welyos,* y -CT- da *-jt-*: *nojte*.

---

[1] Entre lo que se ha publicado sobre las 'jarchas' hay que destacar: S. M. STERN, *Les chansons mozarabes* (Palermo, 1953); K. HEGER, *Die bisher veröffentlichten Hargas und ihre Deutungen* (Tübingen, 1960); E. GARCÍA GÓMEZ, *Las jarchas romances de la serie árabe en su marco* (Madrid, 1965); D. ALONSO, 'Dos notas al texto de las jarchas', *Wort und Text* (1963), págs. 111-114 (*Festschrift für Fritz Schalk*); A. GALMÉS DE FUENTES, 'LL y LY, -C'L- en mozárabe', *Revue de Linguistique Romane,* XXIX (1965), págs. 60-97.

[2] R. MENÉNDEZ PIDAL, *Orígenes del español*, pág. 142. Sin embargo, en la mayoría de los antiguos textos en letra árabe o hebraica, la ortografía no permite exacta avaluación de las vocales. Lo poco que podemos averiguar es que en Toledo y Zaragoza hubo más diptongación que en Andalucía. STERN (obra citada, pág. 36), afirma que ciertas palabras carecen de diptongo (por ej., en cuanto a nuestro texto, en *dolye, queris, com. adormis, venid*) pero que es imposible saber si existía o no en otras (por ej., *dolen, filyol, bona*).

[3] R. MENÉNDEZ PIDAL, obra citada, pág. 234.

Formas del verbo: Stern cree que *vivireyu* 'viviré' es una forma arcaica del futuro como en *que farayu o que serad de mibi* (obra citada, pág. 38). Nótese que como en leonés y aragonés el verbo ser lleva formas con diptongo: *yes, yed*. En las formas de tercera persona, la -T latina perdura como *d*: *vernad, venid, doled, ešid*, etc.

Pronombres, etc.: Entre las formas del pronombre nótese la tónica de la primera persona *mibi* y *mib* formada por analogía con TIBI (también encontramos *tib* en 53). *Mibe* ocurre en documentos castellanos y leoneses del siglo XI. Nótese también *otri*, creada por analogía con *qui*, y que perdura hoy en Navarra y Álava. *Ob* conserva la *b* de UBI.

TEXTOS ALJAMIADOS MORISCOS. No hallamos en estos textos problemas parecidos a los del mozárabe, pues se trata de textos posteriores que reflejan los dialectalismos de las regiones donde fueron escritos. Gran número de ellos, por ejemplo, provienen de Aragón, y denotan claramente su origen. Los textos, originalmente en escritura árabe, muestran la dificultad inherente en adaptar los signos de un idioma al habla de otro. Por ejemplo, el árabe no tiene *p*, y la doble *bb* se usaba para representar *p*: se encontrarán ejemplos en la página 111 (*bbur = por, bbara = para, bbašu = pašo*, etc.).

Fonética: Al igual que en varios dialectos, el verbo *ser* lleva formas diptongadas como en *yera, yes* § 54, *ye* § 55; en las formas átonas nótese la I latina > *e* en *vesitar* y *vesitamiento*, § 55. Cfr. el leonés *termeno*, § 49. En el § 55 nótese la forma *akesti* (cfr. *esti* en §§ 12, 48 y 105).

Consonantes: -CT- da -*it*-, de ahí la forma *feyto* (§ 55). -Lɪ̭- da -*ll*- o -*j*- en *fillo* § 55, *fijo* § 54.

Pronombres: *lures* § 55, forma típica del aragonés.

TEXTOS HISPANOHEBRAICOS. También aquí se nos presenta una variedad potencial de regiones, aunque los textos muestren un marcado carácter propio, particularmente en la sintaxis y en el vocabulario.

Entre las consonantes iniciales, la F- se conserva en general, aunque no siempre (*ablara* § 59, *hijos,* junto con *faga,* § 59 bis); G ante *e, i* se pierde en *ermano, ermana* § 56. Una característica del judeo-español es la consonante sorda por una sonora (*pienes* = *bienes,* § 56).

La -Lj- latina da una fricativa palatal (ž): *semeǵa* § 57, *konseǵava* § 58, o se conserva, si hemos de atenernos a la grafía: *filio* § 56. -CT- da -*it*- como en el aragonés *luyto* § 59, o una consonante africada, *frecho* § 56, *noǵe* § 57, *eǵar* § 58.

Lur § 56 se da en el aragonés. Nótese *enna* § 56, que es una contracción dialectal corriente de *en la.*

En la Biblia de Ferrara, § 59 bis, donde se conserva el lenguaje judeo-español de los siglos XIV-XV y posiblemente anterior, conviene notar que formas como *llegan, yazien, andan* son apócopes del participio, así *llegan(te), yazien(te),* etc. Estas formas pueden ser arcaísmos, o, lo que es más probable, aragonesismos.

Vocabulario: Nótense palabras judeo-españolas como *oinavan* 'endechaban' § 56, *suxtare* § 56, *Dio* (de DEUM, acusativo) § 58, *ǵisavan* § 58, *fruchiguaras* § 59 bis. Lapesa cita otras como *meldar* 'meditar', *huesmo* 'olor', *mazal* 'destino'. [1]

Sintaxis: Interesa notar que la construcción en traducciones como la de la Biblia de Ferrara (§ 59 bis) sigue palabra por palabra al original hebraico. De ahí la ausencia del verbo copulativo, la posposición del artículo demostrativo (*la tierra esta*), la omisión del artículo definido, etcétera.

D. J. G.

---

[1] R. Lapesa, *Historia de la lengua española,* pág. 324.

53

ESTROFAS FINALES "JARCHAS" DE POEMAS HISPANO-ÁRABES E HISPANO-HEBREOS LLAMADOS "MUWAŠŠAHAS" [1]

1. Tan t'amaray tan t'amaray   ḥabīb tan t'amaray   1
   Enfermeron welyos cuitaš (?)   ya dolen tan male
                (JOSÉ EL ESCRIBANO, compuesto antes de 1042)

2. Meu sīdī Ibrāhīm   yā tu omne dolŷe   vent' a mib de
                                                      [nojte
   ...ši non queriš   yireym'a tib   gar me ob legarte
                (MUHAMMAD IBN ʿUBADA, s. XI)

3. Yā matre 'l-rajīma   a rayo de mañana   5
   Bon Abu'l-Haŷŷāŷ   la faŷ de matrana
                (AL-AʿMA AL-TUTILI, muerto en 1130)

4. Kom si filyol alyenu   non maš adormiš a meu šenu
                (Muwaššaḥa anónima)

5. Gar ši yeš devina   y devinaš bi 'l-ḥaqq
   Gar me kand me vernad   meu ḥabībī Isḥāq
                (YEHUDA HALEWI, muerto hacia 1140)

6. Deš kand meu Cidello venid   tan bona 'l-bišāra   10
   Kom rayo de šol ešid   en Wādi 'l-Ḥijāra
                (YEHUDA HALEWI)

7. Garid voš ay yermanellaš   kom kontenir a meu male
   Šin al-ḥabīb non vivireyu   advolaray demandare
                (YEHUDA HALEWI)

8. Venid la paška ayun šin ellu   ...meu koraŷon por ellu
                (YEHUDA HALEWI)

---

[1] S. M. STERN, Les Chansons Mozarabes (Palermo, 1953), págs. 2, 4, 6, 7, 11, 17, 21 y 30. Se ha revisado la transcripción de acuerdo con la norma establecida por Al-Andalus.

15 9. *Vaiše* (?) meu koraŷon de mib   ya rabbī ši še me tornerad
tan mal me doled li 'l-ḥabīb   enfermo yed kuand šanarad
(TODROS ABULAFIA, época de Alfonso X y Sancho IV)

10. Al-ṣabāḥ bono gar me d'on venis,   ya lēš que otri amaš
a mibi tu non queriš

(TODROS ABULAFIA)

54

Hacia el año 1300 (?)

POEMA DE YÚÇUF [1]

Yúçuf es vendido al rey como esclavo. Su ayuda
milagrosa al mercader

1 59.   Kuʷando entᵒroron por la billa, laš ŷenteš še marabe-
el diʸa era nublo iʸ-el lo akᵃlariʸa,   [llaban;
mager ke yera eškuro, el biʸen lo bᵃlankiʸaba,
e ñon pašo por (por) eškura ke no la feziʸeše el-alborada.

5 60.   Diziʸen todaš laš ŷenteš ad-akel merkader
še yera anŷel o onbᵉre o šanturero.
Dišo: ante yeš mi katibó leyal i berdader:
kerriʸa lo bender, ši fallaše merkader.

61.   Fizo a šaber la ora ke lo benden el merkader,
10   šabiʸeron luʷego nuʷebaš por todo el kondado,
biniʸeron todaš laš ŷenteš šeñalado,
el šeyendo en-un banko posada.

62.   Non finko en la komarka onbᵉre ni muŷer
ni chiko ni gᵃrando que no lo fu[ʷ]eše a beyer;
15   allī bino Zalīfa i lešo al komer,
kabalgada en-una mula ke n[o]n podiʸa korrer.

---

[1] R. MENÉNDEZ PIDAL, *Poema de Yúçuf* (Granada, 1952), págs. 26-27 y 58-59. Manuscrito de fines del siglo XIV o de principios del XV. Reproducimos en la página opuesta las estrofas 59-61 del original, y a continuación la transcripción en caracteres latinos de las estrofas 59 a 72. Transcripción modificada de acuerdo con la norma establecida por *Al-Andalus*.
Nótese que las palabras con letras voladas o con signo diacrítico constan en el glosario como si no las tuvieran.

59.

كُوَنْدُ ءَانْتُرِّينْ بُرْ لَبِلُّ لَشْ جَانْتَاشْ شَا مَرِبَالَّبِنْ

ءَالْ دِى ءَارَنْبِلُ إِبَالُ لُ أَقْلَرِى

مَغَازْ كَا يَارْ ءَاشْكُرْ ءَالْ بِيَانْ لُبَلَنْكِبِنْ

ءَا تُنْ بَشْ بُرْ (بُرْ) ءَاشْكُرْ كَا نْ

لَغَازِيَاشَا ءَاللُّبَرَدْ

60.

دِزِيَانْ طَدَشْ لَشْ جَانْتَاشْ أَدَكَالْ مَارْكَدَارْ

شَا يَارْ أَجَالْ ءَا اْنَبَارَا ءَا شَنْتُرَارْ (sic)

دِشْ أَنْتَا يَاشْ مِقَبُبُو لَايَلْ إِ بَارْدَدَارْ (sic)

كَارِى لُبَانْدَارْ شَغَلَّشَا مَارْقَدَارْ

61.

فِرُ أَ شَبَارْ لَ اُرْ كَا لُبَانْدَانْ (sic) ءَلْمَارْقَدَارْ

شَبِيَازِنْ لُوَانْعُ نُوَابِشْ بُرْ تُدْ ءَلْقُنْدَرُ

بِبِيَازِنْ طَدَشْ لَشْ جَانْتَاشْ شَالَلُدْ

ءَالْ شَايَانْدُ ءَانِنْ بَنْكُ بُسَدَ (sic)

POEMA DE YÚÇUF

Tres estrofas en caracteres árabes

63.   Bor-el daban su pešo de pᵃlata kondešado
       ašī mismo faziʸan de oro ešmerado,
       da piʸedᵃaraš pᶜresiʸōšaš, komo dize el diktado,
20   ašī [da]ban su peso d-elŷohar gᵃranado.

64.   Konpᵒrolo el rey por šu pešo d-elŷohar,
       lebalo a su muyer, Zalife abiʸa por lonbᶜre;
       bᶜresiʸōron lo por fiŷo i leŷītimo mayōr,
       amaronlo entᵃranpoš de (?) muy buᵂen amōr.

25 65.   Lebantoše el per[go]nero, dīšo a š[a]bōr:
       kiʸen konpᵃrara katibô i šabidor,
       leyal i berdadero firme en-el kⁱriʸador?

66.   Dīšo Yūsuf: ̣non pergones, amado,
       ki konpᵃrara katibô torpe iʸ-abiltado.
30   Dišo el bergonero: ešo non fare, amado;
       ke še akešo diziʸeše, non konpᵃrarin bⁱribado.

67.   Dīšo Yūsuf: puᵂeš ešto non kiʸeš pergonar,
       berguᵂena la berdat, i non kiʸeraš falšar:
       kī kompᵃrara pᵒrofeta i de alto logar,
35   fillo yeš de Jakô, ši lo obiʸešteš lonbᵃrar.

68.   Kuᵂando šopo el merkader ke yera de tal natura,
       rrogo al konpᵃrador ke l tornaše por mešura;
       rredoblar liʸe el pᶜresiʸo de laš konpᵃraduraš.
       Non lo keriʸa fer ke še tanta benturo.

40 69.   Bešandole piʸedeš i manoš ke lo kišiʸeše tornar,
       iʸ-el bor nenguna koša non lo kiriʸa fer niʸ-atorgar;
       toboše el merkader bor muŷo malandant
       i šalban lo kel košto non kišo maš tomar.

70.   Dīšo merkader a Yūsuf la šu rrazon
45   ke rrogaše ad-Allah ¹ del siʸelo ke l daše kⁱriʸazon
       y ke le alargaše la bida iʸ-ell-algo el buᵂen...
       ke de doze mullereš ke tengo kon amor,

71.   ke de todaš akellaš lle deše kⁱriʸazon.
       Rrogo Yūsuf ad-Allah i fizo šu orasiʸon,

---

¹ Aunque en la edición del Sr. Menéndez Pidal aparece *ada-Allah*,
creemos que se trata aquí de un error del copista, el cual de todos modos
no escribió *ada*, sino *ade*. Lo mismo ocurre en la estrofa 72, lin. b.

feziʸeronše todaš bᵉrenadaš, kada una en šu šazôn;   50
kuʷando bino ella librar, b[a]riʸeron de doš en doš.

72.   Kuʷando la ʷora ke fuʷeron a parir,
bᵃlaziʸo ad-Allah del siʸelo, todaš fuʷeron a eŷar
muy nobleš kⁱriʸaturaš, feguraš d-alegrer;
nuʷešt°ro noble šeñor kišo leš ayudar.   55

55
Año 1468

PARTE DE UNA CARTA DOTAL DE BELORADO
(*Provincia de Burgos*) [1]

...I asi como mando Allah... a las muçlimas sobre l*u*res 1
*mari*do*s* los muçlimes de tener con bien o de lesar con bien,
sobrel ya en ke teme ad Allah taᶜāla en ferle buena conpañia
i buena vezindat, justo su poder, asi como mando Allah taᶜāla;
i el a sobrella senblant de akello de buena conpañia i fermosa 5
vezindat, i una grada mas.

Obadese· el cassado sobredisso a su muller la sobredissa
despues ke enseñorea la firmetud del cassamiento con ella, tra-
yendola a su amor i manteniendola a su plazer, con ke no
cassara sobrella con otra sines della, ni prendera cativa sobrella, 10
ni prendara madre de fillo sob*r*ella. Si fara cosa alguna de
akellas, su feyto della sia en *su mano*...

...I ke no la deviede de vesitar a sus parientes de mulleres
i de sus devedados de los onpres en lo ke ye bueno i ye fermoso
del vesitamiento entre los suyos i sus parientes, ni los deviede 15
a ellos della...

...Cassala a ella su padre Abdallah de la Mora sobredisso,
i ella es moça virjen, jusso primia de su enpara, kita de marido,
i sines del ᶜidda de muert del, con lo ke Allah le dio enseñorear
de su virjenidat, i puso en su mano del de poder firmar akesti 20
cassamientǫ sobrella...

---

[1] J. N. Lincoln, 'Aljamiado texts: legal and religious', *Hispanic Review*,
XIII (1945), pág. 105. Original. En cuanto a la ortografía, la *s* equivale a š.
Con respecto a la puntuación y acentuación, no seguimos siempre al
compilador.

56

Año 1219

LOS JUDÍOS ORO SOL Y SU HIJO VENDEN AL
CONVENTO DE AGUILAR DE CAMPÓ UNA PARTE
DE MOLINO
(*Provincia de Palencia*) [1]

1   De los iudios.—Del molinillo sobrel mercado.

Fuemos stantes testigos robrados aqui; assi fue que dixieron
a nos Oro Sol, bibda de Iuceph de Leuanza, & Zac so filio, fijo
de Iuceph de Leuanza: seed sobre nos testigos con quinnan

5   conplido, escreuid & robrad sobre nos con toda lengua de firmedumne & dad al abbad don Micael & al conuent de Sancta
Maria de Aguilar, por seer en lur mano por firmedumne, pienes
que prisiemos & recebimos dellos .cc. & diez morauedis... E
uendiemos ad ellos la uendida esta, uendida conplida affirmad

10 & affirmada, tajada & trastaiada, non apor tornar en ella por
consieglo & non por demudar della a sieglos; baian el abbad
el menbrado & el conuent, & enfuercen enna uendida esta forzamiento conplido a por con sieglo; ...E tod qui ujnjere de
quatro partes del sieglo fijo o fija, ermano o ermana, prominco

15 o lonninco, eredador o biseredador, udio o cristiano, con carta o
sin carta & suxtare sobrellos sobre la uendida esta en alguna
guisa, enel sieglo sean sos ujerbos baldados & preciados por
tiesto frecho que non a en el prod...

---

[1] R. MENÉNDEZ PIDAL, *Documentos lingüísticos de España* (Madrid, 1919), pág. 46. Copia coetánea del original, escrita en letra latina, aunque probablemente sacada de un borrador hebraico.

57
Hacia el año 1355

PROVERBIOS MORALES DE SANTOB DE CARRIÓN [1]

| Yo falyo enel mundo | Dos omres e non mas, | 1 |
| E falyyar nunka puedo | El terçero ǧamas: | |

| Un buskador ke kata | E non alkança nunka | |
| E otro ke nos farat | Falyyando lo ke buska: | |

| Kyen falye e se farte, | Yo non pude falyyarlo; | 5 |
| Ke podrye byen andante | E ryko omre lyamar lo. | |

| Ke non a omre pobre | Sy non el kobdyçyoso, | |
| Nyn ryko, sy non omre | Konlo ke tyen gozoso. | |

| Kyen lo kel kumple kyere, | Poko le abondara, | |
| E kyen sobras kysyere, | El mundo non le kabra. | 10 |

| Kuanto kumplya a omre, | Del su algo syerbe, | |
| E lo de mas el syenpre | Es syerbo kuanto bybe | |

| Todo el dya lazrado, | Korydo por traer lo, | |
| E la noǧe kuytado, | por myedo de perder lo. | |

(Coplas 139-45)

| El omre de metales | Dos es konfaçyonado, | 15 |
| Metales desyguales, | Un vyl e otro onrado. | |

| El uno terenal. | Enel bestyya semeǧa; | |
| Otro çelestryal, | Kon anǧel le apareǧa | |

| Enke kome e beƀe | Semeǧa alymanyya: | |
| Asy muere e byƀe | Komo bestya, syn falyya. | 20 |

---

[1] I. GONZÁLEZ LLUBERA, 'A transcription of Ms. C. of Santob de Carrión's *Proverbios morales', Romance Philology*, IV (1950-1951), pág. 217. Los dos trozos corresponden a las coplas 139-45 y 401-8. En letra hebraica. Las vocales son del redactor. Hay edición crítica (Cambridge, 1942), basada en cuatro Mss. del siglo xv. Texto adaptado con permiso del redactor.

  Enel entendymyento Komo el anǧel es
  Non a departymyento. Si en kuerpo non es.

  Kyen peso de un dynero A mas de entendymyento.
  Por akelyo senyero Val un omre por çyento.

25 Ka de akel kabo tyene Todo su byen el omre,
  E de akelya parte le vyene Toda buena kostomre :

  Mesura e frankeza, E buen [seso] e saber,
  Kordura e sympleza, E las kosas kaber.

  Del otro kabo naçe Toda la mala manya,
30 E por alyy le kreçe La kobdyçyya e sanyya.

         (Coplas 401-8)

58

¿Primera mitad del siglo XIV?

COPLAS DE YOÇEF : LA MUERTE DE JACOB, SU EM-
BALSAMIENTO Y FUNERALES EN LA TIERRA DE SUS
PADRES [1]

1 Ǧakob deske atemabaʰ De dezir su razon,
  E el los konseǧavaʰ De mui buen coraçon,
  (E) luego el se pa[s]avaʰ Faziendo oraçion.
  E ya luego besavaʰ Asu padre Yoçef.

5 Yoçef su mandamiento Fizo mui priado
  Fizo vanyar al muerto ; Luego fue pimentado ;
  Despues fueraʰ enbuelto En un panyo onrado.
  En atabud fue puesto, Komo mando Yoçef.

―――――
[1] I. GONZÁLEZ LLUBERA, *Coplas de Yoçef* (Cambridge, 1935), pág. 19.
Coplas 286 a 292. Ms. de la primera mitad del siglo xv. En letra hebraica.

Deske elyos atemavan	De eğar la^h pimienta^h,	
Ğentes ael lyoravan	Ke elyos eran sin kuenta^h;	10
Enel lyanto turavan	Çierto dias setenta^h,	
Ke muğo lo amavan	Todos kom aYoçef.	

Yoçef desta^h manera^h   Al rei ovo fablado:
"Mi padre me dixera^h   E me ovo konğurado
Ke le levase asu tiera^h   Deske fuese finado".   15
E luego respondiera^h   El rei a^h Yoçef:

"Si tu feziste ğura^h   Enel Dio de los çielos,
De enterar su figura^h   Do estavan sus aguelos,
Ve a^h buena^h ventura^h;   Entieralo entrelyos,
E luego por tu mesura^h,   Tornate, Yoçef".   20

Su kamino gisavan   Yoçef e sus servientes;
Ael le akompanyavan   Otras muğas ğentes;
Eel kamino paravan   Por seer lo obedientes.
A^h Ğakob oinavan   Todos kon Yoçef.

Al muerto reçebieron   Reis e enperadores,   25
E le obedeçieron   Komo buenos senyores;
Deredor le pusieron   Koronas de onores;
Akesto dekoğeron   Los reis de Yoçef.

59

Siglo XV

ROMANCE JUDEO-ESPAÑOL: *VERGILES*[1]

Traysyon armo Verğyles   1
En los palasyos del rey,
Por amar una donzelyya,
Kual se yamava Yzabel...

[1] I. GONZÁLEZ LLUBERA, 'Three Jewish Spanish ballads', *Medium Aevum*, VII (1938), pág. 21. Copia del año 1702. En letra hebraica. Adaptado con permiso del redactor.

Ny es mas alta ny es mas baxa,
Sobryna era del rey...
Despues ke el rey lo supo,
En pryzyon lo mando a meter...
Y las yaves de la karçel
Kon sygo las yeba el...
Un dya estando en la mysa
Vydo venyr una muger...
Vestyda de luyto negro,
De la kavesa asta los pyes...
Ay demando alos suyos,
Kyen era akelyya muğer:
'Madre es de don Verğyles,
Ke en pryzyones lo tenex...'
'Dygamos presto la mysa
Y vayamos a komer.
Despues de aver komydo,
A don Verğyles vamos a ver...'
Ay ablara la reyna:
'Yo no komere syn el...
Tomanse mano por mano,
A don Verğyles van a ver...
'Estex en bonora, Verğyles.'
'Byen vengades, el buen rey.'
'Sy muğo tyenpo, Verğyles,
Ke aky prezo estadex?...'
'Kuando entre aky, meçkyno,
Enpese a enbarveser;
Agora, por mys pekados,
Enpese a enkaneser,
Y sy al buen rey le plaze,
Toda la vyda estare.'
Tomanse mano por mano,
El rey lo yeba kon el.

59 bis
Siglos XIV-XV

BIBLIA DE FERRARA[1]

El sueño de Jacob. Génesis, caps. 28-29

E salyo Yahacob de Beersabah : y anduuo a Haram y 1
encontro enel lugar : y durmio ahi : que se puso el sol : y
tomo de piedras del lugar : y puso a sus cabeceras : y yazio
enel lugar esse . Y soño y he escalera parada a tierra : y
su cabo llegan a los çielos : y he angeles del Dio subientes y 5
desçendientes por ella . Y he .A. estan çerca ella, y dixo yo
.A. Dio de Abraham tu padre : y Dio de Yshac : La tierra
que tu yazien sobre ella a ti la dare y a tu semen . Y sera
tu semen como poluo de la tierra : y fruchiguaras a Ponente : y a Oriente : y a Septentrion : y Meridion : y bende- 10
zirsean en ti todos linages de la tierra y en tu semen . Y he
yo contigo : y guardartee en todo lo que andaras y fazertee
tornar a la tierra esta que no te dexare : fasta que sino faga
lo que hable a ti . Y despertosse Yahacob de su sueño : y
dixo de cierto ay .A. enel lugar este : y yo no supe . Y te- 15
mio, y dixo que temeroso el lugar este : no este que saluo
casa del dio : y esta puerta de los çielos . Y madrugo Yahacob por la mañana : y tomo a la piedra que puso a sus
cabeçeras : y puso a ella estatua : y vazio azeite sobre su
cabeça . Y llamo a nonbre del lugar esse Bethel : y de çierto 20
Luz nonbre de la villa al principio . Y prometio Yahacob
promessa por dezir si fuere el Dio comigo : y guardare ami
en la carrera esta que yo andan : y diere a mi pan para comer

---

[1] *Biblia en lengua Española traduzida palabra por palabra de la verdad Hebrayca por muy excelentes letrados vista y examinada por el officio de la Inquisicion. Con priuillegio del yllustrissimo señor Duque de Ferra-ra* (Ferrara, 1553). Incluimos este texto por ser ejemplo del judeo-español de los siglos XIV-XV, además de conservar muchos rasgos de este dialecto en la época alfonsí. Para más detalles bibliográficos, véase C. ROTH. 'The Marrano Press at Ferrara, 1552-5' en *Modern Language Review*, XXXVIII (1933), págs. 309 y sigs., y S. RYPINS, 'The Ferrara Bible at Press', *The Library*, Vth Series, X (1955), págs. 244-69.

y paño para vestir : y si tornare en paz a casa de mi padre :
25 y sera .A. ami por Dio . Y la piedra esta *que* puse estatua
sera casa del Dio, y todo lo que daras a mi diezmar lo diezmare a ti . [Cap. 29] Y alço Yahacob sus pies y anduuo a
*ti*erra de hijos de Orie*n*te.

Textos de Navarra

(con unos textos riojanos anteriores al siglo XIII)

INTRODUCCIÓN A LOS TEXTOS DE
NAVARRA Y ARAGÓN

DADO el interés que existe entre los filólogos para establecer una distinción entre el navarro y el aragonés, hemos creído conveniente separar los textos originarios de Navarra de aquéllos provenientes de Aragón, evitando así la clasificación de 'navarro-aragonés' tan frecuentemente usada, y contribuyendo con ello a una mejor definición de las características individuales del habla de cada una de estas regiones.

El español de Navarra y el de Aragón poseen una serie de rasgos comunes que los diferencian del castellano. Éstos son:

1.° Conservación de la F— inicial latina hasta fines de la edad media (*fazer* § 86, *fablando* § 123). Los únicos ejemplos del cambio castellano *f*— > *h*—que se ofrecen en nuestros documentos de Navarra y Aragón se encuentran en textos cuya letra es del siglo XVI (*hierro* § 85, *hablando* § 123).

2.° Conservación de los grupos iniciales latinos CL—, PL—: *pluuia* § 75, *plorando* § 114, *clamados* § 78, *clamada* § 117 (cast. *lluvia, llorando*, etc.).

3.° Seguida de las vocales *e, i* de la serie anterior, la [y] del latín vulgar refuerza su articulación palatal: *genero* § 69, *jenero* § 99, *gitar* § 112 (cast. *enero, echar*).

4.° Reducción a —*it*— del grupo latino —CT—: *feita* § 68, *feytos* § 112 (cast. *hecha, hechos*).

5.° Evolución de los grupos —L̦i—, —C'L— del latín vulgar a [l̦], o sea *l* palatal: *fillo(s)* §§ 83, 116 (cast. *hijo(s)*).

6.° —SC ante yod se hace [š], escrito *x*, etc.: *exada* §§ 104, 115 (cast. *azada*). [1]

7.° Diptongación de la Ȩ y la Ǫ tónicas del latín vulgar seguidas de yod, según demuestran *uienga* (cast. *venga*) en los §§ 68, 96, etc., y *nueyt, nueytes* (cast. *noche(s)*) en los §§ 109 y 74 respectivamente.

En cuanto a los cambios enumerados en los párrafos anteriores 3.° y 4.°, nótese que formas idénticas a las correspondientes castellanas ocurren también en nuestros textos navarros y aragoneses desde el siglo XIII: *hermanos* § 74, *hientes* § 95; *fecha* §§ 70, 101; mientras que los grupos C'L, Lį del párrafo 5.° están representados en el mismo siglo por formas tales como *conceio* § 70, *mejor* § 101, cuya *i, j* debemos probablemente interpretar como representantes de la [(d)ž] medieval castellana. Por fin, respecto al párrafo 7.°, nótense *tengan* § 78 (año 1379) y, entre los textos de Aragón, § 92 (¿hacia 1090?); y *tenga* § 105 (primera mitad del siglo XIV), *ollos* § 114 [2] y *vengan* § 122.

Ambas series de textos se caracterizan además por los siguientes rasgos: rápida evolución del grupo latino AI, el cual se ha hecho ya *e* en *keso* § 63, *alihaleros* § 90, ejemplos ambos del siglo XI; reaparición de la —*e* final tras los grupos —*rt*, —*nt* en la segunda mitad del siglo XV solamente (*primeramente*, etc.); tendencia a confundir la —*b*— y la —*v*— intervocálicas hacia fines del período (*tubo* 'tuvo' § 86, *nobiembre* § 121); uso de *y* para evitar el hiato en *seyer*, etc.; tendencia mantenida durante toda la época medieval hacia la elisión de *de, que*, etc. ante palabra que empieza con vocal: *dalli* 'de allí' § 84, *daqui* 'de aquí' § 105 [3]; uso de *ad* en vez de *a* ante palabras que empiezan con *a*; la grafía *ç* puede estar en final de palabra; *y* (< IBI) puede usarse como complemento indirecto de persona: *las y crebantan* 'se las roban' § 74, *lay vendió* 'se la vendió' § 102; se usa *lur* (plural *lures*) como adjetivo posesivo de ter-

---

[1] En nuestros textos originarios de Navarra no se ofrece ningún ejemplo de este cambio.
[2] Al lado de *ollos*, interesante por tener *o* típica del castellano, y *ll*, típica del habla de Navarra y de Aragón, compárese *ita*, § 74 (cast. *echa*) a la luz de los párrafos 3.° y 4.°
[3] Esta elisión no se encuentra, salvo poquísimas excepciones, en nuestros textos de Castilla posteriores al siglo XIII, excepto cuando se trata de identidad de vocales, o sea en casos como *desto* 'de esto' donde la palabra que sigue a 'de' empieza con *e*.

cera persona plural. En lo que se refiere a las formas verbales de ambos grupos de textos, hay un infinitivo *tenir* 'tener'; es común la intercalación de una *g* en el tema del presente subjuntivo: *prenga* 'prenda' § 74, *fierga* 'hiera' § 102; el participio pasivo se forma a veces sobre el tema del pretérito fuerte: *ouido* 'habido' § 79, *sopido* 'sabido' § 111; se dan formas en —*oron* de tercera persona plural del pretérito de verbos —*ar*: *donoron* § 69, *tornoron* § 95; y es muy raro el uso de *estar* con participio pasivo. Son también típicas de nuestros textos navarros y aragoneses las preposiciones *entro a* 'hasta', y *denante, apres*. Estas últimas, junto con *delant, dentro, cerca,* se usan normalmente sin *de*: *cerca la fortaleza* § 78. Entre los adverbios usados en estos textos son dignos de notarse *encara* 'aún', *la hora* 'entonces'. Por fin, nótese que el condicional se presenta a veces en oraciones de relativo donde en castellano moderno se usa el subjuntivo: *quoalesquiere que... aurian dreyto* § 80, *et a otros que se les acostarian* § 100.

Por lo que hace a la distinción entre el lenguaje de nuestros textos navarros y el de los aragoneses, no creemos que el estudio de estos textos añada mucho a la exposición de los 'rasgos peculiares navarros' hecha por F. Induráin en su libro *Contribución al estudio del dialecto navarro-aragonés antiguo*. [1] Es por demás evidente que los dos grupos de textos que a continuación exponemos constituyen un terreno demasiado restringido para poder sacar de él conclusiones firmes, ya que podría ser meramente casual el no registrarse en uno de los dos grupos fenómenos que se presentan con frecuencia en el otro. [2] Así y todo, nuestros textos originarios de Navarra ejemplifican los siguientes fenómenos que Induráin señala como típicos de dicha región: grupo inicial *goa—, quoa—* (cast. *gua—, cua—*): *quoatro* § 74, *goarnir* § 75, etc.; representación de los sonidos [ḷ] y [ṇ] por combinaciones de letras en las cuales va en primer lugar la *y* o *i*, por ejemplo *yll, ynn* (véase la representación

———
[1] Zaragoza, 1945, pág. 91.
[2] Por ejemplo, formaciones analógicas como *comunas* § 112 no figuran en nuestros textos navarros, pero Induráin cita casos parecidos como característicos no sólo del aragonés, sino también del navarro (obra citada, pág. 70). Véase también abajo, pág. 128.

de [š] en *ejso* § 73, *leyssa* § 74 y *deissen* § 78)[1]; ausencia de formas primitivas (*uo, ua, ia*) de los diptongos *ue* y *ie*, las cuales no se dan en nuestros textos navarros después del § 60 (siglo x), mientras que el § 98 (aragonés del año 1268) tiene *nuastro, capialla*.[2]

Otros rasgos que se han señalado como típicos del navarro, pero no del aragonés son:

1.º No inflexión de *e, o* iniciales seguidas de yod. Ejemplos de esta falta de inflexión se encuentran en el último de nuestros textos navarros (segunda mitad del siglo xv), mientras que en los aragoneses parece haber pocos o ningunos ejemplos después de fines del siglo xiv.

2.º Conservación del grupo latino —MB—, el cual se hace —*m*— en aragonés. Hay vacilación en los textos de Navarra, ofreciendo ejemplos de conservación los §§ 73, 74, 81, y ejemplos de asimilación los §§ 74 y 83.[3]

3.º Pérdida de la —D— intervocálica, la cual no parece ofrecer más ejemplo que el *suceyr* tardío de nuestro § 86.[4]

4.º Confusión de las grafías *z* y *ç*. Esta confusión se encuentra durante la segunda mitad del siglo xiii y primera del xiv no sólo en los textos de Navarra sino también en los de Aragón. Junto con formas como *florezer* y *foxa* del § 122 (documento del siglo xv), la, confusión *z-ç* suscita interesantes pro-

---

[1] En nuestros textos la grafía *yll* se da en el § 70 (año 1264), la *ill* ya en el § 68 (1235). Ambas grafías se usan todavía en el § 80 (principios del siglo xv). En cuanto a [ɲ], la grafía *ynn* se usa en el § 68, y sigue usándose en la primera mitad del siglo xv (§ 81), mientras que la *yn* se da en el § 71 (1276) y todavía en el § 86 (1462). Todas estas grafías son raras o inexistentes en nuestros textos aragoneses, donde *ny* es quizá la grafía más frecuente para representar [ɲ]. Corrobora esta distinción ortográfica entre los dos reinos MANUEL ALVAR, 'Grafías navarro-aragonesas', *Pirineos*, IX (1953), págs. 65-72. Cfr., empero, las interesantes observaciones de LOUIS COOPER en *Hispanic Review*, xxvIII (1960), págs. 262 y 263, basadas en un análisis de los *Documentos lingüísticos del Alto Aragón*, de TOMÁS NAVARRO (Syracuse, New York, 1957).

[2] V. J. COROMINAS, *Nueva Revista de Filología Hispánica*, XII (1958), pág. 70.

[3] V. INDURÁIN, obra citada, pág. 43.

[4] Cfr. *possedir*, § 86; *judicio*, § 68; etc. Hay ejemplos de pérdida de la -*d*- de las formas verbales -*ades*, -*edes*, en nuestros textos aragoneses (§§ 119, 121, ambos de la segunda mitad del siglo xv), si bien no en los navarros; aunque hay que tener en cuenta que el último de los textos navarros está fechado en 1462, y, después del § 76 (año 1312), sólo el § 81 (primera mitad del siglo xv) tiene formas de segunda persona plural.

blemas relativos a la historia del ensordecimiento de las sibilantes sonoras del español antiguo. [1]

5.º Evolución M'N > *mpn*, la cual aparece tanto en los textos de Navarra como en los de Aragón (véase el § 103, por ejemplo).

El análisis lingüístico de los textos navarros y aragoneses nos indica unos cuantos puntos más en que parecen diferenciarse entre sí. Se trata de fenómenos que se registran en los textos de Aragón, siendo raros o inexistentes en los de Navarra. Ya hemos insistido en la dudosa validez de conclusiones basadas en un material tan limitado, y las observaciones que a continuación detallamos se hacen sólo en vista de lo poco que se ha estudiado esta cuestión:

Las formas en —*o* del adjetivo posesivo (*to, so*) no se encuentran después de 1235 en los textos de Navarra, pero se dan en los de Aragón hasta fines del siglo (véase el § 102); [2] el uso del artículo definido con el adjetivo posesivo, pospuesto éste al sustantivo y antepuesto aquél (*a los fieles suyos* § 101), parece no figurar en los textos navarros; tampoco se dan en ellos nexos de adverbios como *legitimament et solempne* § 103, donde el primero de los dos adverbios es el que lleva la terminación —*ment*; [3] las desinencias —*ie* del imperfecto de indicativo y del condicional, raras en los textos aragoneses, son casi desconocidas en los navarros; [4] formas *ne, en*, etc., de-

[1] Cfr. INDURÁIN, obra citada, págs. 24-25. En G. T. NORTHUP, *El cuento de Tristán de Leonis* (Chicago, 1928), edición de un manuscrito de fines del siglo XIV o principios del XV y que parece ser debido a copistas aragoneses, se dan las dos formas *inoios, jnoxos* (págs. 236 y 237 respectivamente) junto a *inolos* (pág. 239) y la más propiamente aragonesa *genollos* (pág. 238). V. también AMADO ALONSO, *De la pronunciación medieval a la moderna en español*, I (Madrid, 1955), pág. 420; y MANUEL ALVAR, obra citada, pág. 74.

[2] Cfr. GUNNAR TILANDER, *Vidal Mayor*: traducción aragonesa de la obra *'In excelsis Dei thesauris'* de Vidal de Canellas (Lund, 1956), t. I, pág. 37.

[3] Cfr. F. DE B. MOLL, *Gramática histórica catalana* (Madrid, 1952), pág. 317, § 465. Para la misma construcción en un texto provenzal del siglo XIV, cfr. C. APPEL, 'Der provenzalische Lucidarius', *Zeitschrift für Romanische Philologie*, XIII (1889), pág. 232: 'Dialektisch ist auch die Art der Nebeneinanderstellung zweier Adverbia: *fortment et ardida'*.

[4] Cfr. el *Roncesvalles* español, cuyo lenguaje ofrece marcados rasgos navarros, y donde el imperfecto de los verbos -er termina siempre en -ia 'sin caso alguno de -ie. Esta particularidad es, sin duda, propia del autor...'. (La cita es de R. MENÉNDEZ PIDAL *Revista de Filología Española*, IV (1917), pág. 120). También los verbos -ir del *Roncesvalles* tienen siempre -ia en su imperfecto. G. TILANDER, obra citada, t. I, pág. 59, nota que en el *Vidal Mayor* 'la terminación -ie, -ien por -ia, -ian en el imperfecto y el condicional es rarísima'. Los ejemplos que cita Tilander son todos ellos de la conjugación -er, restricción que también puede observarse, en lo que al imperfecto se refiere, en nuestros *Textos lingüísticos*,

rivadas de INDE latino, son muy raras en los textos navarros, pero se dan en los aragoneses.

Por lo que se refiere a los textos de Aragón, merecen citarse por lo típicos los siguientes rasgos: uso del artículo *lo* (y de *la* masculina en *la huno* § 120); adverbios como *tantost* 'en seguida' § 113, *de continent* 'en seguida' § 96, etc.; concordancia del participio pretérito de un verbo intransitivo, siendo *haber* el auxiliar, en *las quales... han seydas* § 107; [1] y la tendencia hacia la pérdida de la *r* agrupada en *pendrá* 'prenderá' § 104. [2] Deben también mencionarse algunas formas interesantes por reflejar evoluciones fonéticas típicas del altoaragonés: *realencas* § 75, *de realenco* § 83, *contenta* 'contienda' § 96, *carnestolentas* § 110; [3] nótense también *demannelos* 'demándelos' § 92, *segona* 'segunda' § 101.

Tanto en Navarra como en Aragón se admite el uso de la forma nominativa del pronombre personal tras preposición, uso que aparece en los textos aragoneses (*vere a Tu* § 114) pero no en los navarros. En cambio, pretéritos fuertes con vocal temática *i* del tipo *tiuo* 'tuvo', *siuo* 'fue', con ser característicos de ambas regiones, sólo se registran en la parte de los textos correspondiente a Navarra.

Es de notar que el pronombre relativo *qui* está todavía en uso en un texto aragonés del año 1460 (§ 119), mientras que en

---

en la *Crónica de Morea* de Juan Fernández de Heredia y, según me comunica el Dr. I. Macpherson de la Universidad de Durham, en la versión aragonesa de la *Embajada a Tamorlán*, de González de Clavijo, existente en la British Museum Library. En cambio, se dan en el *Tucídides* de Heredia las dos formas *vinie* y *dizie* (V. L. LÓPEZ MOLINA, *Tucídides romanceado en el siglo* XIV, Madrid, 1960, págs. 101.20 y 132.11, 145.15 respectivamente; *dizien*, pág. 128.8, es errata por *dizen*); y *vinie* figura en el *Liber Regum* una vez como pretérito y otra como imperfecto, según LOUIS COOPER, *El Liber Regum: estudio lingüístico* (Zaragoza, 1960), págs. 67 y 79.

[1]   Cfr. MOLL, obra citada, pág. 333, § 483. Para otros ejemplos en textos aragoneses, cfr. *las muchas guerras que hi auian estadas* (*Crónica de Morea*, Biblioteca Nacional 10131, fol. 234r.); *actoridades las quales e podidas auer* (*Rams de Flores*, Escorial Z-I-2, fol. 112 v. (b)); *havia cayda* (*Embajada a Tamorlán*, British Museum ADD 16613, fol. 55r.); *no las avrien podidas subiuguar* (*Tucídides*, Biblioteca Nacional 10801, fol. 24v. (a)); *si huuiessemos seydos grant quantidat* (ibid. fol. 38v. (a)); y *porque aves fincados solos* (ibid. fol. 45v. (b)). Por otra parte, se encuentra esta construcción también en un trozo del *Fuero Juzgo* citado por R. MENÉNDEZ PIDAL (*Cantar de Mio Cid: texto, gramática y vocabulario*, Madrid, 1954, pág. 674): *aunque ella oviesse estada mugier dotro*.

[2]   Cfr. MOLL, obra citada, pág. 122, § 132, y pág. 141, § 174. Para otros ejemplos de pérdida de la *r* agrupada de *prender* en aragonés, catalán y provenzal, v. F. W. Hodcroft, 'Notas sobre la *Crónica de Morea* (Fonética)', de próxima aparición en el *Archivo de Filología Aragonesa*.

[3]   Cfr. *pertida* 'perdida' en la *Crónica de Morea*, fol. 190v.

nuestros textos correspondientes a Castilla no figura después del año 1240 (§ 19). [1]

Nótense por fin las formas —ie de tercera persona singular en los pretéritos *mouie, conuertie*, etc. § 95.

Advertimos a los que estudien nuestros textos que los §§ 72, 96 y 106 se han incluido como ejemplos de textos que denuncian fuertes influencias extranjeras. Son, por tanto, poco típicos del habla de Navarra y Aragón. En el § 72, la forma *fayta* 'hecha' indica influencia lingüística de la Francia meridional, mientras que el lenguaje de los §§ 96 y 106 refleja el influjo del catalán, o quizá de una *koiné* catalano-occitana, muy usada, según Corominas, no sólo en Aragón sino también en Navarra en la segunda mitad del siglo XIII y en el XIV. [2] La influencia del catalán se nota, si bien no tan marcadamente, en varios otros textos de nuestra sección aragonesa, v. gr. los §§ 97, 99 y 110. [3]

LA RIOJA

La Rioja, situada al occidente de Navarra, se incorporó a Castilla en el siglo XII, lo cual ocasionó la rápida castellanización del dialecto riojano, especialmente del habla de la Rioja Alta o sea la mitad occidental de la región.

Los textos mejor conocidos de esta región "muy poco uniforme en su lenguaje" [4] son las Glosas Emilianenses (véase el § 60) y las obras de Gonzalo de Berceo (véase el § 20). En el período del romance primitivo el riojano era una modalidad del complejo dialectal navarro-aragonés, según indican formas como *uello* 'ojo', *geitat* 'echa', *(tú) ies,* las cuales ocurren en el § 60 y son típicas de las glosas emilianenses.

Otras características riojanas que Marden señala como típicas del lenguaje de Berceo y que revela el § 20 son la grafía

[1] V. A. PAR, 'Qui y que en la península ibérica', Revista de Filología Española, XVIII (1931), págs. 227-234.

[2] V. Nueva Revista de Filología Hispánica, XII (1958), pág. 75.

[3] A las obras citadas en el curso de este estudio añádanse B. POTTIER, 'L'évolution de la langue aragonaise à la fin du Moyen Age', Bulletin Hispanique, LIV (1952), págs. 184-199; y MANUEL ALVAR, El dialecto aragonés (Madrid, 1953).

[4] R. MENÉNDEZ PIDAL, Orígenes del español (3.ª ed., Madrid, 1950), página 468. Para el dialecto riojano consúltese dicha obra, págs. 468-472, donde el autor distingue el riojano occidental del oriental. Véase también C. C. MARDEN, Cuatro poemas de Berceo (Madrid, 1928), págs. 35-38, para un estudio pormenorizado del lenguaje del poeta riojano Gonzalo de Berceo.

-*ss*- en *disso*, la conservación del grupo latino —MB— en *ambas* [1] y de la -D- intervocálica en *vidi*, [1] la -*i* final correspondiente a la -*e* final del español moderno en *li*, *esti*, y la regularización de perfectos fuertes como, por ejemplo, *podió*, forma que Marden considera poco corriente fuera de las obras de Berceo. Nótense también las asimilaciones del tipo *cono* 'con lo', *ena* 'en la', que Marden señala como rasgos característicos del lenguaje de Berceo, y que aparecen en el § 60; y el uso de *plus* 'más' (§ 60) que menciona Menéndez Pidal [2] como vocablo que "arraigó algo en la Rioja, la tierra de las Glosas, donde Berceo lo usa todavía".

Formas como *conseio*, *vieio*, *muger*, que también figuran en el § 20, parecen más bien castellanas y reflejan la influencia de este dialecto, como la refleja también *oveias*, que sustituye a una forma anterior *ovellas* tachada por el copista, siendo esta última más característica del riojano.

F. W. H.

---

[1]   Véase la introducción a los textos de Navarra y Aragón, pág. 126.
[2]   *Orígenes del español*, § 61, 3.

60

Siglo X

GLOSAS DE SAN MILLÁN DE LA COGOLLA [1]

§ *Consistorio de demonios, en que varios ministros del diablo* 1
refieren las maldades que vienen de hacer.

Quidam [*qui en fot*] mo nacus filius sacerdotis ydolo*rum*...
Et ecce repente [*lueco*] unus de principib*us* ej*us* ueniens adorabit eum. Cui dixit diabolus ¿unde uenis? Et respondit: ful 5
jn alia prouincia et suscitabi [*lebantai*] bellum [*pugna*] et effusiones [*bertiziones*] sanguinum... similiter respondit: jn mare
fui et suscitabi [*lebantaui*] conmotiones [*moueturas*] et submersi
[*trastorne*] nabes cum omnib*us*... Et tertius ueniens [*elo terzero*
diabolo uenot]... jnpugnaui q*uem*dam monacum et uix [*ueiza²*] 10
feci eum fornicari.

§ *Incipiunt sermones cotidiani beati Agustini.*

...Si uero, quod D*eus* non patiatur [*non quieti*] et mala
opera exercimus [*nos² sificierem*us] et plus pro carnis luxuria
qua*m* pro salute anime laboram*us*, timeo ne quando boni 15
*christ*iani cum angelis acceperint uita*m* ętęrnam nos, quod absit,
pręcipitemur [*guec ² ajutuezdugu*] [*nos nonkaigam*us] jngeęn-
na. ... Inuidia*m* uelut gladium diaboli respuit [*geitat*]... qui
adulteriu*m* [*fornicatjone*m] non facit... qui de fructibus suis
prius [*ances*] non gustat nisi ex jpsis aliquid Deo offerat, ...ad- 20
juro [*coniuro*] ut totius uiribus [*de tota fortitudine*] jn omni
causa ju*s*titia teneatis et de anime u*estre* salute adtentius [*bue-*
na mientre] cogitetis... Nolite uos occupare [*parare uel aplecare*]
ad litigandum [*demandare*] set potius [*plus maij*us] ad orandum, ut non rixando De*um* offendere [*gerrare*]. 25

---

[1] R. Menéndez Pidal, *Origenes del español*, 3.ª edic. (Madrid, 1950),
pág. 3. Letra de mediados del siglo x. Las palabras entre corchetes corresponden a glosas marginales en el MS., de fecha casi contemporánea al
mismo; se indican en letra redonda las abreviaturas, mientras que las
del propio texto van en letra cursiva.
² Palabra de lectura dudosa, según Menéndez Pidal.

§ *It*em *alius sermo.*

...Adtendat [*katet*] unusquis*que* [*quiscata*qui] ne munera accipiendo alterius causam mala*m* faciat sua*m* pena*m* si jnjuste
judicauerit; accipe pecunie lucru*m* et jncurrit [*kaderat*] anime
30 detrimentu*m*. Non se circumueniat qui talis est [*nonse cuempetet
elo uamne ensiui*]; jn illo enim jmpletur quod scriptu*m* est:
jn quo judicio judicaueritis judicauimini. Forsita*m* [*alquieras*]
quando jsta prędicamus aliqui contra nos jrascuntur et dicunt:
jpsi qui hoc prędicant hoc jmplere dissimulant [*tardarsan por*
35 *jnplire*]; jpsi sacerdotes, presuiteres et diacones talia plura conmittunt [*tales muitos fazen*]; et quida*m*, f*r*atres, alicotiens [*alquandas beces*] ueru*m* est, quod pej*us* est. Na*m* aliqui clerici et
jnebriari se solent, et causas jnjuste subuertere [*transtornare*[1]] et
jn festiuitati*bus* causas dicere et litigare non erubescunt [*nonse*
40 *bergudia*n *tramare*]. Set num [*certe*] quid toti condemnandi
sunt... Saluatoris pręcepta jnsinuo [*jocastigo*]... qui et nobis tribuat libenter [*uoluntaria*] audire quod predicamus... adjubante
d*o*mino n*o*stro Jhe*s*u Ch*r*isto cui est honor et jmperiu*m* cum patre et S*p*irit*u* S*an*cto jn secula secu*l*orum [*conoajutorio de nues-
45 tro* [1] *dueno, dueno* Christo, *dueno Salbatore, qual dueno get ena
honore, equal duenno tienet ela mandatjone cono Patre, cono
Spiritu Sancto, enos sieculos delosieculos. Facanos De*us *omnipotes tal serbitjo fere ke denante ela sua face gaudioso segam*us.
A*m*em*].

50 § *Homelia* s*an*cti *Agustini* ep*iscop*i.

...Tunc anima jnmunda dicit: ęu me [*uemici*], magne su*nt*
tenebre... ubi sunt tenebre exteriores [*de fueras*] et tu jb*is*
[*etujras*] ubi erit fletus et stridor dentium et multitudo tormen-
toru*m* [*penas*]. ...Tunc diuidunt se [*partirsan*] in duos hostes...
55 donec [*ata quando*]... prout gessit [*fezot*] sibe bonu*m* siue
malu*m*... galea [*gelemo*] salutis... misericors est, ospitalis et,
omnia sustinuit [*sufriot*] propter D*omin*u*m* om*n*ipotente*m*,
tamen et sperans semper futuru*m* esse profanu*m* [*prabatio*]...
Uidebis claritatem Dei sicut facie ad faciem, non p*er* speciem
60 neq*ue* per uelamen [*quemo enospillu nok*e *non quemo eno uello*]

---

[1] Palabra de lectura dudosa, según Menéndez Pidal.

quem admodum uidebunt filii Srahel faciem Moysi. Dicit denuo [altra] anima: magna est letitia angelorum... suabe est [dulce jet] iter [uia]. Angeli respondunt... deducimus te [nos lebartamus] ad locum tabernacula sanctorum carens [lebando] jnjustorum habitationes... ubi [obe ¹] manifestat [parescen] beatitudinem [ena felicitudine] anime. ...Et repleuimur [nos enplirnosamus] jn bonis domus tue. ....

§ Item sermo cotidiani.

...Ayt enim apostolus [zerte dicet don Paulo apostolo] quia corpora uestra templum est Spiritus Sancti; ...tu jpse ęs [tueleisco jes] templum Dei... jn domo tua manes [tu siedes]... uide quid agas [ke faras], uide ne offendas [tunon jerras] templi hauitatorem, ne deseras te [tunon laisces] et jn ruinam uertaris [tornaras]. Nescitis jnquid [dicet] quia corpora uestra templum est Spiritus Sancti quem habetis a Deo et non estis uestri [reputatiba] ęmti enim estis prętio magno.

61

Siglo X

GLOSAS DE SANTO DOMINGO DE SILOS ²

§ De furtu uel incendio aut uiolato

...Si quis martiria [reliquias] dispoliat .ɪ. anno in pane et aqua et tres annos se abstineat a uino et carne et omnia que extraxerit [quales tolliot] restituat [tornet]. Si quis christianus catholicum in cabtibitate duxerit aut transmiserit [zetare corri] .x. annis peniteat. ...Si quis patrem aut matrem infamaberit, quanto tempore in inpietate steterit tanto post satisfactionem [posque penitieret] peniteat.

§ De diuersis homicidiis.

Qui autem ad homicidium faciendum [por fere ke faciat omiciero] consenserit [castigaret et consilio malo dederit] et

---

¹ Palabra de lectura dudosa, según Menéndez Pidal.
² R. MENÉNDEZ PIDAL, Origenes del español, 3.ª edic. (Madrid, 1950), pág. 13. Letra de la segunda mitad del siglo x. Para el uso de corchetes y letra cursiva, v. la nota al § 60. Por su estrecho parentesco lingüístico con las de San Millán incluimos aquí estas glosas silenses.

factum fuerit, .UII. ann*is* pen*iteat*. ...Qui au*tem* uoluerit et
factum non fuerit .III. ann*is* pen*iteat*. ...Qui in prelio [*punga*]
occiderit hominem .I. anno pen*iteat*... Qui prebent [*ministrent*
15 *sierben*] ducatu [*por ducere*] barbaris [*a los gentiles paganos
mozlemos*] .U. ann*is* pen*iteat*. ...Si au*tem* uexatus [*focato fueret*]
a demonio uisibiliter est et in hunc interitu*m* incurrerit, licet
ut ceteris [*conos altros*] fidelib*us* persicere [1] [*ke li fica*n] sepultura eiu*s*. ...Si qua mulier per adulteria [*fornicio*] absente [*luen-*
20 *ge stando*] marito suo conceperit [*inpreinnaret*] idq*ue* post facinus occiderit, nec in finem dandum esse comunionem. Eo [*in
tantum por eu ende*] quod [*por ke*] geminauerit [*duplicaot*] scelus, et .XUII. ann*is* pen*iteat*. Hii [*estos*] qui aborsum [*abortare*]
faciunt uel natos suos extingunt [*matan*], post septem annor*um*
25 curricula [*antamios*] communio tribuatur. ...Si quis ęgris [*elo
fermo*] custos dormierit adgrabans [*grabe mientre*] et mortuus
fuerit eger sine peruigile, peruigil .X. d*iebus* pen*iteat*. ...Si quis
sacerdos ad egrotu*m* dederit penitentiam sine suo consensu uel
testibus [*o sen tiestes testimonio*] .I. annum pen*iteat*; si au*tem*
30 penitens uibiturus est [*uibire*] obseruet penitentiam.

§ *De diuersis causis penitentium.*

Si quis dereliquerit [*laiscaret*] proprios filios et non eos alat
[*pasceret gobernaret*], uel filii parentes deseruerint in occasione
[*algodre*] cultus [*collitura* de *dio*], hoc justum esse [*sedere*]
35 judicantes, anathema sint. ...Clerici ne sint procuratores [*condugteros*] uel militatores [*basallos*]; qui fecerint anatemizentur.
Non oportet *chris*tianos ad nub*t*ias [*a las uotas*] euntes [*qui
ba*n *ido*] ballare [*cantare*] uel saltare [*sotare*]. ...Qui in saltatione [*ena sota*] femineum abitum [*ela similia*] gestiunt [*faciunt*]
40 et monstruose [*qui tingen lures faces*] fingunt [*simulant*] et malas
[*magatias*] et arcum et palam et his [2] similia exercent [*faciunt*]
.I. annum pen*iteant*. Si quis ep*iscopus* cum canibus uel accipi-
tribu*s* uenutiones exercuerit [*escieret*], .U. ann*is* pen*iteat*... Si
quis d*omi*nicum diem jejunandum esse [*ke jet*] dicit, anathema
45 sit. Si quis animas humanas uel angelos ex Dei substantia esse
[*ke son*] credit, anathema sit. Si quis dicit diabolum non fuisset

---

[1] MS.: *perficere.*
[2] MS.: *hi.*

bonum angelum a domino factum sed ex cahos [*aere*] emersise
[*ke cadiot*], anathema sit. ...Laycus presentibus [*denantellos*]
clericis docere non audeant. Mulier, quamuis [*macare ke siegat*]
docta [*doctrinata*] et sancta, uiros in conbentu [*conceillo*] docere 50
non presumat. Si quislibet clerus [*presbiter*] preter [*nisi gestra*]
matrem aut sororem aut matertera [*tia*] secum retinere uoluerit
[*consico kisieret tenere*] anathema sit. ....

§ *De ciborum uel carnium editione.*

...Item in libro colationum, in libro xuiii° et titulo [*scriptu-* 55
ra] u°, ita precipitur [*asi mandat*] quod nequaquam deberi
[*kanicuno non deuemus*] sanguinem comedi. ...Similiter ad Noe
uel ad Moysen dominus sanguinem comedi projbuit [*betait*]...
Ani ialia que a lupis et canibus stranguilantur [*finiuntur stran-*
glatos fuere[n]*t*] non sunt comedenda ab hominibus nisi adhuc 60
uiba occidantur [*uiba las decolaren*]... Si porci autem lacerantes
[*tradecando*] cadabera [*elos cuerpos*] mortuorum manducaberint, comedi porci proibeantur usque dum mazerentur [*ata ke se*
monden], et post circulum anni [*por lo anno pleno*] sumantur.
...Si autem carne[m] ederit [*manducaret*] in his diebus ignorans 65
[*non sapiendo*] aut per necessitate inedie [*de la famne*], unum
annum carne abstineat fe [1] ....

62

Año 1035

ANDERAZO DE FORTES VENDE A DON MUNIO, ABAD
DEL MONASTERIO DE VALBANERA, UNA VIÑA EN
EL PAGO DE CORDOBÍN, POR TREINTA SUELDOS DE
PLATA [2]

(*Christus*). Sub Christi nomine. Ego Anderazo de Fortes in 1
paritatu de Kardenas, ex propria uoluntate uendiui una uinea
ad tibi, sanctissime pater, domno Nunno Baluenere abba, per-

1   MS.: *se.*
2   M. LUCAS ÁLVAREZ, 'El libro becerro del monasterio de Valbanera',
Estudios de Edad Media de la Corona de Aragón, IV (1951), pág. 465.
La letra del documento es de fines del siglo XI o principios del XII.

sente domno Nunnio, prior de Kannas. Uinea que est fundata
5 in pago de Cordobi; illa uinea que dicitur 'la uinea rotunda'.
De parte de suso iacet uinea de Tello Basalle de Cordobi; de
parte de oriente, uinea de Sarraçino de Torriçiella. Et dedisti
mici pretium quantum mici bene conplacuit, id est, XXX^a solidos de argento, et de ipso pretio non remansit debito.

10   Item de alias uineas que ego Anderazo de Fortes cum filiis
meis pernominatos: Gartia Fortes et Gennecusso, cambiamus
uinea cum domno Nunno, abbate, et domno Nunnio, suo priore
de Kannas; et sint placentia bona inter nos et domno Nunno
abbas. Et ille domno Nunno abbas dedit nobis illa uinea de
15 Ripa de Salomon que dedit Eta [1] Masciacon de Kastillon ad
Balbanera pro sua anima. Et nos dedimus illi duas uineas in
Balquerna: illa una uinea de 'Lo Spino', et illa alia uinea de
sancti Christobal.

    Et de odie die et ora, si quis aliquis homo, aut de propin-
20 quis meis, aut extraneis uoce adduxerit super ipsas uineas, sic
ipsa uendita quomodo ipsas cambiatas, ille homo qui uoce
adduxerit conponat ad partem regis LX solidos de argento, et
ad tibi domno Nunno abba dupplet illas uineas melioratas similes in tale loco.

25   Facta kartula conparationis uel cambiationis XI kalendas
nouembres, II feria, era $\overline{I}$ LXX III. Regnante domino nostro
Ihesu Christo; sub eius imperio rex Garsea in Pampilona et in
Oka; et sub eius senior Furtun Sancioz dominans in Nayera;
discurrente iudicio Furtun Citiz, alkaldi. Ego Anderazo, una
30 cum filios meos, qui hanc cartula fieri iussimus, legente audiuimus et de manu nostra signum † fecimus et roborauimus; coram testes roborauerunt: Sancio Galindez de Kardenas hic
testis. Senior Lope Sancioz hic testis. Felices de Cordobi hic
testis. Gomiz Nunnioz hic testis.—III karapitos dederunt in illa
35 robratione.

---

[1] Corregido al margen: *Eita.*

63

Año 1073

DON SANCHO VENDE A DON NUÑO GARCÍA Y SU
MUJER ANDERAZO UNA ERA CON TREINTA VIDES
EN EL LUGAR LLAMADO 'EN NOS FOLOS', POR DOS
ARIENZOS, Y COMO ROBORACIÓN UNA CANELA DE
VINO, DOS PANES Y UN QUESO [1]

In Dei nomine. Ego igitur don Sancio Refagano, tale uenit 1
mici uoluntas uel accessit necessitas ut uenderem tibi emtori
meo Nunno Garcie et uxor tua Aderazo una aria con XXX bites
in loco que dicitur en nos Folos solla uinea de Tello Felices de
Sotiello; et dedisti mici precium quantum mici bene conplacuit, 5
id est, XI argenzos; et in roboration: kamela de uino et III
panes et uno keso. Et proinde do tibi fidiatores, id sunt: Zite
Stebanez et Salbator Adrianez.

Si quis uero super hanc nostra mercatione, ausus fuerit tam
propinquis, quam extraneis, retentationis causa iudicio pulsare 10
pariet tibi ipsa terra duplata et in tale loco; in fisco uero regis
LX solidos argenti.

Facta carta confirmationis sub era $\overline{\text{M}}$ C XI. Regnante rex
Adefonso in Castella et in Legione; et sub eius imperio domi-
nans in Cereso, senior Petro Moriellez; et in Ibriellos, senior 15
Didako Albariz; et sub ille senior Didaco Gudis [tioz]...

---

[1] M. LUCAS ÁLVAREZ, 'El libro becerro del monasterio de Valbanera',
Estudios de Edad Media de la Corona de Aragón, IV (1951), pág. 509.
La letra del documento es de fines del siglo XI o principios del XII.

64
Año 1125

DONACIÓN DE UNA MEZQUITA [1]

1   In Dei nomine et illius diuina clemencia. Ego Stephanus
gramaticus Adefonsi regis, et gratia Dei abbas Sancte Marie
de Tutela, cum consilio et consensu prioris dompni Petri [*lac.*]
atque omnium clericorum predicte ecclesie, facio hanc cartam
5   donationis tibi dompno Sancio predicti regis scriptori. Placuit
mihi libenti animo et spontanea uolumtate, et quia dedisti
nobis III solidos denariorum Iaccensis monete per adiutorium
de illo portico nouo quod fecimus infra illam portam maiorem
de Sancta Maria, dono tibi iuxta illa alhandaka, ante portam
10   domus tue, unam mezkitam desertam cum una ficulnea que
est in ea, et quod facias ibi quecumque uolueris, et abeas et
possideas eam ingenuam et liberam et quietam omnibus diebus
uite tue. Et post tuos dies, qui tenuerit eam, quod donet inde
unoquoque anno ad illumicionem ecclesie Sancte Marie unam
15   libram de cera, et hanc reddendo possideat firmiter ipsam
mezkitam per infinita seculorum secula, amen. ....

65
Año 1139

DONACIÓN DE VARIAS HEREDADES EN
MONTEAGUDO (*Estella*) [2]

1   [*Crismón*]. Sub nomine Sancte et Indiuidue Trinitatis, hoc
est Patris et Filii et Spiritus Sancti. Hec est carta quam facio
ego Garssias Dei gratia rex, una cum cóniuge mea regina domna
Margarita, uobis don Rodrico. Placuit mihi libenti ánimo et

---

[1]   J. M. LACARRA, 'Documentos para el estudio de la reconquista y
repoblación del valle del Ebro', *Estudios de Edad Media de la Corona
de Aragón*, V (1952), pág. 540. Documento original.
[2]   J. M. LACARRA, 'Documentos para el estudio de la reconquista y
repoblación del valle del Ebro', *Estudios de Edad Media de la Corona
de Aragón*, III (1947-1948), pág. 595. Documento original.

spontanea uoluntate et propter seruicium quod fecistis mihi et 5
facietis in antea, Deo uolente, dono et concedo uobis in Mont
Acút illas duas hereditates quas fuerunt de istis duobus mauribus, hoc est de Múza Fortún et de [lac.] cum casis, terris cultis
et incultis que ad illos pertinent uel pertinere debent, et dono
et concedo uobis. Insuper addo uobis adhúc unum alphóz qui 10
est de castello cum illas duas hereditates supradictas et cum toto
que in Mont Acút usque ad diem istum estis tenentes, et
cum quanto plus poteritis examplare que exampletis. Dénique
totum istud dono et concedo uobis ut ab isto die in antea iure
hereditario uos et filii uestri possideatis, salua mea fidelitate et 15
totius mee posteritatis per secula cuncta.

Signum [signo] regis.

... ...

66

Año 1156

MEMORIA DE VARIAS DONACIONES HECHAS A LA
IGLESIA DE SANTO DOMINGO (*Santo Domingo de la
Calzada?*) [1]

Dueina de Terrazos, suegra de FortuNaarro, obtulit Sancto 1
Dominico de Calzada unum silum qui est in canto sue domus.
Don Petron de Tuesta, nieto de Nuino Murielez, obtulit Sancto
Dominico unam aream... & debet impleri de salsa del pozo
redondo de Nuino Murielez por fuero. Huius rei sunt testes: 5
don Gonzaluo de Tuesta, so tio, & Rodrigo so cormano... Don
Gonzaluo de Tuesta didit Sancto Dominico unam aream, cum
suo filio Petro Sobrino, que est in lano de Uilla cunez, circa
aream Aluar Didaz de Uillacunez & Martinuinez, & debet impleri de salsa putei de Munio Bida & del pozo domine Güen- 10
truede por fuero... Factum est hoc donum in die Sancti Mametis. Era M.ª C.ª LXXXX.ª IIII.ª.

---

[1] R. Menéndez Pidal, *Documentos lingüísticos de España* (Madrid, 1919), pág. 117. Documento de 'letra coetánea'.

67

Año 1158

SANCHO EL SABIO DA UN EXARICO A LA MUJER DE DON GONZALO DE AZAGRA [1]

1   [*Crismón*]. In nomine Domini nostri Iesu Christi. Ego San-
cius, per Dei gratia Pampilonensium rex, facio hanc cartam
donationis et confirmationis uobis dompne Marie mulier de
dompno Gonzaluo de Azafra et filiis ac filiabus uestris. Placuit
5 mihi libenti animo et spontanea uoluntate et propter seruicium
quod mihi fecistis, dono uobis et concedo unum aisaricum in
Obblitas per nomen Eiza Petriel cum tota sua casada et sua
hereditate erema et populata, et cum est tenente in isto die quo
ista carta et isto dono fuit facto. Et dono uobis similiter et
10 concedo illam uineam de illo prato quam plantauit don Gonzaluo. Hoc donatiuum dono uobis et concedo tali modo quod
habeatis illum et possideatis saluum et inienuum, liberum et
francum uos et filii uestri et omnis posteritas uestra per uendere
et donare et inpignorare et per facere inde uestram propriam
15 uoluntatem sicut de uestra propria hereditate per infinita secula,
salua mea fidelitate et de omni mea posteritate, per omnia secula
seculorum, amen.

Signum [*signo*] regis.

Facta carta in mense madio, in Tutela, in era M.ªC.ªLXXXXª
20 VIª. ....

---

[1] J. M. LACARRA, 'Documentos para el estudio de la reconquista y repoblación del valle del Ebro', *Estudios de Edad Media de la Corona de Aragón*, III (1947-1948), pág. 637. Documento original.

68

Año 1235

TREGUA CONCEDIDA AL CONCEJO DE TUDELA POR
PONCE DE DUYME, SENESCAL DE NAVARRA [1]

Sepan los que son e los que son por uenir que esta es la
remenbrança de las treuguas que el senescal, don Ponz Duime,
dio al concello de Thudela & el concello de Thudela al Senescal,
cada uno deillos por si e por sus ualedores. Conuiene el Senescal
a bona fe senes engaynno que da treuguas al conceillo de Thudela por si e por sus judios & por sos valedores. & estas treuguas da del joues ante de la fiesta de Sant Symon & Juda entro
al dia de la purification de Sancta Maria de febrero primero qui
uiene, de sol a sol puesto. En essa misma manera el conceillo
de Thudela da treugas por si & por sus ualedores al Senescal
& a los judios e a sos ualedores. E estas treugas do otrosi, como
el Senescal, de joues antes de la fiesta de Sant Symon & Juda
entro al dia de la purification de Sancta Maria de febrero primero que uiene, de sol a sol puesto. E si alguno de partes del
Senescal estas treugas crebantas, conuiene el Senescal a bona
fe senes enganno que faga daquel qui esto fara como de traidor
del cuerpo e de todas sus cosas. Otrosi conuiene el conceillo de
Tudela que si alguno del concello o de so partida estas treugas
crebantas, que el concello a bona fe senes enganno faga daquel
qui esto fara como de traidor del cuerpo e de todas sus cosas.
Et es assi puesto que demientre estas treugas fueren, nenguna
labor non sea feita de partes del Senescal ni de partes del concello si non por la puerta nueua que faç el Senescal, salua la
cerca de la uila que non sea tocada hata el judicio sea dado
por la cort de Nauarra. E quanto es aqui escripto an prometido
las partidas deuant ditas que lo tiengan a bona fe senes enganno,
el Senescal por si e por sos ualedores al concello e a sos ualedores, & el concello por si e los ualedores al Senescal e a sos
ualedores. E por maior firmança daquesta cosa, nos el Senescal

[1] Cart. III, pág. 159 del Archivo Real y General de Navarra. Letra
contemporánea.

30 de Nauarra & el concello de Thudela mandamos seiellar esta
carta por a.b.c. partida con nuestros siellos. Son testimonias
qui esto uidieron e odieron don Pero Remirez, bispo de Pamplona, don Garcia Frontin, bispo de Taraçona, don Pero Martinez de Leet, don Pero Jordan, don Gil de Rada, don Martin
35 Semeniz dAiuar, don Johan Perez de Baztan, don Sancho Fe-
rrandeç de Montagut, don Johan de Bidaurre, don Garcia Seme-
nez de Huarriz, e otros muitos ricos omnes e caualleros e omnes
de las bonas uillas de Nauarra. Actum en Thutela en el mes
de octobre. E jo, Pero Ferrandez, escriuano del concello de
40 Thudela por mandamiento del Senescal del concello esta carta
escriui. Anno Domini Mº. CCº. XXXº quinto.

69

Año 1244

RENTAS QUE EL REY DE NAVARRA PERCIBÍA POR SUS HEREDADES EN TUDELA [1]

... ...

1 Mahóma Çahet et Mireti su muller per los dos palaçios de
don Muça, X s. sanchetes de bona moneda corrible en Nauarra,
et a pagar cad'anno a genero, et donoron tenencia al Rei las
casas que han de Açocah luengo. Testes I. Doelin iustiçia, I.
5 Peregrin alcald, alfaque e Mafoma et Ponz d'Eslaua.
   Çulema Abgemil per vn palazet de don Muça con la plazta
deuant. VI sl. de cens de bona moneta corrible en Nauarra
cad'anno, et deue fazer las casas d'estos quatro annos, et dono
en tenencia la casa que há en Açocah longo. Testes I. Doelin
10 iustiçia, I. Pelegrin alcalde, Ponz d'Eslaua, alfaque, Mahómat.

... ...

   Mahóma Chetaui et su muller Habiuet per una tenda que
es ho uenden la leyt, XII sl. sanchetes bona moneda corrible en
Nauarra, a pagar cad'anno en genero, et donoron tenencia al
Rei las casas que han que se tienen con la dita tienda. ....

... ...

---

[1] J. M. LACARRA, 'Documentos para el estudio de la reconquista y repoblación del valle del Ebro', *Estudios de Edad Media de la Corona de Aragón*, V (1952), pág. 610. Documento original.

Et todos estos dineros que de suso son ditos son de encens 15
perpetualment, et deuen ser rendudos cad'anno en el mes de
genero, de sanchetes bona moneda corrible en Nauarra, al rei
ho a so comandament, et ly bleu de las heredades que son
escriptas de suso deue ser rendudo cad'anno per la festa de sant
Michael usque a doze annos al rei o a so comandament. Et de 20
todas las tenentias et de todos los fiadors que sunt de suso
escriptas, de vinnas, de casas, de parrales et de corrals et de
ortos et de las heredades sumus testimonias nos Iohan Doelin,
iustiçia, Iohan Peregrin, alcalde, et Ponz d'Eslaua, et Mahóma
alamin, et alfaque de los moros. Facta carta mense febroarii. 25
Anno Domini Mº CCº qu[a]dragesimo tercio.

70

Años 1263-1264

LOS BURGUESES DE BAIGORRI RENUNCIAN AL DERECHO DE PRESENTAR LOS ABADES DE BAIGORRI [1]

Nos, el conceio de Baigorri, todos conceialment fazemos 1
saber a todos quantos esta present carta verran et orran que nos,
veyendo et conosciendo que muchas de vegadas siquiere entre
nos, siquiere entre otros conceios o los vezinos an juspatronado
et presentacion de abbades en las sus iglesias cada que abat 5
y muere, et sobre la presentacion que quiere cada uno el que
li plaze murtes de hombres solgan por eso acaescer, daynno del
spiritual et perdimiento de los biens temporales sobre esta disen-
sion: por esquivar todos estos males que entre nos mas non
sean, de nuestra plana voluntat, sen fuerça ninguna que fecha 10
nos seya, facemos cesion del dicho juspatronado et otorgamos
la presentacion de abbat por todos tiempos al honrrado et
amado seynnor et vezino, don Thibalt, por la gracia de Dios
rey de Navarra, de Campaynna et de Bria conde pallacin, et a
todos sus successores qui empues eill verran como a nuestro 15

[1] J.-A. BRUTAILS, *Documents des archives de la Chambre des Comptes de Navarre (1196-1384)*, (París, 1890), pág. 19. Documento original.

compatrono. Et queremos que el o eillos seynneros qui por
tiempo seran, cada que abbat fine en la nuestra iglesia, presenten al obispo por abbat aquel que eill o eillos por bien tovieren et demanden institucion alli o demandar se deve, senneros
20 sen nos, non attendiendo mas licencia nuestra, et a nos que
plegua con aquel qui el presentara o avra presentado. Et por
qu'esta nuestra cession aya vallor por todos tiempos, damos
a el nuestra present carta seyllada con nuestro sieyllo de conceio, que fue fecha et dada en Baygorry, anno Domini Mº CCº
25 LXº tercio. ....

71

Año 1276

LOS JURADOS DE SAN JUAN DE PIE DE PUERTO PRESTAN FIDELIDAD A LA REINA JUANA Y A SU GOBERNADOR EUSTAQUIO DE BEAUMARCHAIS [1]

... ...

1   E que todos tyempos seamos plazientos del casamiento que
sea entre el fijo del Rey de França e de la dicha dona Johanna
nuestra seynora; e que non vengamos en contra por nos ni por
otri en ninguna manera que puede ser dicha ne pensada, e a
5 tenir e a conplir todas estas cosas sobredichas e quada vna
deyllas por mandamiento del dicho nuestro conseyo, nos, don
Arnalt de Brancepuy e don Arnalt Guillem antedichos, juramos
por nos & por los otros jurados & por todo el conceyo de la
dicha villa sobre sanctos euangelios e la sancta crudz, e de mas
10 por fazer nos mayor conplimiento & a mayor seguridat de todo
esto promietemos que nos fagamos e procuremos de manera que
los otros jurados e los otros bonos omes de la nuestra villa, quales vos gubernador querades, uos juren e prometen todas estas
cosas antedichas por si & por todo el conceyo de San Johan del
15 Pie del Puerto, segont la forma que es dicha de suso. E estas ju-
ras fazemos a uos, mi sire Eustachi, gubernador antedicho, e uos
otrossi que tengades a nos en nuestros fueros e en nuestras

---

[1]   Caj. 3, núm. 87 del Archivo Real y General de Navarra.

costumbras de como las jurastes; e otrossi que qualquiere gubernador qui sea enpues uos enuiado por el seynor Rey de
França, por gubernar Nauarra, en voz e en nombre de dona 20
Johanna nuestra seynora, como dicho es de suso, jure a nos de
mantenir nos en nuestros fueros & en nuestras costumbres. E
en testimonio e en maior fermeçe de todas estas cosas antedichas e de quada vna deyllas, nos don Arnalt de Brancepuy e
don Arnalt Guillem sobredichos por volentat & mandamiento 25
del conceyo de San Johan del Pie del Puerto damos a uos mi
sire Eustaci, gubernador antedicho, esta carta abierta sayellada
con el seyllo pendient del dicho conseyo. La qual fue fecha
e dada en Pompalona, martes primero del mes de mayo, anno
Domini Mº CCº LXXmo sexto.   30

72

Año 1297

REUNIÓN DE REPRESENTANTES DE LAS PRINCIPA-
LES CIUDADES DE NAVARRA EN OVANOS [1]

... ...

   E yssament es assaber que nos les sobrenompnatz sobre- 1
junters de la dita juncta dels Infançons dOuanos atorguam que
auem fayta esta dita amiztat & hunitat & jura ab les sobrenompnatz alcaldes & juratz & bons homes de (ab les) les comunitatz de les dites bones viles, per nos & per tota la dita juncta 5
dels Infançons dOuanos, per les que huey son & per les que
daqui adeuant seran, totes uetz saluant la fe de la seynnoria
mayor de Nauarra en tot & per tot. En tal manera que si algun
o alguns mas poderos venis o venissen sobre lo regne de Nauarra per far hy mal o destruyment algun, que els se ajudien 10
ben & leyalment a defendre lo dit regne de Nauarra coma fidels
& leyals vasals deuen far a lur bon seynnor; e lo seynnor que
fagua, o aquel qui son loguar tendra en Nauarra, aquo que deu
far als infançons & a les bones viles. Et encara que se ajudien

---

[1]   Caj. 4, núm. 106 del Archivo Real y General de Navarra.

15 a demandar & a mantenir lurs fors & lurs costumpnes & lurs
priuilegis & lurs franquezes ben & leyalment asseguont que
cadaun son afforatz, costumpnatz & priuilegiatz & affranquitz.
E si algun o alguns les volia far força o demas ad algun o ad
alguns deuanditz, el o els donant les fiança de dreit per tant
20 quant la Cort General de Nauarra mandaria, e non li fus o
non les fus cabuda, que els li ajudien o les ajudien ben & leyalment a lur cost & a lur mission troa tant que li faguen o les
faguen (o les faguen) a calçar lur dreit.
E yssament an saluat totes estes deuandites viles ab ator-
25 guament & plazenteria de la dita juncta dOuanos que els no
ayen anar a estragar ni a talar totz enssemble, ni ninguns dels.
E yssament es assaber que si per auentura auenia cosa, ço
que a Deus non plaça, que si alguna o algunes de les dites
bones viles o la dita juncta dels Infançons dOuanos fayllis o
30 fayllissen o se partissen desta dita amiztat & hunitat & jura que
fayta han, que ad aquella vila o viles o a la dita juncta, si se
partia, que aquels que se partirien paguia o paguyen mil libres
de bons & legals sanchetez & finquien per esperjuris. ....
E yssament se retenen poder les dites bones viles & la dita
35 juncta dels ditz Infançons totz enssemble comunalment que ayen
poder & puysquen creystre o mermar en totes coses que sien a
pro & a ben & a myllorament de la dita vnitat, no enbarguant
en res la jura deuant dita.
E yssament an atorguat & uist per ben totz enssemble que
40 la dita vnitat sia jurada & faguen jurar cascun an cada uns
en les dites bones viles & la dita juncta yssament.
Et yssament es assaber que si per auentura auenia, ço que
Deus non vuyllgua, que alguna o algunes de les dites bones
viles o la dita juncta, o algun o alguns altres homes de les
45 dites bones viles o de la dita juncta apartadament, fayllis o
fayllissen & se partissen desta dita amiztat & hunitat & jura,
que les dites mil libres & les ditz c. sols sien para laltra partida
que tendrien & mantendrien la dita amiztat & hunitat & jura.

... ...

73

Siglo XIII

CARLOMAGNO LLORA LA MUERTE DE ROLDÁN [1]

Estonz alço los ojos, ...c(?)ato cabo adelante,   1
Vjdo adon Roldan acostado aun pilare,
Como seacosto a la ora de finare.
El Rey quando loujdo ojt loque faze:
Ariba alço las manos por las barbas tjrare;   5
Por las barbas florjdas bermeja sayllja lasangre.
Exa ora el buen Rey oit lo que djrade:
Diz, «¡Muerto es mjo sobryno el buen dedon Roldane!
«Aquj veo atal cosa que nunca uj tangrande:
«Jo era pora morjr & uos pora escapare.   10
«Tanto buen amjgo uos me soljades ganare,
«Por uuestra amor ariba, muychos me soljan amare.
«Pues uos sodes muerto, sobryno, buscar mean todo mal[e].
«Asaz veo una cosa, que se quees uerdade:
«Que la u[uest]ra alma, bjense que es én buen logare;   15
«Mas atal ujejo mezqujno, ¿agora que far[ad]e?
«Oje perdjdo esfuerço conque solya ganare.
«¡Aj, mj sobr[y]no, non me queredes fablare!
«Non vos ueo colpe njn lançada por que oujesedes male;
«Por ejso non vos creo [2] que muerto sodes, don Roldane.   20
«Deys[a]mos uos (ne) acaga, andando prisiestes male;
«Las mesnadas & los pares anbos uan ayllae
«Con vos & amjgo por amor de auos goardare...»

---

[1] Fotocopia del fol. 1v. del MS. núm. 212 del Archivo·Real y General de Navarra. Obra del siglo XIII. El MS. es de principios del siglo XIV.
[2] MS.: *ereo*, con una cedilla debajo de la *e* inicial.

74

Siglos XIII-XIV

DISPOSICIONES DE LOS FUEROS DE LA NOVENERA [1]

1 § 54   De pastor que cata oueillas *et* las y creba*n*ta*n*.

Nuill pastor que cate oueillas del seynnor, si las crebanta*n*
de nueytes o de dia, deue uenir el pastor co*n* apeillido a la
uilla, *et* uayan ueer bonos hombres el logar do fuero*n* crèban-
5 tadas et uean el rastro d'eillas, *et* complirá. *Et* el pastor sea
creydo.

§ 85   De qui faze cabeçalería.

Nuill ombre qui uienga en óbitu mortis et faga cabeçalería
de heredat o de mueble por su ánima, deue lo fer dela*n*t el
10 capeillano et delant bonos ombres que sepa*n* ue*r*dat, et deue
passar como leyssa a los cabeçaleros, et sabie*n*do lo fillo o
filla o parient, q*u*a*l* más ap*r*opb li sea [a]d aq*u*eyll qui passa
del sieglo.

§ 95   De hermanos q*u*e han heredat en semble.

15 De hermanos que tiengan h*e*redat que no ayan p*a*rtido, *et*
si el uno d'estos hermanos ita fiança a uezino ninguno, ayllí
ha de abrir la heredat; *et* si dize que no*n* tiene heredat, por
el niego puede li dar candela.

§ 106   De abeyllas perdidas.

20 Todo ombre que abeillas se li ua*n*, deue yr empués eillas,
et prouando co*n* dos ombres et co*n* su iura que eyssas son,
deue'l dar sus abeyllas el qui las tiene, *et* si no*n*, iure que no*n*
son suyas.

§ 162   De q*u*adrúpeda que trasnuyta en poder d'ot*r*i.

25 Todo ombre que de q*u*adrúpeda aya clamos un uezino d'otro
et si trasnuyta em poder suyo, meta fiança, *et* si puede p*r*ouar

---

[1] G. TILANDER, *Los fueros de la Novenera* (Estocolmo, 1951). MS. de
fines del siglo xiii o principios del xiv. Según Tilander, pág. 14, esta versión de los Fueros no puede ser anterior al reinado de Teobaldo I de Navarra (1234-53).

el clama*n*t co*n* dos ombres et co*n* su iura que fuerça'l fizo, desfaga li la fuerça *et* peyte la calonia, LX *sueldos*.

§ 173 De seynnal camiada d'oueilla.

Todo ombre q*ue* seynnal camie d'oueilla ningu*n*a a furto, 30 si'l puede prouar co*n* dos ombres et co*n* su iura, peyte LX *suel-* *dos* de calo*n*ia.

§ 183 De casas de dos uezinos q*ue* se tienga*n* en semble.

Dos uezinos que en semble se tiengan lures casas, ce*r*ca una casa d'otra, no*n* deue*n* auer finiestras en cambra ni en corral 35 ni en casa ningu*n*a, l'uno co*n*tra l'otro, por dont enuyo li faga ningu*n*o; *et* por esto puede'l peynndrar q*ue* las sarre todas.

§ 195 Exemplo.

Ochoa Tirar era iurado de co*n*ceillo *et* Sancho de María Santz et leuaro*n* a pleyto a García Ioh*a*ns, sabudame*n*t por un 40 cirueillo que estaua en el soto en el sulco, et dema*n*daua*n* LX *sueldos* por el cirueyllo et por cada rama V *sueldos*. P*er*o Mingo de Sol fo d'esto uozero. Testimonias, Martí*n*, mayoral del Puyo, et Domingo Galuarra *et* don Gil Lópeyz, el alcalde. Et otra fizo: tiuo la uoz del fi de P*er*o Semeno, que auía su segunda 45 cormana a bendición. ...

§ 198 De q*ui* mata ombre et ielo retrahen.

Nuill ombre que aya ombr*e* muerto et dreyto aya complido en Sant Esteua*n* *et* nuill otro ombre que uezino sea retreyto li dé «tú matest a Fulán», et puede*n* saber uerdat en dos om- 50 bres o en dos muilleres de bon testimo*n*io, ha li a iurar en Sant Esteua*n* *et* ha li a dar al rey LX *sueldos* de calo*n*ia; *et* si no, a li a iurar en las Arribas.

§ 203 Exemplo.

El mulo de Joh*á*n Escurón estaua en la cayll a la puerta 55 de Martín Serrano *et* passaua Domingo Go*n*çaluo Sabastián *et* el mulo de Joh*á*n Escurón ferió lo en la camba, et por el menoscabo que priso no*n* li q*ue*ría emendar, *et* uido por bie*n* el co*n*ceillo q*ue*'l dasse candela.

60 § 237   De mayoral de conceillo.

Nuill ombre que mayoral sea de conceillo, por peyta nin
por feyto ninguno non deue fer fuerça a uezino ninguno amenos
de iurados de conceillo o de bonos ombres. Conceyllo non mete
mayoral por sí enéys que faga fuerça ninguna a su uezino, et
65 si fuerça faze a ninguno, calonia deue.

§ 242   De baile de conceyllo.

Todo ombre que bayle sea de conceyllo, si prende carneros
en el uedado o, leinna faziendo, a nuill ombre et dé fiador del
coto, si el mes huuia a passar et un día, por fiança que tienga,
70 no ha coto, que paramiento ley uence.

§ 281   De baile del uedado.

Todo ombre que baile sea del uedado et prenga carneros,
de nuyt de la grey quoatro carneros et de día dos carneros, et
d'aquía cabo del mes, dando día et hora, a qué hora los priso,
75 con su iura, que'l den ferme. Et todo bayle de conceyllo que
a iurar aya et baylía tienga, ha a iurar en la hera de conceyllo.

§ 304   Exemplo.

García Andión et Pero Moro prendían geruadgo a los pastores, et dieron apeyllido los pastores, et por que se asomaron
80 a la pieça de Saluador Thibalt et Sancho de María Santz et
otros con eyllos, peytaron cada C sueldos. El mayoral de Artayssona peynndró a una muiller por que dize que mal disso
a un ombre et s[u]s malditas que lo mataron. Et disso eilla
que fazía fuerça. Por quoanto esto disso delant el alcalde, por
85 esto peytó C kafices de meytat por homizidio. Esto fo en tiempo
de don Sancho Chirría.

75
Siglo XIV (?)

DISPOSICIONES DEL FUERO DE SOBRARBE [1]

Vedado nueuo de cauayllo. 1

Los yffançones, si quisieren fer uedado nueuo de cauayllo, deuen yr a la sied del rey & ganar la piertega del juuero ha menos de fierro. Et en logar que quieren fer la defessa deue ser en medio un yffançon, & deue ytar la piertega a menos de 5 fierro a toda part, en luengo cada xii uegadas & en amplo cada xii uegadas. Et si della primera part no ha tantas piertegas como manda, prenga della otra part a tantas como escriptas son. Et deue ser la defessa uedada de Sancta Maria Candelera entro a la Sant Johan ata que gayllos canten, et 10 deque gayllos cantaren en el dia de Sant Johan entro al dia de Sancta Maria Candelera puede pasçer todo ganado. Et este prado si quisieren romper todos los yffançones & uno solo de los yffançones diçe de no, non se deue romper, maguera bestia que sea plagada de ataharri soç la coa, ho que sea plagada 15 en el pescueço, non deue pasçer ata que goarezca. & deque goarida fuere, pazca. Et otrosi bestia ninguna non deue pasçer ata que sea de primera sieylla. Esta bestia seyllar andando cada dia tanta de tierra quoanto dos legoas en ix dias, despues pazca en el prado. Et si los yffançones quisieren pasçer con otro ga- 20 nado si non con estas bestias que de suso son dichas, todos los ganados dellos lauradores tan bien pueden pasçer. Los yffançones que han bestias deuen fer un costiero que cate a este prado. La calonia deste prado es de dia i rouo de trigo & de noches i libra de ordio. 25

De cuerno de buy crebantado.

Todo ome qui ha buy crebanta cuerno por rayz deue vi rouos de trigo & vi de ordio. Si non fuere sayllido por rayz, deue tres rouos de trigo & tres de ordio.

---

[1] MS. 280 de la Biblioteca Nacional, fols. 89v., 90r., 96v., 97v. El MS. es de principios del siglo xiv. Se ignora la fecha de composición de esta versión del Fuero.

30 De qui fiere ante reynna.

Si algun ome fiere ha otro ome ante la reyna deue goarnir
la canbra della reyna, por calonia, de tal goarniment como era
goarnida a la hora que ferio, que assi es el fuero.

De qui fiere ante dueyna.

35   Si algun ome fiere a otro ante dueyna fija de cauero & de
dueyna, peyte D sueldos de calonia ho jure manos sobre sanctos
euangelios que a onta deylla no lo ferio. Et encara si alguno
peyndrare en la uilla estando hy dueyna atal que en el ayno
se cambie ha tres heredades suyas con algunos omes suyos a
40 lo menos i mes, deue aduçir los peynos a la uilla ho los priso
& jurar sobre los sanctos euangelios que non sabia que eylla
era aylli; & con tanto es quito el pendrador. Et si non quisiere
jurar es la calonia D sueldos, rendiendo los peynos. ....

De tocar la campana a missa.

45   En las uillas realencas en los dias que fiesta non han de
tener, deuen tocar la campana tres uezes a missa, façiendo folgança en tres ueçes entre el un toco & el otro por tal que, si
el richome ho el prestamero fueren en la uilla, que uiengan ha
oyr missa. Et si uinieren, bien; & si no, non pueden ytar en
50 calonia a los lauradores, porque los tocos son fechos por manera que fuero manda. ....

De greyes de oueyllas.

Si entridieren greyes de oueyllas una ho dos ho mas en
barueytos depues que entridiere septiembre, seyendo la tierra
55 muyllada de pluuia, qui son pora sempnar; si entridieren con
uiento de sierço corriendo, el seynor della grey ho destas ouejas
deue acuytrar una uez estos barueytos por ond passaron estas
ouejas. Et con buytorno si entridieren deue las acuytrar dos
ueçes por quoalque logar passaren estas ouejas, que assi manda
60 el fuero. Esto es en tiempo que los maruecos ytan a las oueyllas.

76

Año 1312

UNOS MOROS DE LA VILLA DE UÇRANT
RECIBEN TERRENO PARA EDIFICAR CASAS [1]

... E si alguno uiniere & touyere medio casal, que pague por   1
medio en el pecho que dicho es; [&] que los dichos cinco sueldos por pecho de la casa ssean pagados en cada un anno &
por siempre en la fiesta de todos sanctos, & los dichos tres
sueldos & medio por pecho de las uinnas en la fiesta de Sant   5
Miguel, & cada casal ssea tenudo de dar un par de gallinas
al castellan o alcayt de Uçrant en cada un anno pora la fiesta
de Nadal. Con tal condicion otrossi que uos los dichos aljama
& pobladores presentes & los auenidos dedes al dicho Hospital
en el dicho logar la tercera parte de toda cullida de pan, de   10
uuas, de oliuas, de ffauas, de arbeias & de todas legumnes &
de todos otros fruytos & ortalizas que se y culiran; & esto
que sse ffaga bien & lealment & con buena uerdat. E todo
moro que tenrra casa & fuego en el dicho logar, que peche
al bayle de Uçrant que y sera por el dicho Hospital un rouo   15
de pan mesura de Tudela, medio trigo & medio ordio en el
mes de agosto en cada un anno & por siempre; & cada casal
que de al dicho Hospital cada quatro marfegas de paia en cada
un anno en las eras. Con tal condicion otrossi que uos & los
dichos pobladores moros & moradores del dicho logar uos pare-   20
des a todas costas & missiones que se sigueran en todo tiempo
por rrazon [de] las aguas cada uno segund quando rregara. De
la collida del lino & del cannamo es assi que toda la simient
finque en cada uno de los dichos semnadores, & quando el lino
o el cannamo sera cueyto & ex[uto & ligado, que] estonce lo   25
partan por su tercio & que el dicho Hospital pague el tercio
de la mission del echar en poza & del sacar del lino & del
cannamo. Otrossi con tal condicion que los dichos moros &

[1] L. BARRAU-DIHIGO, 'Une charte hispano-arabe de l'année 1312', *Revue Hispanique*, XX (1909), pág. 305.

moradores en todos tiempos deuen cozer lur pan e⌐ [el forno
30 del dich⌐ Hospital] & dar de pueya el sedzeno pan, & que non
tallen arboles ni rranquen uinnas sin mandamiento & voluntat
del alcayt del dicho logar. ....

77

Año 1341

IGLESIA DE SANTA MARÍA DE SANGÜESA: ORDE-
NANZA SOBRE INSTITUCIÓN DE CLÉRIGOS [1]

1   Ordenança en quoal manera se deuen instituyr los cleriguos.

Sepan quantos esta present carta veran hodran como el nuestro seynor Ihu Xristo por su piedad aya ordenado dar los
beneficios de sancta madre eglesia pora los seruideros de la
5 eglesia clerigos. Et como clerigo ninguno no entendiendo
aqueyllo qe leye non pueda bien pronuçiar las partes ni leyer
ni seruir ala eglesia como deue conujene et pertaynesce a su
offiçio sin aprender letras & sciençia de nuestro seynor jhu xpo.
Et porque los clerigos raçioneros de la eglesia de santa Maria
10 de Sanguessa que seran daquiadenant ayan mayor affection &
voluntad de aprender letras e sciençia con las quoales como
deuen sieruan ala dita eglesia & la parroqia dela dita eglesia
sea mas hondrada. Por aquesto nos los dieç jurados de la dita
parroquia por nombre don Johan de Necuesa alcalde & don
15 Bertran & don Bartolomeo, don Per Domingo don Pero Arnalt
de Necuesa & Semen Semenjç de Necuesa & Semen Semenç
don Seynor Johan de Necuesa & don Bernart Aludero & don
Peyre don Gujyllem & Pascoal de Sada & la dita parroqia
seyendo plegada dentro enla dita eglesia de sta. Maria por voç
20 de pregonero segund auemos vsado de plegar la dita parroqia.
Todos ensemble concordadament sin variamiento ninguno establescemos & ordenamos que todo clerigo que oujere a entrar
en el numero de la raçion de sta Maria de Sanguessa que sea

¹ FRANCISCO YNDURÁIN, 'Documentos de la iglesia de Santa María de
Sangüesa (siglos XIV y XV)', *Pirineos*, IV (1948), pág. 343.

ordenado de epistola o de evangelio & de missa & estos clerigos que sean fillos de veçinos & parrochianos residentes en 25
la dita parroquia de ayno & dia o de mas ata el punto del
numero. Enpero tales clerigos por morar en estudio o por capeyllanja fuera la villa o por seruir a un altar o clerigo fuera
la villa o dentro si eyll por si non tenja casa & fogar en otra
parroquia de Sanguessa atales como estos que lis finque su 30
dreyto en saluo assi como si fuessen residentes & que sepan
leyer, cantar & construyr a conoscimiento de hombres letrados
esleytos & puestos por los dieç de la parroqia. Et de tales
clerigos sobreditos que sea feyto el dito numero en tal manera
que si detales clerigos sobreditos oujere algun clerigo mas 35
letrado & mas ydoneo que los otros, de aqueyll mesmo clerigo
sea feyto numero sin los otros. Et si dos o tres mas oujere & se
trobaren mas letrados ydoneos & sufiçientes qasi ygoales de
aqueyll sea feyto el numero & aqueyllos que sean escriptos &
reçibidos en el dito numero sin los otros. Et los otros clerigos 40
que non son tan sufficientes letrados nj ydoneos que sesffuerçen
ad aprender letras & sçiencia porqe merezcan entrar en el dito
numero & alcançar el dito benefiçio. Et de los ditos clerigos
recibidos en el dito numero a qoalqiere qe dios diere por suert
segund es vsado que aya la dita raçion. Et si algun o algunos 45
de los raçioneros sobreditos se absentassen o andidiessen de la
villa & non quisiessen fazer el serujcio dela dita eglesia como
conujere, los ditos dieç qui por tiempo seran que metan en su
logar clerigos del dito numero si los oujere que sieruan la dita
eglesia & lieuen la dita raçion ata tanto que tornen los ditos 50
racioneros a serujr la dita eglesia. Testigos son desto qui fueron
presentes & por testigos se octogaron. Pero Lopiç de Liedena
& Bernart de Arbonies vezinos de Sanguessa. Actum este hoc
XVII Kalendas madij. Era milla CCCᵃ septuagesima nona. Et
yo Garçia Semenjç de Vli escriuano publico & jurado del con- 55
çeyllo de Sanguessa fu present alas cosas deuanditas et por
requerimiento delos sobreditos escriuj de mi mano esta propria
carta en estas dos cartas & fuyllas las quoales se juntan por la
part que diçe esffuerçen. fiç en eylla este mj sig no acostumpnado en testimonjo de verdad. 60

78

Año 1378/1379

CARLOS II HACE DONACIÓN DEL HOSPITAL Y SINA-
GOGA DE LOS JUDÍOS AL CONVENTO DE DOMINICOS
DE SANGÜESA, PARA QUE PUEDAN EDIFICAR
SU MONASTERIO [1]

1 ... Como, por causa de la present guerra que es entre nos & el
Rey don Henrric, el monesterio de los freyres predicadores de
Sanguessa, qui era fuera de la dicha villa, aya conuenido aqueill
ser derribado & desfecho por quanto era çerca la fortaleza de
5 la dicha villa et dizian ser prejudicial & nozible ad aqueilla; et
nos, por razon que el dicho monesterio era desfecho & derribado et los freyres daqueill no auian casas nin logares dentro
en la dicha villa do podiessen ser & habitar, les ouiessemos dado
cambras & logares en nuestros palaçios de nuestra villa de San-
10 guessa do podiessen ser ata tanto que en otra manera podiessen
ser proueydos; et agora los dichos Prior & conuento nos ayan
suplicado & pidido por merçe que nos los quisiessemos proueer
de algun logar conuenible, segunt que a nos bien visto seria,
dentro en la dicha villa de Sanguessa do eillos puedan hedificar
15 & fazer el dicho su monesterio, pues lotro que auian les ha
sseido desfecho & derribado como sobredicho es:

Ffazemos saber que nos, inclinado a la humil suplicacion
de los dichos freyres, esgoardando las cosas sobredichas et queriendo que por la dicha razon los diuinos offitios del dicho
20 monesterio & orden no ayan a çessar, de nuestra gracia special
& autoridat real & de nuestra çierta sçiençia auemos dado &
otorgado, damos & otorgamos por las presentes, por Dios & en
almosna, al Prior & conuento de la dicha orden qui agora son
e por tiempo seran, a perpetuo, los nuestros algorios clamados
25 bodega do se solian plegar nuestras rentas en la dicha villa de

¹ Caj. 35, núm. 56 del Archivo Real y General de Navarra.
Por la casi imposibilidad de distinguir entre las grafías *b* y *v* en este
documento puede haber cierta arbitrariedad en la transcripción de estas
letras, especialmente cuando se trata de la posición inicial.

Sanguessa, & la sinoga & hospital de nuestros judios de la dicha
villa de Sanguessa, que es aylli atenient, que se afruentan los
dichos algorios con su plazta, con el corral de don Martin Miguel Daynues, consseillero nuestro, et con casa & corral de
Arrnalt [1] Guillem de Necuesa, & de la otra part con venela 30
que saille a la basteria; et la dicha sinoga afruenta con corral
de Sancho Erdara & con casas de don Pasquoal Doilleta (?),
mercadero, & con la plazta pertenesçient a los dichos algorios;
para que puedan ailli hedificar & fazer su monesterio & cele-
brar los diuinos offitios et todas & cadaunas cosas que son 35
neçessarias, segunt que ante lo solian fazer. Et queremos &
tenemos por bien que los dichos Prior & conuento ayan, tengan
& possedezcan los dichos nuestros algorios, sinoga & hospital
de los judios con todos sus drechos & pertinencias francos &
quitos a perpetuo para siempre jamas, non contrastando quoales- 40
quiere cartas de vendition nin mandamientos dados por nos ata
aqui en contrario.

Empero queremos que los dichos Prior et conuento de los
freyres predicadores de Sanguessa qui agora son nin seran daqui
adelant, non puedan vender nin aillenar nin fazer ninguna dis- 45
tribution nin vendition de los dichos algorios, sinoga & hospital que nos dado les auemos, sino que en aqueillos fagan fazer
& hedificar el dicho monesterio como sobredicho es.

Si mandamos por las presentes a nuestros amados el thesero
de Nauarra & recebidor de Sanguessa qui agora son o por 50
tiempo seran & a todos los otros nuestros officiales & subdi-
tos, que a los dichos Prior & conuento de los freyres predicadores de Sanguessa tengan en su possession de los dichos algorios & sinoga con todas sus p[er]tinençias & non les fagan demanda nin question alguna por aqueillas a perpetuo; ante que- 55
remos & nos plaze que los deissen gozar & aprouechar desta
nuestra present graçia & donation a perpetuo. Et en testimonio
desto mandamos siellar las presentes en pendient de nuestro
siello. Datum en Sanguessa xxviii° dia de febrero layno de graçia
mil. ccc. setanta & ocho. 60

---

[1] o Arrnalc.

79

Año 1389

RECIBO DADO A JOHAN PASTOR POR LA COMPRA DE DOS TOROS CON MOTIVO DE LA VISITA DE LA DUQUESA DE LANCASTER A LA CIUDAD DE TUDELA [1]

1 Seppan todos que nos Sinneon de Miraglo, Martin de Rala
& Simen Just, jurados de Tudela, otorgamos auer ouido & recebido de uos, Johan Pastor, colector de los quarteres en la
villa & meryndat de Tudela, por dos thoro[s] quel seynnor Rey
5 mando a nos inbiar a Ponplona pora la fiesta de la Duquesa
del Encastre, segunt parece por cierta asignation a los jurados
de la dicha villa fecha por el seynnor Rey al thesero el viº dia
de jenero, lannyo de gracia mil ccc. lxxx. viiiº; et por la pro-
uision & mandamiento a uos por el dicho thesero fecha al dorso
10 de la dicha asignation que vos mandaua que vos pagasedes los
dichos thoros, fecha viiº dia de je...o, lanyo de gracia mil ccc.
lxxxviiiº; es a saber por los dichos dos thoros vinte florines
dAragon. Et en testimonio desto damos vos esta aluala de reconocimiento signada del notario de juso escripto. Son desto testi-
15 monios que fuerom presentes Pero Jurdan & Fortun Garcia de
Salinas, vezinos de Tudela.

Signo de mi, Arrnalt de Morrlanes, notario publico jurado
del conceillo de Tudela, que a todas las cosas sobredichas present fuy et esta present carta & aluala con la mi propia mano
20 escri(p)ui (?) al quatorzeno dia del mes de jullio, anno domini
mº. cccº. lxxxº. nono.

---

[1] Caj. 57, núm. 1 (3.º) del Archivo Real y General de Navarra.

80

Año 1419

TRES CANDIDATOS SE PRESENTAN A UNAS VACAN-
TES EN EL NÚMERO DE LAS RACIONES DE LA IGLE-
SIA DE SANTA MARÍA DE SANGÜESA [1]

... Anno quo supra domingo, iiij° dia de ffebrero parescidos 1
auant los ditos patronos por razon et uirtud del dito pregon
Martin fillo de Martin Gil peyllicero, Pascoal, fillo de Garcia
de Castillon, carpentero, & Sancho fillo del dito pregonero, scolares, diziendo eillos auer dreyto entrar en el dito numero, por 5
quanto eillos ni alguno deillos non se fayllaron ser hordenados
sino de simple corona tan solament por tanto alargando el dito
numero les dieran tiempo de se hordenar segund las hordenancas ata el dia e fiesta dela Resurreccion de nuestro Seynor Jhu.
Xpo primerouenient a lo menos de epistola & hordenados pora 10
entonz que paresciessen auant eillos por se examinar & fayllandose suficientes que segund las ditas hordenancas que serian
recebidos en el dito numero & ençarrados eillos & quoalesquiere que assi hordenados parezerian & aurian dreyto dentrar
& alcançar el dito numero, Johan Periç de Mugueta notario 15
(signado).

Anno que supra xvij° dia del mes dabril parescidos por ant
los ditos patronos los ditos Martin, Pascoal de Castillon & Sancho dOloron, & çertificados aqueyllos ser ordenados de epistola & feytos interrogar & examinar delo que saujan de cantar, 20
leyer & construyir por los muy honrados & discretos don Loppe
Periz de Lonbier, alcalde de la cort maor, don Martin Miguel
bicario de Sant Jayme & don Pascoal de Castillon bicario en
la eglesia de sant Saluador dela dita villa de Sanguesa, por
quanto los ditos Martin, Pascoal & Sancho se fayllaron ser sufi- 25
cientes en las ditas çiençias de cantar, leyer e construyr & quasi
quoygoalles, aqueillos fueron recebidos enel dito numero & en

---

[1] Francisco Ynduráin, 'Documentos de la iglesia de Santa María de
Sangüesa (siglos xiv y xv)', Pirineos, IV (1948), pág. 347.

aqueill delas raçiones baquantes enla dita eglesia. Testes los
ditos dos bicarios & don Pedro clerigo diacono en la dita egle-
30 sia de sta. Maria. Johan Periç de Mugueta, notario (signado).

Anno &die ut supra los sobreditos Martin, Pascoal & Sancho
se obligaron de prender dela çiencia gramatica & logica por
desde el dia fiesta de sant Luc que primero ujene ata en un
(*sobrepuesto,* dos) aynos segujentes primeros uenidos cumpli-
35 dos. Et si no lo fazian de dar & pagar cadauno deillos de
pena cient cinquoanta libras carlines prietas finas moneda de
pena, la quarta parte de la dita pena para la sennoria maor
de Nauarra, et la otra quarta part para la obra de sta. Maria
dela dita villa de Sanguessa et dieron fiadores desto cadauno
40 deillos por ssi et por el todo a don Pere Langel clerigo racionero enla dita eglesia de sta. Maria & a Garçia de Castillon
carpentero uezino dela dita villa de Sanguessa los quoales se
obligaron goardar. Et los ditos don Langel & Garcia de Castillon assi se otorgaron por tales fiadores. Testes et dies ut
45 supra. Johan Periç de Mugueta. Notario (signado).

81
Primera mitad del siglo XV

CRÓNICA DE GARCÍA DE EUGUI, OBISPO DE BAYONA [1]

1   Estas coronicas fizo screbir el Reuerent en Ihesu Xristo
padre don fray Garcia de Eugui, obispo de Bayona, de los
fechos que fueron fechos antigoament en spannia segunt se
trueba por scripto en diuersos libros antigos. E por que mellor
5 se parta deuedes saber que los sabios antigos partieron todos
los tiempos passados, despues que Dios formo ad Adam, en
seys hedades, et por esto aqui digamos que cosa es hedat. Et
responden los sabios antigos que antigament quando por el

---

    [1] García de Eugui nació después de 1386 y murió en la primera mitad
del siglo xv. Los dos últimos trozos que incluimos aquí representan respectivamente los fols. 42r. y 84v. del manuscrito escurialense X-ii-22, el
cual tiene letra del siglo xv; y nuestro primer trozo reproduce el fol. 1r.
del MS. 1524 de la Biblioteca Nacional (letra del siglo xvi).

mundo acaescia algun grant fecho estrayno que nunca obiese
acaecido, fazian en el departimiento del tiempo hedad. Et cla- 10
maban edat al tiempo passado et exo mesmo clamaban edat
al tiempo por venir. Et agora digamos de la primera hedat e
quantos annos turo. ....

Re de como Julio Cesar vino a Espayna & gano Mansiella &
vincio a Petreo & a Efraneo & a Manduaro. 15

Despues que Jullio Cesar obo tomado el trasoro de Roma,
veyendo como eran las Espaynnas de la conquista de Ponpeyo
& de la su part & los spaynoles que eran gent muy fuert &
muy buenos en armas, pensso que si estos pasassen de su part
le seria grant ayuda & que Ponpeyo podria mucho. [1] Et por 20
esto dexo de yr empues Ponpeyo & tras el senador & vino a
las Spannas. & la primera contienda que en exa venida fallo
obola sobre Mansiella, que fue poblada en tiempo del Rey
Hercules de los buenos hombres de Greçia & tenian con el
bando de Ponpeyo. & Jullio Cesar vinose a la villa & trobo 25
las puertas çarradas et fuertes barrenas ante ellas & los muros
& las torres bien goarnidos de buenas conpaynnas et de armas. & quando esto vio lexo alli vna partida de su conpaynna
con hun cabdiello que le dezian Bruco et (&) mandole como
fiziesse & acoxose el con las otras gentes para Espaynna. Desi 30
Bruto conbatio muy de recio la billa & tomo el logar. Et Jullio
Cesar andaba por las Espaynas lidiando & conquiriendo la
tierra, goardandosse toda bia de matar sino quanto menos podia; mas mostrabase brauo & cruel en sus fechos por se fazer
temer, porque ningun princep non puede bien regir sus gentes 35
como debe sino lo temen. [2] & assi Jullio Cesar, dando a los
vnos sus donos grandes & prometiendo a los otros sus donos
porque sabia que las gentes de Espaynna eran muy fuertes en
armas & la tierra muy encastellada, trauallosse por esta guisa
de conquirirla car en otra guisa tenia que tan ayna non con- 40
pliria su boluntat, & con esto tornaba a ssi la gente dEspaynna.
... ...

---

[1] MS. 1524: *perderia mucho.*
[2] MS.: *tomen.*

11

Re de la postremeria *que* fizo el Rey Rodrigo.

Cuentase en algu*n*as cano*n*icas que el Rey Rodrigo escapo
de la batalla de pie & no*n* se quiso mostrar a ni*n*gu*n*o mas
45 quiso fazer penitençia de sus pecados. & ribo en la ciudat de
Viseo &, como aqu*e*l que no sabia fazer fazienda ningu*n*a de
sus manos et por aver uida, pusose a se*r*uir a vn ortelano &
siuo con el vn *t*iempo. & acabo de dias enfermo & quisose
confesar & rogo a su amo q*u*e fuese al ob*i*spo de aqu*e*lla ciu-
50 dat & le rogasse de p*a*rtes de Dios q*u*e el viniesse por confessarlo. & el ob*i*spo no quiso yr alla mas imbio hun vicario
qu*e* lo confessase. & el Rey Rodrigo no*n* quiso confesar del
vicario, mas imbio dezir al ob*i*spo q*u*e el no sse confessaria
sino de su p*e*rsona mesma & que si por falta suya el moria
55 sin confessar, Dios gelo dema*n*dase en este mu*n*do et ahun en
el otro mu*n*do a su a*n*im*a*. Qua*n*do el ob*i*spo esto oyo, obo
miedo a Dios & fuese luego p*a*ra el guerto & trobo como estaba el Rey Rodrigo en vn leyto pequeyno. & salliero*n* todas
las conpay*n*as de la cabayn*n*a & fincaro*n* anbos solos. & el en
60 co*n*fesion dixole como el era el Rey Rodrigo, & el ob*i*spo
guardolo & recognosciolo qu*e* el era & finco los genollos ant*e*
el. & el Rey Rodrigo dixole: "A mi no*n* me fagades reue*r*en-
çia, mas dame penitencia de mis p*e*ccados." & la hora el bue*n*
ob*i*spo oyolo de confession & retiuo acuerdo p*a*ra otro dia q*u*e
65 penitençia le daria. Et la noche pusose en ora*t*ion & obo reue-
la*t*ion de Dios que lo pusiese en vna cuba fecha p*a*ra aqu*e*l
acto & pusiesse con el vna culueura pequ*e*yna; & le mandasse q*u*e obiesse pasçiençia a lo q*u*e la culuebra faria, et
aqu*e*lla lo mataria & se*r*ia salbo. & el sa*n*cto ob*i*spo dixo esta
70 rebela*t*ion al Rey Rodrigo, el qual, con gra*n*t co*n*tric*t*ion llora*n*do, recibio esta penitençia. Et el ob*i*spo secretame*n*t lebolo
a su posada & pusolo en vna cuba como es dito & siuo alli
algu*n* *t*iempo ataqu*e* la culuebra fue crescida.

... ...

82
Año 1452 (?)

PERO VERAYZ CONTESTA AL PRÍNCIPE DE VIANA, QUIEN LE HA PEDIDO DINERO PRESTADO
(*Tudela*) [1]

Muy excelent Princep & mi muy reduptable Sennyor: 1
Con mucha uerguença escriuo a vuestra sennyoria, por que
no vos enbio las doblas que vuestra merçe me enuio demandar, que, assi me ayude Dios, yo no las he ni se de donde las
aya, tanto esto malleuado & baratado por fornecer lo que el   5
Sennyor Rey me a mandado, que juro yo a Dios que ya tengo
fornecido a su sennyoria todo el dinero de que yo hera encargado de recebir; et encara me restan por cobrar tres quoarteres,
los quoales creo que nunca se culliran, e yo finco enpennyorado
en mas de trezientas doblas por esta causa. Por que muy humil- 10
ment suplico a vuestra sennyoria me dennye auer por escusado,
que sabe Dios que con presta voluntad yo quisiera conplir
aquesto assi como he fornecido ata aqui lo que vuestra merce
me ha enuiado demandar. Plega al sennyor Dios dar tal con-
cordia en los fechos del sennyor Rey vuestro padre et vues-   15
tros quoal cumple al seruicio de su sennyoria & vuestro & releuamiento de aqueste regno, amen de la ciudat de Tudela. Primero dia de abril, de la vuestra sennyoria humil subdito natural
qui en la vuestra merce humilment se encomienda,

P. de Verayz.   20

---

[1] Caj. 156, núm. 63 del Archivo Real y General de Navarra.

83

Año 1452 (?)

TRASLADO DE LOS CAPÍTULOS DE CONCORDIA ENTRE EL REY DE NAVARRA Y EL PRÍNCIPE DON CARLOS, SU HIJO [1]

1   E es conuenido, apuntado e concordado que por el dicho
s[enyor] R[ey] non pueda seyer puesto impedimento, empacho
o perturbacion alguna de feyto nin de dreyto, directe nin indirecte, [2] por si nin por interposita persona, al dicho sennor
5 Principe en la succession del dicho regno para empues dias
del dicho senyor Rey, su padre, e que no alienara ni transportara el dicho regno nin parte de aquel en vida ni en muert,
antes agora por las oras que el dicho caso vendra, el dicho
sennor Rey con todas sus fuerças e con todo su poder conser-
10 uara el dicho regno por que empues dias suyos succedexca en
aquel, e aya e posseya aquel, el dicho sennor Principe e los
auientes causa del empues dias suyos; e que non consintra ni
permetra que al dicho sennor Principe sia fecho empacho, question o turbacion en la succession del dicho regno; ....
15 Item, por dar plena seguridat a las cosas sobredichas es
conuenido que, dentro tiempo de sesenta dias contadero[s] del
dia que los presentes capitulos seran firmados por entramas
las dichas partes, los tres estados del dicho regno (e) legitimament a Cortes congregados en la villa de Thaffalla o en la
20 villa de Sanguessa e los singulares que alli seran congregados,
ayan de prestar e fazer sagrament e homenage de fieldat al
dicho sennor Rey por que durant tiempo de su vida le sian
buenos e lealles vassallos, sinse derogacion de los otros sagramentos al dicho sennor Rey prestados; e al dicho sennor Prin-
25 cipe para empues dias del dicho sennor Rey en e por la forma
que los dichos tres estados e singulares de aquell han acos-

---

[1] Fols. 1v., 2r., 4r. del MS. PR 12-16 del Archivo General de Simancas.
La letra del MS. es de la segunda mitad del siglo xv.
[2] Leemos *directe* e *inairecte* en preferencia a *direite* e *indireite*, como
podría también interpretarse.

tumbrado de jurar e fazer sagrament e omenage de-fieldat a
los senyores reyes que por tiempo han seydo del dicho regno,
assi e en tal forma que sian astrictos de obedecer al dicho
sennor Rey durant tiempo de su vida e al dicho s[enyor] P[rin- 30
cipe] empues dias del dicho sennor Rey su padre; ....

Item, es concordado que todos los castillos e las fuerças de
realenco que son en el dicho regno, assi aquellas que stan sota
la obediencia del dicho sennor Rey como aquellas que son dete-
nidas por el dicho sennor Principe o parcialles suyos o por 35
otras quoalesquiere personas del dicho regno o de fuera de
aquel, ayan de venir e vengan en manos e poder del dicho
s[enyor] Rey, en las quoalles su sennoria aya de poner e ponga
alcaydes aquellas personas que visto les seran, las quoalles ayan
de fazer sagrament e homenage de bien e lealment goardar los 40
dichos castillos e fuerças por el dicho sennor Rey durant tiempo
de su vida e por el dicho sennor Principe depues dias del dicho
sennor Rey, padre suyo, los quoalles el dicho sennor Rey pueda
tirar, renouar e mudar q[ua]ntas vegadas querra; siempre empero los dichos alcaydes sian tenidos fazer los sobredichos jura- 45
mentos e omenages. ....

... Las personas del noble don Loys de Beaumont, Condestable
de Nauarra, don Luys e don Carlos de Beaumont, fillos de
aquel, mossen Johan Darthieda, e los dos fillos del dicho mossen Johan Dartieda, Johan Dassian e Lorenz de Santa Maria, 50
e otros que son detenidos en poder del dicho s[enyor] R[ey],
primerament pagadas las expensas que se son feytas en la detencion de aquellos, ayan seyer delibres de la detencion en que son
tenidos, [1] e puestos en plena libertat; e dentro el dicho tiempo
ayan de ser delibres e puestos en plena libertat las personas 55
del sennor Davasso, del f[i]jo de mossen Leon de Garro (?),
del fijo de mossen Bernart Dezpelleta, fray Charles Dechanz,
Ferrando de Medrano, Diego de Caceres, Johan Goncalez, portogues, Fortunyo de Toledo, Ferrando de Angulo, Johan de
Cuellar e todos los otros presoneros nauarros, aragoneses e cas- 60
tellanos e otras naciones que son en poder del dicho s[enyor]

---

[1] El copista escribió primero *tomados* y luego corrigió escribiendo encima *tenidos*, de forma que actualmente parece leerse *toniddos*.

Principe, que son seydos de la obediencia del dicho sennor Rey
e han seruido a su senyoria, pagadas assi mesmo primeramente
las expensas que en la detencion de aquellos son seydas feytas.

... ...

84

Año 1455

COPIA DE LAS CAPITULACIONES ENTRE EL REY DON JUAN DE NAVARRA Y EL CONDE Y CONDESA DE FOIX, SOBRE LA SUCESIÓN DE AQUEL REINO, CON MOTIVO DE LA DESOBEDIENCIA DEL PRÍNCIPE DON CARLOS [1]

1 ... Item, es conuenido, apuntado e concordado entre las dichas
partes, que, deduzidas a effecto e execucion las cosas sobredichas e en los presentes capitoles contenidas, el dicho senyor
Conde, a causa de la dicha senyora infanta su muier, e la dicha
5 senyora infanta en su propio nombre e dalli adelante sus fijos
dellos descendientes, successiuament por orden de genitura, todavia empero los masclos prefiriendo a las fembras, despues de
los dias naturales del dicho senyor Rey sian inmediatos reyes
e successores del dicho regno de Nauarra, del ducado de Nemos
10 e otros bienes aneillantes (?) de la succession e erencia de la
dicha senyora Reyna, e los tengan e possidan poderosament
luego apres dias del dicho senyor Rey, exclusos los dichos principe e princesa, e cada uno dellos, e otra qualquiere persona,
por la forma e con todas aquellas preheminencias, juredicciones,
15 regalias, rendas, insignias e superioridades que los otros reyes
del dicho regno en los tiempos passados millor han tenido e
posseydo aquel. E que apres los dias del dicho senyor Rey,
los dichos senyores Conde e infanta su muier sian intitulados
rey e reyna de Nauarra, e de alli adelante sus fijos dellos des-
20 cendientes, seruado orden de genitura e prefiriendo los masclos
a las fembras segunt que dicho es.

---

[1] Fols. 3r., 3v. del MS. PR 12-47, 1.º, del Archivo General de Simancas.
La letra es de la segunda mitad del siglo xv.

E es conuenido e acordado assi mesmo que por el dicho
senyor Rey no pueda ser puesto impediment, empacho o per-
turbac*i*on alguna de fecho ni de drecho directe nec indirecte
por si ni por interposita persona 25

85

Mediados del siglo XV

LA CADENA DE LAS ARMAS DE NAVARRA [1]

Aberiguose q*ue*l poderoso rrey don Sancho peleo con el 1
major jmpetu de la vatalla tan anim(i)osame*nt*e que su alteça
fue primero el que rompio la cadena que estaua al rededor del
real. Y como el miramamolin vio entrado su real por los *chris-*
*t*ianos y el rrey don Sancho, diz que cabalgo en vna yegoa vaya 5
muy ligera y co*n* solos dos de caballo diz que se salbo huyendo.
Y la vatalla dada siendo vencedores los tres poderosos reyes
de Nauarra Castilla y Aragon, (y) dize*n* segu*n* las coronicas
lo aberigua*n* que murieron aquel dia mas de cient mil moros
y a causa desta vatalla dende a muy poco tiempo se gano toda 10
la Andaluçia. Es de notar que al *tiem*po quel rrey don Sancho
rompio la cadena tiro luego p*ara* las tiendas donde estaua el
miramamolin y dentro de la tienda principal estaua hechada
vna red de hierro muy menudo a manera de vn canzel. En
medio deste canzel y red de hierro donde se venia*n* a juntar 15
los cabos hauia vna esmeralda de muy gra*n* valor, y comoquiera q*ue* en la d*i*cha vatalla hubo imfinito despojo y riquezas
de gran valor el rrey don Sancho no quiso escoger hotra cosa
sino traher por armas aquella red de hierro [2] que estaua hecha
a man*e*ra de (de) vna camarita o cançel, y assi se trahen por 20
armas en Nauarra. Y estas mismas redes de hierro hallaran oy
en dia en la ygl*e*sia major de Pamp*lo*na y en la de Roncesvalles.

---

[1] *Crónica del Príncipe de Viana* (fols. 86v.-87r. del MS. núm. G-46 de
la Real Academia de la Historia). El MS. es del siglo XVI. Nació el príncipe en 1421 y murió en 1461.
[2] MS.: *hierno.*

86
Año 1462

COPIA DE LA DONACIÓN O CESIÓN QUE LA PRINCE-SA DOÑA BLANCA HIZO DEL REINO DE NAVARRA A FAVOR DEL REY DON ENRIQUE IV DE CASTILLA
(*San Juan de Pie del Puerto*) [1]

1 ... porque el dco principe proseguia su drecho como mejor
podia, sobre seguro lo tomo preso y tubo encarcelado por dos
vezes por largos tiempos y en fuertes castiellos e presiones, diziendo quel dco regno era del dco senyor rey, e faria dell como
5 de cosa propia, de modo que causantes los grandes treuajos e
malenconias e penas sufridas por el dco principe, e, segunt fama
e dco de muchas gentes, por otra via maliffica obo de fenescer
sus dias el dco principe, aderiendo en esto a la voluntat del
dco senyor rey la infanta dona Leonor, mi hermana, muger
10 del conde de Foix, y el dco conde; por muert del quoal dco
mi senyor hermano el principe, e de los dcos mis aguelo e madre, segunt los antedcos drechos y leyes y encara fuero expresso
del dco regno de Nauarra, sucessiba e drechament como fija
mayor de la dca senyora reina, enpues el dco principe yo sucedi
15 en el drecho de h[e]redar, auer, cobrar, tener e possedir el dco
regno enterament, por e como mio, como bienes maternales.
E seyendo yo assi la primogenita e propietaria senyora y h[e]-
redera del dco regno, e segunt drecho yo teniendo e possediendo, o perteresciendome tener e possedir aquell como dco es,
20 el dco senyor rey mi ssenyor e padre, s[ea] a instancia o inportunidat de la dca infanta mi hermana e conde de Foyx o otra-

¹ MS. PR 12-11 del Archivo General de Simancas. Letra de la segunda
mitad del siglo xv.
    Las formas que corresponden a la conjunción *y* en el MS. son 'y',
'e', y una abreviatura que hemos transcrito 'e'. El participio pasivo del
verbo *dezir* aparece siempre en forma abreviada, siendo a veces difícil
saber si se trata de la abreviatura 'dto' o 'dco'. Este participio lo hemos
transcrito dco en todos los casos.

ment, ante de ser finado el dc̄o principe y enpues ell finado
seynaladament, me a fecho [1] tener en lugares fuertes bien goardada, quasi como presa. E yo esperando que su ssenyoria entendria en reparar mis fechos [2] e mi drecho como de continuo 25
me lo proferio assi por cartas como de palaura, dio orden como
el fijo mayor de los dc̄os conde de Foyx e infanta contrayesse
matrimonio con la h[e]rmana del rey de Francia, e por si o
por medio de sus enbaxadores tracto que enpues dias suyos
ouiessen de suceyr e heredar el dc̄o regno de Nauarra los dc̄os 30
conde e infanta, o su fijo y la hermana del dc̄o rey de Francia,
e yo luego ouiesse a ser echada e desterrada y deseredada del
dc̄o regno e puesta fuera del dc̄o regno, presa en poder de los
dc̄os rey de Francia o conde de Foix. E concluydo entre ellos
aqueste graue y enorme caso, yo seyendo en la villa de Olit, 35
el dc̄o senyor rey mi senyor e padre me mando ouiesse de partir day et yr con el a vltra puertos, donde se auia de ver con
el dc̄o rey de Francia, diziendome que queria me casase ay
con el duque de Verry que era hermano del dc̄o rey de Francia; e porque yo era sabidora de lo que los dc̄os mi padre, 40
hermana y conde de Foyx tenian tractado de fazer de mi, dixe
a su ssenyoria que en ningun caso no yria ni queria ser omi-
cida ni enemiga de mi mesma, el dc̄o mi senyor e padre me
fezo partir por fuerca e contra mi voluntat day; ....

---

[1] Podría también leerse 'feito'.
[2] Podría también leerse 'feitos'.

Textos
de Aragón

87

Año 958

HISTORIA DE UNA ALTERCACIÓN ACERCA DE UN ALODIO [1]

In Dei nomine et eius gratia. Hac est chartula corrobo- 1
rationis de alode de Gausa et suo termino quod tenuit domnus
Furtunio episcopus cum suos germanos, alode parentum suorum, nullo herede nisi Deum. terminum dilectum plus de centum
annos, nullo querellante. Post hec dederunt terras ad laborare 5
ad homines de illas billas qui sunt a giro. Quando transivit
ille episcopus negaberunt illas terras qui illas tenebant. Sic se
adunaberunt barones et Comis et Iudiciales et abbates super
illo terminum et iudicarunt ut firmassent suas terras et suo
termino, et perdissent ipsas terras et suo termino, et pariassent 10
lege quomodo iudicius mandat, et illas terras bestitas.

Sic ducibi ego episcopus Atto et mei germani testes bonos
barones senes de illo bicinato, et testificarunt et bolebant iurare
et firmare. Sic complacuit ad Furtunio Scemenonis Comite, et
abbas Bancio, et ad alios barones ut non iurassent, et debiserunt 15
illo termino et fecerunt cominenza sicut est lege de terra, et
lascabimus deciso quod viderunt boni barones quod nec illi
abuissent nulla querella, nec ego contra illos. Et post histum
factum exibit Furtunio Scemenonis de Aragone; disficerunt illi
homines illa cominenza et miserunt Sancio Scemenonis Galiffa, 20
et introierunt in placitum ante rege domno Sancio cum suos
barones, et non potuerunt illi homines pro nullo parente abere
ibi partem. Post hec fuerunt ad rege Garcia Sancionis quando
beniebat de illa partitione de Enneco Sancionis, et iudicabit illis
in illa Histrata ad Santi Stefani de Binaqua, quid firmassent 25
illa alode, et non potuerunt abere testes. Post histum factum
mandabit rex Garcia Sancionis et suus filius quod pedificasset

----
   [1] M. Serrano y Sanz, 'Notas a un documento aragonés del año 958'.
Anuario de Historia del Derecho Español, V (1928), pág. 255. Letra del
siglo x.

ille pater de illo episcopo domno Attoni, Oriolus Galindonis, illo
termino, et iurasset super illa regula sancta, et sic fecit in Sancti
30 Bincenti in Larbesa, quod nullus alius debuit ibi abere parte
nisi filii de domna Inchalzata quando tradidit domna Inchalzata
suo filio domno Furtunio episcopo in Sesabe, sic dedit illo
monte Besauni ad sancti adtrium, et bir suus sic donabit Cha-
rastos exitu de filios et filias et de omni parentela sua nisi quid
35 serbiunt in sancti adtrium. Propter hoc firmavit Oriolus Galindonis, et fuerunt ibi testes abbas Bancio et Datu Forti, Asner
Hundisculi, Enneco Donati presbiter, Bradila Belascus, Garcia-
nis Tellus, Ato Banzonis, Garcia Bradilanis, Lope Enneconis,
Galindu Banzonis, Psalla Asnari cun suos germanos, Belascu
40 Sancionis cum suos germanos, Garcia Scemenonis cum suos
germanos et alii multi quod longum est scribere. Et qui histum
factum boluerit disrumpere, in primis ira Dei descendat super
eum, et cum luda traditore abeat portione infernum inferiori,
ame. Facta chartula sub Era DCCCCLXLVI. Pax sit audienti-
45 bus vel legentibus dicta. *Garsea Sancionis confirmans. Sancio
Garseanis prolis predicti Regis confirmans. Salvus Albaildensis
licet indignus abba hoc testamentum Regum manu mea roboravi.*

88

Siglo X (?)

DONACIÓN DE DOS IGLESIAS AL MORO
ABENGUALIT [1]

1   In nomine sancte et individue Trinitatis, Patris et Filii et
Spiritus Sancti; amen. Hec est carta que Sancio Abarca a rege
facio a tive Abengualit pro quod adiuvest aprendere illa penna
de Aylone que ego vocor Uno Castello, a meo fidele et amico
5 charo Semen Borra; propter hoc quod ita fecisti dono a tive
de bono corazone et de bona voluntate illa eclessia de Sancto
Pietro que tu tenes, et illa eclesiola que fecit Galindo aviu meo
germano, de iuso illa penna iuxta illo rigo, per nomen de Sancta

[1] M. SERRANO Y SANZ, 'Notas a un documento aragonés del año 958',
Anuario de Historia del Derecho Español V (1928), pág. 262. Copia del
siglo XI de un supuesto original del reinado de Sancho Abarca (970-994).

Maria, quod tu teneas illas liberas et infanzonas de tuos dies, et
non respondeas ad episcopo neque a nulio homine, si non a lo   10
Criatore et a me, et post tuos dies remaneant illas ecclesias
infanzonas ad filios de quos venerint ibi populare, si non a tanto
que vadant a meo episcopo de Leyor a Concilio et a ordines et
pro crisma, et de totas alias causas respondeant a me et a mea
generatione; et qui isto donativo voluerit dirrumpere, sit anathe-   15
matezatus et in inferno sepultus, amen. Facta ista cartula in
Era DCCCCLXXI Ego Maza de Lisavi exarabi ista cartula pro
iussione domino meo rege. Testimonias, episcopus don Osseuti
in Leyor. Senior E. Galindez Labar in Orua, et Senior Sancio
Maniones in Sara.   20

89

Siglo X (?)

SE INDICAN LOS LÍMITES DE LAS TIERRAS DONADAS
A LOS HABITANTES DE UNCASTILLO [1]

[In nomine sancte et] individue Trinitatis Patris et Filii et   1
Spiritus Sancti... [Ab]archa, Dei gratia rex Aragonum, facio hanc
cartam donacionis... [v]obis populatoribus de Uno Castillo qui
estis vel qui de ista... terminis vestris de Colliel del era al Sasso
et per illa horell... et ad Amigiciel usque ad illa capeça de   5
Aquisilio Vetulo, et... Vincaroli et de illa Vincarola usque ad
illo frassino de if... pardinam de foratos de ossos, et de foratos
de ossos ad vallem... [p]aul de lena, et illa foçillola de patre
Vita, et de patre Vita... et de illa capeça de la tanut ero ero
quomodo aqua vertit ad ve... Maomat ero ero quomodo aqua   10
vertit ad val de Lena, et ad caput de val de... de val Grallass
ad illa capeça de val Estruns ero ero quomodo aqua vertit ad...
sa al uallatar de la sirca, et a fos terreros ero ero a la capeça
de Acheco quomodo... et de la capeça de Acheco ero ero a la
de Galin Abraym, et de la cora de Galin... cabo de Busset, et   15

---

[1] M. SERRANO Y SANZ, 'Notas a un documento aragonés del año 958',
Anuario de Historia del Derecho Español, V (1928), pág. 263. Copia, 'no...
posterior al siglo XI o comienzos del XII' de un supuesto original del reinado de Sancho Abarca (970-994).

Busset usque ad illas capeçolas de mont calvo, et de mont calvo... la sierra usque ad cornu de la sierra, et de illo cornu usque
ad illa capeça de Savan... un usque ad illo mercatiello de Ioslatdit de la talayu, et del mercatiello usque ad... de Halil del
20 torrillon usque ad pueyo de la Lecina et del pueyo de la Lecina
usque ad... de Verdiach, et del pueyo del Verdiach usque al
pueyo de la Çunarra, et del pueyo de... [C]unarra usque ad
fondon de canpanna alçada, et de canpanna alçada usque ad
portiel malvar... portiel malvar usque ad puey pinoso, et de
25 puey pinoso usque ad puey messado, et de puey messado usque
al castiell pinoso, et de castiell pinoso usque ad fos piniellos,
et de foz piniellos usque ad cornu de la Nansa, et del cuerno
de la Nansa a fos Alfeyt, et de fos Alfeyt ero ero por la sierra
quomodo aqua vertit ad Arriguiel usque ad colliel del era. Et
30 istos supra scriptos terminos dono et confirmo vobis populatoribus de Uno Castello qui modo estis et in antea ibi veneritis
populare ut habeatis illos francos et in genuos ad vestram propriam hereditatem et ad faciendam vestram propriam volunta-
tem vos et filii vestri et omnis posteritas vestra, salva mea fide-
35 litate et de omi mea posteritate per secula cuncta amen. Et qui
isto donativo voluerit disrumpere sit anathematizatus et sepultus
in inferno, amen. Facta ista carta donacionis et confirmacionis
in era DCCC.LXXII.

Ego Maça de Lisaui exaravit ista cartula pro iussione domi-
40 no meo rege. Testimonias episcopus don Esseseuti de Leyor, et
Exemen Biras, et Auin Gualit. ✠

90

Año 1062

COMPRA DE UNA VIÑA EN UNCASTILLO [1]

1   In Dei nomine et eius gratia. Hec est karta de conpara ket
conparabit senior Sancio Galindiz et illa duenna donna Urracka
in Uno kastiellu: illo malguelo in Aba denante Sancti Mam(?)es.

---

[1] Archivo de la Catedral de Huesca, MS. 75 (Cartulario del Conde Sancho Galíndez), fol. 6v. Cartulario de fines del siglo XI.

Tutu illo precio pryso, abent illores donnos, et sunt fermes de
salbetate Didezi et Furtunio de don Lope et Altimir et sunt   5
auditores et alihaleros Billito de Almalieli et don Didez et
Ihoanis Clabero et Ariguel Enekones et Lope Garcianes. Facta
karta in era TC.

91

Antes de 1063 (?)

SE CONFIRMAN UNOS PACTOS CON REGALOS DE PAN
Y VINO [1]

...Banziones et Lope Ariueli et domne Azenare Clabero et   1
Garzia Asnare de Beskansa et dederunt illis alihala galleta de
bino II panes. Et conparoron alia binea de domn Scemeno de
Scabierri et de Somanesse in fonnos de Fenero en X kafitia, et
sunt fermes de salbetate Sanzio Bita et domn Azenar Clabero.   5
Et alia binea in kampo et una terra in soto comparoron de
Azenar suo clabero de Somanesse in XXIIII kafitia de tritico,
et sunt fermes de salbetate Sanzio Bita et Azenar de Asnare
Bueni et sunt testes Zia Bita et Asnere Bueni et senior Blasko
Furtuniones et Garzia Scemenones et sunt alios fermes de illa   10
terra Furtunio Sanz et Scemeno dAekones et sunt testes Galindo
Sanz et Azenar Galindo monako et presbiter Azenar Zia Bita
et Asnere Bueni domnus Scemeno de Scabierri. Aliala II ga-
lletas de bino IIII^or p(anes?).

---

[1] Archivo de la Catedral de Huesca, MS. 75 (Cartulario del Conde
Sancho Galíndez), fol. 1r. Cartulario de fines del siglo xi.

92
Hacia el año 1090 (?)

REPARTICIÓN DE LOS BIENES DE SANCHO GARCÉS [1]

1   De illa particigon que feci senigor Sango Garcece. Ad Galino
Acenarece era lorika, ero kabalo, era espata. Ad Sango Scemenones ero kabalo, era mulla, era espata, ero ellemo. Ad Scemeno
Fertungones, si tene illa onore, tiega ero kabało per mano de
5 Cosnelga; e si lesca era onore, ero kabalo segat suo engenobo [2];
e .II. elmos. Ad senigor Garcia Lopece .I. kabalo. Ad Galino
Atones ero kabalo, .I. elmo.·. A Scemeno Garcece ero pullero
bago, era lorika, .LX. solos de petabinos. Ad Garcia Colaco ero
pullero, era pika. Ad Eneco Sange ero pullero. Ad Eneco ero
10 pullero kastango, .U. kafices. Ad Sango, suo germano, ero filgo
dero guascon. Ad Galino dAte illa mula et alode ke le den
ena Petra. A don Garcia totas suas bestituras, .L. solos de dineros, eras malas, e tenganlo ata pascua. Ad Galino Enecones
.XU. mesuras. A don Bernarde .X. solos de dineros. Aro abuelo
15 era sua caligema, e paskanlo e bestanlo se[m]per erit bibo.
ARrapun e Sango pascanlos e bestanlos, tanto usque pan poscan
deredemere. Ad illos mancepos de sua masonata a kien .IIII.
mesuras, ad kien`.U. mesuras; ad Sango dArbaniese mes de
illos alios; aro mancipo de Bregoto faca lo suo per jodicio, sega
20 tuto ero de Monteson suo. Eros meskinos dErbise demannelos
senigor Fertungo Acenarece; eras bertutes kede aduscomos da
Roma, e son en Alkecar, demanelgales senigor Fertungo Acenarece; quano erit fraucato Sancte Nicolagi, tornelas ad Albaruala,
e illa medigatate dera alode de Porcelgas ad sancte Nicolagi
25 engenua. Ero medio peto dAlba ruala, usque ke segat fraukato,
.CL. solos de dineros, eras equas, eras bakas, eros porkos eras
obellgas, ed era sua parte ero melio pan, ero m[ełio] de bino.
Ad Eneco Scemenones ke lo enterecen quamo meligor bedene,

---

[1] R. MENÉNDEZ PIDAL, Orígenes del español, 3.ª edic. (Madrid, 1950),
pág. 43. El documento parece ser de Sobrarbe, y la escritura es de la
segunda mitad del siglo XI.
[2] 'Pudiera leerse engeniabo' (R. M. P., obra citada, pág. 44).

et post dies de Cornelia sit lla Petra de Sancte Petro de Gaka,
pro mea anima et de meos parentes.   30

Ad Sancte Petro de Gaka .II. basos, .I. mula, .I. lieto, .CL.
solos de dineros, era bagina dera espata. Arra retro tabola ed
era sua parte era m[e]digatate de pan e bino. E tuto illo abere de
Cornelga esos omnes segat en mano de senigor Sango Acenarece
e de senigor Fertungo Acenareçe e de Lope Fertungones, suo   35
filgo.

    debe dare ena mula .xxx. almetekares. adjaceb [1] lascabet
eros be[ci]nos dAbiago por domen .xu. mesuras.

93

Año 1148

DOÑA FLANDINA EMPEÑA UNAS CASAS QUE TIENE EN HUESCA [2]

Hec est carta come[mo]rationis quam facio ego Flandinaa   1
uos don Alaman mon gendre de las casas dOsca & de las tendas
que mitto uobis inpignus per xl & v morabetins marins & melechilns entre despisions & treire de pengnora ke inmissistis et si
aliquid mittis in adopar in la casa ego Flandina lo atorgo super   5
las casas. Peire Peitauin testimonia et don Humber lo Breton
teste et dan Gitar teste Gazialinz teste Iofre teste. Memoria I
morabetin ke preste ama sogra kan ueni fer lo sagrament ad
Gaufred testes Pere Batiat et Petit Allamans mes II solvi de que
mes ella causada adobar per cossel delalmedina. In era Mᵃ Cᵃ   10
lxxxᵃ vi quando lo comte deBazalana & prinzebs Aragon mena
sas ostes super Tortosa. Ego Gillem escriuan nepos Estefan
de Campo Frango scrisi manu mea hanc cartam.

    Hec carta de memoria de particione quam fecerunt inter
Iofred nepote Ysaac & dompna Flandina filia dompna Ponza   15

---

    [1] 'La palabra adjaceb está interlineada y es dudosa' (R. M. P., obra
citada, pág. 44).
    [2] Archivo de la Catedral de Huesca, armario 2, legajo 9, núm. 577. La
letra del documento es contemporánea a la fecha que lleva el mismo.

de Iacca in Oscha. Partirunt infer illos ambos illas casas qui fuerunt de domna Ponza de Iacca et sunt illas ante illa sede de
Osca & peruenit adpartem domna Flandina illa casa cum duas
partes de illo portale primo unde intrant in illas casas & ueniunt
20 ad illa sede sicut cadunt gutas de illa pluuia de una & de
altera, ...

94
Siglo XII

PARTICIÓN DE UN HUERTO EN EL GÁLLEGO [1]

1   In Dei nomine. Hec est carta et memoria que facio ego Gas-
sion coquinarius domni episcopi et mea mulier Pascalia, et ego
Pere Ros et mea mulier Elbira, et ego Per Elias. Nos toz tres
fratres facimus ista carta et ista remenbraza de illo ortal de
5 Galleco qui est ad illa Turre Longa, que partiuimus toz tres per
capezas, part partita et sort sortita, et fuimus toz tres pacatos
et abenitos de ista partizion sine querimonia. Et ego don Gas-
sion, coquinarius, et mea mulier Pasqualia donamus uobis don
Pere Ros et ad uestra mulier don Elbira et ad Pere Elias fidaza
10 per fuero de Zaragoza, que nos nec nostro ienollo nec homo nec
femina per nos, non demandemus magis ista particion de isto
ortal. Est fidanza don Iohan [   ]. Ego Gasion et mea mulier
dono alia fidanza a uos don Pere Ros et ad uestro cognato Per
Elias per illas cartas del pignale que abebam perdutas que un-
15 quam magis non traham uobis carta, nec per carta non demandem uobis nullam causam, dono uobis fidanza don Pere de
Carcasona. Et sunt testes Iohan [   ], Pere Tron et Bernard de
Uilla Noua. Et ad ista particion, qui superius scripta est, fuit ibi
Iohan escuder et Pere de Carcasona. Et ego don Pere Ross et
20 mea mulier Elbira et Pere Elias pagamos ad uos don Gasion
VI morabetinos bonos et lopis et de peso, et hoc sçiunt don
Ac[   ]rias et Iohani Moxa et Pere de Carcasona qui foron al
pagar.

---

[1]   J. M. LACARRA, 'Documentos para el estudio de la reconquista y repoblación del valle del Ebro', Estudios de Edad Media de la Corona de
Aragón, III (1947-1948), pág. 653. Letra 'del siglo XII'.

95

Principios del siglo XIII

HISTORIA DE LA DERROTA DEL REY COSDROE
DE PERSIA POR HERACLIUS, Y DE LA LLEGADA
DE LOS GODOS A ESPAÑA [1]

Apres de Foca Cesar regno Eraclius en Roma, e passo mar   1
e fo lidiar con Cosdroe, qui era rei de Persia. Aquest rei Cosdroe se fazia a sos omnes tener por deus, e tenia la uera cruç
delant si; et auia feito fer cielo d'aramne e sol e luna & estellas, e fazia plouer por encantament. Lidio Eraclius con el &   5
con so fillo e mato los ad amos, & aduxo la uera'cruç a Iherusalem. En esta sazon que regnaua Eraclius en Roma, era Sant
Ysidre arcebispe en Seuilia, qui escriuie estas estorias & otras
muitas, et en esta sazon andauan los godos en Espanna. Estos
godos foron de lignage de Gog e Magog e foron paganos, e   10
mouieronse d'oltras flum de Danubium e passoron mar e uinieron gastando por tierra de Roma. Et era apostoli en Roma
el Papa Aldebrando. Et uinieron estos godos en Espanna & estidieron hi ccclxxxiii annos, e muitos d'ellos tornoron se a la
fe de Christus. Al tiempo que los godos passoron mar, estonz   15
se mouie Mahomath de Meca e fo predicar en Arabia e conuertie grant gent en so lei. ERa dclxii. Del dia que Christus
priso passion, tro al dia que Mahomath se mouie de Meca, ouo
dc menos viii annos; e Mahomath auia a la ora xlª annos.

Quando foron los godos entrados en Espanna, leuantoron   20
rei de lor lignage et est rei ouo nomne el rei Cindus, e fo Christiano; e quando murie el rei Cindus, non lexo fillo nenguno
e rremaso la tierra sines rei. E non s'acordoron las hientes de
la tierra por auer rei, e guerrioron se todos unos con otros
grandes tiempos; e pues accordoron se e fizieron rei por elec-   25

---

[1] Louis Cooper, *El Liber Regum: estudio lingüístico* (Zaragoza, 1960),
pág. 31. La letra del manuscrito es de comienzos del siglo xiii.

cio*n* al rei Bamba, e fo muit buen rei. ERa dccx. Est rei
Bamba establie los arcebispados e los bispados d*e* Espa*n*na
d'ond ad ond fossen.

96
Año 1238 (?)

ESTATUTOS DE BUEN GOBIERNO DE LA CIUDAD
DE JACA [1]

1 ... Esi p*er* abent*u*ra los iuratz d*e* negun uezin o abitador d*e*
Iacca d*e* aço cels ni sospieita ni ne*n*guna sabidoria aurian, achel
p*er* força o p*er* grat dena*n*t los iuratz uienga e iure enp*re*sent
d*e*ls iuratz che no p*ro*meto ni fe p*er* omenaye ni p*er* sagra-
5 me*n*t ualeme*n*t ad altre p*er* bando ni p*er* baralla. E si p*er* aben-
t*u*ra achesta iura no uolia far, done als iuratz XX sol*s* ops
de la cluson deIacca ; & sobre aço iure che desfaga achela
unitat che daq*ui* enant no si puesca reclamar.

....

Demas establire*n* che chantas uegadas los iuratz auran ops
10 los omnes qui de ius son esc*ri*tz en estos establime*n*tz, achel o
achels o totz a chals los iuratz clamara*n*, en contine*n*t laxadas
totas sas fazendas con los iuratz che baya*n* esi obs es che
uallan eche aiuden als iuratz. Eq*ui* aço no co*m*pliria sia p*er*-
iuri fals.

....

15 Demas establiren che chantas uega*d*as los iuratz e achels
q*ui*ls iuratz clamara*n* p*er* guardar la Ciutat de Jacca d*e* dia
od*e* nueit, o p*er* baralla o p*er* contenta partir, o p*er* anar prendre layron o mal faytor, p*er* estas cosas se puescan guarnir e
armas portar senes pena de la su*m*ma e senes corruption d*e*
20 las iuras. E demas si als iuratz o adachels q*ui* ab los iuratz
seran esdeuenia che ferissan, ni plagassen, ni zo che adios no

---

[1] *Libro de la Cadena* del Concejo de Jaca. Nuestro primer trozo se
encuentra en el fol. 31r. del *Libro de la Cadena*, y los otros dos en
los 32r. y 32v.-33r. respectivamente. El manuscrito 'se escribió por los años
de 1270', según DÁMASO SANGORRÍN (pág. IV de su edición del *Libro* en
Colección de Documentos para el Estudio de la Historia de Aragón, XII,
Zaragoza, 1921).

placia che matassen a negun uezin de Iacca ni abitador, no
sian tiengutz dela summa sobredicta ni per ço las iuras no
sian corrompudas. Etotz los iuratz els omnes qui de ius son
escritz etot lo poble de Iacca sian ad achel ualedors e aiudadors 25
per tot sempre.

97

Año 1258

JAIME I DE ARAGÓN RETIRA LA IGLESIA DE SEGOR-
BE DE LA JURISDICCIÓN DEL OBISPO DE
VALENCIA [1]

   Sea feido contrast entrel bisbe de Valencia, el bisbe de 1
Sancta Maria dAlbarazin sobre la possessio de la Eglesia de
Sogorb, de la qual esglesia lApostoli enuio a nos don Jaymes,
por la gracia de Dios rey de Aragon, de Maiorcas et de Valencia, cuende de Barcelona et de Vrgel et seynor de Monpeslier, 5
carta que tornassemos en possessio de la dita esglesia al bisbe
de Sancta Maria dAlbarazin, nos mittimos en possessio de la
dita esglesia lo dauandito bisbe dAlbarrazin por pregos de
lApostoli, et sobresto nos auiamos grandas gerras en el regno
de Valencia, et uino el bisbe de Valencia, qui agora es bisbe 10
de Saragoza a nos, et dixo nos qui si nos lo metiessemos en
la dauandita possessio que el nos faria en aquest negocio tal
seruisio que nos seriamos sos pagados, et por esto nos mandamos a nuestros homnes de Sogorb que ellos nol feziessen
nul contrario en la possessio [de] la dita esglesia de Sogorb, 15
mas si menester era que len aiudassen a deffender, et por esto
cobro la possessio. E passado esto enbio nos carta lApostoli
que nos deffendiessemos lesglesia de Valencia et quel ajudassemos a mantener la possessio de la dita esglesia de Sogorb et
de Xericha, et sobre esto muytas de uegades el bisbe de Alba- 20
rrazin se clamo de nos deuant el bisbe de Valencia, et menos
del porque nos fariemos tener aquella possessio de que lApostoli nos auia enuiado a pregar. ....

───────
   [1] M. Cubells, 'Documentos diplomáticos aragoneses (1259-1284)', *Revue
Hispanique*, XXXVII (1916), pág. 106. (Arch. Cor. Arag. R. 10, fol. 98).

98
Año 1268

DON PEDRO DE SORA HACE DONACIÓN DE VARIAS
HEREDADES A SUS HIJAS (*Huesca*) [1]

1   ... & si por aventura conteigneria amas morir senes fillos de
lial conjuge, que torne la dita capellania & tiengala cual quiere
omne o muller qui mas proprios parientes son nuastros, & asi
vaya de generacion a generacion nuastra por todos tienpos man-
5   teniando el dito capellan en aquellogar & sosteniando la dita
capialla de vestimienta, missal & de lumera quando mester sera,
por todos tienpos dia & nueit; & si por aventura avenria que
nuill tienpo çessase que est dito capellan no fose metudo & establido quiscun anyo por todos tienpos en la dita glesia de
10   San Pere, segon que nos lo emos establido que y sia, yo por
mi & polos mios presentes & por venir & polos que pasados
son dest sieglo al otro qui lixaron & benificaron esta dita capellania, damos plen poder & entegro a qualquiere prior o seignor
qui por tienpo sera en la dita glesia de San Per Vieillo dUasca,
15   que el & qui so logar tenra que los puesca costreigner a qui
quiere que esta capellania tenra ni espleitara, por que sia conplido todos dias el deuinal oficio en aquel logar por el dito
capellan nuestro; ....
... Feita fo esta carta .VIIII. dias entrados nel mes de março,
20   sub *era* M.ª CCC.ª sexta. Pere Ramon Pinparel, publigo escriuano dUasca, esta carta escriuieu & po letras la partieu & so
sig-(●)-nal y fizo.

---

[1]   TOMÁS NAVARRO, *Documentos lingüísticos del Alto Aragón* (Syracuse,
New York, 1957), págs. 15-16. Dice el Sr. Navarro que en el original hay
tilde encima de *gn* en *conteigneria*.

99
Año 1272

AJUSTE DE LAS CUENTAS DE UN REY [1]

Anno Domini M.º CC.º LXX.º primo, era m.ª ccc.ª decima   1
fue feyta suma maior de toda la despensa del seynor Rey & de
dona Bereng. .... & de la quitacio de la compayna
del seynor Rey y de dona Bereng.   depuys que el seinor
Rey vino de Valencia entro en Çaragoça, que fue tres dias   5
entrados el mes dAgosto; entro a miercores tretze dias dins
Jenero, & comtadas totas las recebudas feitas per don Jahuda
entro en aquest dia tambien de cenas & de peitas com de los
dineros dels judios dAragon & de xxv mil... de Çarago-
ça .... com de las otras recebidas feitas per lo   10
dit Jahuda tro en est dia Reman   quel seinor Rey deu
tornar a don Jahuda trenta vɪɪ mil & ᴅᴄᴄᴄ. xxx. & ɪɪɪ
sol. & mealla, es a saber que la quitacion de la compayna no
fo contada mas dias dins Jenero no es contada la messio que
el marches fizo en Almudeuar & en Pertusa ni las raciones de   15
los porteros que fiçon las collidas de las ditas cenas & paras
& de los dineros de los judios, es a saber que don Jahuda ha
contat aqui xxvɪ mil & ccc sol. de leyas que el seinnor fiço
de las peytas damontditas de los cauallers, & si tantas no son
las ditas lexas don Jahudan deue tornar ço quen falra al seinor   20
Rey, & sin fallen al seinor Rey los deue crexer en conte quantos mas seran. ....

¹ M. Cᴜʙᴇʟʟs, 'Documentos diplomáticos aragoneses (1259-1284)', *Revue
Hispanique*, XXXVII (1916), pág. 130. (Arch. Cor. Arag. R. 13, fol. 285v.º).

100

Año 1284

ORDENANZAS DE LA CIUDAD DE HUESCA[1]

....

1   Primerament establimos a pro et a bien de la Ciudat et
por esquivar los malfaytores et non dar açina ni licencia a los
malfaytores de fer mal nin danno antes de redrar a ellos et
a otros que se les acostarian o se le son ia acostados vediendo
5 la paciencia de concello et de los officiales los quales cuydando
que ellos se castigassen por lur mesura et conoxiendo que meyllor era bien que mal los locos non queriendo esto antes queriendo seguir la carrera del diablo ço es peseverar en los males...
    ...E sobresto el dicto don Michel pereç dinglarola justicia
10 leuantose et dixo: concello en el mundo no a tan obedient
poble a los mayores como vos sodes a nos en todas cosas, mas
muyto me marauello como no auedes pedregado primerament
a los officiales et despues a todos los mayores de la villa porque nos femos et consentimos todos cuantos males et dannos
15 se son feytos et se façen en la ciudat et diremos en que manera
yo et don Ramon pere et don G^m don guimero et don pere
aryles et los otros que somos mayores cautenemos et encobrimos et consentimos aquellos qui los males façen porque nos
precamos luego por ellos et los mantenemos que si nos qui-
20 siesemos en toda la ciudat non se faria mal nin danno et porque
entendades Concello, que yo de buen talant viengo a est feyto
fagamos ordenamiento de mientre que a Concello plaçera et
saluaremos fuero franqueças et priuilegios que ninguno no en-
cubra nin raçone nin defienda nin priegue por malfeytor nin-
25 guno nil faga fiança por parentesco ni por amistança ni por
otra raçon ninguna; et qui lo fara que sia preiuro manifiesto
et que pierda el cuerpo et lauer siense ningun remedio mas
cada un mal feytor aya aquello que merexe et esto yes bien
que lo juremos los officiales et todos los mayores de la villa

....

    [1] RICARDO DEL ARCO, 'Ordenanzas inéditas dictadas por el concejo de
Huesca (1284-1456)', *Revista de Archivos, Bibliotecas y Museos*, XXIX
(1913), pág. 115.

101
Año 1285 (?)

CARTA DEL REY A CIERTOS JUDÍOS DE DAROCA [1]

A los fieles suyos, a todos los judios mandaderos de nues- 1
tras alyamas qui sunt in Daroca. Bien sabedes que porque uos
no nos dauades cuenta de aquellas cosas que uos embiamos
dezir con nuestra carta la segona uez, que fo fecha en Teruel
pridie nonas Julii anno subscripto, que vos queriamos embiar 5
ad Albarrazin, e uos pidiestes nos merced que quisiessemos que
veniessedes a Daroca, porque aqui seriades mas cerca de nuestra tierra & auriades mejor uuestros huebos & adhu que poriades meior recaudar las ditas cosas de que vos demandamos
cuenta, & que nos end puriedes dar recaudo, e sobresto plogo 10
nos & uos lo otorgamos, por que uos dezimos & uos mandamos firmamientre que luego vista la carta vingades a nos a
Calataiub aparaiados de contar de todas las cosas sobreditas
contenidas en la dita carta. Datum in Terrer x.º kls. Februarii.

102
Siglos XIII-XIV

DISPOSICIONES DE LOS FUEROS DE ARAGÓN [2]

Como deuen iurar los iudíos   1

... "El to asno sea ropado delant ti, e non te sea rendido. Las
ouellas tuyas sean dadas a tos enemigos, e non sea qui te ajude.
Tos fillos e tos fillas sean liurados a pueblo estranio, e ueyan
los tos uuellos e falleçcan te, e non sea forteza en to mano." 5
Responde: "Amén". "El pueblo *que* tú non conoçes coma los

[1] M. CUBELLS, 'Documentos diplomáticos aragoneses (1250-1284)', *Revue Hispanique*, XXXVII (1916), pág. 216. (Arch. Cor. Arag. R. 43, fol. 112).
[2] G. TILANDER, *Los fueros de Aragón* (Lund, 1937), pág. 70, § 139. El manuscrito es de prircipios del siglo XIV, siendo el texto fundamental-mente 'una traducción aragonesa del texto latino de la *Compilación de Huesca* [de 1247]' (ibid., pág. x).

frujtos *e* las labores de to tierra, *e* sostiengas siempre calu*n*pnia,
e seas apremido en toda to uida, *et* espantes te d*e* todas las
cosas q*ue* uerán tos uuellos. Fierga te Dios el Se*n*nor de mala
10 plaga en los genollos *et* en las piernas, *e* no*n* puedas sanar de
la pla*n*ta del pie troa la cabeça." R*esponde*: "Amén". "Adurá
el Se*n*nor a ti *et* a to m*u*ller *et* a tos fillos *et* a tos fillas en gent
q*ue* no*n* conoçist tú nị tos parientes, *e* seruirás a los dios allenos, *e* serás demostrado en p*ro*uerbio *et* en faula a todos los
15 pueblos a los q*ua*les te aduxo el Sennor." R*esponde*: "Amén".
"Jtarás muyta semie*n*t en tierra, *e* collir end as poca, q*ua*l se
la combrá*n* toda lagostas ...".

*Qvando los bienes d'alguno so*n *tollidos por fuerça* [1]

... Si alguno trueba en poder o en manos d'otro, q*ui* quier se
20 sea, so cosa q*ue* le aurá*n* leuada a furto, *et* aq*ue*st en cuyo
poder o en cuyas manos será trobada aq*ue*lla cosa dixere q*ue*
la ha co*n*prada, deue nomnar otor qui lay ue*n*dió, *et* aq*ue*st
otor deue co*n*fessar q*ue* ue*n*dió aq*ue*lla cosa ad aq*ue*l qui lo
nomnó por otor *e* porparar fiador de apareçer a dreito sob*re*
25 la deua*n*dita cosa; qual, si no*n* fiziere estas dos cosas, no*n* puede seer abondoso otor. E si por ue*n*tura aq*ue*st a q*ui* será trobada aq*ue*sta cosa furtada dixere q*ue* la ha conprada, affir-
ma*n*do q*ue* no*n* conosce aq*ue*l q*ui* ie la ue*n*dió, *e* sea p*ri*esto
por firmar aq*ue*stas dos cosas co*n* so iura, p*ro*uando aq*ue*l q*ui*
30 la demanda faze q*ue* suya fo aq*ue*lla cosa sob*re* q*ue* es el pleito,
et aq*ue*l q*ui* la co*n*pró no*n* p*ro*uare q*ue* él allenó aq*ue*lla cosa
o q*ue* nu*n*q*ua* fo aq*ue*lla cosa suya o auer la encara p*er*dida,
por dreito deue ie la render, el dema*n*dador re*n*diendo la meitat
del p*re*cio ad aq*ue*l q*ui* la co*n*pró, iurando q*ua*nto le costó.

35   Qvando [2] alguno trobare el ladrón co*n* el gato q*ue* aurá furtado, deue fincar un fust en medio de alguna planeza q*ue* aya
LX piedes a derredor, *et* ad aq*ue*st fust deue ligar el gato co*n*
una cuerda de un palmo ta*n* sola me*n*t, sobr'el q*ua*l gato deue
seer costrenido el ladró*n* itar ta*n*to de millo en aq*ue*lla ma*ne*ra
40 segu*n*t q*ue* es metido a moler en el molino, troa qu'el millo

---

[1]   Obra citada, pág. 180, § 311.
[2]   Obra citada, pág. 187, § 317.

cubra ad aquel gato. Aquesto feito, el ladrón sea lexado yr so
carrera franca mientre, et aquest millo deue seer partido assí
como los dineros de las otras penas. E si por uentura aquel
ladrón fosse tan pobre que non podiesse conplir aquesto, deue
seer liurado a la cort del logar, et aquesta cort faga correr el   45
ladrón esnudo, con el gato colgado al cuello de la part de çaga,
de la una puerta de la çiudat entro a la otra, e deuen seer feridos con correas en aquesta manera qu'el ladrón et el gato sean
feridos egual mientre, e tantas uezes el uno como el otro.

103
Año 1331

ESTATUTO DE LA ALJAMA DE ZARAGOZA [1]

Item, ordenamos que puedan seer releuados en lures cabe-   1
cas de ciento entro a cient et çinquanta perssonas, si mester hy
sera, auista delos ditos tacxadores, dotze dineros en lures cabe-
ças enla dita tallya et medja, et si menos sera de talla et medja,
sia baxado aesta raçon.   5

...Et nos, retorissadas todas las ditas cosas et no querientes
venjr en alguna cosa cuentra fuero nj facer alguna cosa que
sea nj pudiesse seer · periudicial alos cristianos, por esto de
scierta sciencia et agradable uoluntat, certifficados plenerament
de todo nuestro dreyto, non forçados nj engannyados nj por   10
temor o error endueytos, los sobreditos articlos, contenjdos enla
dita ordjnacion de sisa et la hordjnacion contenjda en aquellos, desfemos et reuocamos por atodos tiempos, asique nos
nilos successores nuestros no usemos nj podamos usar de
aquella. ...   15

Pero por est renunciamiento et reuocamiento et obligacion
que nos facemos, segunt dito yes, no entendemos preiudicar
nj renunciar anos que ordenar non podamos, en otra manera
que non sea por manera de sisa, sobre nuestras cabecas et nues-

¹ G. TILANDER, 'Documento desconocido de la aljama de Zaragoza
del año 1331', Studia Neophilologica, XII (1939-40), pág. 23. Letra de la
primera mitad del siglo XIV.

20 *t*ros bie*n*es seyent*es* et mouie*n*tes tan solame*n*t, conque nos no
hordenemos nj podamos orde*n*ar algu*n*a cosa sobre enpriéste-
mos nj vino nj carne n*u*es*t*ros nj encara en otras mercaderjas
et bie*n*es que se uendra*n* o se aura*n* d*e* uender o co*m*prar, nj
en qualquier*e* otra mane*r*a nj en otros casos q*u*e directame*n*t
25 o jndirectame*n*t puedan conprend*e*r los *c*ris*t*ianos et estend*e*r
se adaquellos. Et silo façiamos, p*r*ometemos et nos obligamos
auos et al not*ario* diuso scripto, legitimame*n*t et sole*m*pne sti-
pula*n*t et recibie*n*t en no*m*pne d*e* todos aq*u*ellos aqui co*n*ujene
et conuenjr puede et deue, pagar d*e* pena ala d*i*ta çiudat vi*n*t
30 mil suel*dos* jaq*u*es*es*, la qual pena sia por al se*n*nyor Rey, et
satisfer et tornar todo aq*u*ello q*u*e por raço*n* d*e*la hotra hor-
djnac*i*on por nos feyta recebido sera, et encara eme*n*dar et
pagar todas costas et mession*es* *et* jnteresse que a qual*es* quiere
perssona o *p*erssonas conue*n*rra fer o sostener en qualquiere
35 mane*r*a o racon por cobrar de nos aquellyo que por la d*i*ta
ordjnacion o sisa recebido sera; et paguada la d*i*ta pena o no,
quela present renu*n*ciacion et reuocacion romanga en su firmeza
et vallor pora todos tiempos. ....

104

Año 1348

ORDENAMIENTOS RELATIVOS AL TRABAJO DE MAESTROS, OBREROS Y LABRADORES [1]

1   2. Item, q*u*'e*l* moço aiudador del maiestro que a la d*i*ta
obra leuará, si será maior [2] de XIIII a*n*nyos *et* del offi*t*io sabrá,
no osse p*r*ender él más por su iornal o logue*r*o de lo que obrará
sino XII d*i*ne*r*os por com*e*r *et* iornal, et el moço de XIIII a*n*-
5 nyos aiusso, si el se*n*nyor de la obra loy q*u*errá, v d*i*ne*r*os por
todo. Et q*u*i más end pendrá, sia encorrido XX s*u*el*do*s de

[1] G. TILANDER, 'Fueros aragoneses desconocidos, promulgados a con-
secuencia de la gran peste de 1348', *Revista de Filología Española*, XXII
(1935), pág. 1. Las notas que añadimos al texto están tomadas de la
edición del señor Tilander, quien dice que se trata de un texto de borrador.
[2] MS.: *moior*, con la *o* cambiada en *a* por un rasgo posterior.

calonia, los quales se destribuescan *et* sian denunciados segunt
dito yes en *el* precedent capítol ordenado.

Fiat forus.

8. Item, que algún ferrero si quiere ussant del officio de 10
la ferrería non osse demandar ni recebir por calcar ligona o
exada, rellia o semblantes ferramientas más por liura de obra
de lo que costará liura de fierro o de azero de compra, pero
que la obra sea bien feyta a conoximiento de maiestros; et
liura de claues pora enbegar o semblant obra [1], más de IIII di- 15
neros; liura de farchiles chicos, IIII dineros. De qual quiere
otra obra menuda a conoscimiento de maestros, IIII dineros,
et obra grossa, III dineros por liura, et de obra de claues *et*
obra [2] stanyada, VI dineros la liura, et de las ferraduras de las
manos de cauallyo o rocín con *el* ferrar, más de IIII dineros, 20
et si yes con tallyo, V dineros; por ferradura de los piedes,
cadauna ferradura III dineros. ....

105

¿Primera mitad del siglo XIV?

LA PRUEBA DEL HIERRO ARDIENTE [3]

§ De cabo toda mugier [que] alcauueta o medianera sera 1
prouada, sea quemada; mas si sospecha le ouieren e negare,
salue se por fierro calient como es fuero.

§ El fierro por fer la iusticia un palmo aya en luengo &
en amplo dos dedos, e sobre IIII pies en alto ya quanto sea 5
posado que aquella mugier que sera a purgar la mano pueda
meter dius el fierro. Mas aquella mugier que el fierro deura
leuar, IX piedes lo lieue & en tierra mansa mientre ponga el
fierro; qual si en tal manera non lo fiziere non cunpla segunt
el fuero.   10

[1] MS.: *obras*.
[2] MS.: *olra*, con la *l* cambiada en *b* por un rasgo posterior.
[3] Fol. 51v. del Fuero de Albarracín (MS. núm. 7812 de la Biblioteca
Nacional). MS. de la primera mitad del siglo XIV.

§ Mas empero si el fierro primera mientre del missacantano sea benedito. Mas el iudeç & el missacantano calienten el fierro como es fuero, e demientre que el fierro calientan nenguno non lexen al fuego plegar, que por auentura algun mal-
15 fecho non fagan en esti fuego. Mas aquella que el fierro deuiere leuar sea escodrinnada primera mientre que algun malfecho non tenga. Daqui adelant laue sus manos delant todos, e las manos terzidas [1] lieue el fierro. Mas despues que el fierro aura leuado luego el iudeç la mano della cubra con çera, e
20 sobre la çera estopa ponga de suso o lino. Mas con panno sea ligada muyt bien como es fuero. Esto fecho adugala el iudeç a su casa e despues de tres dias caten le la mano; e si la mano fuere quemada, (&) aquella mugier sea quemada o aquella penna iudgada suffra que mereçe.

25 § De cabo mando que si algun uaron o mugier christiano uendiere e prouadol fuere sea quemado; si no, el uaron responda a su par, mas la mugier el fierro prenda como es dicho. E si por auentura se fuyra, el que el christiano aura uendido nuncas en esti conçeyo sea cogido.

30 § Otrosi mugier que con moro o con iudio fuere trobada e podieren seder presos, amos como es dicho ensemble sean quemados.

106

¿Primera mitad del siglo XIV?

DISPOSICIÓN DEL FUERO DE JACA [2]

1 *Dels iogadors.*

Per ço que lo nompne de nostre Seynnor et de ses Santz es souent blasfemat per les tafurs et per les que ioguen als datz, et yssen moltz de furtz et moltz de homizidis, et fanse moltes

---

[1] Cp. *treçidas*, sin abreviatura, en el lugar correspondiente del Fuero de Teruel (ed. de M. Gorosch, Estocolmo, 1950, pág. 300).

[2] J. RAMOS Y LOSCERTALES, *El Fuero de Jaca* (Barcelona, 1927), pág. 66. La letra del manuscrito usado por el Sr. Ramos y Loscertales es de la primera mitad del siglo XIV.

coses contra la fe christiana, per ço mandam et establissem, que 5
daqui adeuant ningun de nostre seynnoriu no osia iogar als
datz, et aquel que lo faria que perdia la man dreyta; et aquels
que iogaran a la barreta o a la reynna o ad altres iocx en que
hom pot perdre ses dines que peytia LX soltz al conseyll de
la uila. Et aquels qui atals homnes iogadors prestaran datz, 10
nin tabler, nin dines perdanles et paguia LX soltz al coseyll
de la uila. Mas si les cauers o les infançons se uolen deportar
ad aquetz iocx ioguen en lurs cases tan solament.

107

Año 1357

TRATADO DE PAZ ENTRE PEDRO IV DE ARAGÓN Y EL REY DE FEZ [1]

...Considerant encara Vos dicho muy alto é muy noble Rey 1
D. Bohanon, visto é oydo en vuestra presencia el dito Procurador é Mandadero, asi esguardant la buena amistanza, amiganza, amor é affeccion, las quales en tro aqui han seydas, é
acostumbrado de seyer, é de durar entre Nos é Vos, é los nues- 5
tros é los vuestros predecessores Reyes muy altos é muyt excellentes é nobles, como cobdiciantes, é affectantes que la dita
paz et unidat antiga, la qual por culpa de algunos sotsmesos
de cada uno de Nos é de Vos por ventura era stada de poco
de tiempo encara rompida é trencada, fués entre Nos é Vos 10
ratificada é confirmada, é de nuevo reparada é tornada: ....

[1] ANTONIO DE CAPMANY Y DE MONTPALAU, *Antiguos tratados de paces y alianzas entre algunos reyes de Aragon y diferentes principes infieles de Asia y Africa, desde el siglo XIII hasta el XV... Vertidos fiel y literalmente del idioma antiguo lemosino al castellano...* (Madrid, 1786), pág. 19.
El documento de que se sirvió Capmany para su transcripción es el A. C. A. Reg. 557, cuya letra es contemporánea del hecho histórico.

108
Año 1359

ORDENANZAS DE LA CIUDAD DE HUESCA [1]

… … … … … … … … … … … … … … … … … … … …

1   Primerament ordenaron et compartieron los sobreditos Alaman, don Ramon de seuil et Martin de Ançano, que cada un
vezino et habitador de la dita ciudad, de qualquiere ley o condicion sia, crubra et fagan crobir las torres de los muros de
5 la dita ciudat, cada uno en sus afrontadas a sus proprias messiones, yes a saber de buenas biegas et firmes et fuertes enterradas
de manera que las ditas torres finquen con sus antepeytos, assi
que segurament puedan combater si mester sera. Et aquellas
torres se murezneen do mester fara et fagan firmes scaleras pora
10 puyar a las ditas torres, segunt fue ordenado por el Concello
de la dita Ciudat et crida facta et mandamiento facto por el
portant vezes de Governador daragon.

Item ordenaron los sobreditos compartidores, que cada una
puerta de la dita ciudat de aquellas que antigament fueron ferri-
15 ças sian factas scaleras de fuste, firmes et grandes, las quales
puyen entro a los andamios, las quales sian firmes et fuertes
et amplas, de manera que dos honbres hende puedan puyar
de par en par, las quales scaleras sian factas a messiones de
aquella condicion de qui aquella tocara, et que sian factas a
20 la mano squerra entrada de la dita puerta.

… … … … … … … … … … … … … … … … … … … …

[1]   RICARDO DEL ARCO, 'Ordenanzas inéditas dictadas por el concejo de
Huesca (1284-1456)', *Revista de Archivos, Bibliotecas y Museos*, XXIX
(1913), pág. 436.

109
Año 1373

BIENES EMBARGADOS A JUAN DE AGUARÓN
(*Zaragoza*) [1]

Manifiesto sia a todos que en el anyo de la natividat de nues- 1
tro Senyor mil CCC^{os} LXX & tres, dia Martes, nueu dias del
mes de Março, en la ciudat de Çaragoça, Thomas de la Naja,
sayon de la Cort del hondrado & discreto don Domingo Martin
de Leytago, Çalmedina de la dita ciudat... requirio al honrado 5
don Pero Lopez de Bonmaçip, notario publico & ciudadano de
la dita ciudat, tutor & curador de Condessa de Rada, pupilla,
filla del discreto & religioso varon don Pero Garcia de Rada,
bachiller en cada uno de los Dreytos, canonge de Taraçona
& oficial de Çaragoça... por razon de dos mil e cincientos 10
solidos dineros jaqueses en los quales, segund afirmaron, les
era tenido Johan d' Aguaron, alias de Montaner, qui era incul-
pado de la muert perpetrada la nueyt mas cerca passada en la
persona de Miguel de Espada... fizo inventario de todos los
bienes mobles que fueron trobados en unas casas do el dito 15
Johan Montaner habidava... et fueron todos estimados por
Jayme de la Torre, corredor publico de ropa de la dita ciudat,
excepto los potes, maçapanes, specieria & las otras cosas en
la tienda de la dita specieria stantes, segund se sigue:
  1. Primerament en el porche de las ditas casas una mesa 20
de pino plegadiza, viella, que fue estimada en dos sueldos
jaqueses.—2. Dos tenallas bueytas cabientes cada diez cantaros de vino, poco mas o menos, en hueyto solidos.—3. Un
banco escanly entaulado, viello, crebado, en quatro solidos.—
4. Quatro picheres d'allaton crebados, en cinquo solidos.— 25
5. Una oleta de cobre en cinquo solidos.—6. Una espadeta
con guarniment vermello, en cinquo sueldos.—7. Una aljavera obrada de filo d' oro & de seda con floquas, en cinquo
solidos. ....

---

[1] M. SERRANO Y SANZ, 'Inventarios aragoneses de los siglos XIV y XV',
Boletín de la Real Academia Española, IV (1917), pág. 346.

110
Año 1379

CARTA DEL BAILE DE ARENOSO Y DEL ALCAIDE DE VILLAMALEFA A LOS JURADOS DE CASTELLÓN [1]

1   ...Empero yo dito bayle de present entendo apercir daquj
per ahir al dito senyor marques que es en ayoro et dezir le la
bona vezindat et amistat que uosotros hauedes con los vassalos
suyos e en special con los de la baronja et supplicar lo e et
5 fare todo mj poder quel dito feyto venga en tota bona aujnencia
e perfeccio debien et creo que com dios ell lo fara Et asin
placia a uos que en tro a Carnestolentas primas venjentes que
dieus querendo yo sere tornado cessedes de fer sobre las ditas
cosas en ancamento alcuno per releuar a nos o al dito senyor
10 de missiones e treballos jn veles... Et lo que en ben hauredes
placie a uos de embiar nos resposta Scrita a iij dias de janero
anno a nativitate dominj millesimo ccc°-lxx°-nono.

111
Año 1381

CARTA DE PEDRO IV DE ARAGÓN Y CATALUÑA A JUAN I DE CASTILLA SOBRE LA LLEGADA A PORTUGAL DEL EJÉRCITO DEL DUQUE DE CAMBRIDGE [2]

1   Rey muy caro fillo:
       Nos el Rey de Aragon vos embiamos a saludar como aquell
que muyto amamos e preciamos e pora quien querriamos que
diesse Dios tanta vida & salut con honra como vos mismo
5 querriades.

---

[1] EDUARDO JULIÁ MARTÍNEZ, 'Problemas lingüísticos en el Reino de Valencia', *Boletín de la Real Academia Española*, VIII (1921), pág. 325. Al
citar esta carta dice el Sr. Martínez: 'En el acta del día 10 de enero de
1379 insertan los Jurados de Castellón copia de la carta siguiente'.
[2] Archivo de la Corona de Aragón, Registro núm. 1272, fols. 2v.-3r.

Destos dias passados recebiemos vuestra carta que nos embiastes por el portador de la present, por la qual sopiemos
vuestra salut de que houjemos muy grant plazer; & assimismo
nos notificastes por la dita carta que haujades houido nueuas
como los ingleses vuestros enamjgos eran arribados en Portugal 10
e que, por que nonde sabiades certenjdat, non nos ende haujades
escripto, mas que luego que lo sopiessedes si seria verdat o no
nos ende escriurjades. E por que Lamors, el qui nos porto la
dita vuestra carta, sende jua enta Barcilona, non vos fiziemos
tro agora repuesta.   15

Agora sepades que quando vjno a nos la dita vuestra carta,
a nos haujan ja venjdo las ditas nueuas &, por que vos no las
nos haujades notificado, estauamos ne maraujllado; que bien
es de razon, tal es lo deudo qui es entre vos e nos, que como
algunas tales noujdades o dotros grandes feytos se escaescen en 20
el vuestro regno o en el nuestro, que luno a lotro las deua
notificar. Por que muy caro fillo vos rogamos que si otras cosas
ne hauedes sopido, que las nos fagades saber. E por que sabemos bien que hauedes plazer vos certificamos que, loado sea
Dios, nos e la Reyna nuestra mujer & nuestros fillos somos 25
sanos & en buena disposicion de nuestras personas, loado sea
Dios.

Rogando vos que como mas a menudo podredes nos fagades
saber la vuestra salut & de la Reyna vuestra madre & de la
Reyna nuestra filla & de nuestros njetos & de toda vuestra casa. 30
La gracia del Santo Spirito sea con vos.

Dada en Saragoça dius nuestro siello secreto a uj dias
dabril del anyo mccclxxxj. Rex Petrus.

Petrus de Gostemps, mandato domini Regis.

112
Año 1391

NORMAS REFERENTES A LA ELECCIÓN DE OFICIA-
LES EN LA CIUDAD DE ZARAGOZA [1]

... ...

1   Apres de aquesto scrjuan los nombres de aquellos & los
suyos en sendas cedulas, las quales sean jncludjdas en sendos [2]
teruelos de cera redondos de ygual color, forma & peso & puestos enel dito vaxjello publjcament & escubjerta, segunt de part
5 de suso enel primer capjtol yes proueydo. & la hora los ditos
prohombres clamen vn moço passant por la carrera & aquell
moço, en presencia del dito capjtol & en la forma desuso contenjda, meta la mano enel dito vaxjello do seran los ditos teruelos de cera & saque ende de aquellos dos. & los teruelos ri(?)su-
10 dos luego & sines otro medio sian espeçados o cremados assi
que mas non puedan seyer leydos, & encontinent los ditos dos
teruelos de cera sian abjertos en presencia del capjtol sobredito
& leydos.
     Et leydos los ditos nombres en aquell jnstant, los ditos
15 lectos si presentes seran, & sjno los electores en semble con
los otros vezinos de aquella parroquja o sines dellos, vayan
a las casas· comunas dela dita cjudat & presienten los ditos
electos & sus nombres a los jurados del anyo passado dela
ciudat antedita, quj en las ditas casas comunas presentes seran,
20 en dos cedulas scriptos medjant el notarjo delos ditos jurados,
& publicament fagan leyr los ditos dos nombres. & aquellos
leydos, los ditos electos por si mismos si presentes seran, & en
su absencia los ditos electores, fagan sendos teruelos de cera
de vna forma, peso & color en los quales sean reclusas sendas
25 cedulas en cadauno la suya. & assi feytos, el notarjo quj sera
delos djtos jurados meta aquellos publjcament en vna balança
e reduga aquellos a egual peso. E reduytos aquellos con la dita
balança, gite aquellos en vn bacin, el qual, publjcament scubjer-

---

[1] Archivo de la Corona de Aragón, Registro núm. 1900, fols. 83v.-84r.
[2] MS.: sendas.

to & con agua, sia puesto en alto lugar segu*n*t d*i*to yes en las
d*i*tas casas comun*a*s. & assi puesto en aq*u*ell, sia clamado vn 30
vjanda*n*t de ma*n*damje*n*to delos d*i*tos jurados &, rebolujda la
mano en*e*l agua por vna o dos vagadas, saque el vno delos d*i*tos
teruelos. & aquel sia abjerto por*e*l d*i*to notarjo publjcame*n*t &
la cedula publjcada & el nombre de aquel leydo altame*n*t por
el d*i*to notarjo 35

Et el teruelo restant en*e*l d*i*to baçin, feyta publjcacion d*e*l
otro, sia luego sacado d*e*l d*i*to baçin por*e*l d*i*to vjanda*n*t o
moço &, dado al otro coelecto si p*r*esent s*e*ra & sino alos d*i*tos
electore*s* por tal que si querran puedan abrir & leyr la cedula
que dentro aquell hauran meso, p*r*esente*s* los d*i*tos jurados vje- 40
llos & not*ario* por tal que suspeyta de frau no hi sia engen-
drada, (&) sia apartado & guardado que pueda seyer puesto
a gitar suertes por los otros officios en semble co*n* los otros
teruelos romanjentes d*e*las nueu p*a*rroqujas anted*i*tas.

En las seys p*a*rroqujas d*e*la d*i*ta ciudat, yes a ssaber :   45

de Sant Lorenz   de Sant Per
de Sant Nicholau ·   de Sant Iohan el Viello
de Sant Miguel delos nauarros   de Sant Andreu.

113

Fines del siglo XIV

EL REINO QUE ERA DEFENDIDO POR UNA BANDADA DE AVES [1]

Por el otro camino deues el desierto, la gent de Tocay podria 1
auer entrada por regno de Carbanda seys meses del anyo solament, esto ua, en tienpo del inuierno. Mas Abaga fizo fer liças
et valles, que tenien bien vna iornada(s), en lugar que ha nombre Caba; et continuadament hi ha gentes de armas qui guar- 5
dan el pas. Muchas vegadas se son assayados las gentes de

---

[1] Hayton, príncipe de Gorigos, *La flor de las ystorias de orient.*
Versión del MS. Z-I-2 de la biblioteca de El Escorial, según la edición
de la obra publicada por W. R. Long (Chicago, 1934), pág. 154. El MS.,
hecho por orden de Johan Ferrández de Heredia (1310?-1396), es del último tercio del siglo xiv o de principios del xv.

Tocay de passar secretament, mas no pueden; car ha ellos
conuiene passar por un plano do estan continuament, et mayorment en el yuierno, grant aiustament de vna manera de auçelles
10 qui son assi grandes como auçelles qui son clamados faysanes,
et han mucho bell plumage, et clama los hombre saysarach. Et
quando gent entra en aquella tierra aquellos auzelles fuyen et
passan por aquellas liças deues el plano de Mogan. La ora aquellos que son deputados a la guarda de aquel lugar conoxen
15 tantost la venida de los enemigos por aquellos auzelles, et guarneçen se pora deffender el passo. Por el otro camino de la Mar
Mayor no hide osarian entrar ninguno, car conuendria les passar
por el regno de dabcas, qui es fornido de gentes et de fuertes
tierras, et no podrien passar. Et por aquesta manera, Carbanda
20 et sus predeçessores han deffendido su tierra del grant poder
de lures enemigos.

114

Fines del siglo XIV

LA MUERTE DE ROLDÁN [1]

1   La ora el bien auenturado martir Roldan qui ya era seydo
guarnido de confession et recebido Nuestro Senyor, leuantados
los ollos ental cielo et las manos, fizo tal oracion, diziendo:
"Senyor Ihesu Christo, por la fe del qual yo he lexada mi tierra
5 et so venido entre estos barbaros exalçar la christiandat tuya,
en do muchos periglos delos perfidos he passados et vencidos,
armado de tu ayuda, et muchas colladas, muchas miserias et
muchas feridas, muchas iniurias, muchos escarnios, muchos enoyos, calores, friores, fambre, set, rencura, he sufierto; a Tu
10 enesta ora recomiendo la mi anima. Assi como Tu denyeste
nacer de virgen por mi et sofrir la cruç et morir et seyer sote-
rrado et al tercer dia resusçitar, et crebantar los jnfiernos et

───────────
¹ *Libro de los conquiridores*, compuesto por orden de Johan Ferrández de Heredia (1310?-1396) en el último tercio del siglo xiv. Versión de
G. W. Umphrey, 'Aragonese texts', *Revue Hispanique*, XVI (1907), pág. 274.
MS. del siglo xiv o de principios del xv.

puyar alos ⸱ielos los quales nunqua desampareste por presencia
del tu nombre; asi quieras deliurar la mi anima de muert eter-
nal porque yo me confiesso seyer peccador mas que non se 15
puede dezir; mas Tu qui eres misericordioso perdonador de
todos los peccados et has mercet de todos aquellos qui retornan
a Tu et se repienten, Tu qui perdonest alos de Niniue et relaxaste sus peccados a Maria Magdalena, relaxaste la culpa a
Sant Pedro planyent, et abriste la puerta del paradiso al ladron 20
confiant en Tu, Senyor non quiras denegar ami el perdon de
mis peccados et perdona me toda cosa que sea viciosa en mi,
et quieras nudrir la mi anima enla vida perdurable, por que Tu
eres aquel qui non lexas perir las animas quando mueren nuestros cuerpos, mas son mudadas en mellor vida, Tu qui dixieste 25
que mas querias la vida del peccador que la muert, yo creo de
coraçon et confiesso por la boca que por aquesta razon Tu quieras leuar de aquesta vida la mia anima, que apres la muert la
fagas biuir mellor". Et diziendo aquestas paraulas tomo Roldan
con sus manos la piel et la carne suya cerca los pechos, asi como 30
Tederico reconto depues, et plorando et gemeçando [1], dixo tales
paraulas: "Senyor Ihesu Christo, fillo de Dios biuo et dela
Sancta Virgen Maria, yo confiesso de todas mis entranyas et
creo que Tu, Redemptor mio, biues, et enel dia çaguero resuscitare dela tierra; et en aquesta carne vere a Tu, Dios, Saluador 35
mio". Et estrinyendo su carne dixo aquesto III uegadas, item
metiendo III vegadas làs manos sobre los ollos dixo tres uegadas: "Et aquesto veran estos ollos"; et apres abrio los ollos et
guardando ental cielo, fecho primerament el senyal dela cruç,
dixo: "Todas las cosas terrenales son a mi viles et agora por 40
voluntat de Dios veo lo que ollo non vio, nin orella huyo, nin
en coraçon de hombre puyo; la qual cosa Dios aparello a los
qui lo aman".

---

[1] Léase *gemecando*. (V. J. Corominas, *Diccionario critico etimológico
de la lengua castellana* (Berna, 1954-1957), II, 721 b 46.)

115
Año 1402

INVENTARIO DE LOS BIENES DEJADOS POR JUAN DEL PONT (*Zaragoza*) [1]

1 ...—89. Un sobre leyto de cuero.—90. Una arqueta de nogera de tenir farina.—91. Dos odres bueytos.—92. Dos tinallas de tener agua.—93. Unas spatleras de la antigor.—94. Un banco escanyl.—95. III ganxos de collir olives.—96. Una galleta de
5 fust, viella.—97. Un esporto xico con VI madexas d' estopa de barcas.—98. II cueços d' escorrer barquas.—99. Quatre ligones e una exada estreyta.—100. Un maço de estormar.—101. III bacias, I[a] de pisar uvas, otra d' esbregar, e otra de mastre.—102. Siet tenallas vinosas de tener vino.—103. VIII° covanos entre
10 viellos e nuevos.—104. I bedollo de tallar -sarças, viello.—105. Unas cuerdas clamadas exarcia de la barqua.—106. IIII adallones de fiero, de barqua.—107. Unos calderiços sens fieros.— 108. Una albartama viella crebada.—109. V tronçones de taulas viellas.—110. Una alcanzila viella.—111. I[a] siera trallera
15 viella, con su arnes.

116
Año 1415

CARTA DE DON FERNANDO DE ANTEQUERA, ESCRITA EN VALENCIA [2]

1 ...E semblant remission queremos que sia feyta por los ditos nros officiales a vos de los malfeytores que hauran deljnqujdo en los ditos vros Castiellos villa e logares o en los termjnos de

[1] M. SERRANO Y SANZ, 'Inventarios aragoneses de los siglos XIV y XV', *Boletín de la Real Academia Española*, III (1916), pág. 360.
[2] EDUARDO JULIÁ MARTÍNEZ, 'Problemas lingüísticos en el Reino de Valencia', *Boletín de la Real Academia Española*, VIII (1921), pág. 334. La carta es copia de principios del siglo XV.

aquellos por tal que egualdat de Justicia entre ellos sea seruada. Retenemos nos encara si lo que dios no mande vos e todos 5 vros descendientes masculos empero por dreyta ljnea masculjna o femenjna deuallantes segund dito yes se sdeuenjra morir sines fillo o fillos descendient o descendientes masculos de legitjmo matrimonio procreados segund dito yes que en este caso todas e cadaunas cosas sobreditas por nos a vos dadas sean nras e de 10 los nros e a nos e a los nros successores Reyes daragon entegrament sean deuolujdas e tornadas. Encara nos retenemos que nos e nros successores podamos en los ditos Castiellos villa e logares fazer demandas por razon de coronacion maridages de fillas e nouella Cauallerja de nos e nro primogenjto e todas 15 otras demandas hostes e caualgadas Reyales e redempciones de aquellas que nos podemos fazer a las otras vjllas e logares Reyales dentro el dito Regno de Valencia ....

117

Año 1425

ALFONSO V DA PERMISO PARA LA CONSTITUCIÓN DE UNA SOCIEDAD DE JUDÍOS EN ZARAGOZA [1]

Nos don Alfonso etc. Attendjentes que vosotros Janto Paza- 1 gon, Juçe Bezehal, Jacob Alap, Mosse Lididj, Abraham Pazagon, Salamon Addajn e otros judios singulares dela aljama delos judios dela ciudat de Caragoça deseades fazer de nueuo confrarja e carjtatiua dileccion et(?) star en deujda e buena ordj- 5 nacion por mantener los pobres vergonyantes e casar e fazer aiutorjo a casar guerfanas miserables, assi dello vuestro propio como de algunos otros quj vos querran dar e laxaran por amor de djos e por honor dela muert de aquellos quj lexaran ; e muy- . tos otros bienes e buenas ordjnaciones fazer en serujcio de dios 10 e honor vuestra e dela dita aljama ; e por part de vosotros ditos judjos sjngulares nos sia stado supplicado humjlment, e encara por algunos famjljares nuestros, que de fazer la dita confrarja, çlamada en ebrayco Hoçe Heçe, licencia vos quisisemos dar e

---

[1] Archivo de la Corona de Aragón, Registro núm. 2593, fol. 127v.

15 atorgar: Por aquesto, admetientes la dita supplicacion benignament, por tenor dela present damos ljcencia e pleno poder a
vosotros ditos judios, que la dita confrarja por las razones sobreditas a serujcio de djos tocantes podades fazer ljcitament
sines dubdo e periglo alguno e sin jncorrjmjento de alguna pena;
20 e vosotros e assin mismo todos los judjos quj en la dita confrarja seran o entraran vos po[d]ades congregar e fazer aplegamjento e aplegamjentos por la dita razon, cada e quando a vosotros bien visto sera, vna e muytas vagades, salua empero la
fieldat reyal nuestra, e que lo sobre dito no vienga en deroga-
25 cion delos dreytos reales,... e no res menos ordenedes e podades ordenar entre vosotros de plegar almosna e dar assi de dineros como de otras cosas a honor de dios e dela dita confraria
sines encorrimjento de alguna pena.... Dada en Caragoça a
XXXI dias de março en el anyo dela natiuidat de nuestro sen-
30 yor MCCCCXXV, e del Regno nuestro X°. ....

118

Año 1456

ORDENANZAS DE LA CIUDAD DE HUESCA [1]

1 ...Item queremos et ordenamos que cualquiere ciudadano habitador o vezino de la ciudat de Huesca, asi cavallero ciudadano fidalgo como de cualquiere otro estado, sexu, ley o condicion que sia no pueda paladinament ni scondida ni con algun
5 otro qualquiere color exquisito, fer ni faga valença de su persona, armas, gentes, hombre, o hombres, rocin, o rocines a otro
qualquiere para bandos, bregas o plegas que se fagan dentro la
dita ciudat de Huesca o sus terminos, o en qualquiere otra
ciudat, villa o lugar o otra cualquiere part del regno de Ara-
10 gon: et qui el contrario fara sia incorrido ipso facto en pena
de muert corporal, de la cual pena no pueda ser remeso en ninguna forma, manera o razon. ....

---

[1] RICARDO DEL ARCO, 'Ordenanzas inéditas dictadas por el concejo de
Huesca (1284-1456)', Revista de Archivos, Bibliotecas y Museos, XXIX
(1913), pág. 447.

119
Año 1460

JUAN II DE ARAGÓN NOMBRA RABÍ DE LA ALJAMA
DE LOS JUDÍOS DE HUESCA A MAESTRE ISACH
ARRUNDI [1]

El rey. Adelantados e aliama: Ja por otras nuestras letras [1]
vos hauemos scripto mandando vos que, pues maestre Isach
Arrundi fuesse abil e dispuesto para rabi de aqueixa aliama,
lo conduciessedes e diessedes el dicho officio, no obstant por la
dita aliama fuesse conduzido por rabi hun judio strangero; dela [5]
qual respuesta alguna vuestra no hauemos houjdo, nj menos
haueys dado el dito officio al dito maestre Isach por algunas
differencias que entre vosotros son stadas, teniendo votos diuersos en el dicho officio a quien deue esser dado. E como nos
arbitremos seyer mas de razon e justitia [2] que el vezino dela [10]
dicha aliama, pues sea persona buena, abil e dispuesta, haya
el dicho officio que no otro alguno, portanto vos dezimos e
mandamos tant strechamente como podemos que de continent
sin alguna dilacion deys el dicho officio de rabi al dicho Isach
Arrundi con el salario acostumbrado, no obstant la conduc- [15]
tion [3] del dicho jodio strangero quj de present tiene del dicho
officio. E aquesto por res no mudedes o differades en alguna
manera como esta sea nuestra intencion e voluntat e queramos
que assi por vosotros sea fecho e executado. Dada en la nuestra
villa de Fraga a X dias de Setiembre del anyo MCCCCLX. Rex [20]
Joannes. ....

---

[1] Archivo de la Corona de Aragón, Registro núm. 3373, fol. 79v.
[2] o quizá *justicia*.
[3] o quizá *conduccion*.

120
Año 1471

PACTO REFERENTE AL TRABAJO DE DOS ALBAÑI-
LES EN UN MONASTERIO [1]

1 Con los capitols infrascriptos mossen Fedrich de V(rrie?)s,
dean dela seu de Huesca, et don Pedro Fferrand(o?), racionero,
et el prior del Carmen, por letras et mandamjento del senyor
mossen Jayme de Vrries dan la obra del segundo cruzero ate-
5 njent a la obra fecha a stalyo a maestre Maoma de Gali, moro,
et a mastre Johan malyorqui segunt se sigue(n).

Primerament, que los sobredictos maestros ayan de fazer
el dito cruzero a cargo et espesas suyas a estalyo, et ayan de
fazer los fundamjentos con dos respaldos grandes et gruesos:
10 la huno ala part de santa Quiteria, el otro a la part del guerto;
et delyi asuso puyar las tapias de vna part et de otra de vna
rechola et media de gordeza. Et en las tapias ayan de dexar
sendas finyestras de cada vna part, et aya ad auer el dito cruzero de largo xxvj piedes et de amplo lo q(ue?) sera; et ayan
15 de fazer el dito cruzero muy perffectament a conoxença de
maestros et dar aquel segu(ro?) et firme por tiempo de xx
anyos.

Item es concordado entre las ditas partes que los ditos maestros ayan a pagar et fer fazer el dito fundamjent(o?) con toda[s]
20 las obramanos, piedra, calcina, et alto las cubiertas toda la
fusta, asi biegas, dueytos, fuelya, clauazones et todas las otras
cosas nesesarias, exceptado que nosotros sobredictos dean Pedro Fferrando et prior les ayamos a dar et demos complidament algez, richolas, telyas et las cindrias et toda la otra fusta
25 que alyi se trobara enel conuento; et asi mesmo toda la otra
spolia dela cubierta bielya et el arco con toda la piedra que
de alyi saldra.

---

[1] Archivo Histórico Provincial, Huesca, protocolo núm. 165, notario
Juan de Larraga, fols. 93v. y 94r. Letra de la segunda mitad del siglo xv.

Item es concordado entre las ditas partes que los ditos maestros aya*n* ad auer por su trebalyo de elyos et d*e* todos los
peones et d*e* todas las manoobras que son a cargo suyo, dos 30
mjl cincientos sueldos en esta man*e*ra: que luego d*e* contine*n*t
pora la entrada d*e* toda la obra los mjl et cincientos sueldos, et
los otros mjl restantes metida toda la obra ju(s?) telya et aqu*e*l-
ya bien co*m*plidam*en*t p*e*rffecta et acabada. Et los rafechs segu*n*t la otra obra. Et que aya*n* luego d*e* contine*n*t adobar la 35
obra feyta res que sera nesesario, et las claues se aya*n* d*e*
fazer a cargo et spesa d*e*l senyor moss*en* Jayme. Et que los ditos
maestros sia*n* touidos fazer en la dita obra vj° bestiones co*n* las
armas d*e* Vrries a cargo et spesa suya d*e*los maestros.

121

Año 1493

FERNANDO EL CATÓLICO CONFIRMA UN PRIVILE-
GIO TRADICIONAL DE LA UNIVERSIDAD DE
HUESCA [1]

Don Ferrando por la gracia de Dios, Rey de Castilla... A   1
los amados y fieles n*uest*ros los justi[ci]a, offi(c?)ial mayor de
la Hermandat, prjor, calmedina, jurados, porteros e otros officiales qualesqujere de la ciudat de Huesca a qujen pertenesca,
salut e dilectio*n*. Por homjl supplicacio*n* a n*uest*ra majestat pre- 5
sentada por parte del Rector y vnju*e*rsidat del Studio de essa
dicha ciudat, a seydo recorrjdo a nos con grande quexa, diziendo que por prjujlegios e antigo costu(m?)bre el dicho Rector es en vso e possessio*n* e sie*m*pre se ha guardado e platicado
de exercir jurjsdi(c?)ion ciujl e crjmjnal entre los studiantes del 10
dicho Studio; e que sie*m*pre que algu*n* official prendia algun
studiante por qualqujere delicto, luego que hera requerjdo por
el o por el *conser*uador del dicho Studio le era entregado e res-
tituydo para fazer la justicia del; e que agora de pocos dias

¹ Archivo Histórico Provincial, Huesca, protocolo núm. 298, notario
Juan García, fol. 136. Copia de principios del siglo XVI.

15 aqua, por vosotros y en special por vos, el juez de la Hermandat, no se les guarda la dicha costunbre, que es haujda por ley e obseruancia, en grande danyo e preiuyzio eujdente del dicho Rector y vnjuersidat; por parte del qual nos ha seydo muy homjlmente suplicado de condecente remedio de justicia.

20 E nos, oyda la dicha suplicacion e como justa benjgnament admetida, houjda jnformacion de la dicha costunbre querjendo sobrello deujdament proueher, con tenor de las presentes, de nue(stra?) cierta sciencia expressament y deliberada, vos dez(imos?) y mandamos so encorrjmjento de nuestra jra (e?) indig-

25 nacion e pena de mjl florines que daquj adelant guardeys y fagays guardar al dicho Rector y vnjuersidat los dichos sus priujlegios e antigo costunbre que han tenjdo e tienen acerca la dicha jurjsdicion; y en quebrantamjento del dicho costunbre no se faga nouedat alguna, antes les sea guardada sj e segunt

30 les era guardada antes de la dicha Hermandat; por manera que no tengan causa justa de mas se quexar sobrello, guardando vos atten(t?)amente de fazer nj permjtir sea fecho lo contrarjo por quanto haueys caro nuestro seruicio e la pena susso dicha desseays eujtar. Datum en Barcelona a tres dias de nobiembre,

35 anno de mil cccc lxxxx tres. Yo el Rey. Registrata.

122

Siglos XIV-XV

POEMA DE DIEGO HURTADO DE MENDOZA [1]

1   Aquel arbol que buelbe la foxa
                 algo se le antoxa.

                 Aquel arbol de bel mirar
                 faze de manya flores quiere dar

5   *algo se le antoxa.*

---

[1] FRANCISCA VENDRELL DE MILLÁS, *El Cancionero de Palacio (Manuscrito n.º 594), edición crítica, con estudio preliminar y notas* (Barcelona, 1945), pág. 137. Nótese que la letra del manuscrito es del siglo xv, lo cual justifica el que se coloque en este lugar el poema, ya que es de especial interés la grafía del mismo.

Aquel arbol de bel veyer
faze de manya quiere florezer
algo se le antoxa.

Faze de manya flores quiere dar
ya se demuestra sallid las mirar   10
algo se le antoxa.

Faze de manya quiere floreçer
ya se demuestra sallid las a ver
algo se le antoxa.

Ya se demuestra sallid las mirar   15
vengan las damas la fruta cortar
algo se le antoxa.

Ya se demuestra sallidlas a ver
vengan las damas la fruta coxer
algo se le antoxa.   20

123
Fines del siglo XV

SANCHO DE PATERNOY NIEGA HABER SIDO CÓM-
PLICE EN EL ASESINATO DE UN INQUISIDOR [1]

Et primo amonestado y requerido el dicho Sancho de Pater-   1
noy por los dichos sennores inquisidores e vicario general que
amplamente dixesse toda la verdad acerca de la muerte del inquisidor, respondio e dixo que el nunca oyo ni se fallo en parte
ninguna donde fablasse de matar ni de dannar a maestre Epila   5
inquisidor, ni a micer Martin de Larraga, ni a official ninguno
de la Inquisicion, ni sabe quien la fecho ni la consejado la dicha
muerte del inquisidor, ni nunca ha supido cosa ninguna en esta
muerte, ni sabe quien la fecho, ni quien la ha consejado, ni

---

[1] Capítulo del *Libro verde de Aragón* según el Códice 82-4-24 (folios
65v.-66v.) de la Biblioteca Colombina, Sevilla. El MS. parece ser del
siglo XVI.

10 quien la mandado, ni en que parte se haya tractado, sino que
hablando este confessante con Joan de Pero Sanchez, que creya
seria tres meses antes de la muerte del inquisidor, y fablando
de los hechos de la Inquisicion de Anchias —no sabe de quales
destas cosas hablauan— dixo con malenconia el dicho Joan
15 de Pero Sanchez: "Esto yo lo habre de fazer".

Interrogado si viuiendo maestre Epila inquisidor se dixo
contra el algunas palabras de menaça, responde e dize este
confessante que, estando vn dia este confessante en la seo de
la presente ciudad passeando con Gaspar de Santa Cruz y es-
20 tuuiendo apartado dellos Joan de la Caualleria, passando el
dicho maestre Epila inquisidor delante dellos que salia de la
claustra a la iglesia mayor —el hyba para tomar agua bendita
a la pila— dixo este confessante contra maestre Epila, "¡Que
hypocrita este!", o semejantes palabras, e que el dicho Gaspar
25 de Santa Cruz respondio a estas palabras e que no le acuerda
a este confessante que es lo que dixo el dicho Gaspar.

Índice de Topónimos

ÍNDICE DE TOPÓNIMOS

Se registran a continuación los topónimos que se encuentran en los textos. Después del nombre y referencia se indica, donde es posible, la situación actual. Para su fácil localización se hace mención del partido judicial (véanse los mapas al final del libro, donde se encontrarán la gran mayoría de éstos) al que corresponden los nombres, y en algunos casos incluso el municipio (mun.). A fin de evitar repeticiones, se omite la mención del partido judicial (pj.) cuando el nombre en cuestión es también el de un partido judicial:

Fraga, Huesca

en vez de   Fraga, pj. Fraga, Huesca.

Asimismo, cuando el nombre del partido judicial es el mismo que el de la provincia, se omite mención de ésta:

Las Quintanillas, pj. Burgos.

en vez de   Las Quintanillas, pj. Burgos, Burgos.

Se registran los nombres de iglesias y monasterios cuando son de interés toponímico. Los nombres de personas se registran sólo cuando son susceptibles de confundirse con topónimos. Nótese la riqueza en toponimia menor que tiene el texto núm. 89.

Los nombres compuestos se registran bajo su primera voz: *Sam Nicholao, Ualle de Gaubea.*

Nótese la abreviatura siguiente: top. ant. = topónimo antiguo y desconocido.

D. J. G.

Aba, 90:3. — (?). Cf. el despoblado Aba, hermandad de Iruraiz, pj. Vitoria, Álava.

Abiago, 92:38. — Abiego, pj. Barbastro, Huesca.

aCegia, véase **Cegia.**

Açocah luengo, 69:4; **Açocah longo,** 69:9. — ¿del árabe *As-Sikka* (pronunciado en la lengua coloquial *As-Sokka* o *As-Sukka*), "camino"?

Acheco, 89:14. — top. ant. V. **Uno Castillo.**

Aekones, 91:11. — ¿nombre de persona?

Aguaron, 109:12. — Aguarón, pj. Cariñena, Zaragoza.

Aylone, 88:4. — (?). Cf. Ayllón, río y ciudad de la provincia de Segovia.

ayoro, 110:2. — ¿Ayora, Valencia?

Aiuar, 68:35. — Aibar, pj. Aoiz, Navarra.

Alaua, 22:8. — Álava.

Albaildensis, 87:46. — de Albelda, pj. Tamarite de Litera, Huesca.

Albarazin, 97:2; **Albarrazin** 97:8. — Albarracín, Teruel.

Albaruala 92:23; **dAlba ruala,** 92:25. — Alberuela de la Liena, pj. Barbastro, Huesca.

aLejone, véase **Lejone.**

Alemania, 18:8. — Alemania.

Halil, 89:19. — top. ant. V. **Uno Castillo.**

Alkecar, 92:22. — Alquézar, pj. Barbastro, Huesca.

Almalieli, 90:6. top. ant. V. **Uno kastiellu.** Cf. Almalell, arroyo en Sobremunt, pj. Vich, Barcelona.

Almudeuar, 99:15. — Almudébar, pj. Huesca.

alrouredo, 51:5. — El Robledo, ¿término de Fabero, pj. Villafranca del Bierzo, León?

Amigiciel, 89:5. — top. ant. V. **Uno Castillo.**

Ançano, 108:2. — Hoy el Castillo de Anzano, coto redondo en pj. Huesca.

Anchias, 123:13. — (?).

Andaluçia, 85:11. — Andalucía.

Andión, 74:78. — despoblado en mun. de Mendigorria, pj. Tafalla, Navarra.

Aneuza, 44:7. — Añoza, pj. Frechilla, Palencia.

Angulo, 83:59. — Valle de Ángulo, pj. Villarcayo, Burgos.

Anquisilio Vetulo, 89:6. — top. ant. V. **Uno Castillo.**

Arabia, 95:16. — Arabia.

Aragon, 85:8; **Aragone,** 87:9; **dAragon,** (de Aragon), 79:13. — Aragón.

Haram, 59 bis:1. — Haran, ciudad del NO. de Mesopotamia.

Arbaniese, 92:18. — Arbaniés, pj. Huesca.

Arbonies, 77:53. — Arboniés, pj. Aoiz, Navarra.

Arcicolla, 11:9. — Arcicóllar, pj. Torrijos, Toledo.

Ariueli, 91:1. — ¿top. ant., mun. Javierregaray, pj. Jaca, Huesca?

Arnales, 41:2. — (?). Hay un arroyo Arnales en Villalón de Campos, Valladolid, y un monte Arenales en Briviesca, Burgos.

Arniellas, 19:15. — ¿Arenillas de Ríopisuerga, pj. Castrojeriz, Burgos? (Cf. RMP, *DL,* 216).

Arribas, Las, 74:53. — top. ant., pj. Estella, Navarra.

Arriguiel, 89:29. — top. ant. V. **Uno Castillo.**

Artayssona, 74:81. — Artajona, pj. Tafalla, Navarra.

Aslanzon, 8:2. — el río Arlanzón, Burgos.

Astorga, 49:20. — Astorga, León.

Ate, 92:11. — ¿Atea, pj. Daroca, Zaragoza?

Auantinos, 6:1. — término cuyo nombre se perpetúa en el arroyo Avantines, entre Cordovín y Badarán, pj. Nájera, Logroño.

Auastas de yuso, 44:5; **Auasta de yuso,** 44:23. — la parte más baja de los dos barrios de Abastas, pj. Frechilla, Palencia.

Ausona, 21:6. — ciudad del antiguo Lacio al Sur de Terracina, destruida por los romanos en el año 314 a. de J. C.

Azafra, 67:4. — Azagra, pj. Estella, Navarra.

Baigorri, 70:1; **Baygorry,** 70:24. — antigua villa, hoy un caserío, mun. Oteiza, pj. Estella, Navarra.

Bayona, 81:2. — Bayonne, *département* Basses Pyrénées, Francia.

Balquerna, 62:17. — antiguo barrio de Nájera, Logroño.

Baluenere, 62:3; **Balbanera,** 62:16. — Valbanera, antiguo monasterio cerca de Anguiano, pj. Nájera, Logroño.

Banziones, 91:1. — top. ant. mun. Javierregaray, pj. Jaca, Huesca.

Barao, 3:4. — Baró, pj. Potes, Santander.

Barca nona, v. **Barcilona.**

Barcilona, 21:18, 111:14; **Barca nona,** 21:17; **Bazalana,** 93:11; **Barcelona,** 97:5. — Barcelona.

Bargandale, 3:10. — top. ant., pj. Potes, Santander.

Bazalana, v. **Barcilona.**

Baztan, 22:3, 68:35. — Baztán, pj. Pamplona, Navarra.

Beaumont, 83:47. — territorio de Normandía, hoy parte del *département* La Manche, Francia.

Beersabah, 59 bis:1. — Bersabé, Israel.

Bergonno, 50:6. — top. ant., pj. Villafranca del Bierzo, León.

Besauni, 87:33. — (?).

Beskansa, 91:2. — paradina, Guasa, pj. Jaca, Huesca.

Bethel, 59 bis:20: Betel, Israel.

Bidaurre, 68:36. — Vidaurre, mun. Guesalaz, pj. Estella, Navarra.

Bimbre, v. **Viminbre.**

Binaqua, 87:25. — Binacua, pj. Jaca, Huesca.

Dassian (de Asín), 83:50. — ¿Asín, pj. Ejea de los Caballeros, Zaragoza?

dAte (de Ate), v. **Ate.**

Davasso (de Avasso), 83:56. — (?).

Dechanz (de Echanz), 83:57. — (?) ¿tiene que ver este topónimo con la forma vasca *etxea* 'casa', que aparece en *Echaniz, Echanez,* etc.? (V. MICHELENA, 72.)

delzina (de Elzina), 9:18. — top. ant., Palenzuela, pj. Baltanás, Palencia. (Cf. RMP, *Or.*, 311).

dErbise (de Erbise), v. **Erbise.**

desam Nicholao (de sam Nicholao), v. **Sam Nicholao.**

Dezpelleta (de Ezpelleta), 83:57. — (?). Hay un topónimo Ezpeleta del año 1090 en el Becerro de Leire (*TNEM,* 55).

Doelin (de Oelin), 69:4. — (?). Cf. río Ollín, pj. Pamplona, Navarra.

Doilleta (de Oilleta), 78:32. — (?). Cf. la antigua granja Olleta, pj. Aoiz, Navarra, y la aldea Olleta, pj. Tafalla, Navarra.

Dolmos (de Olmos), 19:14. — ¿Olmos de la Picaza, pj. Villadiego, Burgos?

dOloron (de Oloron), v. **Oloron.**

dOriz (de Oriz), v. **Oriz.**

dOuanos (de Ouanos), v. **Ouanos.**

dUasca, v. **Osca.**

Duime, 68:2: (?).

Duraton, 10:2. — río que confluye con el Duero cerca de Peñafiel, Valladolid.

Egipto, 52 bis:42. — Egipto.

Elicon, 33:39. — (?).

Elzeto, 4:4, 5:19. — Alcedo, pj. Amurrio, Álava.

Encastre, del, 79:6. — el topónimo inglés *Lancaster.*

Equitania, 33:31. — Aquitania, Francia.

Erbise, 92:20. — ¿Arbisa, pj. Boltaña, Huesca?

Eslaua, 69:5. — Eslava, pj. Aoiz, Navarra.

Espada, 109:14. — ¿nombre de persona?

Espana, 18:87; **Espan,** 21:27; **Espanna,** 21:30, 95:9; **Espannas, las,** 21:76; **España,** 32:6; **spannia,** 81:3; **Espayna,** 81:14; **Espaynnas, las,** 81:17; **Spannas, las,** 81:22; **Espaynna,** 81:30; **Espàynas, las,** 81:32. — España.

Esperia, 21:19. — España.

Estelielo, 45:4. — ¿antiguo lugar cerca de Otero de las Dueñas, mun. Carrocera, pj. León?

Estruns, 89:12. — top. ant. V. **Uno Castillo.**

Eugui, 81:2. — Eugui, pj. Aoiz, Navarra.

Extremadura, 9:2. — Extremadura. (Cf. *DocsEbro* I, 508).

Faffilane, 3:11. — nombre de persona, de *Fafila.* Cf. el topónimo Fafilén, mun. Corvera de Asturias, pj. Avilés, Oviedo. (Cf. DÍEZ MELCÓN, 44.)

faueyro, el, 51:4. — Fabero, pj. Villafranca del Bierzo, León.

Fenero, 91:4. — (?).

Feres, 41:3. — Villaeles de Valdavia, pj. Saldaña, Palencia.

Flumenzello, 1:11. — río Omecillo, Burgos y Álava: 'llamado también Olmecillo y Homecillo' (*DGeog.,* XIII, 282).

Foix, 86:10; **Foyx,** 86:21. — antiguo condado, uno de los 33 gobiernos en que el territorio francés se dividía, hoy día en el *département* Ariège, Francia.

Folos [Los], 63:4. — top. ant., pj. Belorado, Burgos.

fonte Baiuue, 6:4. — top. ant., Cordovín, pj. Nájera, Logroño.

Fonte Carrcizeto, 1:13; **fonte Karsiçedo,** 2:12. — (?).

Fonticellas, 3:12. — top. ant., Argüébanes, pj. Potes, Santander.

foratos de ossos, 89:7. — top. ant. V. **Uno Castillo.**

Fortes, 62:1. — nombre de persona.

fos **Alfeyt,** 89:28. — top. ant. V. **Uno Castillo.** Cf. Alfait, acequia, pj. Alberique, Valencia.

fos **piniellos,** 89:26. — top. ant. V. **Uno Castillo.**

fos **terreros,** 89:13. — top. ant. V. **Uno Castillo.** Cf. **Terrero.** Hay cerro en Burgos con el nombre de Terreros.

Fraga, 119:20. — Fraga, Huesca.

Françia, 18:8, 23:22; **Francia,** 21:62, 86:28; **França,** 71:2. — Francia.

Fraxino, 1:12; **Fresno,** 2:11: Fresno de Losa, pj. Villarcayo, Burgos.

Fresno, v. **Fraxino.**

Gaka, v. **Iaccensis.**

Gali, 120:5. — ¿Igal, pj. Aoiz, Navarra? (Cf. *TNEM,* 59.)

Galizia, 21:14; **Gallizia,** 49:20. — Galicia.

Galuarra, 74:44. — Galbarra, pj. Estella, Navarra.

Galleco, 94:5. — río Gállego, Huesca y Zaragoza.

Gallizia, v. **Galizia.**

Garro, 83:56. — (?). Cf. Garrués, pj. Pamplona, Navarra.

Gausa, 87:2. — Guasa, pj. Jaca, Huesca.

Gostemps, 111:34. — (?). En 1349 hubo una casa de campo con este nombre en el término de Terrasola, pj. Villafranca de Panadés, Barcelona (*DocsPeste,* 338.)

Grallass, 89:11. — Valdegrallas, paraje en el término de Malpica de Arba, pj. Ejea de los Caballeros, Zaragoza.

Grecia, 21:5; **Greçia,** 81:24. — Grecia.

Guiera, 14:59. — Cullera, pj. Sueca, Valencia.

Iaccensis, 64:7, de Jaca; **Gaka,** 92:29; **Iacca,** 93:16. — Jaca, Huesca.

Ibriellos, 63:15. — Ibrillos, pj. Belorado, Burgos.

Jerusalem, 52 bis:39; **Iherusalem,** 95:6. — Jerusalén.

Yngla terra, 23:10. — Inglaterra.

Ioslatdit de la talayu, 89:18. — nombre de persona.

Judea, 52 bis:33. — Judea.

Langre, 47:7. — Langre, pj. Villafranca del Bierzo, León.

Larbesa, 87:30. — ¿Larués, pj. Jaca, Huesca?

Larraga, 123:6.—Lárraga, pj. Tafalla, Navarra.

Lausa, 1:11. — San Martín de Losa, pj. Villarcayo, Burgos. (Cf. LÓPEZ MATA, 92.)

Lecina, La, 89:20. — top. ant. V. **Uno Castillo.**

Leet, 68:34. — Lete, mun. Iza, pj. Pamplona, Navarra.

Leforin, 13:2. — ¿tiene relación con el top. ant. Leforiaynn, pj. Estella, Navarra? (Cf. *FN,* 107 y 228, y formas similares en *TNEM,* 79.)

Legione, 63:14; **Lejone,** 38:6; **Leon,** 49:20. — León.

Lejone, v. **Legione.**

Leyor, 88:13; 89:40. — Monasterio de Leyre, pj. Aoiz, Navarra. (Cf. *TNEM,* 78. Sostiene otro punto de vista Serrano y Sanz en *Anuario de Historia del Derecho Español,* V (1928), págs. 262 y ss.)

Leytago, 109:5. — ¿Lechago, pj. Calamocha, Teruel?

Leon, 49:20. — León. Cf. **Legione.**

Leuanza, 56:3: Lebanza, pj. Cervera de Pisuerga, Palencia.

Liedena, 77:52. — Liédena, pj. Aoiz, Navarra.

Lisavi, 88:17; **Lisaui,** 89:39. — Lisabe, despoblado en pj. Aoiz, Navarra.

Liuanensi, 3:4. — del monasterio de Santo Toribio de Liébana, mun. Camaleño, pj. Potes, Santander.

Lombardia, 18:9. — Lombardía, Italia.

Lonbier, 80:22. Lumbier, pj. Aoiz, Navarra.

Lone, 3:7. — Lon, pj. Potes, Santander.

Losaciella Formale, 2:9. — ¿San Martín de Losa, pj. Villarcayo, Burgos?

Lo Spino, 62:17. — top. ant., pj. Nájera, Logroño.

Luz, 59 bis:21. — antiguo nombre de Betel, Israel.

Maiorcas, 97:4. — Mallorca.

218   TEXTOS LINGÜÍSTICOS DEL MEDIOEVO ESPAÑOL

mal angosto, 25:1. — Malagosto, puerto de Guadarrama, pj. Segovia.
Manganeses, 46:4. — Manganeses de la Polvorosa, pj. Benavente, Zamora.
Mar Mayor, la, 113:16. — (?).
Mansiella, 81:14. — error por *Marsiella,* Marsella, Francia.
Matrice, 6:1; **Matrize,** 6:13. — Madriz, despoblado cerca de Berceo y San Millán de la Cogolla, pj. Nájera, Logroño.
Mazola, 10:22. — Mazuela, pj. Lerma, Burgos.
Meca, 95:16. — Meca, Arabia.
Medrano, 83:58. — Medrano, pj. Logroño.
Melinas, 27:39. — Malinas, Bélgica.
Meuma, 1:7; **Mioma,** 2:4. — Mioma, mun. Valdegovía, pj. Amurrio, Álava.
Miraglo, 79:1. — Milagro, pj. Tafalla, Navarra.
Mogan, 113:13. — lugar en tierra de los tártaros.
Moncayo, 21:2. — ¿la Sierra de Moncayo, Soria y Zaragoza?
Mondoya, 29:5. — (?).
Monpeslier, 97:5. — Montpellier, *département* Hérault, Francia.
Mont Acút, 65:6; **Montagut,** 68:36. — Monteagudo, pj. Tudela, Navarra.
Montagut, v. **Mont Acút.**
Montaner, 109:12. — ¿nombre de persona? Cf., empero, Muntané, pj. Figueras, Gerona.
mont calvo, 89:16. — top. ant. V. **Uno Castillo.**
Monteson, 92:20. — Monzón, pj. Barbastro, Huesca.
Mora, la, 55:17. — aunque hay varios topónimos *La Mora,* parece aquí tratarse de un nombre de persona.
Morerola, 43:2. — Moreruela de Tábara, pj. Alcañices, Zamora.
Morrlanes, 79:17. — Morláas, *département* Basses Pyrénées, Francia.
Mugueta, 80:15. — Mugueta, pj. Aoiz, Navarra.
Naja, la, 109:3. — Lanaja, pj. Sariñena, Huesca.
Nayera, 62:28. — Nájera, Logroño.
Nansa, la, 89:27. — top. ant. V. **Uno Castillo.** Cf. el río Nansa en la provincia de Santander.
Nauarra, 68:38, 69:2. — Navarra.
Necuesa, 77:14, 78:30. — despoblado en Nardués, pj. Aoiz, Navarra.
Nemos, 84:9. — Nemours, *département* Seine-et-Marne, Francia.
Neuza, v. **Aneuza.**
Niniue, 114:18. — Nínive, capital del imperio asirio.
Nogales, 46:4. — San Esteban de Nogales, pj. La Bañeza, León.
Noz, 43:4. — Nuez, pj. Alcañices, Zamora.
Obblitas, 67:7. — Ablitas, pj. Tudela, Navarra.
Obetau, 1:4; **Obieto,** 5:21; **Ouiedo,** 48:4. — Oviedo. (Cf. **Ouetensium.**)
Oiouarth, 12:2. — Ajuvarte, despoblado en el ayuntamiento de Casalarreina, pj. Haro, Logroño.
Oka, 62:28.—Oca, antigua región cuyo nombre está perpetuado en los Montes de Oca, y Villafranca-Montes de Oca, pj. Belorado, Burgos.
Olit, 86:35. — Olite, pj. Tafalla, Navarra.
Oloron, 80:19. — Oloron, *département* Basses Pyrénées, Francia.
Oriz, 13:26. — ¿Oriz, pj. Aoiz, Navarra?
Ormazuela, 19:3. — Hormazuela, pj. Villadiego, Burgos.
Orua, 88:19. — Sierra de Orba en Salvatierra de Esca, pj. Sos del Rey Católico, Zaragoza.
Osca, 93:2; **Oscha,** 93:16; **dUasca** (de Uasca), 98:14; **Huesca,** 118:2, 120:2, 121:4. — Huesca.
Ouanos, 72:2. — Obanos, pj. Pamplona, Navarra.
Ouetensium, 2:2. — de los de Oviedo, v. **Obetau.**
Ouiedo, v. **Obetau.**
Palençia, 9:1; Palencia, 9:3. — Palencia.

Palençiola, 7:2; **Palençiola,** 7:11; **Palentiola,** 7:22. — Palenzuela, pj. Baltanás, Palencia.

Pampilona, 62:27; **Pamplona,** 68:32, 85:22; **Pompalona,** 71:29; **Ponplona,** 79:5. — Pamplona. (Cf. **Pampilonensium.)**

Pampilonensium, 67:2. — de los de Pamplona. V. **Pampilona.**

Pamplona, v. **Pampilona.**

Paternoy, 123:1. — Paternoy, pj. Jaca, Huesca.

Paubalias, v. **Pobalias.**

paul de lena, 89:8; **val de Lena,** 89:11. — nombre perpetuado hoy en el barranco de Valdellena, mun. Malpica de Arba, pj. Ejea de los Caballeros, Zaragoza. La forma *paul* 'laguna, estanque' se encuentra en muchos topónimos. V. el Glosario s. v., **paul.**

Pedrafita, 7:12. — ¿despoblado cerca de Palenzuela, pj. Baltanás, Palencia?

Peniellam, 2:7. — ¿top. ant. en Valdegovia, pj. Amurria, Álava?

Penna, 1:7, 2:4. — ¿topónimo, o sencillamente 'peña'?

Persia, 34:2, 95:2. — Persia.

Pertusa, 99:15. — Pertusa, pj. Sariñena, Huesca.

Petra, (La), 92:12, 29. — ¿Piedramorrera, mun. Biscarrués, pj. Huesca?

Pineto, 1:7, 2:4. — Pinedo, mun. Valdegovía, pj. Amurrio, Álava.

Pobalias, 4:7; **Paubalias,** 5:18. — (?). "Pobajas (en Val de Gobia á dos leguas de Santa Gadéa)" (*ESagrada,* XXVI, 94). Cf. Pobella, pj. Sort, Lérida.

Ponferrada, 49:5. — Ponferrada, León.

Ponplona, v. **Pampilona.**

Porcelgas, 92:24. — ¿Pociello, pj. Benabarre, Huesca?

portiel malvar, 89:24. — top. ant. V. **Uno Castillo.**

Portugal, 111:10. — Portugal.

puey messado, 89:25. — top. ant. V. **Uno Castillo.**

puey pinoso, 89:24. — top. ant. V. **Uno Castillo.**

Puyo, El, 74:43. — Pueyo, pj. Tafalla, Navarra.

Quintanjelas, Las, 17:4. — Las Quintanillas, pj. Burgos.

Quintaniella, 19:9. — Quintanilla de la Presa, pj. Villadiego, Burgos.

Rada, 68:34, 109:7. — Rada, loma y antiguo castillo en el término de Traibuenas, pj. Tafalla, Navarra.

Rala, 79:1. — Rala, pj. Aoiz, Navarra.

Requeyxo, 46:6. — Requejo, despoblado al S. de Manganeses de la Polvorosa, pj. Benavente, Zamora.

Ripa de Salomon, 62:15. — top. ant., pj. Nájera, Logroño.

Robredo de Corpes, 14:109. — robledo que existió al S.O. de San Esteban de Gormaz, pj. El Burgo de Osma, Soria. Actualmente hay un Robledo de Corpes en pj. Atienza, Guadalajara.

Rocola, 38:8. — Rozuela, despoblado cuyo término linda con Ardón, pj. Valencia de Don Juan, León.

Roma, 21:85, 81:16, 92:22; **Rroma,** 52 bis 7. — Roma, Italia.

Roncesvalles, 85:22. — Roncesvalles, pj. Aoiz, Navarra.

Rranta, 1:12; **Reianta,** 2:11. — término cuyo nombre persiste en la ermita de Rianta, entre Fresno y S. Martín de Losa, pj. Villarcayo, Burgos.

Rroma, v. **Roma.**

Sada, 77:18. — Sada de Sangüesa, pj. Aoiz, Navarra.

Salinas, 79:16. — ¿se trata de Salinas de Ibargoiti (pj. Aoiz), o de Salinas de Oro (pj. Estella), ambos en Navarra?

Sam Nicholao, 51:4. — San Nicolás, parroquia de Fabero, pj. Villafranca del Bierzo, León.

Samartinu, 49:6. — San Martín, antiguo estanque en Ponferrada, León.

Sam Nicholao, 50:8. — San Nicolás, parroquia de Villafranca del Bierzo, León.

Sancta Cruz de Varcarzel, 19:5. — antiguo convento en Los Valcárceres, pj. Villadiego, Burgos.

Sancta Maria de Aguilar, 56:6. — convento en Aguilar de Campóo, pj. Cervera de Pisuerga, Palencia.

Sancta Maria de Piasca, 42:3. — antiguo monasterio en Piasca, pj. Potes, Santander.

Sancta Maria de Uallelio, 4:7. — Puede tratarse de Vallejo, mun. Merindad de Sotoscueva, o de Vallejo, mun. Valle de Manzanedo, ambos pueblos en el pj. Villarcayo, Burgos.

sancta Marie, 1:12; **Sanctam Mariam,** 2:11. — (?).

Sancte Juste, 38:2. — antiguo convento de San Justo y San Pastor en Rozuela, despoblado en pj. Valencia de Don Juan, León.

Sancti Bincenti, 87:29. — ¿San Vicente Mártir, iglesia parroquial de Larués, pj. Jaca, Huesca?

sancti Christobal, 62:18. — antiguo monasterio cerca de Tobia, pj. Nájera, Logroño. También existe una ermita de este nombre cerca de Cordovín.

Sancti Emeteri, 1:9; **Sanctum Emeterium,** 2:6. — (?).

Sancti Mames, 90:3. — (?). Puede que se trate aquí de una iglesia, aunque existen varios pueblos llamados San Mamés.

Sancto Christoforo, 7:12. — ¿despoblado cerca de Palenzuela, pj. Baltanás, Palencia?

Sancto Domingo, 12:4; **Sancto Dominigo,** 12:12; **Sancto Dominico de Calzada,** 66:1. — monasterio de Santo Domingo de la Calzada, Logroño.

Sancto Romano, 3:12. — antigua iglesia en Argüébanes, pj. Potes, Santander. Todavía existe una ermita en el mismo pueblo con este nombre.

san Fagund, 44:2. — Sahagún, León.

Sanguessa, 77:10, 78:3, 83:20; **Sanguesa,** 80:24. — Sangüesa, pj. Aoiz, Navarra.

San Johan del Pie del Puerto, 71:14. — Saint Jean Pied de Port, *département* Basses Pyrénées, Francia.

San Pedro, 49:6. — antiguo puente en Ponferrada, León. San Pedro es una de las parroquias de la ciudad.

Santa Maria, 83:50. — ¿Santa María, mun. Triste, pj. Jaca, Huesca?

Sant Andres de Armentia, 22:6. — antigua iglesia colegial (antes de 1088 fue sede de obispado) de Armentía, pj. Vitoria, Álava.

SantAndres dEspinareda, 47:2, 49:4; **santAndres,** 50:2, 51:3. — San Andrés de Espinareda, monasterio benedictino en Vega de Espinareda, pj. Villafranca del Bierzo, León.

Sant Andreu, 112:48. — San Andrés Apóstol, parroquia de la ciudad de Zaragoza.

Sant Esteuan, 74:52. — valle de Santesteban de la Solana, pj. Estella, Navarra.

Sant Iohan el Viello, 112:47. — San Juan el Viejo, antigua parroquia en la ciudad de Zaragoza que en 1809 se agregó a la de San Pedro para formar la que es actualmente San Pedro y San Juan.

Sant Lorenz, 112:46. — San Lorenzo Mártir, parroquia de la ciudad de Zaragoza.

Sant Miguel delos nauarros, 112:48. San Miguel de los Navarros, parroquia de la ciudad de Zaragoza.

Sant Nicholau, 112:47. — San Nicolás de Bari, parroquia de la ciudad de Zaragoza.

santo Tisso, 48:4. — San Tirso el Real, una de las parroquias de la ciudad de Oviedo.

Sant Pantaleones, 19:6. — (?). No parece referirse a San Pantaleón del Páramo, pj. Burgos, por no estar éste cerca de Brulles (v. línea 7).

Sant Per, 112:46. — San Pedro y San Juan, parroquia de la ciudad de Zaragoza.

san Vicente, 46:5. — una de las parroquias de Manganeses de la Polvorosa, Zamora.

Sara, 88:20. — ¿Saravillo, pj. Boltaña, Huesca?
Saragoça, Saragoza, v. Zaragoza.
Sarraton, 12:1; Cerraton, 12:11. — Zarratón, pj. Haro, Logroño.
Savan, 89:18. — término Sabán, Uncastillo, pj. Sos del Rey Católico, Zaragoza.
Scabierri, 91:4. — Javierregaray, pj. Jaca, Huesca.
Secenia, v. Xecenia.
Sesabe, 87:32. — Sasabe, mun. Borau, pj. Jaca, Huesca.
seuil, 108:2. — (?). Cf. Monte Sevil, pj. Barbastro, Huesca.
Seuilia, 95:8. — Sevilla.
Sogorb, 97:3. — Segorbe, Castellón.
Sol, 56:3, 74:43. — ¿topónimo? Hay un cerro con este nombre en Herrera de Pisuerga, pj. Saldaña, Palencia.
Somanesse, 91:4. — Somanés, mun. Javierregaray, pj. Jaca, Huesca.
somo sierra, 25:15. — Somosierra, puerto de Guadarrama, pj. Torre-laguna, Madrid.
Sotiello, 63:5. — Sotillo de Rioja, mun. Redecilla del Campo, pj. Belorado, Burgos.
sotos aluos, 25:5. — Sotosalbos, pj. Segovia.
Taraçona, 21:7, 68:33, 109:9; Tirasona, 21:7. — Tarazona, Zaragoza.
Tegeros, 13:10. — (?). Cf. Los Tejeros, pj. Alcázar de San Juan, Ciudad Real.
Terrazos, 66:1. — Terrazos, mun. Las Vesgas, pj. Briviesca, Burgos.
Terrer, 101:14. — Terrer, pj. Calatayud, Zaragoza.
Terrero, 6:14. — despoblado cerca de Cordovín, pj. Nájera, Logroño. Hay un lugar *Terrerum* registrado en un documento del año 992 en el Cartulario de San Millán de la Cogolla (*TNEM*, 123). Cf. **fos terreros.**
Teruel, 101:4. — Teruel.
Thaffalla, 83:19. — Tafalla, Navarra.
Tiro, 21:5. — antigua ciudad de Fenicia.
Tocay, 113:1. — nombre de un rey de los Tártaros.
Toledo, 11:8, 21:53, 49:19, 83:59. — Toledo.
Torquemada, 9:24. — Torquemada, pj. Astudillo, Palencia.
Torre, La, 109:17. — (?).
Torres, v. Vançia.
Torriçiella, 62:7. — Torrecilla sobre Alesanco, pj. Nájera, Logroño.
Tortosa, 93:12. — Tortosa, Tarragona.
Triujnnu, 22:7. — Treviño, pj. Miranda de Ebro, Burgos.
Tuesta, 66:3. — Tuesta, mun. Valdegovía, pj. Amurrio, Álava.
Turre Longa, 94:5. — top. ant. del río Gállego, Huesca y Zaragoza.
Tutela, 64:3, 67:19; Thudela, 68:3; Tudela, 68:18, 76:16, 79:2, 82:17; Thutela, 68:38. — Tudela, Navarra.
Valençia, 14:48; Valencia, 97:1, 99:5. — Valencia.
Ual Sorazanes, 4:6; Ualle Sorrozana, 5:12. — top. ant., Valdegovía, pj. Amurrio, Álava.
uallatar de la sirca, 89:13. — Valdelasirca, mun. Luesía, pj. Sos del Rey Católico, Zaragoza.
Ualle Conposita, 4:5; Sancta Maria de Ualle Conpossita, 4:12; Balle Posita, 5:6; Ualle Posita, 5:9. — antiguo monasterio de Santa.María de Valpuesta, mun. Berberana, pj. Villarcayo, Burgos.
Ualle de Gaubea, 1:10; Uallem de Gouia, 2:7. — Valdegovía, pj. Amurrio, Álava. (Cf. LÓPEZ MATA, 69 y ss.)
Vallezillo, 30:2. — Vallecillo, pj. Sahagún, León.
Vançia, Torres de, 14:43. — ¿hay que leer *Torres de Cuarto*? (V. RMP, *CMC*, 880).
Uarea, 13:6. — ¿se trata aquí de una familia de un pueblo del Norte, tal como Varea, pj. Logroño?
Huarriz, 68:37. — (?).

Ucles, 13:4. — Uclés, pj. Tarancón, Cuenca.

Uçrant, 76:7. — Urzante, mun. Cascante, pj. Tudela, Navarra.

Uec de Maruan, 39:1. — Vezdemarbán, pj. Toro, Zamora.

Verayz, 82:20. — Beraiz, pj. Pamplona, Navarra.

Verdiach, [El], 89:21. — top. ant. V. **Uno Castillo.**

Verry, 86:39. — Berry, antigua comarca francesa, cuya capital es Bourges. Hoy situada en los *départements* Cher y Indre.

Huesca, v. **Osca.**

Vila franca, 50:5. — Villafranca del Bierzo, León.

uila Lumbroso, 44:7. — Villalumbroso, pj. Frechilla, Palencia.

Uilar de Canas, 13:7. — Villar de Cañas, pj. Belmonte, Cuenca.

uila Toquit, 44:7. — Villatoquite, pj. Frechilla, Palencia.

Uilla Algariua, 11:3. — antigua alquería entre Toledo y Arcicóllar, pj. Torrijos, Toledo.

Uilla Alta, 1:8; **Uillam Altam,** 2:5. — Villota de Losa, mun. Junta de Villalba de Losa, pj. Villarcayo, Burgos.

Uilla cunez, 66:8; **Uillacunez,** 66:9. — (?). Cf. *Munnio Aluarez de Uillacones,* año 1081 (*LBValbanera,* 578.)

Uilla Uela Ferrando Uillez, 8:3; **Uilla Uela,** 8:5; **Uilla Ferrando Uillez,** 8:13. — son éstos dos pueblos distintos, Villa Vela, hoy despoblado, pero cuyo nombre se perpetúa en la ermita de Nuestra Señora de Villuela, y Villa Ferrando Villez, hoy Frandovínez, pj. Burgos.

Uilla Gundissaluo, 6:5; **Uilla Gonzaluo,** 6:13; **Uilla Gunzaluo,** 6:20. — Villagonzalo, hoy Badarán, pj. Nájera, Logroño.

Uilla Luminoso, 2:10. — Villalambrús, mun. Junta de San Martín de Losa, pj. Villarcayo, Burgos.

Uilla Merosa, 5:2. — ¿despoblado en Valdegovía, pj. Amurrio, Álava?

Uilla Noua, 94:18. — Villanueva del Gállego, pj. Zaragoza.

Viminbre, 9:2; **Bimbre,** 9:11. — Belbimbre, pj. Castrojeriz, Burgos.

Vincaroli, Vincarola, 89:6. — top. ant. V. **Uno Castillo.**

Viseo, 81:46. — Vizeu, Portugal.

Vli, 77:55. — ¿Uli Alto?, ¿Uli Bajo? (pj. Aoiz, Navarra).

Uno Castello, 88:4; **Uno Castillo,** 89:3; **Uno kastiellu,** 90:3. — Uncastillo, pj. Sos del Rey Católico, Zaragoza.

Urgel, 21:10. — ¿se refiere aquí a la torre de Almenara Alta, mun. Agramunt, pj. Balaguer, Lérida, que domina los llanos de Urgel?

Vrgel, 97:5. — Seo de Urgel, Lérida.

Vrries, 120:1. — Urríes, pj. Sos del Rey Católico, Zaragoza.

Vurgos, 9:8; **Burgos,** 10:1, 14:12. — Burgos.

Wādi 'l-Hijāra, 53:11. — Guadalajara.

Xecenia, 3:4; **Secenia,** 3:9. — término Sereña, Baró, pj. Potes, Santander. Cf. Sijeña, pj. Sariñena, Huesca, que fue *Sexena* en 1174 (*DocsEbro* III, 603.)

Xericha, 97:20. — Jérica, pj. Viver, Castellón.

Zaragoza, 94:10; **Saragoza,** 97:11; **Çaragoça,** 99:5, 109:3; **Saragoça** 111:32; **Caragoça,** 117:4. — Zaragoza.

OBRAS A LAS QUE SE HACE REFERENCIA EN EL ÍNDICE DE TOPÓNIMOS

DGeog.: Diccionario geográfico de España, Madrid, 1956-1961.

DÍEZ MELCÓN: Gonzalo Díez Melcón, *Apellidos castellano-leoneses (siglos IX-XIII, ambos inclusive),* Granada, 1957.

DocsEbro I: José María Lacarra, 'Documentos para la reconquista y repoblación del Valle del Ebro', *Estudios de Edad Media de la Corona de Aragón,* II (primera serie, 1946, págs. 469-574).

DocsEbro II: Ídem, III (segunda serie, 1947-8, págs. 499-727).

DocsEbro III: Ídem, V (tercera serie, 1952, págs. 511-771).

DocsPeste: Amada López de Meneses, 'Documentos acerca de la peste negra en los dominios de la Corona de Aragón', *Estudios de Edad Media de la Corona de Aragón*, 1956, VI, págs. 291-447.

ESagrada: Enrique Flórez, *España Sagrada*, Madrid, 1747-1879.

FN: G. Tilander, *Los Fueros de la Novenera*, Uppsala, 1951.

LBValbanera: Manuel Lucas Álvarez, 'El Libro Becerro del monasterio de Valbanera', *Estudios de Edad Media de la Corona de Aragón*, IV, 1951, págs. 451-647.

LÓPEZ MATA: Teófilo López Mata, *Geografía del condado de Castilla a la muerte de Fernán González*, Madrid, 1957.

MADOZ: Pascual Madoz, *Diccionario geográfico-estadístico-histórico de España*, Madrid, 1845-50.

MICHELENA: Luis Michelena, *Apellidos vascos*. Segunda edición, San Sebastián, 1955.

RMP, *CMC*: Ramón Menéndez Pidal, *Cantar de mío Cid*, Segunda edición, Madrid, 1944.

RMP, *DL*: Ídem, *Documentos lingüísticos de España*, I (Reino de Castilla), Madrid, 1919.

RMP, *Or*. Ídem, *Orígenes del español*, tercera edición, Madrid, 1950.

TNEM: Carlos Corona Baratech, *Toponimia navarra en la Edad Media*, Huesca, 1947.

Glosario

GLOSARIO

Advertencia preliminar

L o s números en letra redonda que siguen a las palabras se refieren a los textos donde se encuentran las mismas por primera vez. Los números que siguen a los dos puntos indican la línea del texto en que figura la palabra glosada. Si a esta primera referencia añadimos el número de otro texto, éste no ha de ser necesariamente el segundo en que aparece la palabra en cuestión.

Las palabras que contienen *ç* se encontrarán en el mismo lugar que ocuparían si dicha letra fuese una *c*, de modo que *alçada* precede a *alcayt*, y *çania* a *canibus*. No distinguimos entre la *c* y la *ç* ante *e* o *i* cuando se trata de dos formas como *miçer* y *micer*, que sólo en este particular se diferencian la una de la otra.

Las formas que empiezan por *d* o *l* más apóstrofo, como *d'a, d'Abril, l'uno*, encabezan la sección correspondiente a la letra en cuestión, de modo que *d'una* precede a *da*, y *l'uno* a *la*.

Las palabras que principian por *ff-, rr-*, o *ss-* deben buscarse como si tuviesen consonante inicial sencilla en vez de doble. No se da esta equivalencia en los casos en que estas grafías se encuentran en posición interior.

Las palabras con *h-* inicial deben buscarse como si esta letra no existiese. Se incluyen en el glosario palabras que, como *hotra* 'otra', *huno* 'uno', tienen *h-* no etimológica, pero omitimos generalmente formas como *ermano, onor*, que sólo se diferencian del español moderno en no tener la *h-* inicial.

La *j* y la *y* se consideran como equivalentes a la *i*, de modo que no creemos necesario incluir, por ejemplo, *oio* al lado de *ojo*, salvo cuando semejantes distinciones nos parecen de especial interés, como en el caso de *seynor* y *seinor*. Dada esta equivalencia *i-y*, tanto *seynor* como *seinor* preceden a *senyor* en nuestro glosario.

Las palabras que principian por *k* deben buscarse como si la *k* fuese una *c*.

La *v* se considera como equivalente a la *u*, de forma que *avad*, por ejemplo, precede a *auandicta*, y *vço* a *udio*.

En **'alios,** [los] otros, 4:9, 87:15', los corchetes indican que la palabra *los* forma parte del significado de *alios* en uno de los dos textos señalados, pero no en el otro. Por otra parte, en **'ydolorum,** de [los] ídolos, 60:3', indican los dos significados posibles 'de ídolos' y 'de los ídolos'.

Incluimos entre paréntesis ( ) las palabras que no tienen correspondencia en el texto en cuestión pero que juzgamos necesarias para completar el sentido de una palabra o frase, v. gr., *et factum fuerit*, y (si el crimen) se cometiere, 61:12'.

La duplicación, en cursiva, de la letra inicial de una palabra glosada indica su forma plural, de manera que en '**bono**, ... *bb*., ...', *bb*. es abreviatura de *bonos*. En todos estos casos se trata de formas plurales hechas según las reglas del español *moderno* (adición de *-s* a las palabras que terminan con vocal, de *-es* a las que terminan con consonante). Por esto, la forma *bons* no aparece con abreviatura *bb*. bajo *bon*, sino que se encuentra glosada aparte.

En '**ama**, ... léase *a ma*, o sea: a mi, 93:8' se trata de dos palabras escritas en el texto como una sola. En este caso, y en algunos otros por el estilo, nos ha parecido útil incluir la segunda palabra de la combinación en la sección del glosario correspondiente a su propia letra inicial ('**ma**, v. **ama**'), aunque la forma sencilla *ma* no aparece en ninguno de nuestros textos.

En algunos de los casos en que una palabra aparece en nuestros textos con más de una forma ortográfica (como la serie *get, ye, yes, jet,* donde se trata de la palabra 'es' del español moderno), incluimos todas las variantes bajo la forma que aparece primera en el orden alfabético. En el caso que acabamos de aducir como ejemplo, esta primera forma es *get,* ya que *es,* siendo español moderno, no figura en el glosario: '**get**, es, ... 60:45. Cf. **ye, yes, jet**. ...'. En cada una de las demás formas de una serie remitimos a la primera, v. gr. '**yes**, ... es, 44:5, ... V. **get**'. De estas listas de variantes omitimos normalmente formas francamente latinas, siendo excepcionales en este respecto casos como el de '**engenobo**, ... Cf. **engenua, genuos, ingenuam, ingenui, inienuum**'.

Los significados dudosos van entre signos de interrogación, como en el caso de '**feido**: sea *f.,* ¿se ha hecho?, 97:1'. En los pocos casos en los que se trata de una frase interrogativa, expresamos la duda con un signo de interrogación entre paréntesis al final de la frase, como en '**condemnandi**: *set num quid toti c. sunt,* pero, ¿son todos dignos de ser condenados?, (?), 60:40'.

Hacemos constar que al traducir, por ejemplo, *fiziere, yes,* por 'hiciere', 'es', no descartamos la posibilidad de que en la lengua moderna deban sustituirse dichas formas por 'hace', 'está', etcétera.

Las palabras que no recoge el glosario deben buscarse en el *Diccionario de la lengua española* de la Real Academia (decimoctava edición, 1956).

OBRAS A LAS QUE SE HACE REFERENCIA EN EL GLOSARIO

Aguiló: *Diccionari Aguiló: materials lexicogràfics aplegats per Marian Aguiló i Fuster, revisats i publicats sota la cura de Pompeu Fabra i Manuel de Montoliu* (Barcelona, 1915-1934).

AHDE: Anuario de Historia del Derecho Español (Madrid, 1924-).

Alcover: Mn. Antoni Ma. Alcover, *Diccionari català-valencià-balear* (Palma de Mallorca, 1930-1962).

Aut: Diccionario de la lengua castellana ... compuesto por la Real Academia Española (Madrid, 1726-1739).

BH: Bulletin Hispanique (Bordeaux, 1899-).

BHS: Bulletin of Hispanic Studies. (Así se titula, desde 1949, el antes denominado *Bulletin of Spanish Studies,* fundado en Liverpool en 1923).

Bielsa: A. Badía Margarit, *El habla del valle de Bielsa (Pirineo aragonés)* (Barcelona, 1950).

BM: A. Badía Margarit, *Contribución al vocabulario aragonés moderno* (Zaragoza, 1948).

Borao: J. Borao, *Diccionario de voces aragonesas* (2.ª edición, Zaragoza, 1908).

BRAE: Boletín de la Real Academia Española (Madrid, 1914-).

BRAH: Boletín de la Real Academia de la Historia (Madrid, 1877-1935).

Cid: R. Menéndez Pidal, *Cantar de Mío Cid: texto, gramática y vocabulario* (Madrid, 1944).

CN: Cultura Neolatina. Bollettino dell'Istituto di Filologia Romanza (Modena, 1941-).

Coro.: J. Corominas, *Diccionario crítico etimológico de la lengua castellana* (Berna, 1954-1957).

Cuervo, *Dicc.:* R. J. Cuervo, *Diccionario de construcción y régimen de la lengua castellana.* Letras A-D. (Bogotá, 1886-1893).

Chaytor: H. J. Chaytor, *A history pf Aragon and Catalonia* (London, 1933).

Dicc. hist.: Real Academia Española, *Diccionario histórico de la lengua española, t. I* (Madrid, 1933).

Dicc. hist. (2): Real Academia Española, *Diccionario histórico de la lengua española* (Madrid, 1960-).

DRAE: Real Academia Española, *Diccionario de la lengua española* (décimoctava edición, Madrid, 1956).

EDA: M. Alvar, *El dialecto aragonés* (Madrid, 1953).

Eguilaz: L. de Eguilaz y Yanguas, *Glosario etimológico de las palabras españolas ... de origen oriental ...* (Granada, 1886).

Elcock: W. D. Elcock, *The Romance languages* (London, 1960).

FAr: G. Tilander, *Los fueros de Aragón* (Lund, 1937).

FAv: A. Fernández-Guerra y Orbe, *El Fuero de Avilés* (Madrid, 1865).

FN: G. Tilander, *Los fueros de la Novenera* (Uppsala, 1951).

FS: E. Sáez, *Los fueros de Sepúlveda: edición crítica y apéndice documental* (Segovia, 1953).

FT: M. Gorosch, *El Fuero de Teruel* (Stockholm, 1950).

FU: R. de Ureña y Smenjaud, y A. Bonilla y San Martín, *Fuero de Usagre (Siglo XIII), anotado con las variantes del de Cáceres* (Madrid, 1907).

Haensch: G. Haensch, *Las hablas de la Alta Ribagorza (Pirineo aragonés)* (Zaragoza, 1960).

HK: Homenaje a Fritz Krüger, II (Mendoza, 1954).

Ibarra: E. Ibarra y Rodríguez, *Documentos particulares correspondientes al reinado de Sancho Ramírez (1063-1094) y procedentes de la Real Casa y Monasterio de S. Juan de la Peña (Colección de*

Documentos para el Estudio de la Historia de Aragón, IX, Zaragoza, 1913).

Levy: E. Levy, *Provenzalisches Supplement-Wörterbuch* (Leipzig, 1894-1924).

LM: J. Bastardas Parera, *Particularidades sintácticas del latín medieval* (Barcelona-Madrid, 1953).

Löfstedt: Bengt Löfstedt, 'Zur Lexikographie des Mittellateinischen Urkunden Spaniens', *Archivum Latinitatis Medii Aevi (Bulletin Du Cange)*, XXIX (Bruxelles, 1959), págs. 5-89.

LR: L. Cooper, *El 'Liber Regum': estudio lingüístico* (Zaragoza, 1960).

MGHE: R. Menéndez Pidal, *Manual de gramática histórica española* (décima edición, Madrid, 1958).

MLR: *Modern Language Review* (Cambridge, 1906-   ).

MLW: J. H. Baxter, C. Johnson & P. Abrahams, *Medieval Latin wordlist from British and Irish sources* (London, 1934).

Neuv.: E. K. Neuvonen, *Los arabismos del español en el siglo XIII* (Helsinki, 1941).

Nier.: J. F. Niermeyer, *Mediae latinitatis lexicon minus* (Leiden, 1954-   ).

NRFH: *Nueva Revista de Filología Hispánica* (México, 1947-   ).

Oels.: V. R. B. Oelschläger, *A medieval Spanish word-list: a preliminary dated vocabulary of first appearances up to Berceo* (The University of Wisconsin Press, Madison, 1940).

Or.: R. Menéndez Pidal, *Orígenes del español: estado lingüístico de la península ibérica hasta el siglo XI* (3.ª edición, Madrid, 1950).

PMLA: *Publications of the Modern Language Association of America* (Baltimore, 1889-   ).

Pottier: B. Pottier, 'Étude lexicologique sur les Inventaires aragonais', *Vox Romanica*, X (Zürich, 1948-1949), págs. 87-219.

RDR: *Revue de Dialectologie Romane* (Bruxelles, 1909-1912).

RPh: *Romance Philology* (Berkeley, 1947-   ).

RFE: *Revista de Filología Española* (Madrid, 1914-   ).

RLR: *Revue des Langues Romanes* (Montpellier, 1870-   ).

Sang.: D. Sangorrín y Diest-Garcés, *El Libro de la Cadena del Concejo de Jaca (Colección de Documentos para el Estudio de la Historia de Aragón*, XII, Zaragoza, 1921).

SN: *Studia Neophilologica: a Journal of Germanic and Romance Philology* (Uppsala, 1928-   ).

Souter: A. Souter, *A glossary of Later Latin to 600 A. D.* (Oxford, 1949).

Steiger: A. Steiger, *Contribución a la fonética del hispano-árabe y de los arabismos en el ibero-románico y el siciliano* (Madrid, 1932).

THD: M. Alvar, *Textos hispánicos dialectales: antología histórica* (Madrid, 1960).

VAR: V. Ferraz y Castán, *Vocabulario del dialecto que se habla en la Alta Ribagorza* (Madrid, 1934).

Vign.: V. Vignau, *Índice de los documentos del monasterio de Sahagún, de la Orden de San Benito, y glosario y diccionario geográfico de voces sacadas de los mismos. Publicados por el Archivo Histórico Nacional* (Madrid, 1874).

VM: G. Tilander, *Vidal Mayor: traducción aragonesa de la obra 'In excelsis Dei thesauris' de Vidal de Canellas, editada por Gunnar Tilander* (Lund, 1956).

Yanguas, *DFLN:* J. Yanguas y Miranda, *Diccionarios de los fueros del reino de Navarra, y de las leyes vigentes promulgadas hasta las cortes de los años 1817 y 18 inclusive* (San Sebastián, 1828).

Yanguas, *DHPT:* J. Yanguas y Miranda, *Diccionario histórico-político de Tudela* (Zaragoza, 1823).

Yúçuf: R. Menéndez Pidal, *Poema de Yúçuf* (Granada, 1952).

A

a, hace, 15:4; sobre, 53:7; hay, 44:7, 56:18, 57:7, 22; 100:10; de, 61:3; por, 61:17; en posesión de, 102:26; *a iuso,* abajo, 6:17, 14:56; *a chel,* aquel, 12:9; *a quel,* aquél, 14:26; *a qui,* aquí, 14:36; *quanto i a,* cuánto tiempo hace, 15:96; *valer y a,* en ello valdrá, 27:40; *seguir se a,* se seguirá, 36:18; *entre ... á,* entiéndase *entre ... y,* 37:50; *dar a,* dará, 43:11; *a mas de entendymyento,* tiene más entendimiento, 57:23; *a Deo,* de Dios, 60:75; *a genero,* en enero, 69:3; *a rege,* léase *rege,* o sea: el rey, 88:2. V. **ha.**

ha, tiene, 45:7, 51 bis:6; hay, 51 bis:13, 74:70; a, 52 bis:17, 75:3, 113:7; *alongar se h.,* se alargará, 27:14; *h. li a iurar,* debe jurarle, 74:51; *hi h.,* hay allí, 113:5. V. **a.**

A., Adonay, o sea: Dios, 59 bis:6.

aa, haya, o sea: tenga, 43:12.

aAslanzon, al (río) Arlanzón, 8:35.

ab, por, 7:12; por, 61:60; desde, 65:14; con, 72:3, 96:20.

Aba, ¿nombre propio?, 90:3.

abades, ¿consejeros?, 15:119.

abadessa, abadesa, 10:16.

abat, abad, 12:2; ¿cura?, 70:5.

aBauieca, a Babieca (nombre propio), 14:64.

abba, abad, 62:3, 87:47.

abbad, abad, 44:2; (nombre propio), 44:5.

abbadessa, abadesa, 10:1.

abbas, abad, 62:14, 87:15; ¿cura?, ¿canónigo?, 64:2.

abbade, abad, 47:2; *aa.,* ¿curas?, 70:5.

abbat, abad, 26:8, 49:4; ¿cura?, 70:12, 17.

abbate, a b a d, 39:15, 62:12; *aa.,* 87:8.

abeamus, hayamos, o sea: tengamos, 3:14.

habeant, hayan, o sea: tengan, 7:3.

abeas, hayas, o sea: tengas, 64:11.

abeat, haya, o sea: tenga, 87:43. ·

habeatis, hayáis, o sea: tengáis, 67:12.

abebam, había, 94:14.

abeyllas, abeillas, abejas, 74:19, 20.

abemus, hemos, o sea: tenemos, 3:6.

abenencia, avenencia, 21:38.

abenitos, concordes, 94:7.

habent, abent, han, o sea: tienen, 7:31, 90:4; entiéndase 'hay' en 6:1.

abentura: *per a.,* por ventura, 96:1.

habeo, he, o sea: tengo, 41:3.

abere, haber, o sea: tener, 87:22.

aberiguan, averiguan, manifiestan, 85:9.

aberiguose, se averiguó, 85:1.

habetis, habéis, o sea: tenéis, 60:75.

habidava, habitaba, vivía, 109:16.

abiet, había, 6:24.

abil, hábil, apto, 119:3.

abiltado: *i-a,* y envilecido, 54:29.

abinere, llegare, 10:8.

abitabit, habitó, 3:13.

habitationes, habitaciones, moradas, 60:65: *tabernacula sanctorum carens jnjustorum h.,* (?), 60:65.

abitum, vestido, manera de vestirse, 61:39.

ablandar, entiéndase 'a ablandar', 37:43.

ablara, había hablado, o sea: habló, 59:23.

habláuale: *h. razones,* le daba razones, 35:16.

hablauan, hablaban, 123:14.

abondara, abundará, o sea: bastará, 57:9. (V. Coro, III, 560 b:60.)

abondoso, suficiente, 102:26.

aborsum, aborto, 61:23.

abortare, abortar, 61:23.

abra, habrá, o sea: recibirá, 14:37.

abre, habré, o sea: tendré, 27:24.

abrir: *a. la heredat,* dejar entrar en la heredad para que pueda partirse, 74:17.

absencia, ausencia, 112:23.

absentassen, ausentasen, 77:46.

absente: *a. marito suo,* estando ausente su marido, 61:19.

absit, no quiera Dios, 60:16.

absque, sin, 4:4.

abstineat: *se a.,* absténgase, 61:3; *a. se,* se abstenga, 61:67.

habuerint, hubieren, o sea: tuvieren, 7:9.

abuerit, hubiere, o sea: tuviere, 7:19.

habuerunt, hubieron, o sea: tuvieron, 6:11, 7:3.

abuissent, hubiesen, o sea: tuviesen, 87:18.

ac, hac, y, 67:4; ésta, 87:1.

aca: *de luengos tiempos a a.,* desde hace mucho tiempo, 22:11; *anda a.,* ven aquí, 25:31; *de entonce a.,* desde entonces, 52 bis:51.

acabo: *fasta a.,* hasta la cola, 14:64.

acaesçe, acaece, 27:7.

acaescer, acaecer, 70:7.

acaescia, acaecía, 81:9.

acaga, a zaga, 73:21. Cf. caga.

acalçar, v. calçar.

acasa, a casa, 40:16a.

acassa, a casa, 25:25.

acca: *en a.,* hasta aquí, 7:12. (V. Cuervo, *Dicc.,* I, 85a.)

acceperint, reciban, 60:16.

acceperit: *cum quale se custiero a. amano pro jurare,* con lo cual, si tomaren un guarda enseguida para jurar, 6:9.

acceperunt, asieron, cogieron, 8:6.

accessit, acometió, 63:2.

accidente, humor, 37:44.

accipe, recibe, 60:29.

accipere, tomar, 6:7.

accipiam, tome, 8:21.

accipiendo, recibiendo, aceptando, 60:27.

accipitribus: *cum ... a.,* con azores, 61:42.

accordoron, acordaron, 95:25.

aCegia, a Cea (nombre propio), 38:5.

acenso, incienso, 15:68.

acerca, acerca de, 121:27.

açidente, accidente, 27:34.

açina, oportunidad, 100:2.

aço, eso, 96:2. Cf. ço, perazo, zo.

aconpañada, acompañada, 35:7.

acontescimiento, acontecimiento, 37:4.

acordados: *no somos a.,* no estamos de acuerdo, 15:143.

acordando, poniendo en buen acuerdo, aconsejando, 14:44.

acordáuale, recordábale, 35:15.

acorriese, viniese en ayuda, 23:39.

acorriol, vino en su ayuda, 23:47.

acostado, ¿recostado?, ¿arrimado?, 73:2; *se ... son ... aa.,* se ... han ... arrimado, 100:4. V. seacosto.

acostarian, arrimarían, 100:4.

acostumpnado, acostumbrado, 77:59.

acostunbrado, acostumbrado, 33:7.

acostunbran, acostumbran, 30:4.

acoxose, se acogió, 81:30.

actor, autor, 29 *título.*

actum, dado, resuelto, 68:38, 77:53.

acuerda: *no le a. a este confessante,* este confesante no recuerda, 123:25.

acuytrar, arar, 75:57.

açuron, ¿zurrón?, ¿a zurrón?, 25:34. (V. Coro., IV 891 a 41.)

Acheco (¿nombre propio?), 89:14.

achel, aquél, 96:2.

achela, aquella, 96:7.

achels, aquéllos, 96:11.

achest, este, 15:16.

achesta, esta, 15:2, 96:6.

achesto, esto, 15:14.

ad, a, 1:8, 54:45, 72:18, 81:6, 95:6, 120:13; por, 39:17; como, 89:32; en, 60:24, ¿87:25?, 94:5 (cf. *LM,* 54-55 y 29-30); *a. si,* así, 8:18; *a. te,* ¿ante?, 39:18 (v., empero, Oels., s. v. *fasta,* y Coro., II, 884 b 23). V. Allah, faciendam, laborare, litigandum, orandum.

ad-akel, v. akel.

adachels, a aquéllos, 96:20.

adallones, ¿especie de dalas?, 115:11.

adaquel, a aquel, 40:37a.

adaquellos, a aquéllos, 103:26.

adderentes: *a. patrocinium,* ¿obligados a prestar servicio?, 3:19.

addo, añado, 65:10.

adduca, [que] aduzca, lleve, 40:34a.

adduxerit, adujere: *uoce a.,* ¿entablare pleito?, 62:20.

adduxeronla, condujéronla, 8:6.

hade: *h. duro,* malhadado, 25:43. (V. Coro., III, 201 b 47.) Cf. hadre.

adel, a él, 40:42a.

adelant, v. daqui 105:17.

adelantado, gobernador, 27:13; *a. te me tomeste,* te me tomaste adelantado, o sea: me sorprendiste, 52:25; *aa.,* los que presidían las aljamas de los judíos, 119:1.

adelantre: *aquestos noue annos a.,* antes de (cumplidos) estos nueve años, 41:5.

adeliçio, a delicio, o sea: con regalo, 14:127.

adelino: *a. pora Leon,* se dirigió hacia el león, 14:87.

adeRedor, alrededor, 18:41.

aderiendo, adhiriendo, 86:8.

ades, hayáis, o sea: tengáis, 45:13.

adestrando, adiestrando, g u i a n d o, 14:91.

adeuant, v. daqui 72:7.

adezir, a decir, 23:26.

adfirmatum, afirmado, 8:38.

adgrabans, empeorando, 61:26.

adhu, aun, 101:8.

adhuc, todavía, aún, 61:60.

aDiac, a Díaz (nombre propio), 8:26.

adjaceb, (?), 92:37. (V. la nota al texto.)

adicio, añado, 2:9.

adila, a la, 38:5.

aDios, adios, a Dios, 14:124, 96:21.

adjubante, ayudante, o sea: ayudando, 60:42.

adjuro, ruego, 60:20.

adiutorium, ayuda, 64:7.

adiuvest, ayudaste, 88:3.

admedianedo, a medianedo, 40:43a. Cf. **ameanedo, ameianedo, aménedo, amezanedo, mezanedo.**

admetida, admitida, 121:20.

admetientes, admitiendo, 117:15.

admodum: *quem a.,* como, 60:61.

ado, adonde, 27:28.

adobadme, arregladme, 31:22.

adobado, provisto, 14:47.

adobar, restituir, 93:10. V. **causada.**

adobasse, adobarse, 14:32.

adon, a don, 73:2.

adopar, adobar, 93:5.

adorabit, adoró, 60:4.

adoralo: *a. e.,* le adoraré, 15:106.

adormiš, aduermes, 53:7.

adpartem: *a. domna F.,* a la parte de doña F., 93:18. Cf. **partem.**

adque, y, 3:5.

hadre: *h. duro,* malhadado, 25:35. Cf. **hade.**

adsi, así, 8:12.

adtendat, tenga cuidado, 60:27.

adtentius, más atentamente, 60:22.

adtores, azores, 14:5.

adtrium, iglesia, 87:33, 35. Cf. **atrium.** V. **sancti.**

aduçir, traer, presentar, 75:40.

aduchos, traídos, 21:40.

advenientes: *illi qui a. fuerint,* los

que llegaren, o sea: los por venir, 7:4.

aduga, [que] aduzca, lleve, 40:33b.

adugala, [que] la aduzca, la lleve, 40:53b.

adulteria, adulterios, 61:19.

adulterium, adulterio, 60:19.

adunaberunt: *se a.,* se adunaron, 87:8.

advolaray, saldré volando [a], 53:13.

adurá, aducirá, 102:11.

aduscomos, trajimos, 92:21.

aduxiese, trajese, 52 bis:37.

aduxiessen, condujesen, 21:15.

aduxo, adujo, llevó, 95:6, 102:15.

aduzido, llevado, 52:20.

aduziendo, aduciendo, 21:34.

aduzir, traer, 52 bis:64; *a. conuersaçion,* tener conversación, o sea: tener trato, 52:6.

ael, a él, 58:10.

aella, a ella, 14:128.

aere, el aire, 61:47.

aerero, pechero, contribuyente (a no ser que se trate de un error por *arriero,* lo que correspondería mejor al sentido), 7:25.

aesso: *a. extidiesent,* con eso quedasen, 8:23.

aest, a este, 11:18, 40:8a.

aesta, a esta, 103:5.

affeccion, amor, afecto, 107:4.

affectantes, deseantes, 107:7.

affection, afición, 77:10.

aFferrant, a Ferrant (n. propio), 8:22.

affirmad: *a. & affirmada,* afirmada, 56:9. (Es de origen hebraico la repetición de una palabra para subrayar su significado.)

affirmada, v. **affirmad.**

affirmando, afirmando, 102:27.

affligidos, afligidos, 37:26.

affligir, afligir, 29:28.

afflito, afligido, 29:29.

afforatz, aforados, 72:17.

affortunados, tempestuosos, 29:14. (V. *Dicc. hist.,* I, 253.)

affranquitz, enfranquecidos, exentos, 72:17.

afincadamientre, con ahinco, 21:64.

afincar, esforzar, 20:1.

afinco: *se a.,* insistió, 23:8.

afortunadas, tempestuosas, 29:2. (V. *Dicc. hist.,* I, 253.)

afrontadas, límites, lindes, 108:5.

afruenta, confina, linda, 78:31.

afruentan: *se a.,* confinan, lindan, 78:27.

agallas: *tres a. non davan,* no se les daban tres agallas, no les importaba nada, 20:51.

agas: *uide quid a.,* mira lo que haces, 60:72.

agora, ahora, 15:3, 73:16, 97:10, 121:14.

agosto, v. **Maria.**

agradesçio, agradeció, 23:4.

agras, acres, 37:55.

agraviamiento, agravio, 29:33.

agros, campos, 5:3.

aguardadores, guardianes, 52:34.

aguelo, abuelo, 86:11; *aa.,* 58:18.

Agustini, de Agustín, 60:12. V. **sancti.**

aguzeste, aguzaste, 52:21.

ahir: *per a.,* ¿hay que entender *pera hir,* o sea: para ir?, 110:2.

ahun, aun, 81:55.

ay, aj, entonces, 59:15, 23; ¡ay!, 73:18; ahí, 86:38.

aia, aya, haya, o sea: tenga, 13:12; *non a. calumnia, non a. calonna,* no reciba pena pecuniaria, 40: 23*a,* 23*b.*

ayades, aiades, hayáis, o sea: tengáis, 24:10, 47:9.

ayan, aian, hayan, o sea: tengan, 11:10; hayan, 83:53. V. **seyer** 83:53.

ayen, hayan: *no a. anar,* no tengan que ir, 72:26.

ayena, ajena, 43:16.

ayllae, allá, 73:22.

aillenar, enajenar, 78:45.

ayllí, ailli, allí, 74:16, 78:34.

ayna, pronto, 25:37.

ayno, año, 75:38. Cf. **an** 72:40, **anyo, annyos, layno, lanyo, lannyo.**

aYoçef, a Yoçef, 58:12.

ayoro (nombre propio), 110:2.

aisaricum, exarico, aparcero, 67:6. (V. Chaytor, 113 y 116.)

ayt, dice, 60:69.

aiudadors, ayudadores, 96:25.

ajudassemos, ayudásemos, 97:18.

aiudassen, ayudasen, 97:16.

ajude, ayude, 102:3.

aiuden, ayuden, 96:13.

ajudien, ayuden, 72:10.

aiulando, lamentándose, 20:55.

ayun, aun, 53:14.

ayunassen, ayunasen, 21:44.

ayuntado, reunido, 21:44.

ayuntan, juntan, 52:18.

ayunto, juntó, 33:23.

ajuso, abajo, 6:18.

ayusso, aiusso, abajo, 25:34, 104:5.

aiustament, junta, concurrencia, 113:9.

ajustitiasen: *que los a.,* para que les ajusticiasen, 9:3.

aiutorjo, ayuda, 117:7.

ajutuezdugu, v. **guec.**

akel, aquel, 57:25; *ad-a.,* a aquel, 54:5.

akelya, aquella, 57:26.

akelyya, aquella, 59:16.

akelyo, aquello, 57:24.

akella, aquella, 11:3.

akellaš, aquéllas, 54:48.

akello, aquello, 55:5.

akešo, aquello, 54:31.

akesti, este, 55:20.

akesto, esto, 58:28.

aky, aquí, 59:30.

aklaria, aclaraba, 54:2.

akompanyavan, acompañaban, 58:22.

al, ál, otra cosa, 15:14; *lo a.,* lo demás, 10:13; *esto a.,* esta otra cosa, 21:83; *por a.,* por otra cosa, 37:9.

al, el, 54:25 (esta confusión con el artículo árabe *al* se da a veces: cf. *lešo al komer,* 54:15). V. **por** 103:30.

al-ḥabīb, el amigo, 53:13.

Al-ṣabāḥ, ¿se trata de un nombre propio, o bien de una salutación: 'buenos días'?, 53:17.

ala, allá, 12:3, 15:7, 40:36*a;* a la, 14:11; en la, 50:6.

aladannos, vecinos, 10:17.

alae, ¡a fe!, 25:27.

alamin, fiel, oficial que contrastaba las pesas y medidas y tasaba los víveres, 69:25.

alargando, aumentando, 80:7.

alas, a las, 14:45, 77:56.

alat, alimente, críe, 61:32.

albartama, (?), 115:13. (Cf. *THD,* 802: 'cabestro(?)'; y v. Pottier, § 25).

Albaruala (nombre propio), 92:23.

albricia, albricias, 14:14.

alçada, ¿alta?, 89:23.

alcayt, alcaide, 76:7. (V. Chaytor, 116.)

alcald, alcalde, 69:5. (V. Chaytor, 116.) Cf. **alcalle, alkaldi.**

alcalle, alcalde, 24:13. V. **alcald.**

alçamos, alzamos, 32:1.

alcança, alkança, alcanza, o sea: gana, 31:44, 57:3.

alcançan, alcanzan, consiguen, 31:33.

alcançar, alcanzar, conseguir, 35:9, 77:43, 80:15.

alcançó, alcanzó, 34:26.

alcanzila, alcancía, 115:14.

alçasse: *dos a.,* donde se alzase, o sea: donde se retirase (escondiese), 14:76.

alcauueta, alcahueta, 105:1.

alcaz, persecución, 14:60.

alço, alzó, 52 bis:82, 73:1; *y a. ... sus pies,* y se puso en marcha, 59 bis:27.

alcuello, al cuello, 14:87.

alcuno, alguno, 110:9.

alegrer, v. d-alegrer.

aLejone, a León, 38:6.

alfayas, alhajas, 18:122.

alfaque, doctor o sacerdote musulmán, 69:5, 10, 25.

Alfeyt (¿nombre propio?), 89:28.

algez, yeso, 120:24.

algo: *i-ell-a.,* ¿y a él algo?, 54:46. V. del 57:11.

algodre, ¿de otra parte?, ¿en otra parte?, 61:34. (V. *Or.,* 370, y Coro., I, 123 b 52.)

algorios, graneros donde se guarda el trigo, 78:24.

alguandre, en cualquier momento, 15:34.

algum, algún, 51:9.

algun, alguno, cualquiera, 72:10; ningún, 118:4 (cf. alguna 117:19); *a. ... non,* ningún, 104:10.

alguna, cualquiera, 56:16; ninguna, 117:19, 119:14, 17 (cf. algun 118:4); *cosa a.,* cualquier cosa, 55:11; *por aa. maneras,* por una manera u otra, 20:24.

algund, algún, 27:6.

algunes, algunas, 72:28.

alguno, ninguno, 80:6.

alguns, algunos, 72:9.

algunt: *a. tienpo,* alguna vez, 27:7.

alhandaka, ¿cañada, barranco?, 64:9. (Cf. Steiger, 231, s. v. *xandaq;* Eguilaz, s. v. *alhandac;* cf. también portugués *alfandega.*)

ali, allí, 14:64.

alia, otra, 1:8, 9:8; otras cosas, 5:17; *aa.,* otras, 39:14, 62:10, 88:14.

aliala, alboroque, 91:13. Cf. alihala.

aliama, aljama, 119:1.

alyamas, aljamas, 101:2.

aljavera, aljaba, 109:27.

alibrar, v. librar 54:51.

alicotiens, varias veces, 60:36.

alyenu, ajeno, 53:7.

alihala, alboroque, 91:2. Luego los alihaleros, 90:6, serían los que ofrecían (¿o recibían?) el alboroque. Cf. aliala.

alihaleros, v. alihala.

alii, otros, 87:41.

alyy, alyi, allí, 57:30, 120:25.

Halil (¿nombre propio?), 89:19.

alymanyya, animal, 57:19.

alinpio, limpió, 52 bis:48.

alio, otro, 1:11, 38:3.

alios, [los] otros, 4:9, 87:15.

aliquam, alguna, 7:14.

aliquem, alguien, 6:5.

aliqui, algunos, 60:33.

aliquid, algo, 60:20.

aliquis: *absque a. uis causa,* ¿sin ninguna fuerza, o sea: sin ser obligado a ello?, 4:5; *quis a. homo,* alguien, 62:19.

aliviavan, aliviaban, 52 bis:57.

alius, otro, 60:26.

alkaldi, alcalde, 62:29. V. alcald.

almanacas, brazaletes, 31:37.

almedina, v. delalmedina.

almesias, mantos, túnicas, 20:54.

almetekares, forma plural de *almetekar,* moneda de vellón (Neuv., s. v. *mencal*) o áureo (Vign., s. v. *metkales*), 92:37. (Cf. Oels., s. v. *metcal;* y v. Coro., III, 362 b 1.)

almosna, limosna, 78:23, 117:26.

alo, a lo, 36:13.

alode, alodio, 87:3, 92:11; *de a.,* del alodio, 87:2.

alongado, alejado, 23:14.

alongar: *a. se ha,* se alargará, 27:14.

alos, a los, 8:13; *enderesço a. moros,* dirigióse contra los moros, 23:49.

aloutra, a la otra, o sea: contra la otra, 50:18.

alphóz, alfoz, 65:10.

alplazo: *a. aménedo,* al plazo a medianedo; se trata de un tribunal en sitio neutro, donde el juicio era dado por mediadores o árbitros. El tribunal 'fue mixto, y se componía de vecinos de pueblos limítrofes, elegidos para dirimir las contiendas entre partes de distinta localidad y fuero' (*FAv,* 164), 40:11a. Cf. plazo.

alquandas: *a. beces,* algunas veces, 60:36.

alquereloso, al querellante, 40:21a.

alqui, al que, 48:18.

alquieras, ¿quizá?, 60:32. (Cf. *Or.,* 370.)

alrouredo, El Robledo (nombre propio), 51:5.

als, a los, 72:14, 96:6, 106:3.

altament, en voz alta, 112:34.

alteça, alteza, 85:2.

altera, otra, 6:3; *de a.,* de la otra, 93:21.

alteris: *de a. villis,* de otras villas, 6:13.

alterius, de otro, 60:28. V. **penam.**

altero: *cum a.,* con otro, 6:10; *a. die,* al día siguiente, 8:30.

alteros, los otros, 6:23.

alto, encima de, 120:20. V. **logar** 54:34.

altra, otra, 60:62. Cf. **laltra.**

altre, otro, 96:5; *aa.,* otros, 72:44, 106:8.

altros, otros, demás, 61:18.

aluala, albalá, o sea: carta real de privilegio, 28:4; *a. de reconocimiento,* carta de pago, 79:13.

alvaneguillas, pequeñas albanegas, 31:35.

aluezino, al vecino, 40:7a.

aluos: *sotos a.* (nombre propio), 25:5.

alzariet, alzaría, o sea: levantaría, 6:22.

alzasset, alzase, o sea: levantase, 6:24.

all, al, o sea: a la, 16:19.

allá, v. **yran** 37:24.

Allah: *ada-A.,* a Alá, 54:45; *ad-A.,* a Alá, 54:49.

allas, a las, 14:115.

allaton, latón, 39:6. Cf. **d'allaton.**

allenó, alienó, enajenó, 102:31.

allenos, ajenos, 102:13.

allifafe, cobertor, especie de colcha, 39:10.

ama, alma, 16:8; léase *a ma,* o sea: a mi, 93:8. Cf. **mon.**

amanezient: *domingo a.,* el amanecer del domingo, 16:3.

amano, enseguida, 6:9, 40:47a. Cf. **mano** 40:46b.

amansallo, amansarlo, o sea: amansarle, 35:13.

amarauilla, a maravilla, 14:92.

amare, amaré, 18:80; amar, 73:12.

amargoso, amargo, 29:3.

amas, a ambas, 98:1; *a. manus,* ambas manos, 49:23.

amassadas, amasadas, 25:39.

amavan, amaban, 58:12.

amblantes, andantes, 16:33.

ame, amén, 87:44.

ameanedo, a medianedo, 40:35a. V. **admedianedo.**

ameianedo, a medianedo, 40:50a. V. **admedianedo.**

Amem, Amén, 60:49.

amen: *a. de,* además de, 82:17.

amenazaua, amenazaba, 25:22.

aménedo, a medianedo, 40:12a. V. **admedianedo, alplazo.**

amenos: *a. de,* sin, 74:62.

amet, te amé, 18:80.

amezanedo, a medianedo, 40:34b. V. **admedianedo.**

ami, a mí, 20:50, 114:21.

amico: *a meo ... a. charo,* a mi ... caro amigo, 88:4.

amiganza, amistad, 107:3.

Amigiciel (¿nombre propio?), 89:5.

amigo: *es meu a.,* ese amigo mío, 18:120.

Hamihala, ¿No lo quiera Alá?, ¿loado sea Alá?, 15:138. (V. *MLR,* XX, 465-6 y *RPh,* XVIII, 35-6.)

amistança, amistad, 52:26, 100:25.

amistanza, amistad, 107:3.

amistat, amistad, 110:3.

amiztat, amistad, 72:3.

amo, amor, 18:117.

amodorrida, trastornada la cabeza, 20:42.

amor: *por vuestra a. ariba,* por amor de vos, 73:12; *por a. de auos goardare,* para protegeros, 73:23.

amorte, en muerte, 51:9.

amos, ambos, 14:69, 95:6, 105:31.

amplamente, ampliamente, 123:3.

amplas, anchas, 108:17.

amplo, ancho, 75:6, 120:14; *en a.,* de ancho, 105:5.

an, han, han, o sea: tienen, 26:8, 51 bis:31, 36; *matarme h.,* me matarán, 37:24; *a. por venir,* vendrán, 43:2.

an, año, 72:40. V. **ayno.**

anar, ir, 72:26, 96:17.

anate, pato, 39:4.

anatemizentur, sean anatematizados, 61:36.

anathema: *a. si[n]t,* sea[n] anatematizado[s], 61:35, 44.

anathematezatus: *sit a.,* sea anatematizado, sea condenado, 88:15.

anathematizatus: *sit a.,* sea anatematizado, sea condenado, 89:36.

anbla, ambla, 31:18.

anbos, ambos, 73:22.

hanc, esta, 62:30; ésta, 64:15.

ancamento: *en a.,* entiéndase *enançamento,* procedimiento, adelanto, 110:9. (V. *DRAE,* s.v. *enançar; RFE,* XXII, 127, s.v. *enantar;* y cf. Coro., I, 220 a 35.)

ances, antes, 60:20.

anda, circula, 24:6; *a. aca,* ven aquí, 25:31.

andamios, adarves, 108:16.

andan, andante: *yo a.,* yo estoy andando, 59 bis:23.

andandol: *a. buscando,* andando buscándole, 21:2.

andante: *byen a.,* bienandante, 57:6.

andaras, v. **todo** 59 bis:12.

andavan, andaban, 20:55.

ande, han de, 46:2.

andidiessen, anduviesen, fuesen, 77:46.

andido, anduvo, 14:58.

aneillantes (?), anejos, 84:10.

angeli, los ángeles, 60:63.

angelis: *cum a.,* con los ángeles, 60:16.

angelorum, de los ángeles, 60:62.

angelos, ángeles, 61:45.

angelum, ángel, 61:47.

angilical, angelical, 52:7.

angosto: *mal a.* (nombre propio), 25:1. V. **mal.**

anŷel, ángel, 54:6.

aniello, anillo, 18:119.

ánima, alma, 31:56.

animalia, animales, 61:59.

anime, del (¿al?) alma, 60:29; del alma, 60:66; *pro salute a.,* por la salud del alma, 60:15; *de a. uestre salute,* acerca de la salud de vuestra alma, 60:22.

animo, v. **libenti.**

anyo, año, 98:9, 109:1. V. **ayno.**

annexa, aneja, 22:9.

anni, de un año, 61:64.

annyos, años, 104:2. V. **ayno.**

annis: *X. a.,* durante diez años, 61:6.

anno, [en el] año, 10:14, 61:2, 68:41; [*in*] *unoquoque a.,* cada año, 7:5, 64:14; *en cada un a.,* todos los años, 76:3; *ad nouem aa.,* (cumplidos) nueve años, 41:4; *aa. ... de fames,* años ... de hambre, 48:11. V. **adelantre.**

annorum: *septem a.,* de siete años, 61:24.

annu, año, 42:4.

annum, año, 61:29; *unum a.,* durante un año, 61:67.

ano, año, 47:19.

anos, a nosotros, 47:19, 103:18.

ansy, así, 25:46.

ant: *por a.,* ¿ante?, 80:17.

antamios, forma plural de *antamio,* andamio, o sea: movimiento o acción de andar, 61:25.

ante, antes, 21:29, 78:36, 55; al contrario, 54:7; delante de, 64:9; *a. que,* antes de que, 23:35; *a. quel,* antes de que le, 40:3*a,* 3*b,* 40*b*; *a. de,* antes de, 68:7.

antea: *in a.,* en adelante, 65:6, 89:31.

antedita, antedicha, 112:19.

antel, delante de él, 52 bis:37.

antepeytos, parapetos, 108:7.

antesque, antes de que, 40:41*a.*

antiga, antigua, 107:8.

antigament, antiguamente, 81:8, 108:14.

antigo, antiguo, 121:8; *aa.,* 81:4.

antigoament, antiguamente, 81:3.

antigor: *de la a.,* a la manera antigua, 115:3.

antoxa, antoja, 122:2.

anumpda, anúteba, especie de prestación feudal, 7:26.

hanvos, os han, 32:41.

aoralo: *a. e,* le adoraré, 15:17.

aorando, adorando, 21:47.

aorar, adorar, 15:62.

aorare, adoraré, 15:31.

aotro: *por a.,* o sea: *pora otro, para otro,* 41:6.

apaciera, había alimentado, 20:64.

apalaçio, debe leerse sólo *palaçio,* 14:93.

aparaiados, aparejados, preparados, 101:13.

apareǧa, parea, 57:18.

apareiamento, aparejos, 10:7.

aparello, aparejó, 114:42.

apartadament, apartadamente, 72:45.

apate, abad, 38:3.

apazible, apacible, 37:54.

apedela, al pie de la, junto a la, 40:49*a.*

apegar: *queriesse a. a el,* estaba a punto de adherirse a él, 21:50. (V. Coro., III, 763 b 4.)

apeillido, apeyllido, vocerío, invocación, 74:3, 79.

apercir, (?), 110:1. (Se trata, sin duda, de una mala copia de 'a partir'.)

apiertenlo, que le aprieten, o sea: apremien, 40:46*b.*

aplecare, consagrar, dedicar, 60:23.

aplegamjento, reunión, 117:21.

apoderamos, damos poder, 24:9.

apor, ha por, o sea: hay por qué, 56:10.

apostoli, Papa, 95:12. Cf. **lApostoli.**

apostolo, apóstol, 60:69.

apostolus, el apóstol, 60:69.

apreciare, apreciar, 6:21.

apremiamiento, apremio, 21:11.

apremiar, apretar, 37:15.

apremido, oprimido, 102:8.

aprendere, a prender, o sea: a tomar, 88:3.

apres, después [de], 95:1, 114:28; al pie de, junto a, 40:48*b*; *a.* [*los*] *dias del,* después de la muerte del, 84:12, 17. Cf. **empues, enpues, post.**

apriesa, aprisa, 25:50.

apriessa, aprisa, 20:15.

apropb, próximo, cercano, 74:12. (V. *LM*, 99, y cf. *prueb de*, 'cerca de', *LR*, 156.)

apuntado, ¿concertado?, 83:1, 84:1.

apurar, *a purar*, o sea: a llegar, 20:2. (V., empero, Coro., III, 928 a 15.)

aqua, agua, 61:3; acá, a esta parte, 121:15. V. **pane, quomodo.**

aqual, aquel, 40:36*b*; *a. quier*, a cualquier, 24:13.

aqueyll, aqueill, aquél, 74:12, 80:28; aquel, 77:36.

aqueilla, aquélla, 78:5.

aqueyllo, aquello, 77:6.

aqueyllos, aqueillos, aquéllos, 77:39, 78:47.

aqueixa, esa, 119:3.

aquela, aquella, 13:14.

aquelya, aquélla, 120:33.

aquels, aquéllos, 72:32, 106:7.

aquell, aquel, 21:41, 112:6; aquél, 83:26, 86:19, 111:2, 112:30.

aquellyo, aquello, 103:35.

aquello, aquel, 31:46.

aquellogar, aquel lugar, 98:5.

aques, ese, 25:50.

aquest, este, 95:2; éste, 102:20.

aquesta, esta, 14:39, 102:27, 113:19.

aqueste, este, 13:23, 82:17.

aquesto, esto, 13:19, 42:10, 82:13, 102:41, 119:17. V. **adelantre.**

aquetz, estos, 106:13.

aqui, ahora, 26:14, 36:28; *a qui*, o sea: a quienes, 103:28; *por a.*, en esto, 21:32.

Aquisilio (¿nombre propio?), 89:6.

aquo, eso, 72:13.

Aragon, de Aragón, 93:12.

Aragonum, de los aragoneses, 89:2.

aramne, v. **d'aramne.**

arbeias, arvejas, guisantes, 76:11.

arbitremos, juzguemos, 119:10.

arcebispados, arzobispados, 95:27.

arcebispe, arzobispo, 95:8.

arcidiagano, arcediano, 44:18.

arcidiagno, arcediano, 12:5.

arcidianadgo, arcedianato, 22:7.

arciprestre, arcipreste, 44:19.

arçobispos, arzobispos, 21:36.

arcum, [el] arco, 61:41.

aream, sitio descubierto, solar, era, 66:4; *a. Aluar Didaz*, la era de Alvar Díaz, 66:9.

aredradores, los que se retiran, o sea dejan vacante [la propiedad], 46:17.

aretro, en la otra dirección, o sea: hacia arriba, 6:18.

aRezjdo, arrecido, entorpecido por el frío, 25:29.

argenti, de plata, 63:12.

argento: *de a.*, de plata, 62:9.

argenzos, plural de *argenzo*, arienzo, moneda antigua castellana, 63:6. Cf. **arienzos.**

aria, área, era, 63:3.

aRiba, ariba, arriba, 18:27, 73:5; *por uuestra amor a.*, por amor de vos, 73:12.

arienzos, moneda antigua castellana, 6:6. Cf. **argenzos.**

aryles (nombre propio), 100:17.

armo, causó, o sea: cometió, 59:1.

arnes, cosa accesoria, 115:15.

aro, al, 92:14, 19.

arqueta, arca pequeña, 115:1.

arra, ¿a la?: *a. retro tabola*, (?), 92:32. V. **retro, tabola.**

arrancar, derrotar, 14:53.

aRrapun, a Rabún (¿nombre propio?), 92:16.

arreadas, adornadas, 31:26.

arremetas: *te a.*, arremetas, 25:11.

arriba: *desend a.*, desde allí en adelante, 10:14.

Arribas: *las A.*, lugar donde se prestaba juramento, 74:53.

arribo, llegó a tierra, 21:16.

Arriguiel (¿nombre propio?), 89:29. Parece forma diminutiva con sentido de 'pequeño río'. (Cf. *arrigu*, 'río o arroyo' en Ibarra, 265.)

articlos, artículos, 103:11.

aruoles, árboles, 49:7.

aruores, árboles, 45:5.

as, las, 18:45. V. **collir.**

asaber, a saber, 49:7.

asacar, a sacar, o sea: de redimir (la heredad empeñada), 41:10.

asconden, esconden, 14:30.

asemeiant: *eram' a.*, me parecía, 16:5.

asentauaste: *a. a conseia*, te sentabas a contar patrañas, 16:19.

asy, asi, de esta manera, 52 bis:14; *de a. a tanda*, ¿de poco valor?, 31:27; *por a.*, entiéndase *pora si*, o sea: para sí, 41:6; *a. mesmo*, asimismo, 120:25. Cf. **asin, assi, assin.**

asignation, ¿aviso?, 79:6.

asin, así, 110:6. V. **asy.**

asino, asno, 5:12.

asique, así que, de forma que, 103:13.

asmada, calculada, 20:32.

asmarie, calcularía, 20:62.

asomada: *ala a. del rrostro*, tan pronto asomé mi rostro, 25:2.

assaber, a saber, 45:4, 72:1.

assadero: *queso a.,* ¿queso muy curado y ahumado al fuego?, 25:42.

assayados: *se son a.,* han tratado, 113:6.

assaz, suficiente, bastante, 37:12.

asseguont, según, 72:16.

assi, así, 11:9; (y) así, 48:7; *a.* ... *como,* tan ... como, 35:12; *a. mesmo,* asimismo, 83:63; *a. que,* de modo que, 108:7, 112:10. V. **asy.**

assimismo, asimismo, 111:8.

assin, así: *a. mismo,* asimismo, 117:20. V. **asy.**

assolen, arruinen, 10:11.

astrictos, obligados, 83:29.

asu, a su, 58:4.

asuso, arriba, 120:11.

asuueras, piezas de guarnición de caballo, 16:33.

hata, ata, hasta, 15:26, 116; 77:26, 92:13; hasta pasados, 50:11; hasta que, 68:24; *a. cabo de,* hasta pasados, 43:13; *a. quando,* hasta cuando, 60:55; *a. tanto que,* hasta que, 77:50, 78:10; *a. ke, a. que,* hasta que, 61:63, 75:10. Cf. **fasta, fata.** V. **numero.**

atabud, ataúd, 58:8.

ataharri, ataharre, 75:15.

atal, tal, 11:3, 15:33, 73:9; a tal, 15:22; entiéndase 'a tal cosa', 15:112; *aa.,* tales, 77:30.

atals, a tales, 106:10.

atan, a tan, 52 bis:79.

atana, hasta en la, o sea: hasta la, 49:6. V. **cousa** 49:8.

atantos, a tantos, 14:55.

ataque, hasta que, 81:73.

aTaresa: *donn a.,* doña Teresa, 41:12.

atemaba, acababa, 58:1.

atemavan, acababan, 58:9.

atenient, contiguo, colindante, 78:27, 120:4.

ati, a ti, 14:8.

atierra: *salir a.,* desembarcar, 23:25.

hato, ropa, 25:50.

atoda, a toda, 12:13.

atodos, v. **por** 103:13.

atorgar, otorgar, 117:15; *ni-a.,* ni otorgar, 54:41.

atorgo, otorgo, 93:5.

atorguam, otorgamos 72:2.

atorguament, otorgamiento, 72:24.

atorguat, otorgado, consentido, 72:39.

atque, y, 4:11, 64:4.

atrium, iglesia, 4:2. Cf. **adtrium.**

attendiendo, esperando, 70:20.

attendjentes: *a. que,* teniendo en cuenta que, 117:1.

attentamente, atentamente, 121:32.

avad, ¡cuidado!, 31:16.

auandicta, susodicha, 13:17.

auant, ante, 80:2.

auariçia, avaricia, 34:23.

auçelles, pájaros, 113:9, 10. Cf. **auzelles.**

auctoridad, autoridad, 35:8.

audeant, osen, se atrevan, 61:49.

audientibus, a los que oyen, 87:44.

audire, oír, 60:42.

audiren, oyeren, 47:1.

auditores, oidores, o sea: testigos o inspectores de un pacto, donación, etcétera, 90:6.

audiuimus, oímos, 62:30.

auedes, hauedes, habéis, 15:62, 100:12, 111:23; habéis, o sea: tenéis, 110:3; *que a. uos ... por,* ¿qué motivos tenéis vos ... para?, 14:126.

haueys, habéis, 119:7.

avellas, haberlas, o sea: tenerlas, 43:6.

auem, hemos, 72:3.

auemos, hauemos, hemos, 15:91, 119:2; hemos, o sea: tenemos, 43:5.

auenia, sucedía, 72:27.

auenidos: *los a.,* los por venir, 76:9.

avenria, sucedería, 98:7.

avento: *en a. me,* me blandió, 25:19. (V., empero, Coro., IV, 729 a 17.)

auentura: *per a., por a.,* por ventura, 72:27, 98:1.

auenturado: *bien a.,* bienaventurado, 114:1.

aver, auer, recibir, 28:2; haber (allí), 44:8; haber, o sea: tener, 12:9, 32:36, 44:19, 45:3; haber, o sea: bienes, 51 bis:12; *aa.,* haberes, bienes, 14:27, 105. Cf. **lauer.**

auera, habrá, o sea: hará, 15:99.

auerse, haberse, o sea: tenerse, 33:37.

auia, hauia, avya, había, o sea: tenía, 18:39; había, 85:16; había (*primera persona*), 18:123; *a. muertos & rrobados & desapoderados,* había matado y robado y desapoderado, 23:12. V. **tienpo** 52 bis:43.

haujades, habíais, 111:9.

auiamos, habíamos, o sea: teníamos, 97:9.

auian, haujan, avían, habían, 23:27, 111:17; habían, o sea: tenían, 31:48, 34:28.

auida, en vida, 51:9.

haujda, habida, o sea: tenida, 121:16.

aujdo, auido, habido, 22:22; *me he a.,* me he habido, o sea: he actuado, 37:39.

auie, había, o sea: tenía, 14:6.

auiemos, habíamos, o sea: teníamos, 48:9.

aujen, auyen, auien, habían, o sea: tenían, 12:9, 14:18; *a. ad auer,* habían de tener, 12:14.

aujendo, habiendo, 22:18.

auientes: *los a. causa,* los que tengan causa, 83:12.

aujnencia, avenencia, 110:5.

avyno, aconteció, 52 bis:1.

auinos, se avino, 13:5.

auista: *a. delos,* según parecer de los, según juicio de los, 103:3.

hauitatorem, el habitador, 60:73.

aviu, abuelo: *a. meo germano (Germano* podía significar 'querido' — v. Souter, s. v. *germanus.* ¿Podríamos, por tanto, entender 'mi querido abuelo'? (El abuelo materno de Sancho Abarca era Galindo Aznar II). Cf., empero, Berdonces, *BRAH,* LXV, 303, quien traduce 'primo carnal de mi abuelo'), 88:7.

aun, a un, 73:2.

aun: *a. que,* aunque, 28:19.

auobis, a vosotros, 41:1.

auos, a vos, 14:38, 48:7, 73:23; a vosotros, 22:5; *a a.,* a vos, 30:1.

auossa, a vuestra, 50:3.

auosso, a vuestro, 50:4, 14.

aūra, a vuestra, 47:4.

avra, habrá, 36:22.

auran, hauran, habrán, o sea: tendrán, 96:9; habrán, 102:20, 112:40.

avras, habrás, o sea: tendrás, 25:16.

hauredes, habréis, o sea: tendréis, 110:10.

avria, habría, o sea: tendría, 23:3.

auriades, habríais: *a. ... uuestros huebos,* tendríais ... las cosas que necesitáis, 101:8.

aurian, habrían, o sea: tendrían, 80:14.

avrie, habría, o sea: tendría, 23:36.

ausus: *a. fuerit,* osare, 63:9.

aut, o, 6:22; *a. ... a.,* o ... o, 61:52, 62:19.

autem, en cambio, a d e m á s, pero, 61:10, 29.

autoridat, autoridad, 78:21.

auzelles, pájaros, 113:12, 15. Cf. **auçelles.**

hazannas, hazañas, 36:7.

azaris, ¿moneda antigua, palabra derivada de Al-Zahrā, Córdoba, donde hubo una casa de moneda?, 16:28. (V., empero, *MLR,* XXI, 308.)

haze, hace, 35:1.

azeite, aceite, 59 bis:19.

hazella, hacerla, 35:10.

azemilas, acémilas, 13:10.

hazen, hacen, 37:56.

hazer, hacer, 35:7.

azero, acero, 104:13.

azeto, vinagre, 39:13.

haziendo: *h. la salua,* saludando, 29:9.

B

baca, vaca, 8:7.

baccam, vaca, 8:6.

baccas, vacas, 3:14.

bacelare, bacillar, parral, 38:2.

bacin, bacía, vasija, 112:28.

bagina, vaina, 92:32.

bago, bayo, 92:8.

baia, ¡vaya!, 20:66.

baian, vayan, 56:11, 96:12.

baile, bayle, ministro de justicia inferior, guarda, 74:66, 110:1.

baylía, territorio sometido a la jurisdicción del baile; oficio del baile; parte de la multa que pertenece al baile, 74:76.

bakas, vacas, 92:26.

balança, balanza, 112:26.

baldados, tenidos por falsos, 56:17.

ballare, bailar, 61:38.

Balle, valle: *B. Posita* (nombre propio), 5:6.

ban, ¿van?, 61:38.

baquantes, vacantes, 80:28.

baralla, baraja, riña, 96:5.

barallod: *a b.,* litigó, riñó, 9:17.

baratado, (?), 82:5. (Cf. *DRAE,* s. v. *baratar:* 'dar ... por menos de su precio ordinario'; y Coro., I, 395 a 44.)

barato, negocio, 25:52.

barbaris, a los bárbaros, 61:15.

barbeiar, barbechar, 7:8.

barcas, ¿abarcas?, 115:6. (Cf., empero, *BH,* LXIII, 103.)

barieron, parieron, 54:51.

barones, hombres, 8:20, 87:13, 17; barones, 87:8, 15, 22. V. **bono.**

baronibus, de los barones (¿u hombres?), 7:1.

barqua, barca, 115:11; *bb.,* 115:6.

barrenas, error por *barreras,* 81:26.

barreta, ¿especie de juego de azar?, 106:8. Cf. **reynna.**
barruntas, olfateas, husmeas, 25:6.
barua: *b. punnientes,* barba incipiente, 18:115.
baruayón (nombre propio), 45:11.
baruecho, barbecho, 11:6.
barueytos, barbechos, 75:54.
basallos, vasallos, 61:36.
basos, vasos, copas, 13:10.
bastaua, bastaba, 35:8.
basteria, casa o tienda del bastero (albardero); calle o barrio donde se encuentran las tiendas de los albarderos, 78:31.
batien, golpeaban, 20:54.
baxa, baja, 23:43, 59:5.
baxado, bajado, descontado, 103:5.
baxeza, bajeza, 32:61.
baxuras, bajuras, o sea: lugares bajos, 32:54.
beati, del beato, del bendito, 60:12.
beatitudinem, felicidad, 60:65.
beces: *alquandas b.,* a veces, algunas veces, 60:37.
becinos, vecinos, 92:38.
bedene, ven, 92:28.
bedollo, podón, 115:10. (Cf. *THD,* 812, s. v. 'rozón'.)
beyer, ver, 54:14.
bel, bello, 122:3.
bela, bella, 18:91.
bell, bello, 113:11.
bellum, guerra, 60:6.
ben, bien, 46:5, 72:11; *tan gran b.,* tanto, 18:92; *uist per b.,* aprobado, considerado justo, 72:39; *en b.,* por bien, 110:10.
benden, venden, 54:9.
bender, vender, 54:8.
bendezirsean, se bendecirán, 59 bis:10.
bendición: *auía ... a b.,* estaba casado con, 74:46.
bene, bien, 62:8.
benedito, bendecido, 105:12.
benga, venga, 18:2.
beniebat, venía, volvía, 87:24.
benificaron, ¿proveyeron de beneficio?, 98:12.
benignament, benignamente, 117:15, 121:20.
benturo: *ke xe tanta b.,* que había aventurado. (o sea: pagado) tanto, 54:39.
berdader, berdadero, *verdadero,* 54:7, 27.
berdat, verdad, 54:33.
bergonero, pregonero, 54:30.
bergudian, avergüenzan, 60:40.

berguena, pregona (*imperativo*), 54:33.
bermeja, roja, 73:6; *blanca era e b.,* tenía la piel blanca y rosa, 18:58.
bertiziones, efusiones, 60:7.
bertutes, reliquias, 92:21.
besava, besaba, o sea: besó, 58:4.
bestanlo, vístanlo, 92:15.
bestanlos, vístanlos, 92:16.
bestias: *a tragar a las b.,* a ser tragado por las bestias, 52:15.
bestyya: *enel b.,* a la bestia, 57:17.
bestimentos, vestidos, 16:36.
bestiones, bichos o monstruos de uso en la ornamentación arquitectónica, 120:38.
bestitas, sembradas, 87:11.
bestito, vestido, o sea: ropa, 3:16.
bestituras, vestiduras, vestidos, 92:12.
betait, vedó, 61:58.
beuemos: *b. vos ende vino,* lo afirmamos bebiendo vino con vos, 48:8.
beuer, beber, 18:22.
beuiera, bebiera, 18:31.
beuies, bebías, 16:35.
bevir, vivir, 31:65.
beurage, brebaje, 22:13.
bez, porción, 8:36. (V. Oels., s.v. *uez.*)
bezerayo, (nombre propio: ¿acaso relacionado con *becerro?*), 46:9.
bi 'l-ḥaqq, frase árabe que significa 'según la verdad', 53:8.
býa, bia, vía, 31:34 (v. Cəro., IV, 720 a 29); *toda b.,* todavía, o sea: siempre, 81:33.
bibda, viuda, 13:12, 56:3.
bybe, vive, 57:12.
bibo, vivo: v. **semper.**
bicario, párroco, 80:23.
bicinato: *de illo b.,* de la (¿aquella?) vecindad, 87:13.
bida, vida, 54:46.
biegas, vigas, 108:6, 120:21. (V. Coro., IV, 731 a 2.)
bielya, vieja, 120:26.
bien, byen: *b. estant,* de buena postura, 18:69; *tener con b.,* guardar honradamente, 55:2; *lesar con b.,* dejar caritativamente, 55:2; *b. seguro,* muy seguro, 18:140; *tan b.,* también, 22:8, 75:22; *b. te dare,* te daré mucho, 25:35; *b. andante,* bienandante, 57:6. Cf. **biens.** V. **seyentes.**
bienfazedor, bienhechor, 52:14.
biens, bienes, 70:8. Cf. **bien.**
bjense, bien sé, 73:15.

billa, villa, 54:1; ciudad, (¿castillo?), 81:31; *bb.,* casas, 3:3; aldeas, 87:6.

binal, botija, 9:10.

bine, bien, 15:10.

binea, viña, 91:3.

binia, viña, 3:11.

binieron, vinieron, 54:11.

bino, vino *(pretérito),* 54:15; vino *(substantivo),* 91:3, 92:27.

bir, hombre, marido, 87:33.

bišāra, v. 'l-bišāra.

bisassada, dos veces asada (sentido figurado), 20:31.

bisbe, obispo, 97:1.

biscocha, dos veces cocida (sentido figurado), 20:31.

biseredador, el segundo heredero, o sea: el que sucede al heredero, 56:15.

bispados, obispados, 95:27.

bispo, obispo, 68:32.

bites, vides, 63:3.

biua, byua, viva, 18:81, 29:38.

biues, vives, 114:34.

biuian, vivían, 34:28.

biuir, vivir, 37:9, 114:29.

biuo, vivo, 114:32; *bb.,* 37:52.

bixerimus, ¿viviéremos?, 3:14.

blanca, v. **bermeja** 18:58.

blankiaba, blanqueaba, o sea: iluminaba, 54:3.

blasa, brasa, 25:26.

blasfemat, denostado, profanado, 106:3.

blauos, bravos, 25:6.

blazio, plació, 54:53.

bleu: *ly b.,* ¿el centeno?, ¿el trigo?, 69:18. (Cf. *VAR,* s. v. *bllau;* BM, s. vv. *bllau, bllat, blat;* y, para la costumbre, Sang., 227.)

bobes, bueyes, 3:14.

boca: *b. a Razon,* ¿boca hermosa?, 18:65.

bocado, bocanada, 18:51.

bodega, granero, 78:25.

boi, buey, 17:13. Cf. **buy.**

bojs, bueyes, 17:12. Cf. **bues.**

bolebant, querían, 87:13.

boloñes, de Boloña (Italia), 33:12.

boluerit, quisiere, 87:42.

boluiendo, volviendo, 34:15.

boluió, volvió, 35:24.

boluntat, voluntad, 81:41.

bon, buen, 53:6, 72:12.

bona, buena, 18:85, 47:14, 68:5, 110:3; *tan b. 'l-bišāra,* tan buena es la noticia, 53:10; *bb.,* buenas, 19:4, 68:38; *por nostras bb., por mias bb.,* de buen grado,

46:17, 49:25. V. **pela, vezindat, uoluntate.**

bones, buenas, 72:5.

boni, buenos, 60:15, 87:17.

bonis: *jn b., con* [las] cosas buenas, 60:67.

bono, bueno, 15:37; *de b. corazone,* sinceramente, 88:6; *bb.,* buenos, 7:3, 74:4; *oм̃es bb., bb. omes, bb. hombres, bb. barones,* expresiones que se refieren a la capa más elevada de la población urbana (es de igual significado *bons homes,* 72:4), 50:12, 71:12, 74:4, 87:12 (cf. Nier., s.v. *baro).* V. **segundo.**

bonora, buena hora, 59:27.

bons, buenos, 72:33; *b. homes,* v. **bono.**

bor, por, 54:17, 41.

boue, buey, 5:13; *bb.,* 6:15, 7:10.

boz, voz, o sea: poder entregado a uno para que represente a otro, 26:24; *bb.,* voces, 52 bis:58.

braçan: *en b.,* o sea: *enbraçan,* ponen o recogen debajo del brazo, 14:74.

braço: *cuesta b.,* ¿cuesta abajo?, 6:12.

bragas: *pararonlo en b.,* le despojaron de sus vestidos exteriores, 20:65.

brenadaš, preñadas, 54:50.

bresiōron, apreciaron, 54:23.

bribado, ¿migaja, cosa sin valor?, 54:31.

bricar, bregar, o sea: romper. 47:21.

britar, rompiere, traspasare, 50:18.

bronca, broche, 25:30.

broslar, recamar, 31:36.

bueytas, vacías, 109:22.

bueytos, vacíos, 115:2.

buelbe, vuelve, 122:1.

buelto, urdido, 14:9.

buelven, vuelven, 32:22.

buen: *b. principal,* bien principal, 52:8; *el b. ...,* ¿había en la laguna que sigue alguna palabra que significaba *fortuna* o *salud*?, 54:46.

buena, v. **vezindat.**

buenos: *b. vsos,* buenas usanzas, 26:7.

bues, bueyes, 44:10. Cf. **bojs.**

buy, buey, 75:26. Cf. **boi.**

buytorno, viento del suroeste, 75:58.

buquelo, búsquelo, o sea: búsquele, 40:14a.

burgesas, burguesas, 14:17.

burgeses, burgueses, 14:17.

buscando, v. **andandol.**

busquelo, búsquele, 40:14b.

Busset (¿nombre propio?), 89:15.

C

ç: &. ç. &., etcétera, 23:47.

ca, porque, 14:6, 52:4; que, 16:8; puesto que, 34:9. Cf. qua 38:8.

ka: *k. uallo,* caballo, 39:3; *k. pello,* capillo, 39:7.

cabaynna, cabaña, 81:59.

kabalgada, entiéndase *cabalgante,* o sea: cabalgando, 54:16. (Cf. *Yúçuf,* 68.)

kabalo, kabało, caballo, 92:2, 4.

kaballum, caballo, 5:11.

cabannas, cabañas, 6:16.

cabdal, caudal, o sea: dinero, 27:17.

cabdiello, caudillo, 81:29.

cabeça, cabeza, 14:2; *cc.,* 103:3.

cabeçalería, nombramiento de *cabeçaleros,* 74:7.

cabeçaleros, albaceas, testamentarios, 74:11.

cabecas, cabezas, 103:1.

cabelos, cabellos, 18:59.

cabientes, capaces de contener en sí, 109:22.

cabillo, cabildo, 22:5.

cabo, lado, 14:52; dirección, 57:25; hacia, 73:1; fin, 74:74; (?), 89:15; *a c.,* de su parte, 14:49; *ata c. de,* hasta pasados, 43:13; *de c.,* también, además, 105:1.

cabruno, hecho de piel de cabra, 39:10.

cabtibitate, cautividad, cautiverio, 61:5.

cabuda, cabida, capacidad, 72:21.

caçado, ganado, 14:63.

cada, cada uno, 74:81, 76:18, 109:22; *c. que,* siempre que, cada vez que, 70:5; *c. un,* cada, 76:3, 100:28, 108:2; *c. una,* cada, 108:13, 120:13; *c. e quando,* cuandoquiera que, 117:22.

cadaano, cada año, 50:17.

cadabera, los cuerpos, 61:62.

cadanno, cad'anno, cada año, 10:15, 69:3. V. iugo.

cadaun, cada uno, 72:17.

cadauna, cada una, o sea: cada, 104:22; *cc.,* cada una de las, 78:35, 116:10.

cadauno, cada uno, 80:35.

cadena, cárcel, 27:16, 37.

kaderat, caerá, 60:29.

cadio, cayó, 12:10.

cadiot, cayó, 61:48.

cadisse, cayese, 12:8.

cadnato, candado, cerradura, 39:5.

cadunt, caen, 93:20.

kafices, cahices, 74:85, 92:10.

kafitia, cahices, 91:4.

caga, çaga: *a c.,* o sea: *a çaga,* hacia atrás, 15:113; *de ç.,* posterior, 102:46. Cf. acaga.

çaguero, zaguero, último, 114:34.

çahareñas, zahareñas, 37:39.

cahos: *ex c.,* del caos, 61:47.

caya, caiga, 20:68.

caya: *de c. de uoz,* que pierda el pleito, 49:17. (Cf. *FAr,* 293, s. v. *caer.*)

cayll, calle, 74:55.

cal, por que le, 21:85.

calçada, calzada, o sea: camino, 2:7.

calcar, calzar, 104:11.

calçar: *a c.* (o sea: *acalçar*) *lur dreit,* obtener satisfacción, 72:23.

calcina, hormigón, 120:20.

calderiços, llares, 115:12.

calderón, v. yran.

kalendas, calendas, o sea: el 1 (de junio), 8:30; (de enero), 41:4; etcétera.

calentura, calor, 18:18.

calida, ¿fuego?, 7:32; agua caliente, 9:21.

calient, caliente, ardiente, 105:3.

caligema, (?), 92:15.

çalmedina, calmedina, zalmedina, 109:5, 121:3. (V. Chaytor, 116.)

caloinas, penas pecuniarias impuestas por ciertos delitos o faltas, 17:9. Cf. calonia, calonna, calumnia, calumpnia, calunpnia.

calonge, canónigo, 12:10.

calongia, canonjía, 22:9.

calonia, pena pecuniaria impuesta por ciertos delitos o faltas, 74:28, 104:7; *ytar en c.,* ¿multar?, ¿procesar? (cf. *VM,* s. v. *poner: 'poner ... en calonia,* multar ...'), 75:50. V. caloinas.

calonna: *aya c.,* reciba multa, 40:23*b; cc.,* derechos de multa, 11:18. V. caloinas.

calos, porque los, 48:11.

calumnia, pena pecuniaria, 40:23*a.* V. caloinas.

calumpnia, pena pecuniaria, 7:23. V. caloinas.

calunpnia, calumnia, 102:7. V. caloinas.

calzata, calzada, o sea: camino, 1:9.

calze, copón, 51 bis:8.

camba, pierna, 74:57.

cambiamus, cambiamos, 62:11.

cambiatas, cambiadas, 62:21.

cambiationis, del cambio, 62:25.

cambra, cámara, 74:35; *cc.,* 78:9.

kamela, especie de vaso para beber, 63:6.

camiada, cambiada, 74:29.

camiare, cambiaré, 18:141.

camie, cambie, 74:30.

camio, cambió, 21:29.

campanna: *subla c.,* bajo la campana, o sea: en la parroquia, 51:4. Cf. **canpana.**

kampo, campo (¿nombre propio?), 91:6.

kan, cuando, 93:.8. Cf. **cand, cuand, quan, quando, quano, quant.**

canbra, cámara, 75:32.

canҫel, cerco, 85:20. Cf. **canzel.**

kand, cuando, 53:9. V. **kan.**

candela: *dar c.,* desafiar a la ordalía de las candelas, 74:18.

ҫania, zanja, 36:9.

canibus: *cum c.,* con perros, 61:42; *a ... c.,* por perros, 61:59.

kanicuno, que (?) ninguno, 61:57. Cf. *Cid,* 393₂₀.)

cannamo, cáñamo, 76:23.

canonge, canónigo, 109:9; *cc.,* 12:7.

canonicas, error por *corónicas,* o sea: crónicas, 81:43.

canpana, campana, 51 bis:27; *sola c. de,* en la parroquia de, 46:5. Cf. **campanna.**

canpanna, (?), 89:23. (Significaciones registradas para el español antiguo: 'llanura', 'tierra llana', 'campo abierto'.)

canssaҫio, cansancio, 28:25.

cantare, cantar, 61:38.

cantaros, plural de *cántaro,* medida de vino, 109:22.

cantaua, cantaba, 14:34.

canto (*ablativo*), ¿esquina?, 66:2. (En el español antiguo esta palabra podía también significar 'lado').

canzel, cerco, 85:14. Cf. **canҫel.**

cañados, candados, cerraduras, 14:3.

capannas, cabañas, 6:16.

capeҫa, cabeza, 89:5, 9, 12.

capeҫolas, ¿cabezuelos, o sea: cerros?, 89:16.

capeyllanja, capellanía, 77:27.

capeillano, capellán, 74:10.

kapestros, cabestros, 39:9.

capezas, cabezas: *per c.,* por cabeza, individualmente, 94:6.

capialla, capilla, 98:6.

capiella, capilla, 20:6.

capiello, capillo, 18:118.

capitol, capítulo, 104:8, 112:5; cabildo, 112:7; *cc.,* capítulos, 84:3.

capitols, capítulos, 120:1.

kapo, persona, 4:2.

captus, preso, 7:34.

caput, persona, 5:5; cabeza, 89:11.

car, porque, 81:40, 113:7.

cara: *de c.,* cara al enemigo, 14:36.

caral, jarro, 39:13.

karapitos, forma plural de **karapitum,* medida equivalente a dos cuarteles, 62:34. (V. *FN,* 131, s. v. *carapito*; Coro., II, 257 a 13; Oels., s. v. *caravido*; Löfstedt, s. v. *carapito.*)

carens, que no tiene, 60:64. V. **habitationes.**

carera, carrera, o sea: camino, 50:7.

cargatura, carga, 39:11.

carjtatiua, caritativa, 117:5.

carlines, plural de *carlin,* palabra que se refiere a ciertas monedas acuñadas por Carlos II de Navarra, 80:36.

carne: [*a ...*] *c.,* de la carne, 61:3, 67.

carnem, carne, 61:65.

Carnestolentas, Carnestolendas, Carnaval, 110:7.

carnis, de la carne, 60:14.

carnium, de carnes, 61:54.

carpentero, carpintero, 80:4.

ҫarradas, cerradas, 81:26.

carraria, camino, 1:13.

karrera, carrera, camino, 2:12, 11:9, 50:7; (el) camino, 46:6; calle, camino, 112:6; *uaia sua k.,* siga su camino, o sea: márchese, 40:22*a*; *yr so c.,* ir en paz, 102:42.

carta, karta, carta, documento, instrumento, 63:13, 89:37, 90:1; *k. de pignus de hereditate,* carta que empeña la heredad, 41:2.

cartam, carta, documento, instrumento, 64:4.

cartas, ¿papeles, hojas?, 77:58.

kartula, cartula, documento, contrato, 62:25, 30; 88:16.

casada, solar o casa solariega, 67:7.

casal, solar, 76:1.

casam, casa, 7:19.

kasas, casas, 5:1.

cascun, cada, 72:40.

cases, casas, 106:13.

casis: *cum c.,* con las casas, 65:8.

cassa, casa, 9:20.

cassado, casado, 55:7.

cassala, cásala, 55:17.

cassamiento, casamiento, 55:8; contrato matrimonial, 55:21. V. **enseñorea.**

cassara, casará, 55:10.

cassares, casares, 24:3.

kastango, castaño, 92:10.

castellano: *passar en c.,* poner en castellano, 36:4.

castello: *de c.,* del castillo, 65:11; *Uno C.,* Uncastillo (nombre propio), 88:4, 89:31. Cf. castiell, castiello, kastiellu, castillo.

castiell, castillo, 89:26. V. castello.

castiello, castillo, 14:59; *cc.,* 86:3, 116:3. V. castello.

kastiellu: *Uno k.,* Uncastillo (nombre propio), 90:3. V. castello.

castigaret, advirtiere, enseñare, 61:11.

castigassen: *se c.,* se enmendasen, 100:6.

castige, castigue, 27:59.

castillo: *Uno C.,* Uncastillo (nombre propio), 89:3. V. castello.

cata, mira, 27:1; guarda, 74:1.

catad, mirad, 15:131.

catado, mirado, 52 bis:82.

catando, mirando, 14:2.

catare, miraré, 15:9.

cataremos, miraremos, 34:8.

catavas, mirabas, 20:23.

cate, guarde, 74:2; mire, 75:23.

catem: *c. a derredor,* eché una mirada alrededor, 20:45.

caten, miren, 105:22.

katet, cate, mire, 60:27.

cathedrales: *eglesias c.,* catedrales, 21:80.

catholicum, católico, 61:5.

katibó, cautivo, 54:7.

cativa, cautiva, o sea: esclava, 55:10.

cato, miró, 73:1.

cavadas, ¿cavaduras?, 43:10; *c. ye posteria,* ¿mampostería?, 43:6. (V. Coro., III, 238 a 9.)

cauayllo, caballo, 75:1.

caualero, caballero, 18:111.

caualgadas, cabalgadas, correrías, 116:16.

cauallerja, caballería, 116:15.

cavallero, caballero, 52 bis:7, 118:2; *cc.,* 21:40.

cauallers, caballeros, 99:19.

cauallyo, caballo, 104:20.

cauallo, caballo, 14:46.

cauero, infanzón que prestaba servicio militar a caballo, 75:35.

cauers, infanzones que prestaban servicio militar a caballo, 106:12.

kavesa, cabeza, 59:14.

causa, asunto (¿litigio?), 60:22; *cc.,* cosas, 39:14, 88:14; ¿pleitos?, 60:38; *cc. dicere,* representar en juicio a un litigante, 60:39. V. aliquis, retentationis.

causada: *que mes ella c. adobar,* ¿que

ella está obligada a restituirme?, 93:10.

causam, [el] pleito, [la] demanda, 60:28; cosa, 94:16. V. penam.

causantes, a causa de, 86:5.

causas, v. causa.

causis: *de diuersis c.,* de diferentes causas, 61:31.

cautenemos, protegemos, sostenemos, 100:17.

ke, que, 11:2, 54:3, 60:48, 61:22, 49, 63; 92:25; para que, 54:40. Cf. kede, ket, cke, che, que.

çedaron, ¿cogieron?, ¿detuvieron?, 9:16.

kede, que, 92:21. (V. *Or.,* 377.) V. ke.

cedere, cortar, 6:12.

kel, que le, 54:43, 57:9.

celar, encubrir, 15:81.

celariero, despensero, bodeguero, 7:25.

celestrial, çelestryal, celestial, 15:66, 57:18.

celo, cielo, 15:36.

kelo, que lo, 11:13.

cels, recelo, 96:2.

kem, que me, 11:4.

cenados: *fuemos c.,* habíamos cenado, 20:33.

cenas, tributos que se pagaban al rey para su mesa, 99:8.

cens, censo, 69:7. Cf. encens.

centum, cien, 87:4.

çentura, cintura, talle, 18:68.

ceperint, prendieren, 7:22.

çeptro, cetro, 32:14.

çerca, cerca de, 59 bis:6, 78:4, 114:30; *mas c. passada,* anterior, 109:13.

keria, quería, 54:39.

kerria, querría, 54:8.

certas, ciertamente, 15:23, 52 bis:23.

certe, ciertamente, sin duda, 60:40.

certenjdat, certeza, certidumbre, 111:11.

certifficados, asegurados, 103:9.

çesalpinos, cisalpinos, 33:30.

kesos, quesos, 38:1.

çessar, cesar, 78:20.

çessase, cesase, 98:8.

cessedes, ceséis, 110:8.

çessen, cesen, 33:45.

cession, cesión, 70:22.

ket, que, 90:1. (V. *Or.,* 377.) V. ke.

ceteris: *c. fidelibus,* a los demás fieles, 61:18.

ceuada, cebada, 47:16.

ceuata, cebada, 39:12.

ki, *qui,* o sea: quién, 54:29.

cibdat, ciudad, 21:4.

ciborum, de alimentos, 61:54.

cieleros, despenseros, bodegueros, 9:14.

kien, kyen, quién, 54:26; quien, 57:5; *a k.* ..., *ad k.* ..., a uno ..., a otro..., 92:17.

cient, cien, 18:41, 85:9; ciento, 103:2.

kieraš, quieras, 54:33.

kyere, quiere, o sea: busca, 57:9.

kieš, quieres, 54:32. (V. *Yúçuf,* 84.)

cilo, cielo, 15:41.

cincientos, quinientos, 109:10, 120:31, 32.

cindrias, cimbras, 120:24.

çinquaenta, cincuenta, 14:50.

çinquanta, cincuenta, 103:2.

cinquo, cinco, 109:25.

cinquoanta, cincuenta, 80:36.

çinxiestes, ceñisteis, 14:38.

circa, cirka, cerca de, 66:8; *de c.,* cerca de, 38:2.

circulum: *post c. anni,* después de pasado un año, 61:64.

circumueniat: *non se c.,* no se engañe, 60:31.

kiria, quería, 54:41.

cirueillo, ciruelo, 74:41.

kysyere, quisiere, 57:10.

kisieret, quisiere, 61:53.

kišieše, quisiese, 54:40.

kišo, quiso, 54:43.

kita, quita, o sea: libre, 55:18.

citar: *fiziemos uos c. pora ante nos,* os hicimos comparecer ante nosotros, 22:10.

ciudat, ciudad, 81:45, 103:29, 121:4.

ciujl, civil, 121:10.

ciutad, ciudad, 96:16.

cke, que, 8:9. V. **ke, tal.**

clabero, ¿clavero?, 90:7, 91:1. (Para el *clavero,* oficial del rey en Aragón, v. *FAr,* 308.)

clama, llama, 113:11.

clamaban, llamaban, 81:10.

clamada, llamada, 117:14; *cc.,* 115:11.

clamado, llamado, 15:139, 112:30; *cc.,* 78:24, 113:10.

clamant, demandante, 74:27.

clamaran, llamarán, 96:11.

clamen, llamen, 112:6.

clamo: *se c.,* se querelló, 97:21.

clamos, quejas, 74:25.

claridat, claridad, 52 bis:80.

claritatem, claridad, 60:59.

clauazones, plural de *clavazón,* conjunto de clavos, 120:21. (V. *Bielsa,* 247b.)

claues, clavos, 104:15; ¿llaves?, ¿piedras centrales con que se cierran los arcos o bóvedas?, 120:36.

claustra, claustro, 123:22.

clerezia, clerecía, 21:33.

clerici, clérigos, 60:37.

clericis: *presentibus c.,* estando presentes clérigos, 61:48.

clericorum: *omnium c.,* de todos los clérigos, 64:4.

clericus, clérigo, 7:28.

clerigu, clérigo, 42:9.

cleriguos, clérigos, 77:1.

clerus, clérigo, 61:51.

kls., calendas: *X⁰ k. Februarii,* el 23 de enero, 101:14.

cluson, muralla (de una ciudad), 96:7. (Cf. Levy, s. v. *clauzon.*)

ço, eso, 96:23; *ç. que,* lo que, 72:27; *ç. es,* esto es, 100:8; *per ç. que,* puesto que, 106:2; *per ç.,* por eso, 106:5; *ç. quen,* lo que de ellos (¿ellas?), 99:20. V. **aço.**

coa, cola, 75:15.

cobdiçia, codicia, 31:44.

cobdiciantes, codiciantes, o sea: deseando, 107:7.

cobdiçiaua, codiciaba, o sea: deseaba, 23:33.

kobdyçyya, codicia, 57:30.

kobdyçyoso, codicioso, 57:7.

cobdo, codo, 14:56; *finco el c.,* apoyó el codo para incorporarse, 14:86.

coelecto, persona elegida juntamente con otra, 112:38.

cogere, coger, 7:20.

cogido, acogido, 105:29.

cogitetis, consideréis, reflexionéis, 60:23.

cognato: *ad uestro c.,* a vuestro cuñado, 94:13.

cognocida, conocida, 44:1.

çoianlo, cójanlo: *c. de souno,* cójanlo todo bajo uno, o sea: reúnanlo todo en uno, 13:20. V. **souno.**

coyeren, cogieren, cosecharen, 44:16.

colationum, ¿de las colaciones?, ¿de las comidas?, 61:55.

color, pretexto, 118:5.

colpe, golpe, 73:19; *cc.,* 14:57.

colladas, ¿golpes?, 114:7. (Cf. Aguiló, s. v. *pescozón.*)

collatu, collado, 1:7.

collatum, collado, 2:4.

collida, cosecha, 76:23; *cc.,* recaudaciones, 99:16.

colliel, cerro, 89:4, 29.

collir, coger, recoger, 115:4; *c. end as,* recogerás de ella, 102:16.

collitura: *c. de dio,* culto divino, 61:34.

com, kom, como, 40:34*a,* 53:7, 58:12; *tambien* ... *c.,* tanto ... como, 99:8. Cf. commo, conmo, cuemo, cum, quemo.

com, con, 110:6. Cf. cum 1:6, cun.

coma, como, 72:11.

comandament, mandamiento, 69:18.

comant, coman, 8:37.

combater, combatir, 108:8.

combrán, comerán, 102:17.

comedenda: *sunt c.,* son para comerse, 61:60.

comedi, ser comida, comerse, 61:57. V. proibeantur, sanguinem.

comemorationis, de conmemoración, 93:1.

començara, había comenzado, 21:57.

començo, comenzó, 21:8; *c. de,* comenzó a, 52 bis:58.

komer: *al k.,* la comida, 54:15.

komydo, comido, 59:21.

comienço: *de c., en c.,* al comienzo, 21:13, 52:22.

comiesse, comiese, 18:24.

comigo, conmigo, 18:132.

cominenza, arreglo, convenio, 87:16, 20.

comis, el conde, 87:8.

comite, el conde, 5:22.

comitis, del conde, 7:3; *de Palenciola C.,* ¿del condado de Palenzuela?, 7:2.

commo, como, 14:97; ¿cuando?, 52:3; *c. quier,* aunque, 33:12; *c. de,* como el de, 51 bis:14. V. kom.

communio, comunión, 61:25.

como, como, así que, 85:4, 111:19; *c. quier que,* aunque, 23:6; *c. mas a menudo,* cuanto más a menudo, 111:28.

comoquiera: *c. que,* aunque, 85:16.

comorantes, convivientes, 1:6.

compayna, compañía, comitiva, 99:3.

comparoron, compraron, 91:6.

compartidores, ¿compartes?, 108:13.

compartieron, ¿resolvieron?, 108:1.

complacuit, plació, 87:14.

complidament, cumplidamente, 120:23.

complido: *dreyto aya c.,* haya cumplido con las leyes, 74:48.

complir, cumplir, 24:15.

compliriá, bastará, será suficiente, 74:5.

compliria, cumpliría, 96:13

composuimus, compusimos, o sea: construimos, 5:9.

compradores, v. linar 46:8.

comprestes, comprasteis, 45:10.

comtadas, contadas, tenidas en cuenta, 99:7.

comte, conde, 93:11.

comun: *el c.,* la mayor parte, 21:36; *al c.,* por lo general, 21:81.

comun, comunidad, 42:4.

comunalment, comunalmente, comúnmente, 72:35.

comunas, comunes, 112:17, 19, 30.

comungado: *des c.,* descomulgado, 46:13.

comunionem, comunión, 61:21.

comunitatz, comunidades, 72:4. (V. Chaytor, 116.)

con, kon: *c. sigen,* acompañan, 14:61; *c. migo,* conmigo, 18:121; *a por c. sieglo,* ¿según el consejo?, 56:13; *k. sygo,* consigo, 59:10. V. para 35:22.

conbatio, combatió, 81:31.

conbentu, reunión, 61:50.

conbidar: *c. le yen,* le convidarían, 14:21.

concedimus, concedimos, 3:5.

conceialment, en nuestra capacidad de concejales, 70:1.

conceillo, conçeyllo, concejo, 61:50, 68:5, 74:63, 77:55. (V. Chaytor, 116.) Cf. conçejo, concello, conseyll, conseyo, coseyll.

conçejo, conceio, conceyo, concejo, 9:3, 70:1, 71:8, 105:29; *mandiso c.,* ¿(lo) mandó (o sea: confirmó) el concejo?, 9:6; *c. de Noz,* concejo de Nuez, 43:3. V. conceillo, pectauerit.

concello, concejo, 68:3, 100:5, 108:10. V. conceillo.

conceperit, concibiere, 61:20.

concessum, concedido, dado, 3:15.

concilio: *a C.,* al Sínodo provincial, 88:13.

concilium: *totum c.,* todo el concejo, 8:20.

concordadament, concordemente, 77:21.

condemnandi, dignos de ser condenados: *set num quid toti c. sunt,* pero, ¿son todos dignos de ser condenados?, (?), 60:40.

condensa, ¿junta, muchedumbre?, 32:65. (V. Coro., II, 126 a 12.)

kondeşado, guardado, ahorrado, 54:17.

conDiac, con Díaz (nombre propio), 8:23.

condicion, ¿estado social?: *de aque-lla c. de qui aquella tocara,* (?), 108:19.
conduciessedes, instalaseis, 119:4.
conduction, instalación, 119:15.
condugteros, conductores, 61:35. (V. *Or.,* 281.)
conduzido, instalado, 119:5.
conel, con él, 11:2; con el, 23:7.
conf., forma truncada de *confirma,* 50:21.
konfaçyonado, confeccionado, 57:15.
confecho, cohecho, 27:54.
confessante, confesante, 123:11.
confessar, confesar, 37:57.
confessaria, confesaría, 81:53.
confessarlo, confesarle, 81:50.
confessase, confesase, 81:52.
confession, confesión, 81:64.
conffirmaçion, confirmación, 26:21.
conffirmamos, confirmamos, 26:5.
conffirmu: *robro & c.,* confirmo, 49:24.
confiant, confiante, 114:21.
confiava, confiaba, 52 bis:78.
conficta, conjunto de casas, población, 3:12.
confiesso, confieso, 114:15.
confirmabi, establecí, 1:5.
confirmacionis, de confirmación, 89:37.
confirmans, confirmante, 87:45.
confirmationis, de confirmación, 63:13.
confirmaui, establecí, 5:3.
confonda, confunda, 25:17.
confrarja, cofradía, gremio, 117:4.
confuerto, confortamiento, 20:8.
conga, cuña, 39:5.
konǧurado: *ovo k.,* hubo conjurado, o sea: conjuró, 58:14.
conjuge, cónyuge, 98:2.
conla, con la, 29:10.
konlo, con lo, 57:8.
conmendo, encomiendo, 4:1.
conmittunt, cometen, 60:35.
conmo, como, 48:17. V. **kom.**
conmotiones, conmociones, 60:8.
conno, con el, 50:2.
connoçi, conocí, 18:122.
connocida, conocida, 49:1.
connoçio, conoció, 18:124.
connostras, con nuestras, 46:20.
connozco, conozco, 18:109.
cono, con el, 60:46.
conoajutorio, con la ayuda, 60:44.
conoçencia, conocimiento, 29:44.
conoçist, conociste, 102:13.
conoçuda, conocida, 42:1.
conorte, conforte, 51 bis:6.
conos, con los, 61:18.

conosçe, conoce, 31:49.
conosçedes, conocéis, 27:54.
conoscemos, conocemos, 22:5.
conosçer, conocer, 33:35.
conosçia, conocía, 23:11.
conosçiendo, conociendo, o sea: sabiendo, 70:3.
conoscimiento, conocimiento, 77:32; conocimiento, juicio, 104:17.
conoxen, conocen, 113:14.
conoxença, conocimiento, juicio, 120:15.
conoxiendo, conociendo, sabiendo, 100:6.
conoximiento, conocimiento, juicio, 104:14.
conozuda, conocida, 47:1.
conpaynas: *las c.,* ¿el acompañamiento?, 81:59.
conpaynna, compañía, 81:28.
conpaneros, compañeros, 42:10.
conpaña, seguimiento, 14:16.
conpañero, compañero, 23:6.
conpañia, compañía, 33:40.
conpañon, compañero, 25:47.
conpara: *de c.,* de la compra, 90:1.
conparabit, compró, 90:2.
conparationis, de la compra, 62:25.
conparoron, compraron, 91:3.
conplacuit, plació, 62:8.
conplaze, complace, 34:13.
conplida: *c. mente,* cumplidamente, 26:11.
conplido, entero, 56:5; cumplido, 98:16; *cc.,* 32:40. V. **forzamiento.**
conplimiento, cumplimiento, 71:10.
conplir, cumplir, 71:5, 102:44.
conpliria, cumpliría, 81:40.
conponat, pague en expiación, 62:22.
conprada: *la ha c.,* la ha comprado, 102:22.
conprador, konprador, comprador, 24:10, 54:37.
konpraduraš, compras, 54:38.
konprara, comprará, 54:26.
conprare, comprare, 24:19.
konprarin, comprarían, 54:31.
conprender, comprender, atañer a, 103:25.
conpró, compró, 102:31.
konprolo, comprólo, 54:21.
conque, con que, 73:17; con tal que, 103:20.
conquiriendo, conquistando, 21:8, 81:32.
conquirirla, conquistarla, 81:40.
conquista, conquistado, 21:19.
konseǧava, aconsejaba, 58:2.
consegrado, consagrado, 22:20.

consegu, consejo, 42:9. Cf. **conseio, consieglo, cossel.**

conseia: *asentauaste a c.,* te sentabas a contar patrañas, 16:19.

consejado, aconsejado: *la c.,* la ha aconsejado, 123:7.

consejar, aconsejar, 51 bis:11.

conseyll, concejo, 106:9. V. **conceillo.**

conseio, remedio, 20:20; *non havia c. de haver nul sabor,* no había manera de tener ningún placer (o sea: de consolarse), 20:48. V. **consegu, medio** 52:23.

conseyo, concejo, 71:6, 28. V. **conceillo.**

consenserit, consintiere, 61:11.

consensu: *sine ... c.,* sin ... consentimiento, sin ... acuerdo, 61:28.

conseruador, ¿juez conservador?, 121:13.

consico, consigo, 61:53.

considerant, considerante, o sea: considerando, 107:1.

consieglo, ¿consejo?, 56:11. V. **consegu.**

consilio: *cum c.,* con el consejo, 64:3; *c. malo dederit,* ¿diere malos consejos?, 61:11.

consintire, consintiré, 52:14.

consintra, consentirá, 83:12.

consolatorio: *Boecio c.,* refiérese a la obra de Boecio, *De Consolatione Philosophiae,* 33:24.

consseillero, consejero, 78:29.

construyr, construyir, ordenar bien las palabras, 77:32, 80:21.

construxi, construí, 1:4.

contanxo, contagió, o sea: afectó, 21:55.

contar: *c. de,* dar razón de, 101:13.

contat, contado, 99:18.

conte: *crexer en c.,* ¿abonar en cuenta?, 99:21.

contecie, acontecía, 21:58.

conteigneria, sucedería, 98:1.

contendia, insistía, 20:11.

kontenir, contener, 53:12.

contenta, contienda, pelea, 96:17.

contescio, aconteció, 52 bis:6.

contiendes, insistes en, 52:8.

continent: *en c.,* [*luego*] *de c.,* enseguida, 96:11, 119:13, 120:31.

continuadament, continuamente, 113:5.

continuament, continuamente, 113:8.

contoda, con toda, 47:9.

contodo, con todo, 47:3.

contole, contóle, o sea: nombróle, 52 bis:65.

contra, hacia, 23:41, 32:1, 52:26.

contrayesse, contrajese, 86:27.

contral, contra el, 21:33.

contralla, contraria, 23:14.

contrallassen, (le) contrariasen, 21:60.

contralle, contraríe, 28:14.

contraria, contradicción, oposición, 13:13. V. **faga** 50:16.

contrarium: *memoria jn c. non exisit,* no existe memoria de lo contrario, 22:12.

contrast, contraste, contienda, disputa, 97:1.

contrastando, contradiciendo, 78:40.

contriction, contrición, 81:70.

conuenible, conveniente, 78:13.

conuenjr, convenir, 103:29.

conuenrra, convendrá, 103:34.

conuent, convento, 56:6.

conuentu, convento, 49:4.

conuersaçion, conversación, o sea: trato, 52:6.

conuertie, convirtió, 95:16.

conuian, conviene, 49:7.

convien, conujen, conviene, 43:6, 45:4.

conujene, conviene, 77:7, 103:28.

conuiento, convento, 44:3.

conujere, ¿hay que leer *conviene*?, 77:48.

conuzuda, conocida, 47:1.

cooperui, cubrí, 5:2.

coquinarius, cocinero, 94:2.

cora, ¿división territorial poco extensa?, 89:15. (Cf., empero, Coro., I, 896 a 47.)

coraçon, corazón, 18:1, 114:27; *telas del c.,* fibras del corazón, 14:103.

corage, coraje, 32:46.

koraŷon, corazón, 53:14.

coram, ante, 62:31.

corazone, corazón: *de bono c.,* sinceramente, 88:6.

cordar: *en c.,* o sea: encordar, doblar las campanas, 51 bis:29.

cordeiro, hecho de piel de cordero, 39:10.

korydo, atareado, 57:13.

corientes, corrientes, o sea: que corren, 16:32.

corio, cuero, 39:7.

cormana, prima hermana, 74:46.

cormano, hermanastro, primo, 66:6.

cornados, monedas antiguas, 31:39.

Cornelga, Corneja (nombre propio), 92:34. Cf. **Cornelia, Cosnelga.**

Cornelia, Corneja (nombre propio), 92:29. V. **Cornelga.**

cornu, cuerno, 89:17, 27.

coronicas, crónicas, 81:1, 85:8.

corpora, cuerpos, 60:70.
Corpus: *C. Domini,* Cuerpo del Señor, o sea: la Comunión, 20:34.
corral, corral, patio, 74:35, 78:28.
corrals, corrales, patios, 69:22.
corri, corre, 61:5.
corrible, corriente, 69:2.
corroborationis, de confirmación, 87:1.
corrompudas, quebrantadas, 96:24.
corruption, infracción, quebrantamiento, 96:19.
cort, corte, o sea: sala del palacio, o conjunto de vasallos que acompañan al señor, 14:73; tribunal, 68:25, 72:20, 102:45, 109:4.
cortes, ¿corrales?, 3:8.
cortesa, ¿con ademanes adquiridos en la corte?, 18:91. (V. Coro., I, 917 a 30.)
cortesia, amor cortés, 18:10.
cosa: *fiera c.,* extraordinariamente, 14:100. V. **alguna** 55:11.
koša, cosa, 54:41.
coseyll, concejo, 106:11. V. **conceillo.**
coses, cosas, 72:36, 106:5.
Cosnelga (nombre propio), 92:5. V. **Cornelga.**
cossel, consejo, 93:10. V. **consegu.**
cost, coste, 72:22.
costal, lo que se lleva a cuestas, ¿cuévano?, 9:10.
costante, constante, 32:2.
costas, gastos, 76:21, 103:33.
costegera, cuesta, 4:5.
costiero, guarda, 75:23.
košto, costó, 54:43.
kostomre, costumbre, 57:26.
costreigner, obligar, 98:15.
costrenido, obligado, 102:39.
costumbras, costumbres, 71:18.
costumpnatz: *asseguont que ... son ... c.,* en conformidad con sus antiguos usos, 72:17.
costumpnes, costumbres, 72:15.
costunbre, costumbre, (*femenino*) 121:16, (*masculino*) 121:28; *cc.,* 26:7.
cotidiani, cotidianos, diarios, 60:12; del cotidiano, 60:68.
coto, multa, 74:69. Cf. **cotu, couto.**
cotu, multa, 42:12. V. **coto.**
covanos, cuévanos, 115:9.
couento, convento, 47:3.
couo: *Martin-c.,* ¿Martín el calvo?, 42:2. Cf. *Martin caluo,* 46:23.
cousa, cosa, 47:1; *aguas quanto hi ey desdena gran c. atana pequena,* ¿todas las aguas que allí me pertenecen, desde la más pequeña

corriente hasta el canal del molino?, 49:8.
couto, multa, 46:14. V. **coto.**
coxer, coger, 122:19.
cozer, cocer, 76:29.
cozina, cocina (a no ser que se trate de un equivalente de la palabra francesa *cousine* 'prima'), 47:7.
crebada, rota, 115:13.
crebado, roto, 109:24.
crebanta, quebranta, rompe, 75:27.
crebantadas, robadas, 74:4.
crebantado, quebrantado, roto, 75:26.
crebantan, roban, 74:1.
crebantar, quebrantar, 42:11, 114:12.
crebantaret, quebrantare, 10:10.
crebantas, quebrantase, infringiese, 68:15.
crebante, quebrante, 10:8.
credidit, creyó, 13:4.
credit, cree, 61:46.
creya, creía (ser), 35:3; creía, 123:11.
creystre, crecer, 72:36.
cremados, quemados, 112:10.
crescida, crecida, 81:73.
crexer, crecer: *c. en conte,* ¿abonar en cuenta?, 99:21.
criador, creador, 15:1.
cryança, criança, crianza, 18:7; conjunto de virtudes físicas y morales, 29:8.
criara, había criado, 21:26.
Criatore: *a lo C.,* al Creador, 88:11.
kriaturaš, criaturas, 54:54.
kriazon, hijos, prole, 54:45.
crida, pregón, 108:11.
crisma, v. **ordines.**
crismar, ungir con la crisma, 51 bis:34.
crobir, cubrir, 108:4.
crubra, cubra, 108:4.
cruç, cruz, 95:3, 114:11, 39.
crudz, cruz, 71:9.
crueldat, crueldad, 29:26.
cruz: *sinose del signo de la c.,* se santiguó, 23:40.
cruzada: *falsa c.,* Berceo llama así a la chusma que prendió a Jesucristo la noche de la cena, 20:39.
cruzadillos, ¿tipo de lienzos?, 31:36.
cruzero, crucero, 120:4.
kual, la cual, 59:4. Cf. **cual, qual, quoal.**
cual: *c. quiere,* cualquier, 98:2. Cf. **cualquiere, qoalqiere, qual** 104:16, **qualquiere.** V. **kual.**
cualquiere, cualquier, 118:1. V. **cual.**
kuand, cuando, 53:16. V. **kan.**
kuanto, cuanto, 57:12.

cubierta, parte exterior de la techumbre, 120:26; *cc.,* 120:20.

cuchiello: *aun que me des al c. e al fuego,* aunque me mates con cuchillo y con fuego, 52:16.

cudado: *c. sy fuer de muerte,* si hubiere peligro de muerte, 51 bis:5.

cudo, pienso, 15:45.

cueços, baldes, achicadores de barca, 115:6.

cueyto, cocido, enriado, 76:25.

cueitossa, preocupada, 20:15.

cuemo, como, 21:1. V. **kom.**

cuempetet, cuente, 60:30. (V. Coro., IV, 529 a 13.)

cuende, conde, 97:5. Cf. **quendes.**

cuenta: *por c.,* exactamente, 14:66; *dauades c. de,* dabais razón de, 101:3.

cuentra, contra, 103:7.

cueres, corazones, 19:4.

cuesta: *c. braço,* ¿cuesta abajo?, 6:12.

cui, al cual, a quien, 60:5; de quien, 60:43.

cuyda, piensa, 27:31.

cuydados, penas, aflicciones, 14:6.

cuydando, creyendo, 100:5.

cuydar: *de c.,* en que pensar, meditar, 27:11.

cuidas (?), ¿hay que leer *cuitas,* o sea: afligidos?, 53:2.

cuydo, pienso, 52:20.

cuitada, ansiosa, preocupada, 18:88.

cuytado, kuytado, desgraciado, 27:17, 28:29; ansioso, preocupado, 57:14.

cuytas, aflicciones, 37:27. Cf. **culliran.**

culiran, cogerán, 76:12. Cf. **culliran.**

culpalle, culparle, o sea: hacerle sentirse culpable, 35:12.

cultello, cuchillo, 39:11.

cultis: *cum ... terris c. et incultis,* con las tierras cultivadas y las sin cultivar, 65:8.

cultus, del culto, de la veneración, 61:34.

culueura, culuebra, culebra, 81:67, 68.

cullida, cosecha, 76:10.

culliran, cobrarán, recaudarán, 82:9. Cf. **culiran.**

cum, como, 19:10. V. **kom.**

cum, con, 1:6; *c. est tenente,* ¿hay que leer *quod est tenente,* 'con todo lo que tiene'?, 67:8. V. **com** 110:6, una.

cumlo, con el, 40:5a.

cumlouezino, con el vecino, 40:11a.

cumo, como, 11:9.

kumple, cumple, cumple, o sea: toca, 57:9; conviene, 82:16.

kumplya: *kuanto k. a omre,* cuanto le tocaba como hombre, o sea: cuanto le servía como hombre, 57:11.

cun, con, 87:39. V. **com** 110:6.

Çunarra: *la Ç.* (¿nombre propio?), 89:22.

cuncta: *per secula c.,* por siempre jamás, 65:16.

cunez: *Uilla c.,* Villacunez (nombre propio), 66:8.

cunpla, cumpla, 105:9.

cunplan, cumplan, 42:10.

cunta, cuenta, 48:19.

cuntio, aconteció, 14:71.

cura, caso, 34:6; cura de, 51 bis: 41; *menos c. dél,* menos le importa, 31:63. V. **procura.**

curaries, observarías, 16:22.

curest, observaste, 16:23.

curie, cure, 15:74.

curo: *no me c.,* no me importa, 37:7.

çuron, v. **açuron.**

curricula, cursos: *post septem annorum c.,* después de transcurridos siete años, 61:25.

custiero, guarda, 6:8.

custodias, cosas vigiladas, 4:8.

custodiero, guarda, 4:12.

custos, guarda, 61:26. V. **egris.**

CH

chals, cuales, o sea: los cuales, 96:11.

chamam, llaman, 50:5. V. **iaz.**

chantado, plantado, 50:11; *cc. liures & quitos,* campos o viñas quitos de todo embargo, 50:15.

chantas, cuantas, 96:9.

chantedes, plantéis, 50:10.

charo, v. **amico.**

chartula, documento, 87:1.

chata, (?), 25:17, 21. (V. Coro., II, 37 b 35.)

che, que, 8:14, 96:21. V. **ke.**

chel: *a ch.,* aquel, 12:9.

Christi, de Cristo, 62:1; *sub Ch. nomine,* en el nombre de Cristo, 1:1; *Iesu Ch.,* de Jesucristo, 67:1.

christianas, cristianas, 14:29.

christiandat, cristiandad, cristianismo, 114:5.

christiani, cristianos, 60:16.

christiano, cristiano, 95:21.

christianos, cristianos, 61:37.

christianus, cristiano, 61:4.

Christo, a Cristo, 3:1; Cristo, 20:22, 60:43.
Christus, Cristus, 62:1; Cristo, 95:15.

D

D., don, 9:18.
d, de, 93:2.
d'a: *d. quel,* de aquel, 18:22.
d'abril, de abril, 18:11.
d'al, de otra cosa, 18:71.
d-alegrer, de alegrar, 54:54.
d'alguno, de alguno, 102:18.
d'allaton, de latón, 109:25. Cf. **allaton.**
d'amor, de amor, 18:4.
d'aquía, hasta, 74:74.
d'aramne, de alambre, o sea: de cobre, bronce o latón, 95:4.
d'eillas, de ellas, 74:5. Cf. **eilla.**
d'ela, de ella, 18:31.
d-elŷohar, de aljófar, 54:20.
d'ellos, de ellos, 95:14.
d'esbregar, de fregar, 115:8.
d'escorrer, de escurrir, de vaciar, 115:6.
d'esto, de esto, 74:43.
d'estopa, de estopa, 115:5.
d'estos, de estos, 69:8.
d'i, de allí, 18:40.
d'oltras, de más allá de, 95:11.
d'on, de dónde, 53:17. Cf. **d'ond, ond, onde.**
d'ond, de donde, 95:28. V. **d'on.**
d'oro, de oro, 16:35.
d'otra, de otra, 74:35.
d'otri, de otro, 74:24. Cf. **otri.**
d'otro, de otro, 74:25.
d'oueilla, de oveja, 74:29. Cf. **oueillas.**
d'un, de un, 16:9.
d'una, de una, 18:88.
da, ¿debe leerse *dan*?, 27:30. V. **eso.**
da, de, 15:25, 54:19, 92:21. (V. *CN,* XI, 5-23.)
dabal, dábale, 9:9.
dabcas (nombre propio), 113:18.
dAbiago, de Abiego, pueblo que está cerca de Alberuela, 92:38.
dabril, de abril, 80:17, 111:33.
dados: *ouo d.,* hubo dado, o sea: dió, 14:57.
dAgosto, de agosto, 99:6.
day, de ahí, de allí, 86:37, 44.
daynno, daño, 70:7.
dAlba: *d. ruala,* de Alberuela, 92:25.
dAlbarazin, de Albarracín, 97:2.
dalde, dadle, 52 bis:29.
dalgo: *filios-d.,* hidalgos, 19:15.
dalgujen, alguien, 46:11.

dalguno, alguno, 43:20. 45:15.
dalos, ¿darlos?, 50:17.
dalquiem, alguien, 48:16.
dallí, de allí, 84:5.
dallo: *d. don Petro,* ¿délo don Pedro?, 41:12. Cf. **sacala.**
dam, dame, 25:31.
damontditas, sobredichas, 99:19.
dan, entiéndase *don,* 93:7.
danado, condenado, 46:14.
dançan, danzan, 33:39.
dando: *d. en ellos a piedras,* apedreándoles, 9:16; *d. te todo,* entregándote totalmente, 52:12.
dandum: *d. esse,* ser preciso dar, ser lícito dar, 61:21.
danyo, daño, 121:17.
dannados, condenados, 45:18.
dannadu, condenado, 42:12.
dannar, dañar, 123:5.
danno, daño: *sin todo d.,* sin ningún daño, 21:54; *dd.,* 100:14.
dapños, daños, 52:10.
daqueill, de aquél, 78:7.
daquel, de aquel, 40:32a.
daquellas, de aquellas, 21:24.
daquesta, *de aquesta,* o sea: de esta, 68:29.
daqui, de aquí: *d. adelant,* luego, 105:17; de aquí en adelante, 78:44, 121:25; *d. adeuant, d. enant,* de aquí en adelante, 72:7, 106:6, 96:8.
daquiadenant, de aquí en adelante, 77:10.
daquilo, de aquí lo, 24:9.
dar: *d. a,* dará, o ¿se trata de un infinitivo con fuerza de imperativo, o sea: dar a?, 43:11; *por d.,* para entregar (a vosotros los compradores), 46:11; *feziese d. pregon,* hiciese pregonar, 52 bis:36.
dAragon, de Aragón, 79:13, 116:11.
dArbaniese, de Arbaniés (nombre propio), 92:18.
dare: *byen te d.,* te daré mucho, 25:35.
daredes, daréis, 44:14. V. **pan** 44:20.
dargelos: *d. edes,* se los daréis, 44:19.
darte: *d. he,* te daré, 25:26.
dasse, diese, 74:59.
dat, dad, 27:50.
date, dad, 8:21.
dAte, de Ate (nombre propio), 92:11.
datum, dado, 78:59, 101:14, 121:34.
datz, dados, 106:3.
daua, daba, 14:35.
dauades, dabais, 101:3.
davan, daban, 20:51. V. **agallas.**
dauandita, sobredicha, 97:12.

dauandito, sobredicho, 97:8.

dc, seiscientos, 95:19.

de, dé, 51 bis:12.

de, con, 21:60, 60:21; para, 21:16; acerca de, 43:20; *d. pues,* después, 10:7; *d. quando,* desde que, 14:127; *d. que,* de las cuales, 26:9; *d. cuydar,* en que pensar, en que meditar, 27:11; *d. nomrado,* denominado, 46:9; *d. maes,* demás, 49:10; *d. partirey,* juzgaré, 51 bis:2; *d. primero,* al principio, 51 bis:3; *d. librar,* despejar, vaciar, 51 bis:9; *d. aquellos,* por aquéllos, 52 bis:78; *d. mas,* demás (de lo que necesita), 57:12; *muchas d.,* muchas, 70:3. (Otro ejemplo del uso pleonástico de *de: tomo de piedras,* 59 bis:3.)

deBazalana, de Barcelona, 93:11.

debdas, deudas, 13:20.

debdo, deudo, 29:4.

debebant, debían, 8:3.

debent, deben, 6:7.

deberi, v. **sanguinem.**

debet, debe, 66:4.

debien, de bien, 110:6.

deBilla: *d. Vela,* de Villa Vela (nombre propio), 8:11.

debisa, divisa, 30:2.

debiserunt, dividieron, 87:15.

debito, deuda, 62:9.

debuen, de buen, 42:8.

debuit, debió, 87:30.

december, diciembre, 15:16.

decendimiento, descendimiento, 36:17.

decides, decís, 15:79.

deciso, decidido, resuelto, 87:17.

decolaren, degollaren, 61:61.

decha, dicha, 48:7.

dechos, dichos, 48:13.

dederint, dieren, 7:7.

dederit, diere, 61:11.

dederunt, dieron, 8:7.

dedes, deis, 76:9.

dedimus, dimos, 3:10.

dedisti, diste, 62:7.

dedit, dio, 39:15.

dedon, de don, 73:8.

deducimus, llevamos [abajo], 60:63.

deduzidas: *d. a effecto e execucion,* llevadas a cabo, puestas por obra, 84:2.

deessa, diosa, 29:35.

defende, defiende, 8:18.

defendre, defender, 72:11.

defesas, dehesas, o sea: pastos, 6:1.

defessa, dehesa, 75:4.

deffendemos, prohibimos, 26:14.

deffender, defender, 97:16.

deffendido, defendido, 113:20.

deffendiessemos, defendiésemos, 97:18.

defora, de fuera, o sea: forastero, 40:1*a,* 21*a.*

deganato, de ganado, o sea: del ganado, 39:1.

Dei, de Dios: *gratia D.,* [*per*] *D. gratia,* por la gracia de Dios, 2:2, 65:3, 67:2. V. **nomine, substantia.**

deIacca, de Jaca, 96:7.

deylla, de ella, 75:37; *dd.,* de ellas, 71:6.

deillos, de ellos, 68:4.

deinde, desde allí, 2:13.

deysamos, dejamos, 73:21.

deissen, dejen, 78:56.

dekoğeron, aprendieron, 58:28.

del, de él, 14:23, 21:28, 83:12, 121:14; *en uoz d.,* en representación de él, 13:13; *d. fazer,* de hacerle, 13:13; *usasse d.,* usase de él, o sea: lo usase, 21:86; *d. rresponder,* de responderle 23:9; *d. su algo syerbe,* ¿le sirve de tesoro?, 57:11.

dela, de la, 14:23, 112:17; de ella, 45:14; según, o conforme a la, 46:14. V. **diezmo.**

delalmedina, de la ciudad, 93:10.

delant, ante, 74:9, 105:17; delante de, 95:4.

delantre: *en d.,* adelante, 48:16.

delas, de las, 14:19, 80:28; de ellas, 43:12; *dio d. espuelas,* dio una espolada, 23:41.

deldas, deudas, 48:10.

deleysela: *se non d.,* no se la deje, 43:19.

delibres, libertados, libres, 83:53.

delicto, delito, 121:12.

delyi, de allí, 120:11.

deliurar, liberar, 114:14.

delo, del, 6:3; de lo, 14:63; de ello, 49:10.

delo, délo, 49:10.

delos, de los, 6:2.

delosieculos, de los siglos, 60:47.

dels, de los, 72:2, 106:1; de ellos, 72:26.

deluale, ¿del valle?, 47:20.

delzina, de Elzina (nombre propio), 9:18.

dell, del, 21:49; de él, 86:4; *usassen d.,* usasen de él, o sea: lo usasen, 21:63.

della, de ella, 22:15, 105:19; en cuanto a ella, 55:12; de la, 75:7; *a par d.,* al lado de ella, 31:10;

a ellos d., (que) ellos (visiten) a ella, 55:16. V. **demudar, sines** 55:10.

delli, de él, 20:57.

dello, de ello, o sea: del vino, 18:25; de lo, 117:7; *enello & en d.,* ¿en ello y de ello?, 24:12; *dd.,* de ellos, 32:36, 84:6, 123:20; para ellos, 56:8; de los, 75:22. V. **sines.**

demandabit, demandó, litigó, 9:24.

demandar, demandare, 46:18.

demandare, buscar, 53:13; demandar, entablar demanda, 60:24.

demandas, buscas, 25:3.

demandase: *gelo d.,* le pidiese cuenta de ello, 81:55.

demandava, demandaba, llamaba, 20:11.

demandauamos, demandábamos, 22:5.

demandauan, demandaban, 74:41.

demandem, demande, o sea: demandaré, 94:15.

demandemus, demandemos, o sea: demandaremos, 94:11.

demanelgales, demándeselas, 92:22. (Elcock, 411, traduce 'let ... look after them', o sea: 'cuide de ellas'.)

demannelos, demándelos, 92:20. (Elcock, 411, cree que hay que entender 'cuide de ellos'.)

demas, además, 14:28; ¿demasía?, 72:18.

demetuda, ¿dimitida, o sea: renunciada?, 48:15.

demientre, mientras, 68:21; *d. que,* mientras, 105:13.

demostrado: *serás d. en prouerbio et en faula,* serás expuesto a la irrisión pública, 102:14.

demudar: *d. della,* cambiarla, 56:11.

denant, ante, 96:3.

denante, delante de, 60:48, 90:3.

denantellos, delante de ellos, 61:48.

denarijs, dineros, moneda antigua, 8:15.

denariorum, de dineros, 64:7.

denarios, dineros, moneda antigua, 7:10.

dend, de ellos, o sea: de los proverbios, 21:72.

dende, de allí, 22:21; de aquí, 25:15; de allí, o sea: de entonces, 85:10; *lyeua te d.,* vete de aquí, 25:50.

denyeste, tuviste por digno, te dignaste, 114:10.

dénique, por último, 65:13.

dennara, se había dignado, 21:52.

dennye: *me d. auer,* se digne tenerme, considerarme, 82:11.

dent, den, 7:5.

dentium, de dientes, 60:53. V. **stridor.**

dentrar, [de] entrar, 80:14. Cf. 80:5.

dentro, dentro de, 83:54, 112:40, 116:18, 118:7; *d. en,* dentro de, en, 78:7; *d. tiempo de,* dentro de, 83:16.

denuo, de nuevo, otra vez, 60:61.

deo, dio, 40:40*a*; a Dios, 60:20; *a D.,* de Dios, 60:75; *D. uolente,* Dios mediante, 65:6.

departimiento, división, 57:22, 81:10.

deportar, divertir, 106:12.

deprendia, aprendía, 36:28.

depues, después, 75:54, 114:31; después (de), 18:11; *d. dias,* después de la muerte, 83:42. V. **pues** 10:7.

depuys: *d. que,* desde que, 99:4.

deputados, diputados, 113:14.

deque, de lo cual, 48:10; desde que, 75:11.

dera, de la, 92:24.

dErbise, ¿de Arbisa, en el partido de Boltaña?, 92:20.

derecto, derecho, 40:7*b.*

derectura, derechura, o sea: derecho, 12:9.

derecho: v. **fuerça.**

derechuras, derechos, 45:7.

deredemere, pagar, 92:17.

deredor, alrededor, 58:27. Cf. **derredor.**

dereytos, derechos, 47:7.

dereliquerit, abandonare, 61:32.

dero, del, 92:11.

derotella, ¿riña, o satisfacción dada en compensación por ella?, 9:17.

derredor: *catem a d.,* eché una mirada alrededor, 20:45. Cf. **deredor.**

des, de ese, 44:3.

deš, des, desde, 53:10; *d. que,* desde que, 23:16; *d. de,* desde, 48:15.

des: *d. repentir,* de arrepentirse, 13:22; *d. comungado,* descomulgado, 46:13.

desa: *d. qui,* desde ahora, 14:42.

desam, de San, 51:4.

desampareste, desamparaste, 114:13.

desanparar, desamparar, o sea: abandonar, 52:9.

desantAndres, de San Andrés, 51:7.

desapoderados: *auia ... d.,* había desapoderado, 12:13.

desatyrizjendo: *fuyme d.,* dejé gradualmente de estar aterido, 25:45.

desatos, desatóse, 14:72.

desavan, dejaban, 20:50.

desaventuras, desventuras, 32:55.

desbraue, (para que) desbrave, 37:14.

desbuelue: d. te, desnúdate, 25:50.

descendat, descienda, 87:42.

descender: fizose d., se hizo bajar, 52 bis:78.

descendient, descendiente, 116:8; subientes y dd., subiendo y bajando, 59 bis:6.

descobrio, descubrió, o sea: mostró, 52 bis:54.

descomungado, descomulgado, 42:11.

descubriestes, descubristeis, 14:103.

desdalli, desde allí, 14:62.

desdena, desde en la, o sea: desde la, 49:8. V. cousa 49:8.

dese, de ese, 49:4.

deše, deje, 54:48.

deseades, deseáis, 117:4.

desenboltura, desenvoltura, 32:44.

desenbolvi, desenvolví, o sea: desdoblé, 52 bis:50.

desenbolvio, desenvolvió, o sea: desdobló, 52 bis:60.

desencalonnada, ¿se trata de un derivado del latín calumnia, como lo son acaloñar y escaluñar?, 43:14.

desend: d. arriba, desde allí en adelante, 10:14.

deseras, abandones, 60:73.

desereda, deshereda, 32:77.

deseredada, desheredada, 86:32.

deserta, abandonada, 1:3.

desertam, abandonada, 64:10.

deseruerint, abandonaren, 61:33.

desesperança: la d. del responder, entiéndase 'la desesperación causada por la respuesta', 35:1.

desfaga, deshaga, 96:7; d. li la fuerça, déle satisfacción de la violencia, 74:28.

desfarie: los d. de toda su tierra, les desharía de, o sea: confiscaría, toda su tierra, 21:61.

desfecho, deshecho, 78:4.

desfemos, deshacemos, 103:13.

desi, después, 21:14, 81:30.

deske, desde que, 58:1.

desleal, v. predicarias.

deslealtat, deslealtad, 29:37.

desorna, deshonra, desacato, 43:18.

dEspaynna, de España, 81:41.

despeiado, ¿despechado, o sea: despreciado?, 7:34.

despengar, gastar, 31:47.

despensa, expensas, gastos, 99:2.

despertosse, se despertó, 59 bis:14.

despido, despedida, 29:15.

dEspinareda, de Espinareda, 49:4.

despisions, ¿expensas?, 93:4.

despues: d. de, acerca de, 52 bis:70.

desque, desde que, 21:12; desde que (estés), 29:13.

desraida, ¿desarrimada?, 45:12.

desse, de ese, 47:3.

desseada, deseada, 29:27.

desseays, deseáis, 121:33.

desseasse, desease, 37:9.

dessentido, loco, 29:2.

desso, dejó, 20:37.

dest, de este, 98:12.

desta, de esta, 10:17; de esta, o sea: esta, 23:11; esta, 47:15; dd., de estas, 75:56, 123:14.

deste, de este, 21:31.

destellando, goteando, 14:56.

desterraderas: pasiones d., ¿pasiones que alejan a uno de la virtud?, 52:13.

desto, de esto, 14:37.

destornar, desviar, 28:7.

destos, de éstos, 33:13; (la labor, o sea: la eficacia) de estos, 44:11; durante estos, 111:6.

destranna, de estraña (parte), de otra (parte), 45:15.

destribuescan, distribuyan, 104:7.

destruyment, destrucción, daño, 72:10.

destruymiento, destrucción, 27:4.

desu, de su, 23:30.

desuso, arriba, 21:1, 112:7.

det, dé, 7:6.

detales, de tales, 77:35.

detardan, tardan, 14:32.

determenado, determinado, o sea: señalado, 46:5.

detodo, ¿en cuanto a todo?, 46:18, 51:8.

detrigo, v. pela.

detrimentum, daño, pérdida, 60:30.

deu, debe, 72:13, 99:11.

deua, deba, 111:21.

deuallantes, descendientes, 116:7.

devan, deban, 29:24.

deuandita, sobredicha, 102:25; dd., 77:56.

deuandites, sobredichas, 72:24.

deuanditz, sobredichos, 72:19.

deuant, antes, 68:26; delante, 69:7; ante, 97:21.

deve, deue, debe, 19:14, 119:9.

devedados: d. de los onpres, hombres a quienes le prohibían ver, 55:14. Cf. deuetatas.

deuedes, debéis, 18:139.

deue'l, débele, le debe, 74:22.

deuémos, debemos, 45:3.

deuemus, debemos, 61:57.

deuen, deben, 10:6.
devería, debería, 31:52.
deues, hacia, 113:1, 13.
deuetatas, prohibidas, 6:11. Cf. **devedados.**
deuezino, de vecino, 40:2a.
deuida, debida, 29:9.
deujdament, debidamente, 121:22.
deuie, debía, 13:17.
deviede, vede, o sea: prohiba, 55:15.
deuiemos, debíamos, 48:10.
deuien, debían, 13:19.
deuiera, debiera, 35:10.
deuiere, debiere, 105:15.
deUilla, deuilla, de villa, 8:28, 40:2a.
devina, adivinadora, 53:8.
deuinal, divinal, divino, 98:17.
devinaš, adivinas, 53:8.
Deum, Dios, 60:25.
devo, debo, 29:35.
deuolujdas, devueltas, 116:12.
deuos, de vos, 47:9; de vosotros, 50:10.
deura, deberá, 105:7.
deuria, debería, 18:83.
Deus, Dios, 8:32, 48:18, 60:13, 72:28, 95:3.
dexadas, dejadas, 33:4; *por que las han d.,* en haberlas dejado, 14:121.
dexan, dejan, 14:45.
dexar, dejar, 21:59.
dexara, dejará, 15:71; había dejado (¿dejó?), 21:13.
dexare, dejaré, 59 bis:13.
dexarle: *d. he,* le dejaré, 37:5.
dexaron, dejaron, 32:21.
dexase, dejase, 35:19.
dexasse, dejase, 21:23.
dexastes, dejasteis, 14:109.
dexemos, dejemos, 37:16.
dexiera, dijera, o sea: había dicho, 52 bis:26.
dexieron, dijeron, 52 bis:74.
dexo, dejo, 33:32; dejó, 81:21.
dexola, la dejó, 14:116.
dextrana, de extraña, 51:10.
dezíale, decíale, 35:14.
dezian, decían, 52 bis:76; decían, llamaban, 81:29.
dezid, decid, 14:101.
dezidme, decidme, 15:53.
dezille, decirle, 35:7.
dezimos, decimos, 15:144, 101:11, 121:23.
dezir, decir, 14:30, 16:1, 58:1; composición poética de corta extensión, 28:1; *d. m'an,* me dirán, 15:12ˢ; *enbiol d.,* envió a decirle,

23:9; *d. vos he,* os diré, 25:23; *por d.,* para decir (que), 59 bis:22.
dezit, decid, 18:106.
dia: *el d.,* entiéndase 'cada día', 42:6.
dia, dé, 40:17b.
diaboli, del diablo, del demonio, 60:18.
diabolo, diablo, demonio, 60:10.
diabolum, el diablo, el demonio, 61:46.
diabolus, el diablo, el demonio, 60:5.
diacones, diáconos, 60:35.
dias: *todos d.,* todos los días, 98:17. V. **apres.**
diçe, dice, 75:14, 77:59.
dicere, v. **causa.**
dicet, dice, 60:69.
dicien, decían, 20:66.
dicit, dice, 60:51.
dicitur, se llama, 62:5.
dicouos, os digo, 8:4.
dicta, dicha, 87:45.
dicto, dicho, 100:9.
dicunt, dicen, 60:33.
dichas: *ouo d.,* había dicho, 52:19.
dicho: *dd.,* nombrados, 24:25; *ouo d.,* hubo dicho, 23:38.
didit, dio, 66:7.
die: *tota d.,* todo el día, 6:18; *altero d.,* al día siguiente, 8:30; *in d.,* [en] el día, 66:11; *in isto d.,* en este día, 67:8; *ab isto d. in antea,* de hoy en adelante, 65:14; *&d.,* y en el día, 80:31. V. **odie.**
diebus: *in d.,* en los días, o sea: en tiempos, 7:3; *duobus d.,* durante dos días, 7:6; *X. d.,* durante diez días, 61:27; *in his d.,* durante estos días, 61:65; *omnibus d.,* durante todos los días, 64:12.
dieç, diez, 77:13.
diem, día: *dominicum d.,* domingo, 61:44; *d. istum,* hoy, 65:12.
dier, diere: *la a otre d.,* la diere a otro, 43:22. V. **quanto** 41:11.
diera, había dado, 29:4.
dierat, había dado, 9:4.
dierdes: *d. a lauor,* diereis, o sea: sacareis de su labor, 44:13.
dieron: *d. salto,* salieron, 14:48.
dies, días, 47:23; día, 80:44; *de tuos d.,* durante tu vida, 88:9. V. **post.**
dies, diez, 31:39.
diesse, diese, 14:26, 111:4.
diessedes, dieseis, 119:4.
diessen, diesen, 14:25.
diestra, mano derecha, 32:14.
diestro: *de d.,* a la derecha, 11:10.
dieus, Dios, 110:8.

diezmar: *d. lo diezmare a ti,* te lo daré como diezmo, 59 bis:26.

diezmo: *d. dela eglisia,* el diezmo (que es) de la iglesia, 44:20.

differades, difiráis, 119:17.

differencia, diferencia, 27:49; *dd.,* 119:8.

dificile, difícil, 36:21.

digades, digáis, 18:116.

diktado, texto, o sea: ejemplar del libro (que tengo delante), 54:19.

dileccion, amor, cariño, 117:5.

dilection, amor, cariño, 121:5.

dilectum, ¿predilecto?, 87:4. V. terminum.

dim, dime, 16:27.

dimittebat, abandonaba, 6:24.

dina, digna, 35:19.

dineros, plural de *dinero,* moneda antigua, 104:4.

dines, dineros, o sea: dinero, 106:9.

dinglarola: *pereç d.* (nombre propio), 100:9.

dino, digno, 32:11.

dins, en, dentro de, 99:14; *tretze dias d. Jenero,* el trece de enero, 99:6. Cf. entrados.

Dio: *enel D.,* al Dios, 58:17; *del D.,* del Dios, o sea: de Dios, 59 bis:5; *collitura de d.,* culto divino, 61:34.

dio: *d. por mano,* mandó, 10:21; *d. delas espuelas,* dio una espolada, 23:41. V. salto.

diol, diole, 23:48.

diome, entiéndase *dixome,* díjome, 25:21.

dios, dioses, 102:13; *loado D.,* entiéndase *loado sea D.,* 23:33; *tomaria D.,* sería prestado a Dios, 23:37.

dir, de ir, 21:8.

djrade, dirá, 73:7.

directament, directamente, 103:24.

directe: *d. nin indirecte, d. nec indirecte,* directa ni indirectamente, 83:3, 84:24.

directo, derecho. justo, 8:12; *dd.,* derechos, 2:10.

direto, derecho, 40:7*a.*

diretum: *iudicauit per d.,* juzgó según lo justo, 8:33.

dirrumpere, romper, c o n t r a v e n i r, 88:15.

discurrente, v. iudicio.

disficerunt, rompieron, 87:19.

diśo, dijo, 54:7.

dispoliat, saquea, roba, 61:2.

disrumpere, romper, c o n t r a v e n i r, 87:42, 89:36.

disse, diese, 18:22.

dissimulant: *jmplere d.,* dejan de cumplir, 60:34.

disso, dijo, 20:3, 74:82.

dissoli, díjole, 20:7.

distribution, distribución, 78:45.

dit, dicho, 72:11, 99:11.

dita, dicha, 69:14, 72:2, 103:12, 119:5; *dd.,* 68:26, 99:16; *de suso d.,* susodicha, 49:25.

dites, dichas, 72:5.

dito, dicho, 77:40, 103:17, 120:8; *dd.,* 69:15, 103:3; *sobre d.,* sobredicho, 117:24.

ditz, dichos, 72:35.

diuersis: *de d. homicidiis,* de varias clases de homicidio, 61:9.

diuidunt, dividen, 60:54.

diuisa, serie de mojones que señalan la confrontación de dos términos o jurisdicciones, 45:6.

dius, debajo de, 105:7; bajo, 111:32. Cf. diuso, jus.

diuso, abajo, 103:27. V. dius.

dix, dije, 18:106.

dixe, dije, 86:41.

dixel, díjele, 25:23.

dixele, díjele 25:5.

dixera, había dicho, o sea: dijo, 58:14

dixere, dijere, 102:21.

dixerint, dijeren, 6:8.

dixeron, dijeron, 13:3.

dixerunt, dijeron, 8:17.

dixesse, dijese, 123:3.

dixiemos, dijimos, 21:84, 43:21.

dixieron, dijeron, 13:5, 56:2.

dixiese, dijese, 23:29.

dixiesen, dijesen, 37:50.

dixieses, dijeses, 52:22.

dixieste, dijiste, 114:25.

dixit, dijo, 8:20.

dixo, dijo, 14:42.

dixol, díjole, 52 bis:45.

dixole, le dijo, 81:60.

diz, dyz, dice, o sea: dijo, 18:108, 20:17, 25:3, 25; se dice, 85:5.

dize, dice, 14:122; reza, 21:68; dice, o sea: dijo, 74:82.

dizem, me dice, 18:110.

dizen, llaman, 11:3, 15:82; dicen, 18:90, 27:19.

dizenle, llámanlo, 21:73.

dizeremos, diremos, 15:75.

dizia, decía, 18:98.

dizian, decían, 14:19. 78:5.

dizien, llamaban, 21:5; decían, 54:5.

diziendo, diciendo, 14:79.

diziendome, diciéndome, 86:38.

dizieśe, dijese, 54:31.

dizir, decir, 34:7.

dizre, diré, 16:2.

dizremos, diremos, 15:90.

do, doy, 10:2, 68:11; dé, 40:17*a*.

do, dónde, 16:36; donde, 21:40, 52 bis:10, 58:18.

doblas, plural de *dobla*, moneda castellana de oro, 82:3.

doble: *d. uos esta vinna,* que os dé otra viña igual que ésta, 51:11.

docere, enseñar, 61:49.

doctrinata, docta, erudita, 61:50.

doganno, de hogaño, 10:13.

doina, doña, 17:3.

dola, la doy, 11:3.

doled, duele, 53:16.

dolen, duelen, 53:2.

doles, les doy, 11:6.

dolŷe, dulce, 53:3.

doliendosse, doliéndose, 21:66.

dolor: *a la d.,* entiéndase *la dolor,* o sea: el dolor, 31:59.

doloriosos, dolorosos, 31:15.

domen, ¿dominio?, 92:38.

domicilia, casas, 3:3.

dominans, rigiendo, gobernando, 62:28.

domine, de doña, 66:10.

domini, del Señor, 11:1, 68:41; *Corpus D.,* Cuerpo del Señor, o sea: la Comunión, 20:34. V. **nostri.**

dominicum, v. **diem.**

domino, *(ablativo)* dueño, 60:43; señor, 62:26; *D. Adefonso,* del señor (rey) don Alfonso, 1:4; *a d.,* por el Señor, 61:47. V. **iussione.**

dominum, señor, 7:27; *D.,* el Señor, 60:57.

dominus, señor, 3:2; el Señor, 61:58.

domitos, domados, 6:15.

domn, don, 91:3.

domna, doña, 41:2; *de d.,* de doña, 87:31.

domne, don, 91:1; *d. et patrone nostre,* a nuestra Señora y Patrona, 3:5.

domni, v. **episcopi** 94:2.

domno, don, 39:15; *ad D. meo,* a mi señor, 4:2; *ad ... d. N.,* a ... don N., 62:3; *ille d. N.,* ¿el señor N.?, ¿aquel don N.?, 62:14; *d. S.,* don S., 87:21; *d. F. (acusativo),* don F., 87:32.

domnus, don, 3:13, 87:2, 91:13.

domo: *jn d. tua,* en tu casa, 60:71.

dompna, doña, 93:15; *filia d. P.,* hija de doña P., 93:15 (V. *LM,* 21.)

dompne: *uobis d. Marie,* a vos doña María, 67:3.

dompni: *prioris d. Petri,* de don Pedro, prior, 64:3.

dompno: *de d.,* de don, 67:4. V. **tibi.**

domus: *d. tue,* de tu casa, 60:67; *sue d.,* de su casa, 66:2.

don, doña, 11:2, 94:9; donde, o sea: de donde, 20:63.

dona, doña, 13:3, 44:4, 71:2, 99:3; *dd.,* regalos, 18:117.

donabit, donó, 3:2.

donacionis, de donación, 89:3.

donamus, donamos, 3:4.

donant, dando, 72:19.

donare, donar, 67:14.

donation, donación, 78:57.

donationis, de donación, 3:3.

donatiuum, donativo, 67:11.

doncela, doncella, 18:56.

dond, de dónde, 15:19.

donde, adónde, 25:3.

done, dé, 96:6.

donec, hasta que, 60:55.

donedes, donéis, 49:11.

donet, dé, 6:6.

donn: *d. aTaresa,* doña Teresa, 41:12.

donna, doña, 10:1.

donnos, dones, regalos, 90:4.

dono, don, regalo, 67:9; donó, 69:8; *dd.,* dones, regalos, 81:37.

donoron, donaron, 69:3.

dont: *por d.,* de manera que, 74:36.

donum, donación, 66:11.

donzelyya, doncella, 59:3.

donzellas, doncellas, 37:50.

dormient, durmiendo, 16:4.

dormierit, durmiere, 61:26.

dus, donde se, 14:76.

dOsca, de Huesca, 93:2.

dotis, v. **titulum.**

doto: *zeno d.,* Zenodoto, erudito griego, 36:11.

dotra, de otra, 21:6.

dotras, de otras, 17:7.

dotros, de otros, 111:20.

dotze, doce, 103:3.

doze, doce, 54:47, 69:20.

drechament, según derecho, 86:13.

drecho, derecho, 86:1; *de fecho ni de d.,* ni arbitraria ni legalmente, 84:24; *dd.,* derechos, 78:39.

dreit, derecho: *donant les fiança de d.,* dándoles fianza, 72:19. V. **calçar.**

dreyta, recta, 18:62, 116:6; derecha, 106:7.

dreito, dreyto, derecho, 40:9a, 77:31, 103:10; *d. aya complido,* haya hecho lo que piden las leyes, 74:48; *de feyto nin de d.,* ni arbitraria ni legalmente, 83:3; *fiador de apareçer a d.,* persona que garantice que el demandado asistirá al juicio, 102:24; *dd.,* derechos, 117:25.

duas, dos, 3:6, 62:16, 93:18.

dUasca, de Huesca, 98:14.

dubda, duda, 24:24; *tomaron d.,* cayeron en duda, 23:25; *no te mueva d.,* no te pongas a dudar, 29:16.

dubdar, dudar, 33:5.

dubdes, dudes, o sea: vaciles, 20:13.

dubdo, temor, 117:19.

dubdosa, dudosa, 29:1.

dublo: *peche ... en d.,* pague dos veces como multa, 48:19.

dubre: *auos d. outra tantu,* (que) os pague el doble, 49:16.

ducatu, ¿dirección? (Esta palabra puede también significar 'servicio militar', 'expedición militar', etcétera), 61:15.

ducere, conducir, 61:15.

ducibi, aduje, 87:12.

dueina, dueyna, doña, 66:1; mujer noble, 75:34.

dueytos, ¿maderos para apuntalar?, 120:21.

duelo, lamentación, 16:9.

duenas, doncellas, 18:6.

duenna, dueña, señora, 20:9, 90:2.

duenno, dueño, señor, 60:46.

dueno, dueño, señor, 60:45.

dues, dos, 44:24.

dulcissimo, dulcísimo, 20:56.

dum, mientras, 3:14; *usque d.,* hasta que, 61:63.

dunas, de unas, 21:4.

duobus: *d. diebus,* durante dos días, 7:6; *de ... d.,* de ... dos, 65:7. V. istis.

duos, dos, 10:4.

duplata, doblada, 63:11.

duplicaot, duplicó, 61:22.

dupplet, duplique, doble, 62:23.

durant, durante, 83:22.

durmie, dormía, 14:70.

duro, v. hade, hadre.

duxerit, condujere, entregare, 61:5; *d. uxorem,* casare, 7:13.

E

e, y, 9:11, 42:1.

he, fe, 25:10.

he, es, o sea: está, 50:12.

he, e, he (allí), 59 bis:5; *h. yo,* heme (aquí), 59 bis:11; *aoralo e,* le adoraré, 15:17; *ueer lo e,* le veré, 15:46; *rogar lo e,* le rogaré, 15:59; y otros futuros por el estilo *passim*; *e-tod,* he todo, o sea: tengo todo, 18:132; *e fecha,* he hecho, 20:8.

ea: *in e.,* en ella, 64:11.

ealos, y a los, 12:5.

eam: *possideas e.,* la poseas, 64:12.

eas: *restaurabimus e.,* las restauramos, 5:11.

ebrayco, hebraico, hebreo, 117:14.

hec, estas cosas, 2:9, 87:5; ésta, 7:1, 65:2, 88:2; *h. est,* ¿así es?, 9:7.

ecce, he aquí, 60:4.

ecclesias, iglesias, 5:9.

ecclesie, de la iglesia, 64:4, 14; *huic prefate e.,* a esta sobredicha iglesia, 2:3.

Heçe, v. Hoçe.

eclesias, iglesias, 5:3.

eclesiola, iglesia pequeña, 88:7.

eclessia, iglesia, 88:6.

hechada, echada, 85:13.

echandillos, 'lienzos en que las niñas executen varias labores que sus maestras las enseñan: los cuales les sirven luego de ejemplares para sacar y trabajar cada una lo que se le ofrece, o quiere aprender' (*Aut.*), 31:35.

eche, y que, 96:13.

ed, y, 92:27.

heda, fea, 25:9.

hedad, edad, 81:10; *hh.,* 81:7.

hedat, edat, edad, 52 bis:41, 81:7, 11.

ederit, comiere, 61:65.

edes: *dargelos e.,* se los daréis, 44:20.

hedificar, edificar, 78:14.

hedificaui, construí, 5:1.

ediga, y diga, 40:26a.

editione: *de ... e.,* de la exhibición, 61:54. (El contexto parece pedir más bien el sentido 'de la comida, del comer', el cual no viene corroborado por los diccionarios.)

edugala, y llévela, 40:54a.

eel, en el, 58:23.

efant, infanta, o sea: señora, 9:11.

effecto, efecto, 84:2. V. deduzidas.

effusiones, efusiones, 60:6.

efiada, entiéndase *prenda enfiada,* es decir, prenda tomada o dada bajo fianza, 40:33a.

eğar, echar, 58:9.

eger, el enfermo, 61:27.

eglesia, iglesia, 1:3; *ee. cathedrales,* catedrales, 21:79.

eglesie, v. **sancte** 3:1.

eglisia, iglesia, 44:17. V. **diezmo.**

ego, yo, 1:1.

egris: *e. custos,* guarda de los enfermos, 61:25.

egrisia, iglesia, 45:5.

egrotum, el enfermo, 61:28.

eguada, igualada, 14:133.

egual, igual, simétrica, 18:62. V. **mientre.**

egualdat, igualdad, 116:4.

ey, ¿he, o sea: tengo?, ¿hay?, 49:5, 8. V. **cousa** 49:8.

eŷar, echar, o sea: dar a luz, 54:53.

ejchado, echado, o sea: matado, 17:6.

eicho, echo: *e. en tierra,* ¿cobro en tierra?, 17:10. (Cf. *FS,* 717.)

eill, eyll, él, 70:15, 77:29.

eilla, eylla, ella, 74:83, 77:59; *ee.,* 74:20. Cf. **d'eillas.**

eillos, ellos, 70:16.

eis, a ellos, 7:6.

ejso, eso, 73:20.

eyssas, ésas, las mismas, 74:21.

eita, tratamiento que deriva del ibérico o vasco antiguo *eita* 'padre', 62:15. (V. *Or.,* 282.)

eitassen: *e. sortes,* echasen suertes, 12:7.

eius, su, de él, 61:19; *e. gratia,* por su gracia, 19:1; *de principibus e.,* de sus príncipes, 60:4. V. **sub.**

el, la, 37:4, 44:24; y el, 97:1; *por medio e. palaçio,* ¿hay que entender 'a medio camino del palacio'?, 9:16.

ela, ella, 18:31, 41:11; la, 43:11, 47:6, 60:46, 48; y la, 46:15, 20; 47:10; *ee.,* ellas, 43:8; las, 43:10. V. **quanto** 41:11, **sua** 60:48.

el-alborada, la alborada, o sea: la luz del alba, 54:4.

elam, ella me, 18:136.

elfidiator, el fiador, garante, 8:10.

elguesia, iglesia, 16:19.

eli, él, 12:3.

elŷohar, v. **d-elŷohar.**

elyos, ellos, 58:9, 120:29.

elmo, yelmo, 92:7; *ee.,* 92:6.

elo, y lo, 50:22; ¿el?, ¿y el?, 60:9; el, 60:31, 61:25; *e. rancurar,* y le a c u s a r e, 40:3*a; ee.,* ellos, 13:22; los, 46:1, 61:62.

elpeon, el peón, 8:33.

els, ellos, 72:10; y los, 96:24.

eltermino, el término, 8:10.

ell, el, 16:7, 21:41; él, 86:22, 110:6. V. **algo.**

ella: *e. librar,* debe leerse *ell alibrar,* o sea: el parto, 54:51. (V. *Yúçuf,* 76.)

ellemo, yelmo, 92:3.

elli, él, 20:22.

ellos, v. **della** 55:16.

ellu, él, 53:14.

em, en, 74:26.

emano, en mano, 40:46*a.*

embiamos, enviamos, 101:3, 111:2.

embiar, enviar, 101:5, 110:11.

embiastes, enviasteis, 111:6.

embiddare, enviudare, 7:15.

embiod, envió, 9:3. Cf. **enbio, enuio, imbio, inbiar.**

emendar, enmendar, resarcir, 74:58, 103:32.

ementada, mentada, o sea: mencionada, 21:39.

ementando, hablando, 18:135.

emersise, haber emergido, salido, 61:47.

emetalo: *e. uezino,* y haga entrar el v e c i n o (al tribunal o juicio), 40:15*a.*

emina, contribución que se pagaba en granos, o medida que equivalía a dicha contribución, 47:14, 17.

empennen, empeñen, 11:18.

empero: *mas e. si,* pero [sí], 105:11.

empesce, daña, causa perjuicio, 37:27.

empues, después de, 70:15; tras, 74:20, 81:21; *e. dias suyos,* después de su muerte, 83:10. V. **apres.**

emti, comprados: *e. estis,* habéis sido comprados, 60:76.

emtori: *tibi e.,* a ti, comprador, 63:2.

en, a, 29:8, 82:19; de, 42:6; mediante, 74:50; *e. Duraton,* junto al río Duratón, 10:2; *e. que,* entiéndase 'en (la labor) cuando', 38:3. V. **ancamento, avento, braçan, cordar, grameo, Jahudan, len** 97:16, **pleo, qui** 60:3, **semble, traua, tro, vergonço.**

ena, en la, 43:8, 44:7, 60:45, 66; 92:12, 37; *ee.,* en las, 44:15. V. **onore, Petra.**

enamjgos, enemigos, 111:10.

enancamento, v. **ancamento.**

enant, en adelante, 96:8. V. **daqui.**

enantes, antes, 32:54.

enartado, engañado, 15:138.

enavento, v. **avento.**

enbaydos, avergonzados, 14:99.

enbarguant, embargante, 72:37.

enbarveser, enbarbecer, empezar a barbar, 59:32.

enbaxada, embajada, 32:19.

enbaxadores, embajadores, 86:29.

enbegar, envigar: *claues pora e.*, clavos trabales, 104:15.

enbiadas, enviadas, o sea: enviado, 18:123.

enbiase, enviase, 23:7.

enbiava, enviaba, mandaba, 52 bis:26.

enbidia, envidia, 32:28.

enbio, envió, 18:120, 97:17; envío, 82:3. V. **embiod.**

enbiol, envióle, 23:9. V. **dezir** 23:9.

enbiolo, envióle, 52 bis:25.

enbolvio, envolvió, o sea: dobló, 52 bis:49.

enbraçan, v. **braçan.**

enbuelto, envuelto, 58:7.

encantament, encantamiento, 95:5.

encara, también, además, 72:14; aún, 82:8; ¿aun, incluso?, 102:32; *nj e.*, ni tampoco, 103:22; *de poco de tiempo e.*, ¿de algún tiempo a esta parte?, 107:10.

encargado: *de que yo hera e.*, entiéndase 'que yo era, o sea estaba, e.', 82:7.

ençarrados, ¿aceptados?, 80:13.

encastellada, encastillada, 81:39.

encenderá, enojará, 37:18.

encens, censo, 69:15. Cf. **cens.**

encenso, incienso, 15:72.

encobrimos, encubrimos, 100:17.

encontinent, enseguida, 112:11.

encontrada, comarca, 25:7.

encordar, v. **cordar.**

encorrido: *sia e.*, incurra en, 104:6.

encorrimjento, encorrjmjento, incurrimiento, 117:28, 121:24.

encouto, en multa, 51:12. V. **coto.**

end, de ello, 19:13; de ella, 102:16; de ellas, 101:10; por ello, 104:6; *foras e.*, excepto, 11:8; *por e.*, por lo tanto, 21:3. Cf. **ende, ent, Jahudan, len, ne, nonde, quen, sende, sin.**

ende, hende, de ello, 21:58, 111:11, 13; sobre esto, 48:8; allí, 108:17; de él, 112:9; *in tantum por eu e.*, ¿por eso? (v. *Or.*, 377-378), 61:22. V. **beuemos, end, sende.**

endelántre, en adelante, 45:11.

endereçadme, enderezadme, 31:22.

endereșço: *e. alos moros,* dirigióse contra los moros, 23:49.

endueytos, inducidos, 103:11.

enéys, mismo: *por sí e.*, de por sí, 74:64.

enel, en el, 14:109; en cuanto al, 57:20; *e. lugar de,* en lugar de, 29:40; *e. bestyya,* a la bestia, 57:17; *e. Dio,* al Dios, 58:17; *encontro e.*, se encontró en el, 59 bis:2.

enella, en ella, 24:16.

enello, en ello, 24:9; *e. & en dello,* ¿en ello y de ello?, 24:12.

enenfierno, en infierno, 45:18.

enenguna, y ninguna, 46:10.

enesta, en esta, 41:9.

eneste, en este, 23:31.

enfamado: *mal e.*, de mala fama, 27:46.

enfermerya, hospital, 51:6.

enfermeron, enfermaron, 53:2.

enffernu, infierno, 49:15.

enfiada, dada bajo fianza, 40:31*a*, 30*b*; entiéndase *prenda e.*, 40:32*b*.

enforcado, ahorcado, o sea: crucificado, 20:68; ahorcado, 27:45.

enforquemos, ahorquemos, 27:7.

enfosado: *que lebaron e.*, que llevaron (consigo) al ir a prestar servicio militar, 38:4.

enfuercen: *e. enna uendida esta,* hagan cumplir en la venta ésta (o sea: en esta venta), 56:12.

enfurcjon, infurción, tributo que en dinero o especie se pagaba al señor del lugar por razón del solar de las casas, 17:15.

engaynno, engaño, 68:5.

enganada, engañada, 18:89.

engannyados, engañados, 103:10.

enganno, engaño, 68:16; *leyes del derecho de ffuerça & de e.*, (?), 24:8.

engano, engaño, 50:13.

engenobo, ingenuo, libre, 92:5. Cf. **engenua, genuos, ingenuam, ingenui, inienuum.**

engenua, ingenua, libre, 92:25. V. **engenobo.**

enhoto, ambiente acogedor, 25:37. (V. Coro., II, 956 a 46.)

enim, pues, 60:31.

enkaneser, encanecer, 59:34.

enke, en cuanto que, 57:19.

enla, en la, 14:91.

enlos, en los, 26:16.

enlugar, en (el) lugar, 51:5.

enna, en la, 6:22, 45:4. V. **enfuercen.**

enne, en el, 44:23.

enno, en el, 49:5.

eno, en el, 60:60; *ee.*, en los, 60:47.

enoyos, agravios, ofensas, 114:8.

enon, y no, 40:38*a*.

enospillu, en el espejo, 60:60.

enotermino, en el término, 46:4.

en-par, v. junniemos.

enpara, amparo, custodia, 55:18.

enpennyorado, empeñado, 82:9.

enperador, emperador, 18:141, 58:25.

enpero, empero, 52:30, 77:27.

enpese, empecé, o sea: empezaba, 59:32.

enplirnosamus, nos llenaremos, 60:66.

enprecio, en precio, 51:7.

enpresent, en presencia, 96:3.

enprestadas, prestadas, 31:5.

enprestar, prestar, 31:47.

enpriestemos, préstamos, 103:21.

enpues, después de, 71:19, 86:14, 29. V. apres.

enrenda, de renta, 47:13.

enrobracion, en confirmación, 51:7.

ensembla, junto, 45:1. Cf. sembla.

ensemble, juntos, 77:21, 105:31. Cf. enssemble, semble.

ensennamiento, enseñanza, 21:71.

ensennar, enseñar, 36:25.

enseñorea: e. la firmetud del cassamiento, consuma el casamiento, 55:8.

enseñorear: e. de su virjenidat, (para) guardar su virginidad, 55:19.

ensiui, en sí, mismo, 60:31.

enssemble, juntos, 72:26. V. ensemble.

ensu, en su, 23:8.

ensuziado, ensuciado, 52:13.

ent, de allí, 16:8. V. end.

enta, hacia, a, 111:14.

ental, hacia el, 114:3, 39.

entapia, en Tapia (nombre propio), 45:10.

entaulado, entablado, asegurado con tablas, 109:24.

entegrament, enteramente. 116:11.

entegredat, totalidad, 45:9.

entegro, entero, íntegro, 98:13.

entendades, entendáis, 100:21.

entendedes, entendéis, ¿o sea: esperáis?, 27:55.

entendemos, tenemos intención de, 103:17. Cf. entendo.

entendes, entiendes, 15:140.

entendymyento, entendimiento, 57:21. V. a 57:23.

entendo, tengo intención de, 110:1. Cf. entendemos.

entendria, entendería, se ocuparía, 86:24.

enterament, enteramente, plenamente, 86:16.

enterar, enterrar, 58:18.

enterecen, entreguen, 92:28.

enterradas, ¿cubiertas de tierra?, 108:6.

entieralo, entiérrale, 58:19.

entodas, en todas, 22:23.

entonce, entonces, 52 bis:13; de e. aca, desde entonces, 52 bis:51.

entonz, entonces, 80:11.

entrada, principio, 120:32; a la mano squerra e. de la dita puerta, a mano izquierda según se entra por dicha puerta, 108:20; ee. e ... exidas, derecho de entrar y salir, 19:8. V. teras.

entrados: VIIII dias e. nel mes de março, el nueve de marzo, 98:19. Cf. dins.

entramas, entrambas, ambas, 83:17.

entranyas, entrañas, 114:33.

entranpoš, entrambos, 54:24.

entraron: e. les, les acometieron, 14:52.

entre: e. ... á, entiéndase entre ... y, 37:49; e. ... &, tanto ... como, 93:4.

entrel, entre el, 97:1.

entrelyos, entre ellos, 58:19.

entreveniendo, interviniendo, 36:23.

entridiere, entrare, 75:54.

entridieren, entraren, 75:53.

entro: e. a, a, hasta, 75:10, 99:6; e. en, a, hasta, 99:5; e. al, hasta el, 68:7. Cf. tro, troa.

entroydo, tiempo de Carnaval, 42:5.

entroron, entraron, 54:1.

enuinado, plantado con viña, 50:11.

enuio, envió, 82:3. V. embiod.

enuyo, molestia, 74:36.

envn, en un, 23:19.

enuossa: por e. uida, durante vuestra vida, 50:9.

enzjna, encina, 25:38.

eo: e. quod, porque, 61:21.

eos, los, 6:7, 13:4, 61:32.

epeyche, y pague, 46:14.

episcopi: Sancti Isidori e., de San Isidoro obispo, 8:1; sancti Agustini e., de San Agustín obispo, 60:50; domni e., del señor obispo, 94:2.

episcopo, obispo, 5:2; de illo e., del obispo, 87:28; domno F. e., don F. obispo (acusativo), 87:32; ad e., al obispo, 88:10; a meo e., a mi obispo, 88:13.

episcopus, obispo, 1:1.

epos, en pos de, 9:15.

equa, yegua, 5:13; ee., 92:26.

equados: foron e., fueron igualados, o sea: fueron escogidos como iguales en fuerza, 8:30.

equal, y el cual, 60:46.

equales, igualmente fuertes, 8:26.

equarunt: *e. los peones,* escogieron peones igualmente fuertes, 8:27.

equi, quien, 12:7; y quien, 96:13.

era, la, 92:2; *ee.,* 92:13; *e. sua,* la su, o sea: su, 92:15.

hera, era, era (*verbo*), 121:12; *e. venida,* aconteció, 20:41; *a fazer les e.,* les era preciso hacerlo, 21:64; era (*substantivo*), 74:76; *hh.,* eras (*substantivo*), 45:5.

erados, errados, 15:142.

eram': *e. asemeiant,* me parecía, 16:5.

erat, era, 8:12.

eraza, ¿era?, 1:12. (Cf. *eriazo* en Coro., II, 310 b 27.)

erbas, hierbas, o sea: pastos, 8:3.

erbatico, herbaje, 8:25.

erdat, heredad, 49:25.

heredade, heredad, 47:15.

eredador, heredero, 56:15.

heredat, heredad, 13:7.

herede: *nullo h.,* sin ningún heredero, sin sucesor, 87:4.

hereditate, heredad, 41:3; *cum ... sua h.,* con ... su heredad, 67:8; *de uestra ... h.,* de vuestra ... heredad, 67:15; *hh.,* heredades, 65:7. V. **karta, quanta.**

hereditatem, heredad, 6:24; patrimonio, 89:33.

erema, yerma, inhabitada, 67:8.

erias, yermos, 20:55.

erit, será, 60:53. V. **semper.**

hermandat, hermandad, 121:3.

hermaniellas, hermanitas, o sea: amigas, 20:53.

ero, el, 92:2; *e. de,* lo de, 92:20; campo labrado: *e. e.,* ¿por toda la extensión del campo labrado? (v. *BHS,* XXXIX, 242), 89:9, 13, 14, 28; *ee.,* los, 92:20.

erra, yerro, 17:11.

erubescunt, se ponen colorados, se avergüenzan (de), 60:39.

es, ese, o sea: el, 14:31; ese, 18:118; *e. meu amigo,* ese amigo mío, 18:120.

es, eres, 60:70; *e. mayor,* es más difícil, 31:44; *non le e. más,* no le es más (fácil), 31:46.

esa: *e. ora,* al punto, enseguida, 51 bis:1.

esbregar, v. **d'esbregar.**

escacha, escarcha, 25:32.

escaescen: *se e.,* suceden, 111:20.

escalera, escala, 59 bis:4.

escanyl: *banco e.,* escaño, 115:4.

escanly, ¿error por *escanyl*?, 109:24.

escapare, escapar, s e g u i r viviendo, 73:10.

escapol, le hizo escapar, 23:49.

escarno: *sines e.,* sin escarnio, sin burla, 15:38.

escepto, excepto, 3:9.

escieret, saliere, 61:43.

escodrinnada, escudriñada, 105:16.

escolar, estudiante, 18:82.

escomungados, excomulgados, 45:17.

escorçus, vasijas, 39:14.

escorrer, v. **d'escorrer.**

escreuid, escribid, 56:5.

escreuir, escribir, 30:9.

escriptas, escritas, 69:19.

escripto, escrito (*substantivo*), 15:125: escrito (*participio*), 21:72, 68:25,. 111:12.

escriptura, escritura, o sea: escrito, 15:35.

escripui(?), escribí, 79:20.

escritu, escrito, o sea: carta, 49:1.

escritz, escritos, 96:10.

escriua, escriba, 28:12.

escriuan, escribano, 93:12.

escriuano, escribano, 77:55.

escriven, escriben, 36:2.

escriuj, escribí, 77:57.

escriuie, escribió, 95:8.

escriuieron, escribieron, 33:9.

escriuieu, escribió, 98:21. Cf. **exaravit, partieu,** y v. *RDR,* I, 118.

escriuio, escribió, 29:11.

escriuir, escribir, 34:10.

escriuo, escribo, 82:2.

escriurjades, escribiríais, 111:13.

escubjerta, descubierta, 112:4.

escuder, escudero, 94:19.

escura, oscura, o sea: difícil, 36:22.

escusado, excusado, eximido, 82:11.

esdeuenia, sucedía, 96:21.

ese, y si, 46:11.

esffuerçen, esfuercen, 77:59.

esforçado, esforzado, 21:28.

esfryado, resfriado, 18:52.

esfuerço, esfuerzo, o s e a: fuerza, 34:17; auxilio, vigor, 73:17.

esglesia, iglesia, 97:3. Cf. **lesglesia.**

esgoardando, considerando, 78:18.

esguardant, esguardante, o sea: considerando, 107:3.

esi, y si, 96:1.

ešid, sale, 53:11.

esida, salida, 16:8.

esient: *un sabado e.,* al fin de un sábado, 16:3.

esil, y si el, 40:9a.

eškura, oscuridad, 54:4. V. **pašo.**

eškuro, oscuro, 54:3.

esleytos, elegidos, escogidos, 77:33.

ešmerado, fino, 54:18.

esnudo, desnudo, 102:46.

eso: *e. le da por,* le da lo mismo, 31:64.

esorados, dorados, 16:34.

esos, y sus, 12:3, 92:34.

espadeta, ¿espada pequeña?, 109:26.

esparze, derrama, 29:22.

esparziendose, derramándose, 29:22.

espata, espada, 92:2.

espeçados, despedazados, 112:10.

esperjuris, perjuros, 72:33.

espesas: *a ... e.,* a expensas, 120:8.

espisit, expendió, o sea: gastó, 38:1.

espleitara, disfrutará, 98:16.

esplicaría, explicaría, 32:68.

espolones, espuelas, 14:108.

esporto, espuerta, 115:5.

esquivar, evitar, impedir, 70:9, 100:2.

essa, esa, 20:39; *ee.,* esas, o sea: las, 14:32; esas, 37:32.

esse, ese, 21:87.

esse, ser, 60:58. V. **futurum.**

esser, ser, 119:9. Cf. **seder, sedere, seyer.**

esso, eso, 20:11; *por e.,* por esa razón, 14:125.

essora, (en) esa hora, o sea: entonces, 14:123.

est, es, 3:9; *id e.,* a saber, esto es, 1:6. V. **hoc, tenente.**

est, este, 13:3, 15:83, 95:21, 98:8, 99:11, 103:16.

est', este, 18:119.

establescemos, establecemos, decretamos, 77:21.

establido, establecido, constituido, 98:8.

establie, estableció, decretó, 95:27.

establimentz, establecimientos, estatutos, 96:10.

establimos, establecemos, decretamos, 100:1.

establiren, establecieron, decretaron, 96:9.

establissem, establecemos, decretamos, 106:5.

estadex, estáis, 59:30.

estados, órdenes, jerarquías, 83:18.

estalyo: *a e.,* a destajo, 120:8. Cf. **stalyo.**

estan, estando, 59 bis:6.

estanbre, estambre, 33:44.

estant: *bien e.,* de buena postura, 18:69.

estaua, estava, estaba, 14:2, 52 bis:57.

estauamos, estábamos, 111:18.

estauan, estaban, 23:42. V. **ojo.**

este, error por *est,* o sea: es, 77:53.

este, v. **saluo.**

estellas, estrellas, 95:4.

estender, extender, 103:25.

estenso, extenso, 37:58.

esterior, exterior, 37:53.

estero, arca, 16:27.

estes, estas, 72:24.

estex, estés, 59:27.

esti, este, 20:4, 42:11, 48:15, 105:15. V. **moleo.**

estidieron, estuvieron, 95:13.

estidiessen, estuviesen, 21:46.

estimados, apreciados, 109:16.

estiradillas: *camisas e.,* ¿camisas almidonadas?, 31:37.

estis, sois, 60:75. V. **tenente, uestri.**

esto, léase *estos,* 15:134; *e. ua,* esto es, a saber, 113:3.

esto, estoy, 82:5.

estodieran, estuvieran, 52 bis:80.

estonçe, entonces, 52:28, 76:25.

estonces, entonces, 21:50, 23:47.

estonz, entonces, 73:1, 95:15.

estoria, historia, cuento, 29:18.

estoriadores, historiadores, 36:2.

estormar, destormar, 115:7.

estorues, estorbes, 25:13.

estrayno, extraño, 81:9.

estrangeras, extranjeras, 36:8.

estranja, otra, 46:12; *ou dela e.,* o de la otra (parte), 49:13.

estranio, extranjero, 102:4.

estrannas, extrañas, 36:5.

estreyta, estrecha, 115:7.

estrela, estrella, 15:36.

estremo, extremo, 34:22.

estrinyendo, constriñendo, 114:36.

estropieça, tropieza, 27:36.

Estruns (¿nombre propio?), 89:12.

estudio, lugar donde se enseñaba la gramática, 77:27. Cf. **studio.**

estudo, estuvo, 52 bis:81.

estuuiendo, estando, 123:19.

et, y, 1:1; *e. ... e.,* así ... como, 60:37.

eta, v. **eita.**

eternam, eterna, 60:16.

etiam, también, 2:3.

etornaron: *e. seal,* y tornáronse al, o sea: y regresaron al, 14:93.

etornese, y regrese, 40:46*a.*

etot, y todo, 96:25.

etotz, y todos, 96:24.

etsi, y si, 40:24*b.*

etujras, y tú irás, 60:53.

eu: *e. me,* ¡ay de mí!, 60:51; *por e. ende,* v. **ende** 61:22.

eua: *lo-y-e.-puesto,* lo había puesto allí, 18:19.

euaia, y vaya, 40:36*a.*

euangelia: *la quatuor e.*, los cuatro Evangelios, 12:8.

eujdente, evidente, 121:17.

eujtar, evitar, 121:34.

eum, le, 39:18, 60:5; él, 87:43.

euntes, que van, 61:37.

ex, de [entre], 60:20; *e. inde*, ¿después?, 3:15. V. cahos, substantia, uoluntate.

exa, esa, 81:22; *e. ora*, entonces, 73:7.

exada, azada, 104:12, 115:7.

exalçar, exaltar, ensalzar, 114:5.

examplare, aumentar, 65:13.

exampletis, aumentéis, 65:13.

exarabi, escribí, 88:17.

exaravit, escribió (entiéndase 'escribí'), 89:39. V. escriuieu.

exarcia, jarcia, 115:11.

exatas, azadas, 39:4.

excelent, excelente, 82:1.

excellentes, excelentes, 107:6.

exceptado, excepto, 120:22.

exclusos, excluidos, 84:12.

execucion, ejecución, 84:2. V. deduzidas.

executado, ejecutado, 119:19.

exemplo, ejemplo, 74:38.

exercent, ejercen, practican, 61:41.

exercimus, practicamos, 60:14.

exercir, ejercer, 121:10.

exercuerit, se dedicare a, practicare, 61:43.

exibit, salió, 87:19.

exida, salida, 14:11; *entradas e ... ee.*, con derecho de entrar y salir, o sea: con acceso libre, 19:8. Cf. exidos.

exidos, campo común de todos los vecinos de un pueblo, y lindante con él, donde suelen reunirse los ganados y establecerse las eras, 8:18. (Significa lo mismo exitis, 3:8.) Cf. teras.

exien, salían, 14:16.

exient, salían, 6:16.

exinde, desde allí, 1:9.

exiod, salió, 9:9.

exissen, saliesen, 8:11.

exissent, saliesen, 8:9.

existit, existe. V. contrarium.

exit, sale, 6:2.

exitis, v. exidos.

exitu, ¿hay que entender *exitu vitae*, 'a la muerte'? ¿O 'con anulación (de los derechos)'?, 87:34. (V. *AHDE*, V, 260₁₈.)

exo: *e. mesmo*, asimismo, 81:11.

exola, azuela, 39:5.

exorto, exhorto, 33:41.

expressament, expresamente, 121:23.

expresso, expreso, 86:12.

extidiesent: *aesso e.*, a eso estuviesen, o sea: con eso quedasen, 8:23.

extima, estima, 33:36.

extymar, estimar, 33:38.

extingunt, matan, destruyen, 61:24.

extra: *e. villam*, fuera de la villa, 7:18.

extraneis: [*de ...*] *e.*, de forasteros, 62:20, 63:10.

extraxerit, quitare, hubiere quitado, 61:4.

exuto, enjuto, o sea: seco, 76:25.

hezimos, hicimos, 36:15.

F

fabla, habla, o sea: palabras, 29:41, 52:22.

ffabla, habla, 29 *título*.

fablado: *ovo f.*, hubo hablado, o sea: habló, 58:13.

fablando, hablando, 21:34, 123:12.

fablar, hablar, 18:129.

fablare, hablar, 73:18.

fablaria, hablaría, o sea: quisiera hablar, 52 bis:8.

fablasse, hablase, 123:5.

ffablo, fablo, habló, 14:7, 52 bis:10.

faç, hace, 68:23.

faca, haga (¿hay que entender 'hágase'?), 92:19.

facania, hazaña, o sea: decisión judicial que se da como ejemplo de las disposiciones de un fuero, 9:1. Cf. facaña, facañia, fazanna.

facanos, háganos, 60:47.

facaña, 9:8, v. facania.

facañia, 9:14, v. facania.

face, hace, o sea: es, 15:94.

face, cara, 60:48; *ff.*, 61:40.

façemos, hacemos, 46:3, 70:11.

façen, hacen, 100:15.

facendera, servicio personal, 6:23.

facenderam, servicio personal, 7:14.

facer, hacer, 46:21, 103:7. Cf. far, fazer, fer, fere.

facere, hacer, 6:23.

façiamos, hacíamos, 103:26.

faciant, hagan, o sea: pongan, 7:8.

facias, hagas, 64:11.

faciat, haga, 60:28; *non f. serna*, no haga (o sea: no labre) la serna, 7:14. V. penam.

facie, hacía, 20:59.

facie: *f. ad faciem*, cara a cara, 60:59.

faciem, cara, 60:59, 61. V. facie.

facien, hacían, 20:53.

faciendam: *ad f.,* para hacer, 89:33.
façiendo, haciendo, 75:46.
faciendum: *ad homicidium f.,* en asesinar, en matar, 61:10.
facientem, haciendo, o sea: cortando, 6:5.
facietis, haréis, 65:6.
facimus, hacemos, 94:4.
facinda, cosa, 15:33.
facinus, crimen, 61:20.
facio, hago, 41:2.
facit, hace, 60:19.
faciunt, hacen, 61:24.
facta, h e c h a, 9:1, 108:11; *ff.,* 108:15, 18, 19.
facto, hecho, 67:9, 108:11. V. **ipso.**
factum, hecho, *(substantivo)* 8:16, 87:19, 26, 42; *et f. fuerit,* y (si el crimen) se cometiere, 61:12; *f. est,* ha sido hecho, fue hecho, 66:11.
fadal, fatal, 29:3.
fadas: *f. malas,* desgracias, desdichas, 31:34.
fade: *f. maja,* ¿desdichado?, 25:3. (V. Coro., III, 201 b 57.)
fados, hado, 32:55.
faga, ffaga, haga, 10:5, 76:13, 118:5, 121:29; r e p a r a, 10:11; (que) haga, 27:36; *f. hy contraria,* haga contrariedad en cuanto a ello, 50:16. V. **sino** 59 bis:13.
fagades, hagáis, 43:8, 81:62, 111:23.
fagays, hagáis, 121:26.
fagamos, hagamos, 15:73.
fagan, hagan, 10:4; restauren, 10:9.
fagas, hagas, 114:29.
ffago, fago, hago, 49:3, 52:3.
fagua, haga, 72:13.
faguen, hagan, 72:22.
faŷ, cara, 53:6.
fayllandose, hallándose, 80:11.
fayllaron, hallaron, 80:6.
fayllis, fallese, 72:29.
fayllissen, fallesen, 72:30.
fayta, hecha, 72:3, 31. Cf. **fecha, feyta.**
faytor, v. **mal.**
falada, hablada, 15:34, 147.
falar, hablar, 15:53.
falcon (nombre propio), 50:7.
falcones, halcones, 14:5.
falye, halle, 57:5.
falyya: *sin f.,* sin duda, 57:20.
falyyando, hallando, 57:4.
falyyar, hallar, 57:2.
falyyarlo, hallarlo, o sea: hallarle, 57:5.
falyo, hallo, 57:1.
falra, faltará, **99:20.**

fals, falso, 96:14.
falsa, v. **cruzada.**
falšar, falsificar, 54:33.
falla: *sin f.,* sin duda, 21:11.
falla, halla, 27:10.
fallado, hallado, 27:16.
fallamos, hallamos, 22:10.
fallar, hallar, 15:78, 52 bis:6.
fallar, hablar, 52 bis:8.
fallara, hallara, 27:34.
fallaremos, hallaremos, 34:9.
fallaron, hallaron, 14:96.
fallase, fallaše, hallase, 21:21, 54:8.
falle, falte, 28:11; hallé, 52 bis:50.
falleçcan, falten, 102:5.
fallecio, perdió, 29:46.
fallen, faltan, 31:8, 99:21. V. **sin.**
fallesçe, falta, 31:3.
fallesçemos, faltamos, 27:5.
fallir, faltar, 16:2.
fallo, halló, 14:94, 81:22, 123:4; hallo, 15:137.
fambre, hambre, 114:9.
fames: *annos ... de f.,* años de hambre, 48:11.
famne, hambre, 61:66.
fanse, se hacen, 106:4.
far, hacer, 72:10, 96:6. V. **facer.**
fara, hará, 55:11; *do mester f.,* donde será (entiéndase 'sea') necesario, 108:9. V. **mester.**
farade, hará, 73:16.
faran, harán, 16:24.
faras, harás, 60:72.
farat, léase *farta,* o sea: harta, contenta, 57:4.
farchiles, ¿especie de clavos?, 104:16.
fare, haré, 54:30, 110:5.
faremos, haremos, 25:44.
faria, haría, 27:53.
fariemos, haríamos, 97:22.
farina, harina, 115:2.
ffaronea, haronea, 28:26.
farta, harta, 31:34.
farte, harte, o sea: contente, 57:5.
fascas, o sea, 21:75; *f. que,* ¿casi?, 25:22.
fasta, ffasta, hasta, 7:15, 26:14; *f. acabo,* hasta la cola, 14:64. V. **hata.**
fata, hasta, 10:4. V. **hata.**
ffauas, habas, 76:11.
faucinas, hocinos, 39:12.
faueyro (nombre propio), 51:4.
faula, habla *(substantivo)*, 102:14. V. **demostrado.**
faz, hace, 27:4.
ffazade, debe leerse *ffazades,* hagáis, 49:11.

fazanna: *palabra de f.,* sentencia, 21:70. V. **facania.**

faze, hace, 27:2, 73:4, 122:4.

ffazemos, fazemos, hacemos, 24:19, 48:2, 70:1.

ffazen, fazen, hacen, 24:6, 60:36.

fazendas, negocios, asuntos, 96:12. Cf. **fazienda.**

fazer, ffazer, hacer, 13:13, 24:12, 69:8, 123:15; *f. te he,* te haré, 25:26; *f. pro,* aprovechar, 52 bis: 14. V. **era** 21:64, **facer.**

fazertee, te haré, 59 bis:12.

fazi, léase *fazie,* o sea: hacía, 16:11.

fazia, hacía, 23:7.

fazja, hacia, 25:5.

faziamos, hacíamos, 22:25.

fazian: *aši mismo f. de,* lo mismo hacían (esto es, daban el equivalente de su peso) en, 54:18.

fazie, hacía, 16:9.

fazienda, hacienda, 13:2; asuntos, 52 bis:62; trabajo, negocio, 81:46. Cf. **fazendas.**

faziendo, haciendo, 21:47. V. **leinna.**

faziéndoles, haciéndoles, 31:41.

fazies, hacías, 16:20.

fazza, haga, 40:18*a.*

fe: *f.-que,* en verdad que, 18:139.

fe, fidelidad: *saluant la f. de,* sin menoscabo de la fidelidad debida a, 72:7.

fe, hizo, 96:4. (Cf. *RLR,* VIII, 1875, 63.)

febroarii, de febrero, 69:25.

februarii, de febrero: *Xº kls. F.,* el 23 de enero, 101:14.

fecerint, hicieron, 61:36.

fecerit, hiciere, 7:17.

fecerunt, hicieron, 8:31.

feci, hice, 1:3.

fecimus, hicimos, 5:17.

fecist, hiciste, 16:14.

fecisti, hiciste, 88:5.

fecistis, hicisteis, 65:5.

fecit, hizo, 7:1; *f. Deus ... suam uirtutem,* mostró Dios su voluntad, 8:32.

fectos, hechos, 10:5.

fecha, ffecha, hecha, 13:24, 24:19, 70:24, 101:4; *e f.,* he hecho, 20:8. V. **fayta.**

fecho, hecho (*participio*), 21:8, 105:21, 121:32; causado, 23:30; hecho (*substantivo*), ·81:9; caso, 21:31; *de f. ni de drecho,* ni arbitraria ni legalmente, 84:24; *la f.,* la ha hecho, 123:7, 9; *ff.,* hechos (*participio*), 75:50, 81:3; hechos (*substantivo*), 21:21,

81:3; negocio, asunto, 86:25. Cf. **feycho, feido, feyto.**

feguraš, ¿figuras?, 54:54.

feicha, hecha, 43:23.

feycho, hecho, 46:12. V. **fecho.**

feido: *sea f.,* ¿se ha hecho?, 97:1. V. **fecho.**

feyta, ffeyta, feita, hecha, 18:4, 50:19, 51:13, 68:22, 98:19, 104:14, 116:1, 120:36; *se son ff.,* se han hecho, han sido hechas, 83:52. V. **fayta, seydas** 83:64.

feyto, feito, hecho (*substantivo*), 55:12, 74:62, 110:5; hecho (*participio*), 95:4; *de f. nin de dreyto,* ni arbitraria ni legalmente, 83:3; *ff.,* hechos (*substantivo*), 111:20; hechos (*participio*), 112:25; *se son ff.,* se han hecho, 100:15. V. 86:23, nota. V. **fecho.**

feytor, v. **mal.**

felicitudine, felicidad, 60:66.

fembra, hembra, o sea: mujer, 15:15; *ff.,* hembras, 84:7.

femina, mujer, 94:11.

femineum, mujeril, 61:39.

feminis, mujeres, 4:11.

femos, hacemos, 100:14.

fenescer, fenecer, 86:7.

feniestra, ventana, 52 bis:9. Cf **finiestras.**

fer, hacer, 46:19, 54:39, 74:9, 93:8, 120:19. V. **facer.**

fere, hacer, 60:48, 61:10. V. **facer.**

feria: *VI.ª f.,* viernes, 8:30; *II f.,* lunes, 62:26.

feridas, heridas, 14:41.

feridos, azotados, vapulados, 102:47.

ferio, hirió, 74:57, 75:33.

ferir, herir, 14:50; hiriere, 43:17.

ferissan, ¿hiriesen?, 96:21.

ferle, hacerle (a su marido), 55:3.

ferme, persona que corrobora o garantiza algo, 74:75; *ff.,* 90:4.

fermeçe, firmeza, confirmación, seguridad, 71:23. Cf. **firmança.**

fermo, enfermo, 61:26.

fermosa, hermosa, 16:14.

fermosos, hermosos, 33:42, 55:14.

fermosura, hermosura, 32:41.

ferrada, cubo de pozo, 44:25.

ferradura, herradura, 104:21.

ferramientas, herramientas, 104:12.

ferrar, herrar, 104:20.

ferrenes, herrenes, 44:6.

ferrería, herrería, 104:11.

ferrero, herrero, 104:10.

ferriças, ferrizas, de hierro, 108:14.

ferro, hierro, 7:32.

ferron (nombre propio), 44:4.

fesme, hazme, 20:20.

festa, fiesta, 8:1, 47:15, 69:19.

festir, vestir, 16:37.

festiuitate: *in f.,* en la fiesta, 3:19.

festiuitatibus: *in f.,* durante las fiestas, 60:39.

fetila, flecha, dolor, 20:27.

fez, hez, 52:5.

fezier, hiciere, 43:18.

fezierdes, hiciereis, 43:6.

fezieren, hicieren, 42:6.

fezieron, hicieron, 52 bis:31.

fezieronše, hiciéronse, 54:50.

feziese, hiciese: *f. dar pregon,* hiciese pregonar, 52 bis:36.

fezieše, hiciese, 54:4. V. **pašo.**

feziessen, hiciesen, 97:14.

feziste, hiciste, 58:17.

fezo, hizo, 86:44.

fezot, hizo, 60:55.

fi: *f. de,* hijo de, 74:45.

fiador, v. **dreito** 102:24.

fiadors, fiadores, 69:21.

fiança, fianza, 74:16, 100:25; *donant les f. de dreit,* dándoles fianza, 72:19; *ita f.,* da fianza, 74:16.

fiat, hágase, sea, 104:9.

fiç, hice, 77:59.

fican, hincan, ¿entierran?, 61:18.

ficaran, ¿habían construido?, 6:16. (Cf. Löfstedt, s.v. *figere.*)

ficase, se hinca, o sea: linda, 46:6.

fiço, hizo, 99:18.

fiçon, hicieron, 99:16.

ficulnea: *cum una f.,* con una higuera, 64:10.

fidalgo, hidalgo, 25:27, 118:3.

fidanza, fianza, 94:12.

fidaza, fianza, 94:9.

fidele: *a meo f.,* a mi súbdito, a mi vasallo, 88:4.

fidelibus, v. **ceteris.**

fidelitate: *salua mea f.,* sin menoscabo de la fidelidad a mí debida, 65:15, 89:34. Cf. **fieldat.**

fidels, fieles, 72:11.

fidiador, fiador, garante, 40:14a. Se omite a veces el artículo en este texto: así debe entenderse *un fiador* en 40:14a, 19a, etc.

fidiator, fiador, garante, 8:7; *ff.,* 63:7.

fidiatorem, fiador, garante, 6:7.

fieldat, fidelidad, 83:21; *salua ... la f. ... nuestra,* sin menoscabo de la fidelidad a nosotros debida, 117:24. Cf. **fidelitate.**

fiera: *f. cosa,* extraordinariamente, muchísimo, 14:100.

fiere, hiere, 75:30.

fieren, hieren, 32:54.

fierga, hiera, castigue, 102:9; *quelo non f. la lança,* para que no le hiera la lanza, o sea: para que no se ponga en peligro de batalla, 51 bis:42.

fieri, hacerse, 62:30.

fiero, hierro, 115:12.

fierro, hierro, 13:9, 104:13; pieza de hierro en el extremo de una lanza, 75:4.

figo, higo, 15:8.

figura, imagen, 52 bis:50; cuerpo, 58:18.

fiya, fija, hija, o sea: muchacha, 43:16; hija, 75:35; *ff.,* hijas, 14:104. Cf. **filla.**

fijo, fiio, fiŷo, hijo, 14:128, 20:56, 54:23. 56:3, 71:2. Cf. **fiyos, filgo, filio, filo, fillo.**

fiyos, hijos, 43:7, 45:2. V. **fijo.**

filar, hilar, 31:35.

filare, hilare, 33:44.

filato, hilado, 39:10.

filgo, hijo, 92:10. V. **fijo.**

filia, hija, 93:15; *ff.,* 87:34. V. **dompna.**

filiabus: *f. uestris,* a vuestras hijas, 67:4.

filigreses, feligreses, 44:8.

filii, del Hijo, 2:1; los hijos, 60:61; *f. uestri,* vuestros hijos, 65:15.

filiis: *cum f. meis,* con mis hijos, 62:10; *et f.,* y a los hijos, 67:4.

filio, hijo, 10:18; 56:3; *cum suo f.,* con su hijo, 66:8; *suo f.,* su hijo (*acusativo*), 87:32; *ff.-dalgo,* hidalgos, 19:15. V. **fijo.**

filyol: *com si f. alyenu,* como si fueses hijuelo ajeno, 53:7.

filios, hijos, 12:4, 61:32; *una cum ff. meos,* junto con mis hijos, 62:30.

filo, hijo, 50:4. V. **fijo.**

filo, hilo, 109:28.

filla, hija, 74:12, 109:8, 111:30; *ff.,* 102:4. Cf. **fiya.**

fillaren, fillarent, cogieren, 6:4, 6. (V. *Or.,* 389-90.)

fillo, hijo, 11:2, 48:2, 55:11, 74:11, 111:1; *ff.,* 41:8, 83:48. V. **fijo, saquella.**

fin, fyn: *f. amor,* amor cortés, 18:55; *en f.,* al fin, 29:23.

finado, muerto, 58:15; *ser f.,* haber muerto, 86:22.

finamento, muerte, 50:14.

finare, finar, morir, 73:3.

fincada, fija, 20:28.

fincan, quedan, 14:75.

fincar, hincar, 102:36.
fincaron, quedaron, 81:59.
fincasse, quedase, 21:22.
fincassen, quedasen, 21:15.
finco, finko, quedó, 21:54, 54:13; quedo, 82:9; *f. el cobdo,* apoyó el codo para incorporarse, 14:86; *el rostro f.,* pegó el hocico a tierra, 14:89; *f. los genollos,* se hincó de rodillas, 81:61.
fine, muera, 70:17.
finem: *in f.,* al morir, 61:21.
fingunt, fingen, inventan: *f. et malas,* ¿hay que suprimir *et* y leer *f. malas,* o sea: 'se arrebolan las mejillas'?, 61:40.
finiestras, finyestras, ventanas, 14:17, 74:35, 120:13. Cf. **feniestra.**
finiuntur, mueren, 61:59.
finque, quede, 76:24.
finquen, queden, 108:7.
finquien, queden, 72:33.
firiestes, heristeis, 14:108.
firió, hirió, 32:74.
firma: *por f.,* como firma, 46:21.
fyrmalle, firmal, o sea: emblema, 28:18.
firmamientre, firmemente, 101:12.
firmança, firmeza, confirmación, seguridad, 68:29. Cf. **fermeçe.**
firmar, afirmar, confirmar, 102:29.
firmare, confirmar, 87:14.
firmassent, confirmasen: *f. suas terras,* facilitasen pruebas de su derecho a las tierras, 87:9. Cf. 87:25.
firmavit, confirmó, 87:35.
firme: *f. mente,* firmemente. 26:14.
firmedumne: *lengua de f.,* palabra segura, firme, 56:5; *por f.,* firmemente, 56:7.
firmes: *a f.,* firmemente, o sea: fuertemente y con voz alta, 20:50.
firmetud, v. **enseñorea.**
ffirmi, firme, 49:18.
firmitatis: *scriptura f.,* carta de corroboración, 7:1.
firmiter, firmemente, 64:15.
fisco: *in f.,* en el erario, 63:11.
fita, mojón, 1:4.
fito: *moione f.,* mojón o poste de piedra que sirve para señalar los límites de un territorio, 8:34.
fiz, ffiz, hice, 18:102, 25:52.
fiziemos, hicimos, 22:10, 111:14. V. **citar.**
fiziera, había hecho, 18:125, 23:18.
fiziere, hiciere, 102:25, 105:9.
fizieren, hicieren, 17:9.
fizieron, hicieron, 14:121.

fizies, hiciese, 18:36.
fiziese, hiciese, 18:34.
fiziesse, hiciese, 81:30.
fiziessen, hiciesen, 21:59.
fiziestes, hicisteis, 14:111.
fizo, hizo, 21:9; *f. a šaber,* hizo saber, 54:9.
fizol, fizole, fizolo, hízole, 23:2, 52 bis:9, 63.
fizose, hízose, o sea: hubo, 20:35; *f. descender,* se hizo bajar, 52 bis:78.
Flandinaa: *ego F. uos,* yo, Flandina, a vos, 93:1.
fletus, lloro, llanto, 60:53.
floquas, flecos, 109:28.
florezer, floreçer, florecer, 122:7, 12.
florjdas, canas, 73:6.
flum, río, 95:11.
flumine, río, 1:10.
fo, fue, 20:22.
focato, ahogado, acongojado, 61:16.
foçillola, ¿hoz estrecha?, 89:8. (Cf. *Or.,* 53: *Focilgolo;* y v. Coro., II, 960 b 30.)
fogaças, hogazas, 25:39.
fogar, hogar, 77:29.
foguera, hoguera, o sea: fuego, 25:38.
foyrya, huiría, 18:101.
folgança, descanso, 75:46.
folle, fuelle, 39:10.
fonda: *rodeome la f.,* volteó la honda en mi dirección, 25:18.
fondon, fondo, 52 bis:79; hondón, 89:23.
fondos: *a f. terra,* ¿en (¿o a?) la parte más baja del terreno?, 10:23.
fonnos, ¿la parte baja?, 91:4.
fonsadera, tributo que se pagaba en sustitución del *fonsado* o servicio militar, 7:27.
fonte, fuente, palabra usada como nombre propio en *f. Karsiçedo,* 2:12, y *f. Baiuue,* 6:4.
for, fuere, 40:44a.
fora, fuera, 48:16; *de f.,* de fuera, o sea: forastero, 40:51b.
foras: *f. end,* excepto, 11:8; *f. de Toledo,* a menos de (que vayan a) Toledo, 11:15.
foratos, agujeros, escondrijos, cavidades subterráneas, 89:7. (Cf. Coro., II, 944 a 36.)
força, fuerza, violencia, 72:18, 96:3.
forçados, forzados, obligados, 103:10.
forciar, forzare, o sea: violare, 43:16.

forçosamente, forzosamente, 37:56.
forma, fórmula, forma, 83:25.
fornecer, proveer, 82:5.
fornecido, provisto, 82:7. Cf. **fornido.**
fornicari, fornicar, 60:11.
fornicatjonem, fornicación, 60:19.
fornicio, fornicación, 61:19.
fornido, provisto, 113:18. Cf. **fornecido.**
forno, horno, 76:29.
foro: *al f.,* siguiendo el fuero, 9:4; *suo f.,* según su fuero, 9:12; *este f. ...,* entiéndase 'las ventajas materiales de este convenio...', 47:19; *ff.,* fueros, 17:4.
foron, fueron, 8:29; fueron, o sea: estuvieron presentes, 94:22.
foront, fueron, 48:11.
fors, fueros, 72:15.
forsitam, quizá, 60:32.
fortes, fuertes, duros, 48:11.
forteza, fuerza, 102:5.
fortitudine, fortaleza, 60:21.
forum: *intus villam habeant unum f.; extra villam habeant sua onrra,* dentro de la villa que obedezcan el fuero, y fuera de ella que actúen según su propio honor, 7:30.
forus, fuero, 104:9.
forzamiento: *f. conplido,* ejecución cumplida, 56:12.
fos, hoz, 89:13, 26. Cf. **foz.**
fosado, v. **enfosado.**
fose, fuese, 98:8.
fosse, fuese, 102:44.
fossen, fuesen, 95:28.
fot, fue, 60:3.
foxa, hoja, 122:1.
foz, hoz, 89:27. Cf. **fos.**
frade, hermano, 43:13.
frair, fray, 10:22. Cf. **fraire, freires.**
fraire, fraile, 20:13. V. **frair.**
franca: *f. mientre,* libremente, 102:42; *Vila f.,* Villafranca (nombre propio), 50:5.
franco, liberal, 31:46; *ff.,* libres, exentos, 78:39; 89:32.
francum, franco, libre, 67:13.
frankeza, franqueza, 57:27.
franqueças, franquezas, libertades, 100:23.
franquezes, franquezas, libertades, 72:16.
frassino, fresno, 89:7.
frater, fray, 38:1.
fratres, ¿frailes?, ¿hermanos?, 4:11; frailes, 32:2; hermanos, 60:36, 94:4.

frau, fraude, 112:41.
fraucato, fraukato, construido, 92:23, 25.
fre, fray, 46:3.
frecho, roto: *preciados por tiesto f.,* estimados en tanto como un tiesto roto, 56:18.
freires, freyres, frailes, 13:4, 49:21, 78:2. V. **frair.**
fryda, fría, 18:29.
frydor: *de la f.,* del frío, 18:40.
friores, fríos, 114:9.
frontada, frontis, o sea: ribera, 10:3.
fronte, frente, 10:21.
fructibus: *de f. suis,* de sus frutos, 60:19.
fructos, frutos, 22:20.
fructum, fruto, o sea: producto, 7:20.
fruchiguaras, fructificarás, 59 bis:9.
fruente, frente, 18:60, 27:30.
fruytos, frujtos, frutos, 76:12, 102:7.
fu, fue, 15:34; fui, 77:56. V. **linar.**
fue, fui, 52 bis 14.
fuego, v. **cuchiello.**
fuelya, tabla (¿lata?), 120:21. (V. Levy, s. vv. *folha, folhar.*)
fuemos, fuimos, 36:14, 56:2; *f. cenados,* habíamos cenado, 20:33.
fuent, fuente, 18:44.
fuer, v. **cudado.**
fuera, había sido, 21:77, 52 bis:44; fuera de 77:28; *f. io,* salvo yo, 20:58.
fueras, fuera de, 13:19; afuera, 20:55; fuera, 60:52.
fuerca, fuerza, 86:44.
fuerça, ffuerça, fuerza, 21:64; violencia, 70:10; *leyes del derecho de f. & de enganno,* (?), 24:8; *ff.,* fuerzas, 83:9; fortalezas, fortificaciones, 83:32.
fuerça'l: *f. fizo,* le hizo violencia, 74:27.
fuerent, fueren, 61:60.
fueret, fuere, 61:16.
fuerint, v. **advenientes.**
fuerit, fuere, 7:11; *mortuus f.,* muriere, 61:27; *ausus f.,* osare, 63:9.
fuero: *f. notados,* fueron contados, 14:66.
fuerom, fueron, 79:15.
fuert, fuerte, 81:18. V. **mientre** 16:7.
fuerte: *más f.,* peor, 31:32. V. **mientre** 14:1.
fuerunt, fueron, eran, 65:7; fueron, marcharon, 87:23.
fues, fuese, 107:10.

fuese, se fue, 52:29, 52 bis:32, 81:57; *f. en pesar,* pesase, 18:137.

ffuesen, fuesen, 24:25.

fuesse, fuese, 12:3.

fuessen, ffuessen, fuesen, 21:41, 24:25.

fuest, fuiste, 16:25.

fueste, fuiste, 16:26.

fuy, huye, 52:27; fui, 79:19.

fuyen, huyen, 113:12.

fuyllas, hojas, 77:58.

fuyme, v. desatyrizjendo.

fuimus, fuimos, 94:6.

fuyo, huyó, 27:16.

fuyr, fuir, huir, 29:21, 32:30.

fuyra, huirá, 105:28.

fuisset: *dicit ... non f.,* dice que ... no era, 61:46.

fuit, fue, 5:14.

fula, fulano, 40:7*a.*

fulán, fulano, 74:50.

fundamjentos, fundamentos, 120:9.

fundata, plantada, 62:4.

fur, fuere, 43:10.

fure, fuere, 15:17.

furon, fueron, 49:25.

furos, fueros, 7:3.

furtada, hurtada, 102:27.

furtado, hurtado, 102:35.

furtar, hurtar, 27:28.

furto: *cum f.,* en el acto de hurtar, 7:23; *a f.,* a hurto, 74:30, 102:20.

furtu, hurto, 61:1.

furtz, hurtos, 106:4.

fus, fuese, 72:20.

ffuse, fuese, o sea: sea, 49:14.

fust, fuiste, 16:16.

fust, madera, 13:9, 115:5; palo, 102:36.

fusta, madera, 120:21, 24.

fuste, madera, 108:15.

futuris: *tam presentibus quam f.,* tanto para los de ahora cuanto para los por venir, 7:2.

futurum: *f. esse,* ser, que será, 60:58.

G

gaçapo, cría del conejo, 25:38.

gafo, leproso, 52 bis:2.

gaha, leprosa, o sea: fea, 25:9.

gayllos, gallos, 75:10.

galea, yelmo, 60:56.

galleta, cántaro o vasija para medir vino, 91:2, 115:4.

gallicano, galicano, 21:74.

gallicos, gálicos, o sea: franceses, 33:30.

gallos: *a los mediados g.,* a las tres de la madrugada, 14:33.

ğamas, jamás, 57:2.

ganados, bienes, 13:21.

ganançia, botín, 14:65.

ganara, había ganado, 21:24.

ganare, ganar, 73:11.

ganato, ganado, 5:11.

ganonges, canónigos, 12:5.

ganxos, ganchos, 115:4.

gar, di (*imperativo*), 53:8; *g. me,* dime, 53:4.

garid: *g. vos,* decid(me), 53:12.

garnacha, vestidura talar con mangas, jubón, 25:29.

gasajado, agasajo, 28:2.

gasalianes, compañeros, 1:6.

gastando, haciendo estragos, 95:12.

gaudioso, gozoso, entiéndase 'gozosos', 60:48.

ge: *g. lo,* se lo, 31:53. Cf. **gela, gelo, ie** 18:75, **ielo.**

geitat, echa, 60:18.

gela, se la, 14:26. V. **ge.**

gelemo, yelmo, 60:56.

gelo, se lo, 14:122, 81:55. V. **ge.**

gemecando, gimiendo, 114:31. (V. la nota al texto.)

geminauerit, duplicare: *eo quod g.,* por haber duplicado, 61:22.

gendre: *uos ... mon g.,* a vos ... mi yerno, 93:2.

generatjo, familia, 8:19.

generatjon, familia, 47:9.

generatione: *a mea g.,* a mi generación, a mi descendencia, 88:15.

genero, enero, 69:3.

genitura, nacimiento, 84:6.

genollos, hinojos, 102:10; *finco los g.,* se hincó de rodillas, 81:61.

gent, gente, 81:18, 102:12, 113:1.

gentar, yantar, o sea: comida, 40:17*a.*

genuos: *in g.,* ingenuos, libres, 89:32. V. **engenobo.**

gera, guerra, 15:85.

germani, hermanos, 87:12.

germano, hermano, 6:22, 41:7; *ad ... suo g.,* a ... su hermano, 92:10; *gg.,* 5:15. V. **aviu.**

gerrare, errar, 60:25.

gerras, guerras, 97:9.

geruadgo, herbaje, pasto, 74:78.

gessit, hizo, 60:55.

gestiunt, llevan, 61:39.

gestra, extra, o sea: a excepción de, 61:51.

get, es, o sea: está, 60:45. Cf. **ye, yes, jet.** V. **honore.**

gil (nombre propio), 48:1.

giro: *a g.,* alrededor, cerca, 87:6.

gisavan, preparaban, 58:21.

gitar, echar, 112:43.

gite, eche, 112:28.

gladium, espada, 60:18.

glesia, iglesia, 98:9.

gloriosisime: g. ... Virginis, de la muy gloriosa Virgen, 3:5.

goardada, guardada, 86:23. Cf. guardada.

goardandosse, guardándose, 81:33.

goardar, guardar, 83:40; ¿observar (estas condiciones)?, 80:43. Cf. guardar.

goardare, guardar, proteger, 73:23.

goarezca, sane, 75:16.

goarida, curada, 75:17. Cf. guarida.

goarnida, guarnecida, 75:33.

goarnidos, guarnecidos, 81:27.

goarniment, adorno, 75:32. Cf. guarniment.

goarnir, guarnecer, 75:31. Cf. guarnir.

gobernaret, alimentare, 61:33.

gordeza, grosura, 120:12.

governador, gobernador, 108:12.

gouernaledes, le alimentaréis, 44:17.

grabe, grave, 61:26.

grada: i una g. mas, y un grado más. (El marido tiene la apariencia de ser aun más caritativo, etc., de lo que se exige), 55:6.

grado, gracias, 14:8; en g., de gusto, 29:32.

Grallass (¿nombre propio?), 89:11.

gramatgos, gramáticos, o sea: secretarios, 15:122.

gramaticus, gramático, secretario, 64:2.

grameo: en g. la tiesta, ¿sacudió la cabeza?, 14:13.

gran: tan g. ben, tanto, 18:92. V. cousa 49:8.

grand, grañd, grande, 14:22; gran, 51 bis:44. V. tienpo 52 bis:43.

grandas, grandes, 97:9.

grando, grande, 54:14. (V. Yúcuf, 75.)

grant, gran, 14:35, 81:9, 111:8, 113:9; mucha, 95:17.

granzaua, granizaba, 25:21.

grat: per g., de grado, 96:3.

gratia, gracia: g. Dei, [per] Dei g., por la gracia de Dios, 2:2, 65:3, 67:2; eius g., por su gracia, 19:1.

grege: de g., de grey, 8:36.

gressum, entrada, 3:8.

grossa, gruesa (opuesto a menuda), 104:18.

guay!, ¡ay!, 28:21.

guardada, respetada, 121:29. Cf. goardada.

guardado: se ha g. ... de, ¿se ha reservado ... el derecho de?, 121:9.

guardando, mirando, 114:39; g. vos ... de, evitando, 121:31.

guardar, respetar, 121:26. Cf. goardar.

guardara, había guardado, 52 bis:43.

guardartee, te guardaré, 59 bis:12.

guardeys, guardéis, respetéis, 121:25.

guardolo, le miró, 81:61.

guarecer: uos g., (que) os mantengáis, (que) os ganéis la vida, 47:20. Aquí tiene el infinitivo valor de optativo.

guarecistes, os mantuvisteis, os ganasteis la vida, 47:21.

guarescer, guarecer, sanar, 37:30.

guaresciere, guareciere, sanare, 52 bis:30.

guaresciese, guareciese, sanase, 52 bis:5.

guaresciovos, os guareció, os curó, 52 bis:17.

guarescistes, guarecisteis, sanasteis, 52 bis:15.

guarida, curado, 20:44. Cf. goarida.

guarido, curado, 52 bis:21.

guarimiento, mantenimiento, 48:12.

guarneçen, equipan (¿arman?, ¿refuerzan?), 113:15.

guarnido, provisto, armado, 114:2.

guarniment, adorno, 109:27. Cf. goarniment.

guarnimentos, adornos, 16:36.

guarnir, equipar, armar, 96:18. Cf. goarnir.

guarnizones, armas defensivas, 14:47.

guarr, mantener, 49:25.

guascon, gascón, 92:11.

gubernador, gobernador, 71:13.

gubernar, gobernar, 71:20.

guec: g. ajutuezdugu, ¿nosotros no nos arrojamos?, 60:17. (V. Or., 467.)

guego, juego, 14:97.

guera, guerra, 15:24.

guerfanas, huérfanas, 117:7.

guerrioron, guerrearon, 95:24.

guerto, huerto, 81:57, 120:10.

guimero (nombre propio), 100:16.

guisa, manera, 56:17; g. d'un, a manera de un, 16:9.

ǧura, jura, 58:17.

gustat, gusta, 60:20.

gutas, gotas, 93:20.

H

ha, habetis, hauia y demás voces escritas con h inicial, búsquense como si la *h* no existiese. (Nos limitamos a insertar aquí las palabras de nuestros textos que principian por *h* árabe, la cual se escribe en el texto, pero no aquí, con punto debajo, como es usual en la transcripción de esta consonante).

habīb, amigo, 53:1. Cf. **'l-habīb.**
habībī, amigo (*genitivo*), 53:9.

I - J - Y

I., Johan, 69:4.
ī, mil, 62:26.
hi, i, j, y, hy, allí, 11:7, 16:20, 17:8, 19:7, 21:9, 40:12*b*, 44:16, 46:21, 47:21, 49:8, 52 bis:50, 55, 80; 72:10, 75:38, 76:12, 98:10; y, 17:8, 42:5; en ellas, 70:6; de ello, 103:2; en ello, en el asunto, 16:2, 112:41; *quanto i a,* cuánto tiempo hace, 15:96; *valer y a,* en ello valdrá, 27:40; *y sera,* ¿estará allí?, 59 bis:25; *hi similia,* léase *his similia,* cosas semejantes a éstas, 61:41; *las y,* se las (cf. **lay, loy**), 74:1; *hi ha,* hay allí, 113:5. A veces tiene esta palabra escaso valor semántico como adverbio de lugar, siendo empleado como lo son ahora *y, en* en francés. Cf. **hide.**
hya, ya, yā, ia, ja, ¡oh!, 14:85, 114; 53:3, 15; y, 46:17, 19; es, 47:7; ya, 48:8, 119:1; *pechar nos y.,* nos pecharía, 26:22; *y. quanto,* v. **quanto** 105:5.
i-abiltado, v. **abiltado.**
Iaccensis, de Jaca, 64:7.
iace: *i. in scripto,* está escrito, 15:125.
jacente, acostado, 39:16.
iacet, yace, se halla, 62:6.
jactarunt, echaron, 39:18.
Jahudan, Jahuda en, o sea: Jahuda de ellos, 99:20. V. **end.**
yamava, llamaba, 59:4.
iammais, jamás, 43:7.
janero, enero, 110:11.
yantar, iantar, comer, 40:17*b*, 47:18.
yantes: *que y.,* para que yantes, o sea: para que comas, 25:35.
ianuarij, de enero, 41:4.
yaquanto: *y. tiempo despues,* durante algún tiempo después, 21:78. Cf. **quanto** 105:5.
jaqueses, de Jaca, 103:30, 109:11.
yaves, llaves, 59:9.
iaz, yace, o sea: se encuentra, 46:6; *i. hu chamam Bergonno,* yace (o

sea: se encuentra) en el lugar que llaman Bergoño, 50:5.
jazen, yacen, o sea: se presentan, 17:7.
jazia, yacía, o sea: estaba echado, 16:6.
yazien: *que tu y. sobre ella,* sobre la cual estás yaciente (o sea: acostado), 59 bis:8.
yazies, yacíase, o sea: estaba echado, 14:70.
yazio, yació, o sea: se acostó, 59 bis:3.
hyba, iba, 123:22.
ibant, iban, 6:23.
ibat, iba, 6:25.
ibi, hibi, jbi, allí, 1:3, 6:13, 7:4, 38:8.
ibidem, en el mismo lugar, 3:7.
jbis, irás, 60:52.
hic, aquí, en esto, 7:5, 62:33.
id: *i. est,* a saber, esto es, 1:6, 39:2, 62:8; *i. sunt,* a saber, 63:7.
ᶜidda, espacio de tiempo durante el cual la mujer enviudada o divorciada no podía casarse de nuevo, de manera que *sines del ᶜidda de muert del* quiere decir: 'libre del plazo de probación resultante de la muerte de un marido', 55:19.
hide, allí, 113:17. Cf. **hi.**
ides, vais, 15:79.
idme, id para mí, 15:119.
ydolorum, de [los] ídolos, 60:3.
ydolos, v. **aguardadores.**
ydoneo, apto, 77:36. (Cf. Coro., II, 986 b 41.)
idque, y él, esto es, y el niño, 61:20.
idus: *secundo i. may,* el 16 de mayo, 8:1.
ie, ye, y, 16:30, 42:2. Cf. **yela.**
ie: *i.-las,* se las, 18:75, 123; *i. la,* se la, 102:28, 33. V. **ge.**
ye, es, 55:14; *y. querellante de ti,* es querellante (o sea: se está quejando) de ti, 40:8*b*. V. **get.**
yeba, lleva, 59:10.
yed, es, o sea: está, 53:16.
yegoa, yegua, 85:5.
jejunandum: *j. esse,* ser para ayunar, 61:44.
yela, y la, 48:5. Cf. **ie.**
ielo, se lo, 74:47. V. **ge.**
i-ell-algo, v. **algo.**
yen: *conbidar le y.,* le convidarían, 14:21.
ieneyro, enero, 50:20.
jenero, enero, 79:8, 99:7.
ienollo, estirpe, raza, familia, 94:10.

yentes, ŷenteš, gente, 14:29, 54:1; **laš y. šeñalado,** la gente señalada (o sea: distinguida), 54:11.

hientes, gentes, 95:23.

yera, era, 54:3.

yeramos, éramos, 48:10.

yermanellaš, hermanitas, 53:12.

jerras, yerras, 60:72.

yeruas, hierbas, 18:43.

yes, yeš, jes, es, 44:5, 54:35, 100:28, 103:17, 104:8, 108:6, 112:5, 116:7; eres, 53:8, 60:71. **V. get.**

jestos, gestos, 31:15.

Iesu: *I. Christi,* de Jesucristo, 67:1.

jet, es, 60:63, 61:44. **V. get.**

if..., (?), 89:7.

jfant, infante, o sea: niño, 16:9.

yfantes, infantes, 14:69.

yffançon, infanzón, 75:5; *yy.,* 75:2.

igitur, por consiguiente, 63:1.

igneum, fuego, 9:21.

ignorans, sin saber, 61:65.

ygoales, iguales, 77:38.

Jhesu: *J. Christo, I. Xristo,* Jesucristo, 60:43, 81:1.

Ihu: *I. Xristo, j. xpo,* Jesucristo, 77:3, 8.

hii, estos: *h. qui,* los que, 61:23.

yireym'a, iréme a, 53:4.

il, le, 40:20*a;* ¿allí?, 40:44*a.*

ila, la, 38:6.

jlo, el, 38:8.

illa, la, 62:5, 64:9, 89:5, 90:2; la (¿aquella?), 3:11, 39:15, 87:20, 25; *de i.,* de la (¿de aquella?), 87:24.

illam, la, 64:8, 67:10.

illas, las (¿aquellas?), 4:8, 62:23, 65:7, 87:6, 11; las, 89:16; las (*pronombre acusativo*), 87:7; ellas, 93:17.

ille, él, 39:16; ¿él?, 63:16; el, 87:28; el (¿aquel?), 62:14, 87:7; el, aquel, 62:21. **V. domno** 62:14.

illi, los, 6:9; ellos (¿aquellos?), 6:10; le (*dativo*), 62:16; ellos, 87:17; los (¿aquellos?), 87:19, 22.

illis, les, 87:24. **V. iudicabit.**

illius, de él, del mismo, 64:1; *i. mobilis,* de los bienes movibles, 7:19.

illo, aquel, 40:22*a; de i.,* del (¿de aquel?), 1:8, 39:18, 87:13; *jn i.,* en él, 60:31; *de i. portico,* del pórtico, 64:8; *super i. term:num,* sobre el (¿aquel?) lugar, 87:9; *debiserunt i. termino,* dividieron el lugar, 87:16. **V. ortal.**

illores, sus, 90:4. Cf. **lor, lur, lurs.**

illorum, de aquellos, 1:6.

illos, aquéllos, ellos, 65:9; **ellos,** 87:18, 93:16; los (*pronombre acusativo*), 89:32; los (*artículo*), 92:17.

illud, ¿hay que leer *illuc,* o sea: allí?, 7:7.

illum, lo, 39:18, 67:12.

illumicionem, ¿iluminación?, 64:14.

imbio, envió, 81:51. **V. embiod.**

imfinito, infinito, 85:17.

immortalidad, (la) inmortalidad, 36:3.

imos, ymos, vamos, 15:63, 27:25.

impediment, impedimento, 84:23.

jmperium, imperio, 60:43.

jmpetu, fuerza, violencia, 85:2.

jmplere, cumplir. **V. dissimulant.**

impleri, llenarse, 66:4.

jmpletur, se cumple, se realiza, 60:31.

in, jn, en, 1:2, 38:1; a, 39:18, 60:6. **V. bonis.**

inAslanzon, al (río) Arlanzón, 8:35.

inbiar, enviar, 79:5. **V. embiod.**

inçessantemente, incesantemente, 33:39.

inciderunt, cortaron, 6:8.

incipiunt, empiezan, 60:12.

jncludjdas, incluidas, encerradas, 112:2.

incorrido: *sia i. ... en,* incurra en, merezca, 118:10.

jncorrjmjento, incurrimiento, 117:19.

incultis, v. cultis.

incurrerint, incurriere, cayere, 61:17. **V. interitum.**

jncurrit, sucede, 60:29.

inde, de allí, 1:13; de ella, 64:13; de él, 67:14; *ex i.,* ¿de ello?, 3:15.

indias, en días, o sea: en tiempos, 6:21.

indie, de día, 6:14.

indignus, indigno, 87:47.

jndirectament, indirectamente, 103:25.

indirecte, v. directe.

indiuidue, v. sancte 2:1.

jnebriari: *j. se,* emborracharse, 60:38.

inedie, de abstinencia, 61:66.

infamaberit, infamare, 61:6.

infançon, infanzón, 7:29.

infançons, infanzones, 72:14, 106:12.

ynfante, infanta, 29:11.

infanzonas, exentas, 88:9, 12. (Cf. *VM,* s. v. *infançon:* 'propio del infanzón o perteneciente a él'.)

infer, entre, 93:16.

inferiori: *infernum i.,* ¿en el profundo infierno?, 87:43.

inferno: *in i.,* en el infierno, 88:16, 89:37.

inferno, infierno, 46:14. **V. inferiori.**

infiernu, infierno, 42:12.
infinita, v. secula.
infra, bajo, 64:8.
infrascriptos, infrascritos, 120:1.
jngeenna, en Gehena, en el infierno, 60:17.
ingenuam, libre, 64:12. V. engenobo.
ingenui, libres, 3:18. V. engenobo.
ingenuos, v. genuos.
Yngla, v. terra.
inienuum, ingenuo, libre, 67:12. V. engenobo.
jnila, en la, 38:4.
jnilo, en el, 38:2.
iniusta, injusta, 35:9.
jnjuste, injustamente, 60:28, 38.
jnjustorum, de los injustos, de los tiranos, 60:64. V. habitationes.
inmanu, en presencia, 8:27, 31. Cf. manu.
inmissistis, ¿enviasteis?, 93:4.
inpanno: i. tiraz, ¿de paño bordado?, 39:7.
inpietate, falta de respeto para con los padres, 61:7.
inpignorare, empeñar, 67:14.
inpignus: mitto ... i., empeño, 93:3.
jnplire, ¿henchir?, 60:35. (El significado de la palabra así glosada es 'cumplir'.) V. tardarsan.
inportunidat, importunidad, solicitud apremiante, 86:20.
inpreinnaret, se empreñare, 61:20.
jnpugnaui, impugné, acometí, 60:10.
jnquid, dice, 60:74.
inserna, en la serna, 6:19.
insines, insignes, 32:3.
insinias, insignias, 32:8.
jnsinuo, introduzco, 60:41.
jnstant, instante, 112:14.
insuper, además, 65:10.
inter, entre, 4:11; i. Iofred ... & dompna F., Iofred ... y doña F., 93:14.
jnteresse, daño, perjuicio, 103:33.
interitum, destrucción, aniquilación, ruina: in hunc i. incurrerit, muriere de esta manera, 61:17.
interposita: i. persona, el que interviene en un acto jurídico por encargo y en provecho de otro, aparentando obrar por cuenta propia, 83:4, 84:25.
intitulados, nombrados, 84:18.
intra, en, 7:19.
intrant, entran, 93:19.
introierunt, entraron, 87:21.
intus: i. villam, dentro de la villa, 7:30.
inueni, hallé, 1:2.

inuenire, hallar, 4:8.
jnuestito, ¿revestido, cubierto?, 39:7.
inuidiam, envidia, 60:18.
hyo, jo, yo, 14:39, 73:10. V. fuera 20:58.
jocastigo, yo advierto, yo enseño, 60:41.
iocx, juegos, 106:8.
jodicio, juicio, 92:19.
jodio, judío, 119:16.
iogadors, jugadores, 106:1.
iogar, jugar, 106:6.
iogaran, jugarán, 106:8.
jogo, yugo, 17:12.
ioguen, juegan, 106:3; jueguen, 106:13.
iogui, yací, 20:42.
yol, yo le, 18:138.
jornada, ¿medida de tierra?, 113:4.
Ioslatdit (¿nombre propio?), 89:18.
you, yo, 47:2.
joues, jueves, 68:7.
youo, hubo allí, 14:132.
ipsa, la misma, esa, 5:10, 62:21.
ipsam, la misma, esa, 1:5, 64:15.
ipsas, esas, 5:6; las mismas, esas, 62:20, 87:10.
ipse, él mismo, 7:26; tu j., tú mismo, 60:70.
jpsi, los mismos, 60:34, 35.
jpsis: ex j., de [entre] los mismos, 60:20.
ipso, el mismo, dicho, 62:9; in i. loco, en aquel lugar, 1:5; i. facto, en el acto, por el mismo hecho, 118:10.
iqsta, esta, 1:9. (¿Se trata de una forma átona de aquesta?)
yr, entiéndase que vaya, 37:2; y. so carrera, ir en paz, 102:41.
yran: y. allá la soga y el calderón, se dejarán caer al pozo la soga y el calderón, o sea: se perderá lo secundario y lo principal, 37:24.
jrascuntur, se enojan, 60:33.
irati: i. sunt, se ensañaron, 8:5.
hirmitaño, ermitaño, 23:11.
his, v. diebus 61:65.
Ysaac, de Isaac, 93:15.
yson, allí son, o sea: allí están, 14:92.
yssament, asimismo, 72:1.
yssen, suceden, 106:4.
ista, esta, 9:24, 67:9; estas cosas, 60:33.
istas, estas, 6:10.
isti, este, 48:13.
istis: de i. duobus mauribus, de estos dos moros, 65:7.

K

L

l, le, 54:37.

'l-bišāra, noticia. V. bona 53:10.

'l-habīb, el amigo, 53:16. Cf. habīb.

l'otro, el otro, 74:36.

'l-rahīma: *matre 'l.,* madre compasiva, 53:5.

l'uno, el uno, 74:36.

la, las, 15:6; *l. fecho,* la ha hecho, 123:7, 9; *l. consejado,* la ha aconsejado, 123:7; *l. mandado,* la ha mandado, 123:10.

labaca, la vaca, 8:15.

laborabi, edifiqué, construí, 5:6.

laboramus, laboramos, trabajamos, 60:15.

laborare, labrar: *ad l.,* para ser labradas, 87:5.

labore, labor, 38:1.

labores: *las l. de to tierra,* los frutos de tus campos, 102:7.

labradios, tierras de labor, 6:2.

labraredes: *l. bien de sus lauores,* labrareis bien, 44:14.

labratio, tierra de labor, 6:3.

labredes, labréis, 44:11.

labros, labios, 18:66.

lac., abreviatura que significa 'laguna', 64:3.

laçdrada, penada, 20:7.

lacerantes, que lastiman, despedazan, 61:61.

lacerio, laceria, miseria, 20:30.

lagar: *viga l.,* viga de lagar, 14:80.

lagostas, langostas, 102:17.

lay, se la, 102:22. V. y 74:1.

laycus, lego, 7:28, 61:48.

layno, el año, 78:59. V. ayno.

layron, ladrón, 96:18.

laiscaret, dejare, 61:32.

laisces, dejes, 60:73.

laltra, la otra, 72:47. Cf. altra.

lamando, llamando, 14:95.

lança, lanza, 14:54; *onbre de veynte ll.,* militar que tenía bajo su mando veinte de caballería, 31:42. V. fierga 51 bis:42.

lançada, lanzada, 73:19.

lançdada, penada, 20:30.

lanyo, el año, 79:11. V. ayno.

lannyo, el año, 79:8. V. ayno.

lano, llano, 66:8.

laor: *dierdes a l.,* diereis (o sea: sacareis) de su labor, 44:13; *labraredes bien de sus ll.,* labrareis bien, 44:14.

lApostoli, el papa, 97:3. Cf. apostoli.

lasacaron, la sacaron, 8:14.

lasangre, la sangre, 73:6.

lascabet, dejó, 92:37.

lascabimus, dejamos, 87:17.

lasheredades, las heredades, 44:6.

lastymadas, lastimosas, 35:16.

latro, ladrón, 7:24.

latronem, ladrón, 7:22.

latrones, ladrones, 9:2.

lauer, el haber, 100:27. Cf. aver.

lauorias, campos labrados, 50:15.

lauradores, labradores, 75:22.

laurar, labrar, 43:10; labrare, 43:11.

laurardes, (vosotros) labrar, o sea: labraréis, 50:13. V. leuaren.

lauraren, labraren, 11:13.

laxadas, dejadas, 96:11.

laxaran, dejarán, 117:8.

lazería, miseria, 31:34.

lazrado, penado, 57:13.

le: *llaman l. Barcelona,* la llaman Barcelona, 21:18; *se l. son ia acostados,* ya se les han arrimado, 100:4; *ll.,* los, 72:1, 106:3; las, 72:5.

lealment, lealmente, 76:13.

lealmientre, con la debida buena fe, 43:22.

lealles, leales, 83:23.

leba, lleva, o sea: va, 38:7.

lebalo, llévale, 54:22.

lebando, ¿llevando?, 60:64.

lebantai, levanté, 60:6.

lebantaui, levanté, 60:8.

lebantoše, levantóse, 54:25.

lebaron, llevaron, 38:4. V. enfosado.

lebartamus, te llevaremos, 60:63.

lebolo, le llevó, 81:71.

Lecina, encina, 89:20.

lecto, cama, 39:16; *ll.,* electos, 112:15.

leendas, leyendas, o sea: escritos, 21:76.

legals, legítimos, 72:33.

legarte: *a ob l.,* dónde alcanzarte, 53:4.

lege, según la ley, legalmente, 87:11; la ley, 87:16.

legente, leyente (*substantivo*), 62:30.

legentibus, a los que leen, 87:45.

legitimament, legítimamente, debidamente, 83:18, 103:27.

lego, llegó, 14:60.

legoas, leguas, 75:19.

legumnes, legumbres, 76:11.

lei, ley, religión, 95:17, 108:3, 118:3; *de todas sus ll.,* ¿de todas sus maneras?, 32:26; *ll. del derecho de ffuerça & de enganno,* (?), 24:8.

leyal, leal, 54:7.

leyalment, lealmente, 72:11.

leyals, leales, 72:12.

leyas, v. **lexas.**

leye, lee, 77:6.

leyer, leer, 18:113, 77:6.

leŷítimo, legítimo, 54:23.

leinna, leña: *l. faziendo,* cortando leña, 74:68.

leio, lecho, 16:4.

leyr, leer, 112:21, 39.

leys, leyes, 21:69.

leyssa, legado, manda hecha en un testamento, 74:11. Cf. **lexas.**

leyt, leche, 69:12.

leyto, lecho, 81:58; *sobre l.,* sobre-cama, colcha, 115:1.

leyxardes, (vosotros) dejar, o sea: dejaréis, 50:14. V. **leuaren.**

lela, se la, 43:13.

lemosis, lemosines, 33:28.

len, leen, 51 bis:32.

len: *l. aiudassen a deffender,* le ayudasen a defenderla, 97:16. V. **end.**

lena: *paul de l., val de L.* (¿nombre propio?), 89:8, 11. V. **paul, val.**

lengua, v. **firmedumne** 56:5.

lenna, leña, 21:39.

lenzo, lienzo, 39:11.

lenzuelo, mortaja, 16:5.

les, los, 43:1, 72:1, 106:3; las, 72:5; *l. nos,* nosotros les, 26:21.

lēš, ¿lo sé?, 53:17. (V. *RFE,* XXXIII, 321.)

lesar, dejar, 55:2. V. **bien** 55:2.

lesca, deja, 92:5.

lesglesia, la iglesia, 97:18. Cf. **esglesia.**

lešo, dejó, 54:15.

letitia, alegría, 60:62.

letras, carta, 119:1, 120:3.

leuabimus, llevamos (*pretérito*), 5:8.

leuada: *le aurán l.,* le habrán (entiéndase 'hayan') llevado, 102:20.

leuado, llevado, 21:65.

leuantaronle, lo inventaron, 21:71.

leuantaua, levantaba, o sea: levantó, 14:113.

levantodse, ¿hubo un alzamiento?, 9:15.

leuantoron, levantaron, nombraron, 95:20.

leuantosse, se inventó, 21:67.

levar, leuar, llevar, 52 bis:9, 105:8.

leuara, había llevado (¿llevó?), 21:14.

leuará, llevará, 104:2.

leuare, llevare, 10:11; (te) llevaré, 25:25; *quando el maiolo l.,* cuando la nueva viña fructifique, 10:15.

leuaren, llevar: infinitivo con terminación personal empleado con fre-

cuencia en Salamanca, y hoy en Portugal, 51 bis:40. Cf. **laurardes, leyxardes.**

leuaron, llevaron, 74:40.

leuaronse, se fueron, 8:1.

leuarunt, llevaron, 39:2.

levase, llevase, 58:15.

levavan, llevaban, 20:49.

levaverit, asistiere, 7:6.

levela, llevéla, 52 bis:49.

leuem, levantéme, 18:103.

levo, llevó, 52 bis:55.

leuon, o sea: *leuom,* llevóme, 25:34.

leuos, se fue, 8:19.

lexa, deja, 44:22.

lexada, dejada, 114:4.

lexado, dejado, 102:41.

lexaran, dejarán, 117:9.

lexas, empréstitos, préstamos, 99:20 (¿vale lo mismo **leyas,** 99:18?); dejas, 114:24. Cf. **leyssa.**

lexen, dejen, 105:14.

lexo, dejó, 81:28, 95:22.

li, ¿uso pleonástico del artículo *el*?, 53:16. (El artículo está ya incluido en 'l-ḥabīb.)

li, le, 7:23, 20:66, 61:18, 70:7; *uala l.,* válgale, 40:12a. Cf. **lis.**

ly, ¿el?, 69:18. V. **bleu.**

lial, legítimo, 98:2.

lyamar: *l. lo,* llamarle, 57:6.

lyanto, llanto, 58:11.

libenter, de buena gana, 60:42.

libenti: *l. animo et spontanea uolumtate* o *uoluntate,* de mi motivo propio, 64:6, 65:4.

liberabimus, liberamos (*pretérito*), 3:17.

liberam, libre, 64:12.

liberas, libres, 88:9.

liberi, libres, exentos de servicio, 3:18.

libertat, libertad, 83:54.

liberum, libre, 67:12.

libram, libra, 64:15.

librar: *de l.,* despejar, vaciar, 51 bis:9; *ella l.,* debe leerse *ell alibrar,* o sea: el parto, 54:51. (V. *Yúçuf,* 76.)

libredes, libréis, 28:16.

libres, libras, 72:32. Cf. **liura.**

libro: *in l.,* en el libro, 61:55.

librol, libróle, 23:48.

liças, obstáculos, empalizadas, 113:3, 13. (V. Coro., III, 114 a 14, y *SN,* XXXII, 96 n. 1.)

licet, se permite, 61:17; a saber, 87:47.

ljcitament, lícitamente, 117:18.

lide, lid, 8:31.

lidiaran, habían lidiado, 21:40.

lidjo, lidió, 8:28.

lie: *rredoblar l.,* le redoblaría, 54:38.

lieto, lecho, 92:31.

lieua, lyeua, lleva, 14:91; *l. te dende,* vete de aquí, 25:50.

lieve, lleve, 31:6.

lieuen, lleven, 11:13; disfruten, 77:50.

lieuo, llevo, 16:12.

ligna, leña, 6:5.

lignage, linaje, descendencia, 95:10.

ligona, ligón, 104:11.

ligones (plural de *ligón* o *ligona,* especie de azada), 115:6.

linage, raza, linaje, 21:22, 43:7, 59 bis:11.

linar: *dela tercera parte l. de nos mismos compradores,* por la tercera parte o lado (linda con el) linâr (que pertenece) a nosotros los compradores, 46:7; *dela IIII parte l. que fu de Johan Martinez,* por la cuarta parte o lado (linda con el) linar que fue de Juan Martínez, 46:8.

linia, ¿tranquil?, 39:7. El contexto hace suponer más bien una variante de *lino* o *lienzo.*

lyoravan, lloraban, 58:10.

liquiser, le quisiere, 40:10a.

lis, les, 12:5, 77:30. Cf. **li** 7:23.

litigandum: *ad l.,* en litigar, en reñir, 60:24.

litigare, litigar, 60:39.

lyujano, liviano, 25:34.

livores, contusiones, lesiones, 43:18.

liura, libra, 104:12. Cf. **libres.**

liurado, librado, entregado, 102:45; *ll.,* 102:4.

liure, libre, 45:13. V. **chantado** 50:15.

lixaron, dejaron, 98:12.

lo, el, 40:4a, 24a; 61:64, 72:79, 88:10, 93:6, 8; 96:25; 99:10, 106:2, 111:19; *l. rancurar,* le acusare, 40:3b.

loçana, lozana, fresca, 18:60.

loçania, lozanía, frescura, 31:25.

loco: *in ipso l.,* en aquel lugar, 1:5; *in l.,* en el lugar, 2:9, 63:4; *in tale l.,* en tal lugar, 62:24.

locos, lugares, 4:9.

locum, lugar, 1:2.

logar, lugar, 15:64, 21:9, 74:4, 98:15, 102:45; *ll.;* 116:3; *enel l. de,* en lugar de, 29:40; *i de alto l.,* y (hombre) de alta posición, 54:34. Cf. **logare, loguar.**

logare, lugar, 73:15. V. **logar.**

logo, luego, 10:14.

loguar, lugar, 72:13. V. **logar.**

loguero, salario, alquiler, jornal, 104:3.

loy, ¿se lo?, 104:5. V. **y** 74:1.

lonbrar, nombrar, 54:35.

lonbre, nombre, 54:22. (V. *Yúçuf,* 92.)

longa, larga, 15:76.

longinicas, longincuas, lejanas, 33:5.

longo, luengo, 69:9.

longum, largo, 87:41.

lonninco, longincuo, lejano, 56:15.

lopis, forma plural de un adjetivo que se aplicaba al maravedí, 94:21. (Cf. Oels., s. v. *lopins,* y v. *BH,* LXIII, 104.)

loque, lo que, 73:4.

lor, su, 95:21. V. **illores.**

lorando, llorando, 14:1.

lorika, loriga, 92:2.

loseniar, halago, 16:31.

lotro, el otro, 78:15, 111:21.

loujdo, lo vio, 73:4. Cf. **vido.**

lu, lo, 42:6.

lucrum, ganancia, 60:29.

luda, entiéndase 'Judas', 87:43.

lueco, prontamente, sin dilación, 60:4.

luega, léase *luenga,* o sea: larga, 14:125.

luego, inmediatamente, 84:12.

luenga, larga, 14:116.

luenge, lueñe, o sea: lejos, 61:19.

luengo: *en l.,* a lo largo, 75:6; de largo, 105:4; *de ll. tiempos a aca,* desde hace mucho tiempo, 22:11.

luenne, lejos, 52 bis:58.

lugar: *l. teniente,* lugarteniente, 27:33.

luyto, luto, 59:13.

lumbrera, alumbramiento, 44:17.

lumera, luz, 98:6.

luno, el uno, 111:21.

lupis: *a l.,* por lobos, 61:59.

lur, su, 56:7, 72:12, 100:6; *ll.,* 55:1, 61:40, 74:34, 103:1, 113:21. V. **illores.**

lurs, sus, 72:15, 106:13. V. **illores.**

luuas, guantes, 18:74.

luxuria: *pro carnis l.,* por lujuria, 60:14.

luze, luce, 31:31.

LL

lla, la, 52 bis:52, 92:29. V. **Petra.**

llamasse, llamase, 32:64.

llamava, llamaba, 52 bis:7.

llamo: *ll. a nonbre del*, nombró el, 59 bis:20.

lle, le, 52 bis:14, 54:48.

llegan, llegante, o sea: llegando, 59 bis:5.

llj, le, 40:20*b*.

llos, los, 24:7.

M

m'an, me han, 15:134; *dezir m.*, me dirán, 15:125.

m'los, me los, 15:81.

ma, v. ama.

maçana, manzana, 18:61.

maçapanes, cajas para especias, 109:18.

macare: *m. ke*, aunque, 61:49. Cf. **mager, maguer, maguera, marguer.**

maço, mazo, 115:7.

machila, maquila, 12:3.

madama, doña, 29:29.

madexas, madejas, 115:5.

madij, de mayo, 77:54.

madio, v. mense.

maes, más, 10:13, 20:58; *de m.*, demás, 49:10.

maestre, doctor o maestro, 119:2. Cf. **maestros, maiestro, mastre.**

maestros, peritos, 104:17. V. **maestre.**

magatias, (?), 61:41. (Cf. *maya*: 'persona que se vestía con cierto disfraz ridículo, para divertir y hacer reír al pueblo en las funciones públicas' - *DRAE*.)

mager, aunque, 13:22. V. **macare.**

magis, más, 94:11. V. **unquam.**

magna, grande, 60:62.

magne, grandes, 60:51.

magno, v. pretio.

maguer: *m. que*, aunque, 21:77, 32:64. V. **macare.**

maguera, aunque, 75:14. V. **macare.**

may, v. idus.

maja, v. fade.

majestat, majestad, 121:5.

maiestro, maestro, 104:1; *mm.*, peritos, 104:14. V. **maestre.**

maijus, v. plus 60:24.

maiolo: *a poner m.*, a plantar una viña, 10:2.

maior, mayor, mayor, 68:29, 71:23, 85:22, 99:2, 104:2; *mui m.*, mucho mayor, o sea: mucho peor, 20:47; *es m.*, es más difícil, 31:44; *m. mente*, mayormente, 36:23. Cf. **maor.**

mayoral, oficial inferior de poder ejecutivo nombrado por el concejo, 74:43; *mm.*, principales, 42:9.

maiordoma, mayordomo, 15:117. (V. *HK*, II, 597.)

majore, mayor, 38:4.

maiorem, mayor, 64:8.

maiorino, merino, o sea: juez, 40:2*a*.

mayorment, mayormente, 113:8.

mais, mays, más, 15:99, 45:16, 47:19.

maiuelu, viña recién plantada, 42:3.

mal: *m. angosto*, puerto de Guadarrama, partido judicial de Segovia, 25:1; *m. faytor*, malhechor, 96:18; *m. feytor*, malhechor, 100:28. Cf. **malfaytores, malfechor, malfeytor.** V. **enfamado.**

mala: *m. mente*, malamente, 27:30; *fadas mm.*, desgracias, desdichas, 31:34.

malam, mala: *causam m.*, [el] pleito malo, [la] mala demanda, 60:28. V. **penam.**

malandant, malandante, desgraciado, 54:42.

malas, mejillas, 61:40; sacos o cofres de viaje, 92:13. V. **fingunt.**

maldicto, maldito, 46:13.

maldictu, maldito, 42:11.

malditas, maldiciones, 74:83.

malditu, maldito, 48:18.

maldizie, maldecía, 16:10.

maldizre, maldeciré, 16:13.

male, mal, 53:2, 73:13.

malenconia, melancolía, 123:14; *mm.*, 86:6.

malfadado, malhadado, 16:25.

malfaytores, malhechores, 100:3. V. **mal.**

malfecho, encantamiento, 105:14; ¿defecto físico?, ¿encantamiento?, 105:16.

malfechor, malhechor, 27:9. V. **mal.**

malfeytor, malhechor, 100:24; *mm.*, 116:2. V. **mal.**

malguelo, majuelo, viña nueva o recién plantada, 90:3.

maliffica, maléfica, 86:7.

malyorqui, mallorquín, 120:6.

malo, v. mude.

malolo, majuelo, viña recién plantada, 50:13.

malvar, (?), 89:24.

malum, malo, 60:56.

malleuado, cargado de deudas, 82:5.

mamantest, amamantaste, 20:10.

Mametis: *in die Sancti M.*, el día de San Mamante, 66:11.

man, mano, 106:7; *m. a mano*, enseguida, 18:124.

mana, mañana, 18:24.

mançanar, manzanar, 18:13.

mancepos, mancebos, criados, 92:17.

mancipo, mancebo, criado, 92:19.
manda, rige, 14:124.
mandabit, mandó, 87:27.
mandadas, prometidas, 14:42.
mandaderia, embajada, 21:85.
mandadero, encargado, embajador, 107:3; *mm.,* encargados, procuradores, 101:1.
mandado: *la m.,* la ha mandado, 123:10.
mandalo: *m. manefestar,* le manda confesarse, 51 bis:10.
mandam, mandamos, 106:5.
mandar: *oude m.,* o demandar, 46:13.
mandasse, mandase, 81:67.
mandat, manda, ordena, 61:56, 87:11.
mandatjone, potestad, 60:46.
mandato, por orden, 111:34.
mandava, mandaba, 32:14.
mandauit, mandó, 6:20.
mandey, mandé, 49:23.
mandeymos, mandamos (*pretérito*), 46:19.
mandel, prometíle, 25:30.
mandiso: *m. conceio,* ¿mandó, o sea: confirmó, (el) concejo?, 9:6. Encontramos, empero, la forma *mandod* en el mismo texto (línea 12), y es probable que *mandiso* sea error del copista. V. **pectauerit.**
mandod, mandó, 9:12.
mandolo, lo mandó, 14:98.
mandou, mando, 49:11.
manducaberint, comieren, 61:62.
manducaret, comiere, 61:65.
manear, manejar, o sea: manosear, 16:29.
manefestar: *mandalo m.,* le manda confesarse, 51 bis:10.
manera, porte, figura, 18:85; *en m. que,* de manera que, 21:23; *por m. de,* a modo de, 28:2; *por m. que,* de manera que, 121:30; *por algunas mm.,* por una manera u otra, 20:24.
maneria, derecho del rey o del señor de suceder en los bienes a los que morían sin sucesión legítima, 7:27, 17:10.
manes, permaneces, quedas, 60:71.
manya, ¿manera?, 122:4; *mala m.,* malas mañas, 57:29.
manifestat, manifiesta, 60:65.
mano: *dio por m.,* mandó, 10:21; *en m. de,* en poder de, 13:2; *man a m.,* enseguida, 18:124; *uenido en m. de,* llegado a la mano de, 33:2; *con sua m.,* personalmente, 40:15*b;* *a m.,* enseguida, 40:46*b;* *en su m.,* su propia responsabili-

dad, 55:12; en su poder, 55:20. Cf. **amano.**
manoobras, ¿obreras?, 120:30. (V., para cat. *manobre* 'peón de albañil', Alcover, VII, 207a; y para *manobris,* dativo del bajo latín, *RLR,* IV, 1873, 360₁₀.)
mansa: *m. mientre,* sosegadamente, 105:8.
mansedunbre, mansedumbre, 52:2.
mantendrien, mantendrían, 72:48.
manteniando, manteniendo, 98:4.
mantenir, mantener, 71:22, 72:15.
manu: *sua m.,* por su propia mano, 7:17; *dieron ... por m.,* autorizaron, 8:22; *cum sua m.,* personalmente, 40:15*a;* *de m. nostra,* de nuestra propia mano, 62:31; *m. mea,* de mi mano, 87:47, 93:13; *amas mm.,* ambas manos, 49:23. Cf. **inmanu.**
manum, mano, 6:24.
mañana: *rayo de m.,* ¿rayo del alba?, 53:5.
mao, mayo, 43:24.
maor, mayor, 80:22, 37. Cf. **maior.**
marabellaban, maravillaban, 54:1.
marauello: *me m.,* me maravillo, 100:12.
marauila, maravilla, 15:1.
maraujllado, maravillado, 111:18.
marcio, marzo, 7:10.
março, marzo, 98:19.
marches, marqués, 99:15. (Cf. Coro., III, 260a.)
mare: *jn m.,* en el mar, 60:7.
marfegas, jergones de tela tosca (o quizá 'costales'), 76:18.
marguer, maguer, o sea: aunque, 28:22. Cf. **macare.**
Maria: *Sancta M. de agosto,* la Asunción de la Virgen, que cae el 15 de agosto, 47:15.
maridada, casada, 20:29.
maridages, casamientos, 116:14.
maridu, marido, 48:1.
Marie, v. **Uirginis.**
marins, (?), 93:3.
marito, marido, 61:20.
maritus, marido, 3:2.
martiria, reliquias, monumentos conmemorativos de mártires, iglesias, 61:2.
maruecos, moruecos, 75:60. V. **ytan.**
mas, además, 14:27; sino, 81:44; *m. de quatro,* muchas, varias, 31:4; *m. fuerte,* peor, 31:32; *non le es m.,* no le es más (fácil), 31:47; *de m.,* demás, 57:12; además, 71:9; *m. empero si,* pero [sí],

105:11 (*más* resulta a veces superfluo en el 105). V. **de** 57:12, **segund** 31:1.

masclos, varones, 84:7.

masculos, varones, 116:6.

masonata, mesnada, 92:17.

mastre, almaste, resina, 115:8; doctor o maestro, 120:6. V. **maestre**.

matar, matare, 43:15; *quil m.*, que le matare, 17:8.

matarie, mataría, 21:61.

matarme: *m. ha*[n], me matará[n], 37:7, 24.

matarse: *m. ha*, se matará, 37:6.

matassen, matasen, 96:22.

matera, madera, 5:8, 6:12.

matertera, hermana de la madre, 61:52.

matest, mataste, 74:50.

matod, mató, 6:20.

matodlo, matóle, 9:10.

matrana, alba, 53:6.

matre: *m. 'l-rafima*, madre querida, 53:5.

matrem, madre, 61:6.

mauribus: *de ... m.*, de ... moros, 65:7. V. **istis**.

mazerentur: *usque dum m.*, hasta que se laven, 61:63.

me, mí, 88:11.

mea, mi, 4:3; mía, 65:3. V. **rem**.

mealla, moneda chica que valía la mitad de un dinero, 99:13.

mean, me han: *buscar m.*, me buscarán, 73:13.

meatade, mitad, 47:10.

meatat, mitad, 49:5.

meço: *m. ... los ombros*, se encogió de hombros, 14:13.

meçkyno, mezquino, miserable (de mí), 59:31. Cf. **meskinos, mesquino, mesquinu**.

mecum, conmigo, 1:6.

media: *la m.*, la media parte, 10:12.

mediados: *a los m. gallos*, a las tres de la madrugada, 14:33.

medjant, mediante, por, 112:20.

medias: *a m.*, en participación, o sea: participando los dos (Don Feles y Lobo), 10:2.

medietad, mitad, 11:10.

medietatem, mitad, 7:18.

medigatate, mitad, 92:24.

medio: *el m. moble*, la mitad de sus bienes muebles, 9:12; *por m.*, en medio de, 9:16; *de m. del consejo*, en medio del camino, 52:23; *que pague por m.*, que pague la mitad, 76:2.

mee, v. **posteritatis**.

meetat, la mitad (que es propiedad), 48:5.

mei, mis, 87:12.

meyllor, mejor, 100:6. Cf. **meior, meligor, melor, mellor, mijor, millor**.

meior, mejor, 21:83. V. **meyllor**.

meiorare, repararé (este agravio), 14:102.

meis: *cum filiis m.*, con mis hijos, 62:11; *de propinquis m.*, de mis parientes, 62:20.

meitat, mitad, 17:9, 102:33; mitadenco, 74:85.

melechilns, como **melequis**, forma plural de una palabra que denomina cierta moneda (¿de oro?), 93:3. (V. *MLR*, XXI, 308, y Vign., 618, s. v. *melquis*.)

melequis, 16:28, v. **melechilns**.

meligor, mejor, 92:28. V. **meyllor**.

melio, medio, 92:27.

melioratas, mejoradas, 62:23.

melor, mejor, 47:14. V. **doble, meyllor**.

mellor, mejor, 81:4, 114:25, 29. V. **meyllor**.

memoria: *para m.*, para memorarse, 34:11. V. **contrarium**.

mena, condujo, 93:11.

menaça, amenaza, 123:17.

menazando, amenazando, 21:60.

menbrado, membrado, o sea: prudente, entendido, 56:12.

mencebo, mancebo, 18:115.

menos: *m. cura dél*, menos le importa, 31:63; *ha m. de*, sin, 75:4. V. **res** 117:25, **segund** 31:1.

menoscabo, perjuicio, 74:58.

mense, en el mes, 69:25; *in m. madio*, en el mes de mayo, 67:19.

ment: *tan sola m.*, solamente, 102:38. Cf. **mente, mientre** 14:1.

mente: *conplida m.*, cumplidamente, 26:11; *firme m.*, firmemente, 26:14; *mala m.*, malamente, 27:30; y *passim*. V. **ment**.

meo, mi, 4:2, 18:133; *tibi emtori m.*, a ti, mi comprador, 63:3; *a m. ... amico*, a mi ... amigo, 88:4. V. **aviu, iussione**.

meos, mis, 1:6.

mercadero, mercader, 78:33.

mercador, mercader, 27:49.

mercatiello, (?), 89:18, 19.

mercatione: *super hanc ... m.*, sobre esta ... negociación, 63:9.

merçe, gracia, favor, 78:12; merced, 82:3.

merçed, gracias, favor, 14:114.

mercet, misericordia, 114:17.

mereçi: *uos m.,* merecí de vuestra parte, 14:101.

meresçe, merece, 27:20.

meresçiera, había merecido, 23:18.

merexe, merece, 100:28.

meridion: *a ... M.,* hacia el sur, 59 bis:10.

meryndat, merindad, 79:4.

merino, el que tiene cuidado del ganado y de sus pastos, 6:26.

mes, más, 92:18, 93:9; me es, 93:10. V. **causada.**

mesaiero: *un su m.,* un mensajero suyo, 18:110.

meskinos, ¿clase social análoga a los siervos?, 92:20. (V. Vign., 268, s. v.) V. **meçkyno.**

mesma, misma, 81:54.

mesmo, mismo, 31:54, 77:36, 120:25.

meso, metido, 112:40.

mesquino: *el m.,* la avaricia, 31:43; *mm.,* mezquinos, miserables, 51 bis:36. V. **meçkyno.**

mesquinu, mezquino, o sea: pobre, 16:26. V. **meçkyno.**

messado, raso, sin árboles, 89:25.

messe, mesé, 14:133.

messe: *de m. segar,* para segar la mies, 39:12.

Messia, Mesías, 20:10.

messio, expensas, 99:14. Cf. **messiones, mission.**

messiones, expensas, 103:33, 108:5. V. **messio.**

messo, mesó, 14:129.

mester, necesidad, 48:10, 98:6, 103:2, 108:8, 9. V. **fara.**

mesura, mešura, manera, 18:17; bondad, 54:37; medida, 76:16; *por tu m.,* ¿cuando te convenga?, 58:20; *mm.,* medidas, 92:14.

mesurada, proporcionada, 18:69.

mesurados, proporcionados, 18:67.

metad, mitad, 44:14. V. **pan** 44:20.

metalo: *et m.,* y hágalo entrar, 40:15*b.*

mete, ¿nombra?, 74:63.

metesse, metiese, 10:22.

metiessemos, metiésemos, 97:11.

metios, metióse, 14:59.

metudo, metido, constituido, 98:8.

meu, mi, 18:78, 53:3; *es m. amigo,* ese amigo mío, 18:120.

meum, mi, 5:5.

meus, mi, 3:2.

mezanedo: *plazo a m.,* plazo a medianedo, 40:12*b.* V. **admedianedo, alplazo.**

mezkitam, mezquita, 64:10.

mia, mi, 11:3, 45:1; *la m.,* mi, 18:98, 114:28. V. **bona** 49:25.

mib, mí, 53:3.

mibi, mí, 53:17.

miçer, [mi] señor, 33:21; título antiguo honorífico de la corona de Aragón, 123:6.

mici, me (*dativo*), 62:8.

michi, me (*dativo*), 3:2.

mienbros, miembros, 52 bis:57.

mientra, mientras que, 37:58.

mientre, mientras que, 13:12, 44:16; *de m. que,* mientras que, 100:22.

mientre: *fuerte m.,* fuertemente, 14:1; *fuert m.,* fuertemente, 16:7; *buena m.,* buenamente, 60:23; *grabe m.,* gravemente, 61:26; *franca m.,* libremente, 102:42; *egual m.,* igualmente, 102:49; *mansa m.,* sosegadamente, 105:8; *primera m.,* primero, 105:11. V. **ment.**

miercores, miércoles, 99:6.

mieuida, mi señor, 8:17.

migo, mjgo: *con m.,* conmigo, 18:121; *trete con m.,* vente conmigo, 25:31.

mihi, me (*dativo*), 8:21, 65:5; *placuit m.,* me agradó, 64:6.

mijor, mejor, 34:22. V. **meyllor.**

miismu, mismo, 49:4.

militatores, (?), 61:36.

mill, mjll, mil, 14:49, 26:23.

milla, entiéndase *millesima,* milésima, 77:54.

millesimo, milésimo, 110:12.

millo, mijo, 102:39.

millor, mejor, 84:16. V. **meyllor.**

myllorament, mejoramiento, 72:37.

minar: *perga m.,* hacer pergamino, 39:9.

minata: *perga m.,* (badana) convertida en pergamino, 39:9.

minguaa, mengua, 43:12.

minguar, menguare, 44:12.

minguas, menguase, 44:11.

mingue, mengüe, 44:12.

ministrales, servidores, 7:9.

ministrent, suministren, 61:14.

mio, mjo, myo, mi, 9:17, 26:4, 48:1, 73:8.

mira, mirra, 15:68.

miraglo, milagro, 21:52.

miramamolin, título de algunos monarcas musulmanes, 85:4.

misericors, misericordioso, 60:56.

miserunt, metieron, nombraron (procurador), 87:20.

misist, metiste, 16:27.

miso, metió, nombró, 8:8.

misquindat, mezquindad, 52:4.

missa, misa, 14:34.
missacantano, misacantano, 105:11.
missal, misal, 98:6.
mission, expensas, 72:22, 76:27; *mm.*, expensas, 76:21, 110:10. V. messio.
mistos, mixtos, 32:74.
mittimos, metimos,' pusimos, 97:7.
mittis, pagas, gastas, 93:5.
mitto, meto, 93:3. V. inpignus.
miuida, mi señor, 8:19.
mlr, mujer, 46:2.
mo: *m. nacus,* o sea: *monacus,* monje, 60:3.
mobilis: *illius m.,* de los bienes muebles, 7:19.
moble: *el medio m.,* la mitad de sus bienes muebles, 9:13; *mm.,* muebles, 109:15.
moça, moza, 9:21.
moço, mozo, 52 bis:15, 104:1, 112:6.
mochas, muchas, 17:8.
modo, ahora, 89:31; *tali m. quod,* de tal modo que, 67:11.
moiare, mojón, 1:8.
moier, mujer, 17:3.
moione, mojón, 8:34.
mojra, muera, 17:5.
Moysi, de Moisés, 60:61.
moyt, muy, 48:10.
molare, mojón, 2:5.
molazinos, monacillos, 51 bis:25.
moleo, molienda, o sea: el derecho de moler, 12:1, 5; *sobre esti m.,* en una de las ocasiones en que molían, 12:4.
moleren, molieren, 10:16.
moliesse, moliese, 12:3.
molinillo, pequeño molino, 56:1.
molneras, campos etc. pertenecientes al molino o cerca del mismo, 49:5.
moltes, muchas, 106:4.
moltz, muchos, 106:4.
mon, mi, 93:2. Cf. ama.
monacum, monje, 60:10.
monacus, v. mo.
monako, monje, 91:12.
monden, limpien, 61:64.
monesterios, monasterios, 21:78.
moneta, dinero, 69:7.
monete, de moneda, 64:7.
monge, monje, 20:1, 50:21.
monstruose, de una manera innatural, extrañamente, 61:40.
mont, monte, arbolado, matorral, 14:110, 19:7; monte, 89:16.
monumento, sepulcro, 52 bis:73.
mor., morabetinos, o sea: maravedís,

48:9. Cf. morabedis, morabetin, morabetins, morabetis, morauedis.
morabedis, maravedís, 12:12. V. mor.
morabetin, morabetino, 93:8. V. mor.
morabetins, morabetinos, 93:3. V. mor.
morabetis, morabetines, 19:11. V. mor.
morancia, morada, 11:8.
morantes, moradores, 7:4.
morari, morar, 7:5.
morauedis, maravedís, 16:28. V. mor.
moriese, muriese, 52 bis:38.
morire, muriere, 41:6.
moriren, murieren, 41:7.
moros: *enderesço alos m.,* dirigióse contra los moros, 23:49.
morte, muerte, 49:12.
mortis, v. óbitu.
morto, muerto, 15:109.
mortuorum, de [los] muertos, 61:62.
mortuus, muerto, 61:26. V. fuerit.
mos, míos, o sea: mis, 15:22.
mossen, mosen, título que se daba en el reino de Aragón a los nobles de segunda clase, 83:49, 120:1.
mostrar: *m. te he,* te mostraré, 25:25.
moueturas, moveduras, 60:8.
mouida, quitada, 45:12.
mouie, movió: *se m.,* se fue, 95:16.
mouientes: *bienes ... m.,* bienes ... muebles, 103:20.
moujeron, movieron, 12:6.
mozlemos, musulmanes, 61:16.
muarte, muerte, 45:15.
muçlimas, musulmanas, 55:1.
muçlimes, musulmanes, 55:2.
much, mucho, o sea: muy, 21:28.
muchedunbre, muchedumbre, 23:24.
mucho, muy, 14:6, 63; 25:37. Cf. muğo, muychos, muio, muŷo, muyto.
muchol, mucho le, 14:58.
mude: *m. el pelo malo,* mejore de estado, 37:12.
mudedes, mudéis, 119:17.
muera, (que) muera, 37:21; *o m. o byva,* que muera o que viva, 31:64.
muert, muerte, 83:7, 109:13, 118:11. V. ᵒidda.
muerta: *si m. me oviessen,* si me hubiesen matado, 20:44.
muerte: *prendiera m.,* había muerto, 52 bis:66. V. cudado.
muertos: *auia m.,* había matado, 23:12.
mueva: *no te m. dubda,* no te pongas a dudar, 29:16.
muğas, muchas, 58:22.

muger, mujer, 20:29, 86:9. Cf. **mugier, muyer, muier, muŷer, muiller, muler, mulier, muller, mulleres̆.**

mugier, mujer, 105:1; *mm.,* 14:16. V. **muger.**

muǧo, mucho, 58:12. V. **mucho.**

mui, v. **maior** 20:47.

muychos, muchos, 73:12. V. **mucho.**

muyer, muier, mujer, 44:4, 84:4. V. **muger.**

muŷer, mujer, 54:13. V. **muger.**

muyllada, mojada, 75:55.

muiller, mujer, 74:82; *mm.,* 74:51. V. **muger.**

muio, muŷo, mucho, 18:112; mucho, o sea: muy, 54:42. V. **mucho.**

muit, muyt, muy, 95:26, 105:21.

muyta, mucha, 102:16; *mm.,* 95:9, 117:23.

muyto, mucho, 100:12, 111:3; *mm.,* 50:22, 60:36, 95:14, 117:9. V. **mucho.**

muler, mujer, 47:4. V. **muger.**

mulier, mujer, 7:14, 13:5. V. **muger.**

multas, muchas, 39:14.

multi, muchos, 87:41.

multitudo, multitud, 60:53.

mulla, mula, 92:3.

muller, mujer, 55:7, 69:1, 98:3, 102:12; *mm.,* 11:7. V. **muger.**

mulleres, mulleres̆, mujeres, 11:7, 54:47. V. **muger, parient** 55:13.

mundo: *omne del m.,* nadie, 52 bis:2.

munera, regalos, 60:27.

murezneen: *se m.,* se almenen, se provean de almenas, 108:9.

murie, murió, 95:12.

muriod, murió, 9:22.

murtes, muertes, 70:7.

N

n, v. **Jahudan, len.**

nabes, naves, 60:9.

naçi, nací, 18:57.

nacus, v. **mo.**

nada, nacida, 14:128.

Nadal, Navidad, 76:8.

nadi, nadie, 14:25.

nado, nacido, 16:25.

nagocio, negocio, o sea: cuestión, 36:6.

nam, pues, 60:37.

Nansa: *la N.* (¿nombre propio?), 89:27.

nasciendo, naciendo, 21:32.

nasçiones, naciones, 33:29.

nasco, nació, 14:62.

natividat, natividad, 109:1, 117:29.

nativitate: *a n.,* de la natividad, 110:12.

natos, nacidos, hijos, 61:24.

natura, linaje, 14:118.

ne, ni, 71:4; de ello, 111:18, 23; *timeo n.,* temo que, 60:15; *adtendat ... n. ...,* tenga cuidado ... por si ..., 60:27; *uide n. ...,* mira que no ..., 60:72, 73; *n. sint,* no sean, 61:35. V. **end.**

nec, ni, 7:26; ni siquiera, 61:21; *n. ... n.,* ni ... ni, 87:17.

necessaria, necesaria, 36:6.

necessitas, la necesidad, 63:2.

necessitate: *per n.,* por necesidad, 61:66.

negaberunt, negaron: *n. illas terras,* ¿negaron (que) las tierras (perteneciesen al obispo)?, 87:7.

negarent, negaren, 6:7.

negun, ningún (entiéndase 'cualquier'), 96:1. Cf., para este significado no negativo, **ningun, ninguna, ninguno, nuill.**

nel, en el, 98:19.

nen, ni, 47:19.

nenguna, ninguna, 54:41, 68:21.

nenguno, ninguno, 50:16, 105:13.

nepos, sobrino, 93:12.

nepote, sobrino, 93:15.

nequaquam, de ninguna manera, 61:56. V. **sanguinem.**

neque, ni, 7:14.

nesçesario, necesario, 34:7.

nescitis, ignoráis, no sabéis, 60:74.

nesesarias, necesarias, 120:22.

nesesario, necesario, 120:36.

ni, o, 96:21.

ni-atorgar, v. **atorgar** 54:41.

Nicolagi: *Sancte N.* (la iglesia de) San Nicolás, 92:23.

nichil, nada, 7:10.

niego, negación, 74:18.

nieto, ¿nieto?, ¿sobrino?, 66:3. (Cf. *BRAE* VIII, 372, nota 2.ª.)

njeue, nieve, 25:21.

nigun, ningún, 16:23.

nihil, nada, 9:6.

nil, ni le, 40:18*a*, 100:25.

nilos, ni los, 103:14.

nimbla, ni me la, 14:129.

nin, nyn, ni, 14:76, 57:8; o, 78:44, 106:11.

ningun, cualquiera, 13:22; ninguno, 106:6. V. **negun.**

ninguna, cualquiera, 74:30. V. **negun.**

ningund, ningún, 33:17.

ninguno, cualquiera, 74:16. V. **negun.**

ninguns, ningunos, 72:26.

nisi, salvo, 7:18, 87:31; a menos que, 60:20, 61:60; si no, 61:51; *n. quid serbiunt,* a menos que sirvan, 87:34.

no: *sig n.,* signo, 77:59.

nobella, nueva, 3:11.

nobiembre, noviembre, 121:34.

nobis, nos (*dativo*), 60:41, 62:14. V. **tribuat.**

nocte: *in n.,* por la noche, 6:18.

noch, noche, 14:31.

noches: *de n.,* de noche, 75:25. Cf. **nueytes.**

nodicia, noticia, 38:1.

noditia, noticia, 39:1.

nog, noche, 16:15.

noğe, noche, 57:14.

nogera, noguera, nogal, 115:1.

noil, no le, 40:17*a.*

nojte, noche, 53:3.

noke, ¿no que?, 60:60. (V. *Or.,* 377.)

nol, no le, 14:25; no lo, 16:2.

nola, no la, 20:27.

nolite, no queráis, no, 60:23.

nolos, no los, o sea: no les, 14:94.

noluerit, no quisiere, 7:26.

nom, no me, 18:34.

nombra, numerar, 18:48.

nombre: *a n.,* en abundancia, 14:105; *pusol n. Urgel,* la llamó Urgel, 21:10.

nomen: *per n.* [*de*], por nombre, 67:7, 88:8.

nominatis, v. **terminis.**

nominatos, nombrados, 4:10.

nomine, por nombre, 1:11; *sub n.,* en el nombre, 65:1; *sub Christi n.,* en el nombre de Cristo, 1:1, 62:1; *in* [*Dei*] *n.,* en el nombre [de Dios], 4:1, 63:1.

nomnar, nombrar, 102:22.

nomne, nombre, 42:1.

nomnó, nombró, 102:24.

nompne, nombre, 103:28, 106:2.

nomrado, nombrado, o sea: llamado, 51:5; *precio de n.,* precio denominado, o sea: sobredicho precio, 46:9. Cf. **pornomnada.**

non, ñon, no, 6:8, 54:4; *si n.,* pero no, 6:15; sino, 9:10, 52 bis:20, 57:7.

nonas: *pridie n. Julii,* el 6 de julio, 101:5.

nonbre, nombre, 30:6; *llamo a n.,* nombró, 59 bis:20; *Luz n.,* Luz (había sido) nombre, 59 bis:21.

nonde, no ende, o sea: no ... de ello, 111:11. V. **end.**

nonkaigamus, no caigamos, 60:17.

nonnos, no nos, 50:16.

nonse, no se, 60:30, 39.

nos, nosotros, 4:11, 15:142, 56:3, 60:63, 66; *les n.,* nosotros les, 26:21; *n. otros,* nosotros, 36:4.

nos, no se, 14:32, 57:4.

nos: *en n.,* en los, 63:4.

nossa, nuestra, 51:3.

nostra, nuestra, 46:11; *uero n.,* ¿hay que leer *nostro,* en vez de *nostra,* forma que concordaría así con *seruicio* más abajo?, 3:17; *nn.,* 4:4. V. **bona** 46:17.

nostre, nuestro, 106:2; *domne et patrone n.,* a nuestra Señora y Patrona, 3:5.

nostri: *Domini n.,* de nuestro Señor, 67:1.

nostro, nuestro, 43:12; nuestro (*ablativo*), 60:43.

nostrum, nuestro, 3:15.

not, no te, 16:24.

notados: *fuero n.,* fueron contados, 14:66.

notificastes, notificasteis, 111:9.

notum: *n. sit,* sea notado, 17:1.

noue, nueve, 41:5.

nouedat, novedad, 121:29.

nouella, nueva, 116:15.

nouem: *ad n. annos,* (cumplidos) nueve años, 41:4.

nouembres, de noviembre, 62:26.

nouena, nona, 21:15.

noujdades, novedades, 111:20.

nouo, nuevo, 64:8.

nozible, nocible, nocivo, 78:5.

ñ̄a (*abrev.*), nuestra, 47:6.

nras (*abrev.*), nuestras, 116:10.

ñ̄os, nros (*abrev.*), nuestros, 47:20, 116:2.

nuastra, nuestra, 45:15, 98:4.

nuastro, nuestro, 45:12; *nn.,* nuestros, 98:3.

nubtias, bodas, 61:37.

nubzo, obligación que tenía el vasallo de llevar algún mensaje o recado cuando se lo mandaba el señor, y de acompañarle cuando salía fuera, 7:27.

nudrir, nutrir, 114:23.

nuebaš, nuevas, 54:10.

nueit, nueyt, noche, 96:17, 98:7, 109:13. Cf. **nuyt.**

nueytes: *de n.,* de noche, 74:3. Cf. **noches.**

nueu, nueve, 109:2, 112:44.

nuill, ningún (entiéndase 'cualquier'), 74:2, 98:8. V. **negun.**

nuyt, noche, 74:73. Cf. **nueit.**

nul, ningún, 20:48, 97:15.

nulio: *a n. homine,* a nadie, 88:10.

nulla, ninguna, 48:14, 87:18. **V. tras.**

nullam, ninguna, 94:16.

nullo, v. herede, parente, querellante.

nullum, ningún, 7:27.

nullus, ningún, 7:25.

num, v. condemnandi.

numero, cantidad limitada de clérigos pertenecientes a una comunidad, 77:23, 80:5; *ata el punto del n.*, ¿hasta completar el número, o sea: hasta cubrir las vacantes que existen para clérigos de número?, 77:27.

numquas, nunca, 15:107.

nuncas, nunca, 18:26, 105:29.

nunqua, nunca, 18:84, 102:32, 114:13.

nunquas, nunca, 15:34.

nunque, nunca, 20:32.

Ñ

ñon, v. non 54:4.

O

o, ho, dónde, 15:60; donde, 21:2, 69:12, 70:4, 75:40; o, 48:18, 69:18; *o que,* dondequiera que, 15:17.

ob: *a o. legarte,* donde alcanzarte, 53:4.

obadese, obedece (aunque parece significar aquí 'sea obligado por gratitud'), 55:7.

obe, donde, 60:65.

obediencia, autoridad, 83:34; *de la o. de,* de la parte de, 83:62.

obedient, obediente, 100:10.

obellgas, ovejas, 92:27.

obiese, obiesse, hubiese, 81:9; tuviese, 81:68.

obiešteš, oísteis, 54:35.

óbitu: *qui uienga en o. mortis,* que muera, 74:8.

obitum, muerte, 3:15.

oblidada, olvidada, o sea: olvidado, 20:27.

obo, hubo, 81:16.

obola, la hubo, o sea: la tuvo, 81:23.

obra, ¿trabajo de campo, o sea: un período de trabajo?, 11:5.

obradas, obladas, 51 bis:40.

obramanos, ¿materiales?, 120:20.

obs, necesidad, 96:12. Cf. **ops, huebos.**

obseruancia, uso o costumbre autorizada con fuerza de ley por compilación oficial, 121:17.

obseruet, observe, haga, 61:30.

obstant, obstante, 119:4, 15.

obtengades, obtengáis, 33:47.

obtulit, ofreció, presentó, 66:1.

hoc, esto, 7:7, 61:34; *h. est,* esto es, 65:1; *h. donum,* esta donación, 66:11; *h. donatiuum,* este donativo, 67:11. **V. propter.**

ocazion: *por o.,* por azar, 17:7; *oo.,* accidentes, 17:7.

occasione: *in o.,* bajo pretexto, 61:33.

occidantur, se les mate, 61:61.

occiderit, matare, 61:14.

occulos, ojos, 7:23.

occupare, ocupar, 60:23.

Hoçe: *H. Heçe,* imitación de dos palabras hebreas cuyo significado es 'los que hacen buenas obras', 117:14.

octobre, octubre, 68:39.

octogaron, otorgaron, 77:52.

octoginta, ochenta, 41:3.

ochure, octubre, 49:18.

ode, o de, 96:17.

odi, oí, 18:84.

odie, hoy: *de o. die et ora,* desde la hora presente, 62:19.

odieron, oyeron, 68:32.

odra, oirá, 18:3.

hodran, u oirán, 77:2.

oferda, ofrenda, 16:16.

offendas, ofendas, 60:72.

offendere, ofender, 60:25.

offendido, ofendido, 29:6.

offerat, ofrezca, presente, 60:20.

official, funcionario, 121:11; *oo.,* 78:51.

officio, oficio, 21:31, 77:8; *tiene del ... o.,* ejerce el ... oficio, 119:16.

offitio, oficio, 104:2; *oo.,* 78:19.

oficiu: *o. pleno,* oficio lleno, completo, 42:5.

ofrecremos, ofreceremos, 15:68.

oganno, hogaño, 10:12.

oy, hoy, 85:21.

oyan, oían, 35:2.

oje, hoy he, 73:17.

oieras, ojos tristes y llorosos, 20:23.

oyestes, oísteis, 21:1.

oin, o en, 49:17.

oinavan, endechaban, 58:24.

ojo: *a o. de quantos y estavan,* ante todos los que estaban allí, 52 bis:20.

oyou, o yo, 49:14.

oyrem, oyeren, 50:1.

oyron, oyeron. V. **uiron.**

ojt, oíd, 73:4.

oita, ¿ocio? (si no se trata de un error por *coita,* 'cuita, aflicción'), 43:12.

ojuez, o juez, 24:14.

ol, o le, 17:6.

ola, o la, 24:18.

oleta, especie de olla, 109:26.

olga, huelga, o sea: huerta a la orilla del río, 50:7. (V. Coro., II, 932 a 25.)

olien, olían, 18:43.

olives, olivas, 115:4.

oltras, v. **d'oltras.**

olugar, o lugar, 24:14.

oluidança, olvido, 29:31.

ollo, ojo, 114:41; *oo.,* 114:3, 37, 38. Cf. **uuellos.**

hom, hombre, o sea: uno, 106:9. Cf. **hombre, om̃e, homes, omme, omne, omre, onbre, honbres, onpres, uamne, uemne.**

hombre, uno, 113:11. V. **hom.**

om̃e, ome, hombre, 27:12, 43:9, 49:13, 75:27. V. **hom.**

homecillo: *demando ... h.,* reclamó ... la pena pecuniaria correspondiente al homicidio, 9:12.

homelia, homilía, 60:50.

homenage, omenage, homenaje, 83:21, 27.

omenaye, homenaje, 96:4.

om̃es, homes, hombres, 25:8, 72:44; *bonos o., bons h.,* v. **bono.** V. **hom, segundo.**

omi: *de o. mea posteritate,* de toda mi descendencia, 89:35.

homicidiis, v. **diuersis.**

omicidium, homicidium, homicidio, 7:17, 61:10. V. **faciendum.**

omiciero, asesino, 61:11.

homjl, humilde, 121:5.

omildosamientre, humildemente, 21:48.

homjlmente, humildemente, 121:19.

homine, hombre, 6:6. V. **nulio.**

hominem, hombre, 8:21.

homines, hombres, 3:16.

hominibus: *omnibus h.,* por todos los hombres, 17:1; *ab h.,* por los hombres, 61:60.

hominis, léase *homines,* hombres, 7:31.

hominum, de los hombres, 22:12.

homizidio, pena pecuniaria impuesta por razón de homicidio, 74:85.

homizidis, homicidios, 106:4.

omiziero, asesino, 7:11.

omme, hombre, 19:14, 40:1*b.* V. **hom.**

omne, homne, hombre, 12:4, 15:65; uno, 52 bis:11; *o. del mundo,* nadie, 52 bis:2; *oo.,* hombres, 4:9, 22:22; *hh.,* 97:14, 106:10. V. **hom, quanto** 41:11.

omnes, todos, 5:16, 7:9.

omni: *jn o. causa,* en toda causa, 60:21; *de o. mea posteritate,* de toda mi descendencia, 67:16. V. **sua** 87:34.

omnia, todas las cosas, 3:1; todas, 4:3; *o. usuale,* todas las cosas (o sea: edificios) usuales, 5:4; *o. secula,* todos los siglos, 67:16. V. **secula.**

omnibus: *de o.,* de toda cosa, 3:16; *o. hominibus,* por todos los hombres, 17:1; *cum o.,* con todos, 60:9. V. **diebus** 64:12.

omnipotens, omnipotente, 8:32.

omnipotentem, omnipotente, 60:57.

omnipotes, omnipotente, 60:47.

omnis, toda, 67:13.

omnium, de todos, 64:4.

homo, hombre, 7:11. V. **quis** 62:19.

omre, hombre, 46:18, 57:1. V. **kumplya, hom, uiron.**

on, ¿no?, ¿o antigua forma francesa *on* o *onc,* del latín *unquam,* con valor de 'alguna vez'?, 15:22. (V. *BH,* LXVI, 224.)

on, v. **d'on.**

onbre, v. **lança, hom.**

onbres, honbres, hombres, 31:7, 108:17. V. **hom.**

onbro, hombro, 31:12; *oo.,* 18:126.

ond, donde, 75:57, 95:28. V. **d'on.**

onde, donde, 46:5; *o. nos venjmos,* nuestros progenitores, 26:9; *o. somos,* del cual estamos, 46:10, 51:7. V. **d'on.**

ondra, honra, o sea: riqueza, 14:105.

hondrada, honrada, 77:13.

ondrado, hondrado, honrado, 14:85; reverendo, 109:4.

onore, honore, feudo, 92:4; *get ena h.,* ¿ocupa el lugar supremo?, 60:46; *hh.,* patrimonio, 14:107.

onpres, hombres, 55:14. V. **devedados, hom.**

onrado: *panyo o.,* mortaja noble, 58:7.

onrra, honra, 7:31, 27:55.

onrradamente, honradamente, 52 bis:44.

honrrado, honrado, 70:12.

onta, injuria, 75:37.

onustos, cargados, 32:22.

opera, obras, 60:14.
opor, o por, 14:120.
oportet, es justo, 61:37.
opotieren, léase: *o potieren,* donde pudieren, 6:17.
ops, necesidad, 96:6. V. **obs.**
oque, o que, 25:3.
ora, hora: *esa o.,* al punto, en seguida, 51 bis:1; *exa o.,* entonces, 73:7; *la [h]o.,* luego, 81:63, 112:5; 114:1; entonces, 113:13; *por las oo. que,* para el tiempo que, 83:8 (cf. Coro., II, 942 b 21); *a la o.,* entonces, 95:19. V. **odie.**
oral, velo, 18:119.
oram: *o. serya de tornar,* me sería hora de regresar, 18:136.
orandum: *ad o.,* en orar, 60:24.
orasion, oración, 54:49.
oration, oración, 81:65.
orava, oraba, rezaba, 20:6.
ordenado, mandado, 77:3, 104:8.
hordenados, ordenados, 80:6.
ordenança, ordenanza, 21:83, 77:1.
hordenancas, ordenanzas, 80:8.
hordenar, ordenar, ordenar, 80:8; *o. ... de* aparejarse ... a, 117:26.
ordenedes: *o. ... de plegar,* os aparejéis ... a recoger, 117:25.
hordenemos, ordenemos, 103:21.
ordeo, cebada, 11:5. Cf. **ordio.**
ordjnacion, hordjnacion, ordenanza, 103:12, 31, 36; disposición, 117:5; *oo.,* disposiciones, 117:10.
ordines: *a o. et pro crisma,* a órdenes (esto es, a recibir las órdenes sagradas) y por crisma (esto es, por la bendición de los santos óleos), 88:13.
ordio, cebada, 75:25, 76:16. Cf. **ordeo.**
horell..., ¿orilla?, 89:5.
orella, oreja, oído, 114:41.
oriente: *a O.,* hacia Oriente, 59 bis:10.
orran, oirán, 70:2.
orreo, granero, 5:9.
horreum, granero, 3:8.
ortal: *de illo o.,* del huerto, 94:4; *oo.,* huertos, 5:3.
orto, huerto, 50:5; *oo.,* 69:23.
osaua, osaba, 14:21.
Oscha, Huesca, 93:16.
osia, ose, 106:6. Cf. **paguia, peytia.**
ospitalis, hospitalario, 60:56.
osse, ose, 104:3.
ossos, osos, 89:7.
hostes, ostes, huestes, 60:54, 93:12;

huestes, o sea: expediciones militares, correrías, 116:16.
osua, o su, 41:12.
otor, aquel de quien se adquirió legítimamente una cosa, 102:22.
otorgar, otorgare, 43:19.
hotra, otra, otra, 85:18, 103:31; *la o. parte,* los demás, 21:38; *et o. fizo,* e hizo otra (¿vocería?, ¿cosa?), 74:44.
otrament, otramente, de otra suerte, 86:21.
otre: *la a o. dier,* la diere a otro, 43:22.
otri, otro, 53:17, 71:4. Cf. **d'otri.**
otro: *o. si,* también, 10:4; así, 10:24; *o. omne,* otro hombre, 41:11; *nos oo.,* nosotros, 36:4.
otrosi, además, 34:10; asimismo, también, 68:11, 105:30; *o. a medias,* también participando (en las reparaciones), 10:10.
otrossi, asimismo, también, 22:14, 71:17.
otru, otro, 42:9.
ou, o, 43:10.
oubritar, o rompiere, o traspasare, 51:10.
ouchure, octubre, 49:18.
oude, o de, 46:12; *o. mandar,* o demandar, 46:13.
oue, hube, 25:51.
ouegas, ovejas, 8:36.
oueillas, oueyllas, ovejas, 74:1, 75:52. Cf. **d'oueilla.** V. **ytan.**
ouellas, ovejas, 102:3.
ouer, hubiere, o sea: tuviere, 40:1a.
oues, ovejas, 39:3.
oui, hube, 18:32.
houjda, habida, o sea: conseguida, 121:21.
ouido, houido, habido, o sea: tenido, 79:2, 111:9, 119:6.
houjemos, hubimos, o sea: tuvimos, 111:8.
oujer, ouier, hubiere, o sea: tuviere, 17:12, 40:14.
ovieranme, me hubieran, 20:44.
ouieras, ħubieras, o sea: tuvieras, 29:31.
oujere, hubiere, 77:22; hubiere, o sea: tuviere, 13:18, 40:1b.
ouieren, hubieren, o sea: tuvieren, 105:2.
ouieron, hubieron, o sea: tuvieron, 14:11.
ouiese, oviese, hubiese, 52:23; hubiese, o sea: tuviese, 52 bis:36.
oujesedes, hubieseis, o sea: recibieseis, 73:19.

19

ouiesse, hubiese, o sea: tuviese, bebiese, 18:23; *que o.,* entiéndase 'pidiendo que tuviese', 13:7.

ouiessemos, hubiésemos, 78:8.

ouiessen, hubiesen, 86:30; *si muerta me o.,* si me hubiesen matado, 20:44.

ouiesset, hubiese, 6:22.

ouo, ovo, hubo, o sea: tuvo, 14:77; *o. dados,* hubo dado, o sea: dio, 14:57; *o. dicho,* hubo dicho, 23:38; *o. fablado,* hubo hablado, o sea: habló, 58:13; *o. konǧurado,* hubo conjurado, o sea: conjuró, 58:14. V. **dichas.**

ouose, húbose, o sea: portóse, 34:17.

outero, otero, 47:6.

outor, autora, 49:24.

outorgadores, otorgadores, 46:18.

outorgamos, otorgamos, 46:20.

outra, otra, 47:11. V. **dubre.**

outro, otro, 43:11.

P

pacatos, satisfechos, 94:6. Cf. **pagados.**

pace, paz, 15:24.

paga: *non se p.,* no se satisface, 28:5.

pagados, satisfechos, 12:13, 19:11, 46:10; *sos p.,* satisfechos de él, 97:13. Cf. **pacatos.**

pagan, págame, 25:22.

pagasedes, pagaseis, 79:10.

pagen, paguen, 13:20.

pago: *non j me p.,* no me satisfago, 27:54; *in p.,* en el pago, 62:5.

pagtaron, pagaron, 9:18.

paguada, pagada, 103:36.

paguia, pague, 72:32, 106:11. V. **osia.**

paguyen, paguen, 72:32.

paia, paja, 76:18.

palabra: *p. de fazanna,* sentencia, 21:70.

palaçiano, palaciano, 14:59.

palaçio, casa solariega, 9:14; *pp.,* 69:1. (Cf. *PMLA,* LXV, 950 y sigs.)

palacium: *ad p.,* a palacio, o sea: a la casa solariega, 7:18.

paladinament, paladinamente, públicamente, 118:4.

palafres, palafrenes, 16:30.

palam, pala (¿o quizá 'pelota'?), 61:41.

palasyos, palacios, 59:2.

palaura, palabra, 86:26.

palazet, forma diminutiva de *palaçio,* 69:6.

paleyro (nombre propio), 50:6.

pallacin, palatino, 70:14.

Pampilonensium, de los de Pamplona, 67:2.

pan, trigo, 44:16; trigo, cereales, 76:10; *de p. ... daredes toda la metad,* daréis toda la mitad del pan ..., 44:20.

pancha, ¿especie de broche?, 25:30.

pane, pan, 39:13; *cum p.,* con pan, 5:7; *in p. et aqua,* a pan y agua, 61:2.

panem, pan, 7:7.

panyo: *p. onrado,* paño (o sea: mortaja) noble, 58:7.

panno, paño, 105:20; *pp.,* 52 bis:27.

pañezuelos, pañuelos, 31:37.

par, por, 15:51; *a p. della,* al lado de ella, 31:10; *responda a su p.,* combata con persona de igual fuerza, en el juicio de Dios, 105:27; *de p. en p.,* sin impedimento, con facilidad, 108:18.

para, por, 25:19. En el 35:22, el uso de *para* en *para con* es pleonástico: léase *con.*

para, v. **paras.**

parada, puesta, 59 bis:4.

paradiso, paraíso, 114:20.

paramiento, convenio, concierto, 74:70.

parare, disponer, preparar, 60:23.

pararonlo: *p. en bragas,* le despojaron de sus vestidos exteriores, 20:65.

paras, ¿plural de *para,* quizá una especie de tributo?, 99:16.

paravan, aparecían, o sea: aparecieron, 58:23.

paraulas, palabras, 114:29.

parcialles, parciales, partidarios, 83:35.

pardinam, ¿paradina?, ¿casa arruinada?, 89:7. (Según Borao, esta voz puede significar también 'despoblado', 'prado', 'patio'; y según Ibarra, 269, s. v. *pardina,* 'casa de campo'. V. Coro., III, 665 a 21.)

pardios, por Dios, 25:23.

parede, pared, 17:5.

paredes: *uos p. a,* respondáis de, 76:20.

pareias, mujeres legítimas, 14:120.

parente: *pro nullo p.,* por ningún antecesor, por ningún pariente, 87:22.

parentes, padres, 61:33 (¿y 92:30?). Cf. **parient** 102:13.

parentum: *p. suorum,* de sus padres, 87:3.

parescen, parecen, 60:65.
paresçia, parecía, 23:14.
parescidos, parecidos, 80:1.
paresçier, apareciere, 24:14.
paresçiese, pareciese, 23:44.
paresciessen, pareciesen, 80:11.
paret, pared, 52 bis:51.
parezerian, parecerían, 80:14.
pariassent, pagasen, 87:10.
parient, pariente, 74:12; *pp.*, padres, 102:13; *pp. de mulleres,* parientes que son mujeres, 55:13. Cf. **parentes.**
pariera, había parido, 20:62.
pariet, pague, 63:11.
paritatu, cercado (según *THD,* 867, s. v.), 62:2.
parrochianos, feligreses, 77:25.
parroqia, parroquia, 77:12.
part, parte, 75:6, 118:9, 120:10; *p. partita et sort sortita,* ¿hechas las particiones y sorteadas?, 94:6; *pp.,* palabras, 77:6; *de pp. de,* de parte de, 68:14; ¿en el nombre de?, 81:50. V. **parte, suso** 112:5.
parta: *se p.,* ¿se divida?, 81:5.
partamos, repartamos (la propiedad), 11:12.
partan, repartan (la propiedad), 10:17.
parte, lado (v. **linar**), 46:6; *la otra p.,* los demás, 21:38; *pensando de cada p. tu perdiçion,* ¿pensando en todos los aspectos de tu perdición?, 52:20; *del p.,* ¿de la parte, o sea: del lugar?, ¿de él palabra?, 52 bis:76. V. **part, porterminos** 51:5, **suso** 62:6, **tirose.**
partem, parte, porción, 87:23; *ad p.,* al erario, 62:22. Cf. **adpartem.**
partesanos, partidarios, 29:24.
parti, quité, 18:35.
partia, partía, 72:32.
particigon, partición, 92:1. Cf. **particione, partizion.**
particione, partición, 93:14. V. **particigon.**
participaua, participaba, 35:6.
partida, parte, 68:18, 72:47; *por a.b.c. p.,* 68:31, v. *DRAE,* s. v. *partir.*
partie, apartaba, 20:57.
partieu, partió, 98:21. V. **escriuieu.**
partir, repartir la propiedad, 11:12.
partirey: *de p.,* juzgaré, 51 bis:2.
partirien, partirían, 72:32.
partirsan, se partirán, 60:54.
partirunt, dividieron, 93:16.
partissen, partiesen, 72:30.
partita, v. **part.**

partitione: *de illa p.,* de la (o 'aquella') partición (de las tierras), 87:24.
partiuimus, partimos, dividimos, 94:5.
partizion, partición, 94:7. V. **participon.**
pas, paso, 113:6.
pasadas, pasos, 18:41.
pasar, traspasar, 49:14. V. **pora** 51 bis:22.
pasaras: *p. la vereda,* pasarás por la vereda, 25:12.
pasase, traspasase, 49:14.
pasassen, pasasen, 81:19.
pasava, pasaba, 52 bis:46; *se p.,* murió, 58:3.
pasavan, pasaban, 31:41.
pascanlos, pázcanlos, aliméntenlos, 92:16.
pascebant, pacían, 8:3.
pasçer, pacer, 75:12.
pasceran, pacerán, 6:14.
pascere, pacer, 6:11.
pasceret, alimentare, 61:33.
pasçiençia, paciencia, 81:68.
paška, pascua (¿se trata aquí del mes de Ramadán?), 53:14.
paskanlo, pázcanlo, aliméntenlo, 92:15.
pašo: *ñon p; por eškura ke no la fezieše el-alborada,* no pasó por obscuridad sin transformarla en luz del alba, 54:4.
passa, pasa, 74:12.
passada, pasada, 25:16. V. **cerca.**
passado, pasado, 81:11; anterior, 112:18; *p. esto,* después de esto, 97:17; *pp.,* pasados, 81:6.
passan, pasan, 113:13.
passando, pasando, 25:1.
passant, pasante, 112:6.
passar, traspasar, 26:15; traspasare, 51:10; *p. en castellano,* poner en castellano, 36:4.
passaren, pasaren, 36:22, 75:59.
passaron, pasaron, 75:57.
passasse: *les p.,* las quebrantase, 26:22.
passaua, pasaba, 74:56.
passeando, paseando, 123:19.
passion, pasión, 95:18.
passo, pasó, atravesó, 95:1; paso (*substantivo*), 113:16.
passoron, pasaron, atravesaron, 95:11.
pater, padre, 62:3.
patiatur, sufra, permita, 60:13.
patre, [el] padre, 60:43, 46.
patrem, padre, 61:6.
Patris, del Padre, 2:1.
patrocinium, v. **adderentes.**

patrone: *domne et p. nostre,* nuestra Señora y Patrona, 3:5.

paul: *p. de lena* (¿nombre propio?), 89:8. La forma *paul* puede derivar de *padule,* forma metatizada del latino *paludem,* cuyos derivados romances ofrecen, entre sus varios significados, los de 'prado', 'pradería', 'terreno llano', 'terreno húmedo', 'terreno pantanoso puesto en cultivo'. En cambio, puede tratarse no de [*p*]*aul* sino de *val*: cf. *val de Lena* más abajo en el mismo documento. V. **lena, val.**

pausadero, huésped, 7:16.

pauset, pose, o sea: aloje, 7:16.

pax, paz, 87:44.

paxeres, pastos, 45:5.

peccador, pecador, 114:15.

peccados, pecados, 81:63.

peccora, ovejas, 3:14.

pectar, pechar, pagar en multa, 9:12.

pectaren, pecharon, tuvieron que entregar en multa, 9:22. (Cf. *MGHE,* § 118, 4.)

pectaron, léase *pectaran,* o sea: pecharan, pagaran en multa, 9:25.

pectasen, pechasen, entregasen en multa, 8:12.

pectauerit: *mandiso conceio et nihil p.,* ¿hay que leer 'mandó (el) concejo así y nadie habrá sido multado?, 9:6.

pectet, peche, pague en multa, 7:18.

pecunie, de dinero, 60:29.

pechados, multados, 17:8.

pechar: *p. nos ya,* nos ha de pechar, 26:22.

peche, pague en multa, 17:8, 43:17; pague, 42:12; pague (tributo), 76:14. Cf. **peiche, peyge, peyte, peytia.**

pechele, páguele en multa, 47:22.

pedes, pies, 39:18.

pedificasset, midiese (el alodio), contando los pasos empleados en recorrerlo, 87:27. (Cf. Elcock, 190, nota.)

pedilla, pedirla, 35:11.

pedones, peones, soldados de a pie, 8:25.

pedregado, predicado, 100:12.

peggare, pechar, pagar una multa, 6:21 (primera vez); pagar en conformidad, 6:21 (segunda vez).

peguiar, pegujar, 9:26.

peiche, peche, pague en multa, 43:16. V. **peche.**

peyge, peche, pague en multa, 49:16. V. **peche, uoz** 49:15.

peyllicero, pellejero, 80:3.

peyndrare, prendare, 75:38.

peindrasso, tomase prenda, 40:41a. V. **pindre.**

peindro, tomó la prenda, 40:32a. V. **pindre.**

peynndrar, prendar, 74:37.

peynndró, prendó, 74:82.

peynos, prendas, 75:40.

peyor, peor, 18:54.

peyta, pecho, tributo, 74:61; *pp.,* 99:8.

peytaron, pecharon, pagaron en multa, 74:81.

peyte, peche, 74:28. V. **peche.**

peytia, peche, 106:9. V. **osia, peche.**

peytó, pechó, pagó en multa, 74:85.

pejus, peor, 60:37.

pela, por la, 50:2; *p. bona detrigo,* ¿de las buenas (eminas) de trigo?, 47:17.

pelago, balsa, estanque, 49:6.

pelaiz (nombre propio), 48:6.

pelo, v. **mude.**

pella, por la, 47:2.

pello: *ka p.,* capillo, 39:7.

pena, multa, 80:36, 103:29; castigo, multa, 96:19, 118:10; castigos, multas, 102:43. Cf. **penna** 105:24.

penam, pena: *ne ... alterius causam malam faciat suam p.,* por si ... convierte en pena propia la mala demanda de otro, 60:28.

pendient, pendiente, 71:28; *siellar ... en p. de nuestro siello,* sellar con nuestro sello pendiente, 78:58.

pendrá, prenderá, recibirá, 104:6.

pendrador, prendador, 75:42.

pendrardon, prendaron, tomaron prenda, 40:45a. V. **pindre.**

pendraron, tomaron prenda, 12:6, 40:37a. V. **pindre.**

pengnora, prenda, 93:4. V. **treire.**

peniteant, hagan penitencia, 61:42.

peniteat, haga penitencia, 61:6.

penitens, el penitente, 61:30.

penitentiam, [la] penitencia, 61:28, 30.

penitentium, de penitentes, 61:31.

penitieret, ¿se arrepintiere?, 61:8.

penna, peña, 1:7, 88:3.

penna, pena, castigo, 105:24. Cf. **pena.**

pensando, v. parte 52:20.

pensat, pensad, 18:139.

pensava, pensaba, 31:57.

pensso, pensó, 81:19.

pequeyna, pequeña, 81:67.

pequeyno, pequeño, 81:58.

pequena, pequeña, 49:8. V. **cousa** 49:8.

pequenno, pequeño, 21:27.

per, por, 1:7, 60:59, 72:8, 93:3, 10; 96:1, 106:3; para, 64:7, 67:13, 69:19, 72:10, 96:16, 110:9; en nombre de, 72:5, 6; *p. nombrado*, según se ha enumerado o nombrado, 19:10; *p. ço que*, puesto que, 106:2; *p. ço*, por eso, 106:5. V. **ahir.**

perazo, por eso, 40:18*a*. V. **aço.**

percebida, percibida, 15:101.

percibistis, percibisteis, 15:97.

percui, por quien, 40:44*a*.

perdan, pierdan, 11:15.

perdanles, piérdanlos, 106:11.

perder: *p. lo,* perderlo, 57:14.

perderie, perdería, 14:27.

perdia, pierda, 106:7.

perdiçion, v. parte 52:20.

perdissent, perdiesen, 87:10.

perdizes, perdices, 25:39.

perdonança, perdón, 29:6.

perdonest, perdonaste, 114:18.

perdre, perder, 106:9.

perdutas: *abebam p.,* (yo) había perdido, 94:14.

pere (nombre propio), 100:16.

pereç: *p. dinglarola* (nombre propio), 100:9.

pererenal, error por *perenal,* perennal, 18:37.

perfeccio, perfección, 110:6.

perffecta, perfecta, 120:34.

perffectament, perfectamente, 120:15.

perficere, llevar a cabo, efectuar, 61:18.

perga: *p. minar,* hacer pergamino, 39:9; *p. minata,* (badana) convertida en pergamino, 39:9.

pergit, conduce, 1:10.

pergonar, pregonar, 54:32.

pergonero, pregonero, 54:25.

pergoneš, pregones, 54:28.

periglo, peligro, 117:19; *pp.,* 114:6.

perir, perecer, 114:24.

periuri, perjuro, 96:13.

perlo, por el, o sea: por medio del, 40:20*a*.

permetra, permitirá, 83:13.

pernoctem, por la noche, 6:15.

pernominatos, cuyos prenombres son, 62:11.

perpetualment, perpetuamente, 69:16.

perpetuo: *a p.,* para siempre, 78:24; nunca, 78:55.

perplexo, perplejo, 37:28.

perque, porque, 40:37*a*.

persente, presente, 62:3.

perseverança, perseverancia, 35:15.

persicere (MS. *perficere*), v. **perficere.**

persona, v. **interposita.**

perssona, persona, 103:34.

pertaynesce, pertenece, corresponde, 77:7.

pertenesca, pertenezca, concierna, 121:4.

pertenesciendome, perteneciéndome, 86:19.

pertenesçient, perteneciente, 78:33.

pertenezen, pertenecen, 47:8.

pertinencias, pertenencias, 78:39.

pertinent, pertenecen, 65:9.

pertinere, pertenecer, 65:9.

peruenit, alcanza, llega, 93:18.

peruigil, el velador, 61:27.

peruigile: *sine p.,* sin velador, 61:27.

pesar: *fuese en p.,* pesase, 18:137.

pescadu, pescado, 42:6.

pescueço, pescuezo, 25:33, 75:16.

peseverar, perseverar, 100:8.

pešo: *daban su p.,* daban el equivalente de su peso, 54:17.

pesquera, ¿presa?, 10:10. (Cf. *DRAE* s. v. *pesquera* (2.ª acep.); *THD,* 144; Haensch, 206.)

pessada, desagradable, 20:25.

petabinos, ¿de Poitou?, 92:8.

peto, tributo, 92:25.

Petra: *lla* (o sea: *la*) *P.,* ¿Piedramorrera, al Oeste de Huesca?, 92:29. Cf. *ena P.,* ¿en Piedramorrera?, 92:12.

philosopho, filósofo, o sea: Aristóteles, 33:15.

piadat, piedad, 52:9.

picheres, picheles, 109:25.

pidia, pedía, 23:32.

pidido, pedido, 78:12.

pidiestes, pedisteis, 101:6.

pidiodle, pidióle, 9:9.

pidiol, pidióle, 23:39.

pieça, rato, 18:134; pieza, pedazo, 52 bis:43; campo, 74:80.

piedaraš, piedras, 54:19.

piedat, piedad, 27:40.

piedeš, piedes, pies, 54:40, 102:37, 104:21, 120:14.

piedras, v. **dando** 9:16.

pielles, pieles, prendas de vestir, 14:4.

pienes, bienes, 56:7.

pienssan: *p. de,* se disponen a, 14:10.

piertega, vara de madera para medir tierras, 75:3.

pies, v. **alço** 59 bis:27.

pignale, prenda, 94:14.

pignus, empeño, 41:2. V. **karta.**

pika, pica, 92:9.

pilare, roca, 73:2.

pimentado, embalsamado con pimienta, 58:6.

pindra, prenda, 40:31a. V. **pindre.**

pindrado, el que ha dado *prenda,* o aquel a quien le ha sido tomada, 40:26a. V. **pindre.**

pindrador, prendador, o sea: el que toma la prenda, 40:29a. V. **pindre.**

pindrar, prendare, 40:24a. V. **pindre.**

pindre, prende, ∩ sea: saque una prenda como ᵉ₅guridad o para la satisfacción deí daño recibido, 40:4a.

piniellos, ¿pinillos?, ¿pinos recién plantados?, 89:26.

plaça, plaza, o sea: campo, 21:40.

plaça, plazca, 72:28.

placentia: *sint p. bona,* haya satisfacción, 62:13.

placia, plazca, 96:22, 110:7.

placie, plazca, 110:11.

placitum, pleito, 87:21.

placuit, agradó, plació, 8:26, 64:5.

plados, prados, 49:7.

plagada, llagada, 75:15.

plagassen, llagasen, 96:21.

plan: *a p.,* claramente, o sea: ciertamente, 18:97.

planeza, llanura, 102:36.

planyent, plañente, que plañía, 114:20.

plano, llano, 4:6, 113:8, 13.

plantaui, planté, 5:3.

plantauit, plantó, 67:10.

planto, llanto, 20:53, 31:19.

platicado, practicado, acostumbrado, 121:9.

plaz, place, 51 bis:38.

plaze, place, 15:127.

plazenteria, placer, 72:25.

plazer, placer, 29:24.

plazientos, contentos, satisfechos, 71:1.

plazo, lugar y tiempo para el tribunal o juicio, 40:28a, 28b; *p. a mezanedo,* plazo a medianedo, 40:1·1b. V. **alplazo.**

plazta, plaza, 69:6, 78:28.

plegada, allegada, reunida, 77:19.

plegar, allegar, reunir, 77:20; recaudar, 78:25; llegar, 105:14; recoger, 117:26.

plegas, reuniones, juntas, 118:7.

plegem, lleguéme, 18:37.

plegua, plazca: *a nos que p. con aquel,* a nosotros que nos plazca aquel, 70:21.

pleyte, condición, 44:8.

pleito, asunto, 20:63; *portal p.,* con tal condición, 47:8, 50:9; *leua-*

ron a p., citaron, 74:40. Cf. **plet.**

plen, pleno, 98:13.

plenerament, plenariamente, 103:9.

pleno, lleno, 18:15; completo, 61:64.

plenu: *oficiu p.,* oficio lleno, completo, 42:5.

pleo: *en p.,* empleó, 14:54.

plera, llora, 16:7.

plet: *sobre tal p.,* con tal condición, 42:4. Cf. **pleito.**

pletu, pacto, convenio, 42:11.

plogo, plació, 14:53, 48:13, 101:10.

ploguier, pluguiere, o sea: gustare, 45:14.

ploguiere, pluguiere, o sea: gustare, 11:11.

plorando, llorando, 14:18, 114:31.

plouer, llover, 95:5.

plumage, plumaje, 113:11.

plura: *talia p.,* más, muchas de tales cosas, 60:35.

plus, más, 7:10; *p. ... quam,* más ... que, 60:14; *p. maijus,* ¿más bien?, 60:24; *p. de,* más de, 87:4.

pluuia, lluvia, 75:55, 93:20.

po, por, 98:21.

poble, pueblo, 96:25, 100:11.

pobres, entiéndase *pobre,* 31:48.

poco: *p. desbraue,* poco (para que) desbrave, 37:14.

podades, podáis, 30:2, 117:18, 25.

podel, pudiere, 40:34a.

poder, v. **justo.**

poderos, poderosos, 72:9.

poderosament, ¿legítimamente?, 84:11.

podes, podéis, 52 bis:75.

podestades, potestades, 15:120.

podien, podían, 21:57.

podierdes, pudiereis, 52 bis:28.

podiere, pudiere, 40:33b.

podieren, pudieren, 105:31.

podiese, podiesse, pudiese, 52 bis:14, 102:44.

podiessen, pudiesen, 78:8.

podio, pudo, 20:1.

podredes, podréis, 111:28.

podrie, podrye, podría, 20:59, 57:6.

podrien, podrían, 113:19.

pois, pues, o sea: después, 40:25a.

pola, por la, 47:15.

polida, pulida, 33:43.

polos, por los, 98:11.

pomada, cosecha de la manzana, o sea: la sidra, 22:8.

ponente: *a P.,* hacia Poniente, 59 bis:9.

poner, v. **maiolo.**

poniamus, pongamos, 4:11.

ponte, puente. 49:6.
populare, poblar, 88:12, 89:32.
populata, poblada, 67:8.
populatoribus: *vobis p.,* a vos, pobladores, 89:3.
por, contra, 27:19; para, 27:21, 71:20, 73:5, 117:6; por (ser), 27:46; como, 29:33, 32:72; por medio de, 40:10*a*, 10*b*, 20*b*; 49:1; de, 51 bis:27; *dio p. mano,* mandó, 10:21; *p. esso,* por esa razón, 14:125; *p. la sant Migael, sant Martin,* para la fiesta de San Miguel, San Martín, 17:13, 14; *p. que,* porque, 18:82, 111:13; para que, 26:1, 81:4, 83:10; por lo que, 101:11, 111:22; *p. ke,* porque, 61:22; *p. que las han dexadas,* en haberlas dejado, 14:121; *p. quel,* para que le, 21:27; *p. end,* por ende, 21:3; *p. una boca,* a una voz, 20:66; *p. aqui,* en esto, 21:32; *p. manera de,* a modo de, 28:2; *p. ál,* por otra cosa, 37:9; *p. al,* o sea: *pora el,* para el, 103:30; *p. firma,* como firma, 46:21; *p. carera,* al lado del camino, 50:7; *p. en uossa uida,* durante vuestra vida, 50:9; *p. dezir,* diciendo, 59 bis:22; *p. desde ...,* ¿durante el período que va desde ...?, 80:32; *p. atodos,* o sea: *pora todos,* para todos, 103:13; *p. eu ende,* v. **ende.** Cf. **porqe, porque.** V. **porterminos, tal.**
pora, para, 18:10, 47:14, 73:10, 103:38, 120:32; *adelino p.,* se dirigió hacia, 14:87; *p. del siegro pasar,* cuando ha de pasar de este mundo, o sea: cuando ha de morir, 51 bis:22. V. **citar, por** 103:13 y 103:30.
poralos, para los, 42:7.
porauentura, por ventura, 45:15.
porci, [los] puercos, 61:61, 63. V. **proibeantur.**
porcionem, parte, porción, 3:7.
porcos, porkos, puercos, 8:37, 92:26.
porel, por el, 112:33.
porfazadia, persecución, 52:26.
porfioso, porfiado, 21:56.
poriades, podríais, 101:8.
porkos, v. **porcos.**
pormi, por mi propia cuenta, 49:24.
pornian, ¿error por *pernian,* o sea: *pendrian,* 'colgarían'?, 27:40.
pornomnada, *assi p.,* así nombrada, o sea: sobredicha, 45:8. Cf. **nomrado** 46:9.

porparar, ofrecer, 102:24.
porqe, porque, 20:50, 77:42. V. **por.**
porque, para que, 77:9, 100:20; *p. es,* ¿qué significa?, 15:21. V. **por.**
portal, por tal, 8:25; *p. pleyto,* con tal condición, 47:8.
portale: *de illo p. primo,* del portal (¿principal?), 93:19.
portam, puerta, 64:8.
portant: *p. vezes,* suplente, substituto de gobernador, regente, 108:12.
portanto, por lo tanto, 119:12.
portar, llevar, 96:19.
portello, ¿portillo, o sea: compuerta?, 10:9.
porterminos, por (o sea: al lado de) los términos (que son propiedad), 50:6, 7 (cf. **por** 50:7); *p. de todas partes delas vinnas,* ¿lindando por todos lados con las viñas?, 51:5.
porteros, oficiales del palacio del rey, 99:16 (¿y 7:26?); especie de funcionarios municipales, 121:3 (¿y 7:26?).
portiel, ¿pasaje estrecho entre dos montes?, 89:24.
portione, porción, 87:43; *cum ... mea p.,* con ... mi porción, o sea: con ... mi parte, 4:3.
portiones, porciones, 3:6.
porto, llevó, trajo, 111:13.
portogues, portugués, 83:58.
pos: *en p.,* en pos de, 20:49.
posada, casa, morada, 81:72.
pošada, léase *posado,* puesto, 54:12.
posado, ¿puesto, metido, 105:6. V. **quanto** 105:5.
poscan, puedan, 92:16. V. **usque** 92:16.
posiese, pusiese, 52 bis:52.
posque, después que, 61:8.
possedezcan, posean, 78:38.
possediendo, poseyendo, 86:18.
possedir, poseer, 86:15.
posseya, posea, 83:11.
posseydo, poseído, 84:17.
possessio, posesión, 97:2.
possession, posesión, 22:11.
possible, posible, 37:29.
possidan, posean, 84:11.
possideas, poseas, 64:12.
possideat, posea, 64:15.
possideatis, poseáis, 65:15.
post, después de, 3:15; *p. dies,* después de la muerte, 92:29; *p. tuos dies,* después de tu muerte, 64:13. Cf. **apres.**
posta, ¿puesta, o sea: sembrada?, 10:12.

posteria, v. **cavadas.**

posteritas, descendencia: *omnis p. uestra,* toda vuestra descendencia, 67:13, 89:34.

posteritate: *de ... mea p.,* de ... mi descendencia, 67:16, 89:35.

posteritatis: *totius mee p.,* de toda mi descendencia, 65:16.

posto, ¿puesto, o sea: sembrado?, 10:14.

postremeria, postrimería, 81:42.

posuerunt, pusieron, 8:34.

posuimus, pusimos, o sea: establecimos, 4:11; colocamos (*pretérito*), 5:11.

pot, puede, 106:9.

poteritis, pudiereis, 65:13.

potius, más bien, 60:24.

potuerimus, pudiéremos, 4:8.

potuerint, pudieren, 6:14.

potuerunt, pudieron, 87:22.

poulo, trozo de tierra inculta, 50:4. (Cf. *THD,* 872.)

poza, alberca para macerar el cáñamo o el lino, 76:27.

pozo, hoyo, pozo, 66:4.

prabatio, ¿apostasía?, 60:58. (Cf. *MLW,* s. v. *pravates.*)

prados: *quantos p. avemos en la presa,* cuantos prados tenemos lindantes con la presa (del molino), 19:9.

prato: *de illo p.,* del prado, 67:10.

prebent, ofrecen, suministran, 61:14.

precamos, rogamos, 100:19.

precedent, precedente, 104:8.

precepta, preceptos, 60:41.

preciados, estimados, 56:17. V. **frecho.**

preçio, preció, 14:64.

precioen, precio y en, 49:9.

precipitemur, seamos precipitados, 60:17.

precipitur, se amonesta, 61:56.

precium, precio, 63:5.

predecessores, predecesores, 107:6.

predicamus, predicamos, 60:33.

predicant, predican, 60:34.

predicarias: *p. a mi desleal,* dirías que soy desleal, 29:32.

predicte: *p. ecclesie,* de la iglesia arriba mencionada, 64:4.

predicti: *p. regis,* del rey arriba mencionado, 64:5, 87:46.

prefate: *huic p. ecclesie,* a esta sobredicha iglesia, 2:3.

pregar, pedir, rogar, 97:23.

pregare, rezaré, 15:32.

pregon: *feziese dar p.,* hiciese pregonar, 52 bis:36.

pregos, ruegos, 97:8. (Cf. Vign., s. v.)

preguntol, preguntóle, 23:21.

preheminencias, preeminencias, 84:14.

preiudicar, perjudicar, 103:17.

prejudicial, perjudicial, 78:5.

preiuyzio, perjuicio, 121:17.

preiuro, perjuro, 100:26.

prelio, contienda, batalla, 61:13.

premia, apremio, 21:12.

premiados, apretados, 48:11.

premio, bajó, 14:89.

prenda, tome, 105:27.

prendado, el que ha dado *prenda,* o aquel a quien le ha sido tomada, 40:26b. V. **pindre.**

prendar, tomare prenda, 40:24b. V. **pindre.**

prendara, v. **prendera.**

prendaran, léase *prendaron,* tomaron prenda, 40:44b. V. **pindre.**

prendare, tomare prenda, 40:4b. V. **pindre.**

prendassen, prendasen, tomasen prenda, 40:40b. V. **pindre.**

prende: *nos p.,* nos saque seguridad, 24:16.

prender, recibir, 104:3; *se obligaron de p.,* prometieron aprender, 80:32.

prendera: *p. ... sobrella,* antepondrá ... a ella, 55:10. (¿Vale lo mismo *prendara ... sobrella,* 55:11?).

prendiderunt, prendieron, o sea: cogieron, 39:17.

prendiera: *p. muerte,* había muerto, 52 bis:66.

prendieran, habían prendido, 52 bis:71.

prendo, tomó prenda, 40:31b. V. **pindre.**

prendol, préndole, o sea: le absuelvo de, 14:37.

prendre, prender, capturar, 96:17.

prenga, prenda, tome, 74:72, 75:8.

presbiter, presbítero, 5:20.

present, presente, 70:2, 117:16; *de p.,* de presente, 110:1, 119:16. Cf. **presente, presentes.**

presentado, otorgado, 14:40.

presente: *la p.,* la presente epístola, 29:39. V. **present.**

presentes: *las p.,* la presente carta o documento, 78:22, 121:22. V. **present.**

presentibus, v. **clericis, futuris.**

presentis, (por los) presentes, 17:1.

presienten, presenten, 112:17.

presieron, tomaron, 8:24.

presiese, tomase, 8:22.

presio, precio, 54:38.

presyonera, carcelera, 29:27.

presiones, prisiones, 86:3.

presioŝaŝ, preciosas, 54:19.

presoneros, prisioneros, 83:60.

presso, preso, 20:22.

prestamero, substituto, 75:48.

presuiteres, presbíteros, 60:35.

presumat, ose, se atreva, 61:51.

presuras, presas, o sea: reclamaciones de tierras reconquistadas a los moros, 1:5.

preter, a excepción de, 61:51.

pretio: *p. magno,* por un gran precio, 60:76; *de ipso p.,* del mismo precio, 62:9.

pretium, precio, 62:8.

preujllegios, privilegios, 26:6.

prezo, preso, 59:30.

priado, de prisa, 58:5.

pridie, v. nonas.

priegue, ruegue, 100:24.

priesto, presto, 102:28.

prietas, negras, 80:36.

prima, primera, 9:1; *pp.,* por primera vez, 15:3; *lo de pp.,* lo de antes, 20:47; *pp. venjentes,* próximas, 110:7.

primas, primado, 21:43.

primerament, primeramente, 83:52, 100:1, 120:7.

primeras, primeras cosas, o sea: principios, 20:21.

primero, primer, 82:17; *de p.,* al principio, 51 bis:3; *p. qui uiene,* que viene, 68:8; *que p. ujene,* que viene, 80:33; *pp.,* primeras cosas, 33:15. Cf. **primerouenient.**

primerouenient, que viene, 80:10. Cf. **primero.**

primia: *jusso p.,* bajo la restricción o mando, 55:18.

primis: *in p.,* primero, en primer lugar, 87:42.

primo, primero, 99:1, 123:1; *in p. anno,* en el primer año, 7:13. V. **portale.**

princep, príncipe, 81:35.

principal: *buen p.,* bien principal, 52:8.

principibus: *de p.,* de los príncipes, 60:4.

prinzebs, príncipe, 93:11.

prjor, ¿*prior juratorum* (nombre de una de las autoridades municipales de Huesca)?, 121:3.

priore: *cum ... suo p.,* con su prior, 62:12.

prioris, del prior, 64:3. V. **dompni.**

pris, prys, conquisté, 14:131; tomé, 18:51.

prisiemos, tomamos (*pretérito*), 56:8.

prisieron, prendieron, 20:39.

prisiestes, prendisteis, 73:21.

priso, tomó, 14:128, 75:40; recibió, 20:40; sufrió, 74:58, 95:18; prendió, 74:74; cobrado, 90:4.

prisos, se tomó, 14:123.

prissiemos, tomamos (*pretérito*), 20:34.

priuilegiatz, privilegiados, 72:17.

prjujlegios, privilegios, 121:8.

priuilegis, privilegios, 72:16.

priujllejos, privilegios, 26:16.

prius, antes, 60:20.

pryzyon, prisión, 59:8.

pro, por, 2:7, 60:14; para, 5:12, 6:9, 9:1, 39:9; *p. quod,* porque, puesto que, 88:3. V. **iussione, ordines.**

pro, provecho, 52 bis:9, 72:37, 100:1; *fazer p.,* aprovechar, 52 bis:14.

processo, progreso, 37:59.

procura, ¿debe leerse *por cura,* que aparece en la edición de 1499 de *La Celestina*? Así equivaldría a 'por medio de cuidado o atención', 37:30.

procuratores, administradores, mayordomos, 61:35.

prod: *non a en el p.,* no hay provecho en él, 56:18.

proençal, provenzal, 33:12.

profanum, ¿hereje?, 60:58.

profecta, profeta, 52 bis:17.

proferió, prometió, 86:26.

profierta, manera de hablar, 29:9.

progenia, progenie, 48:17.

prohio, insisto, 15:12.

proibeantur: *comedi porci p.,* (que) se prohiba que los puercos sean comidos, 61:63.

projbuit, prohibió, 61:58. V. **sanguinem.**

proinde, por consiguiente, 63:7.

prolis, de la estirpe, hijo, 87:46.

promed, promete, 25:27.

promessa, promesa, 59 bis:22.

prometil, prometíle, 25:29.

prometo, prometió, 96:4.

promietemos, prometemos, 71:11.

prominco, cercano, 56:14.

promitido, prometido, 52:23.

pronuçiar, pronunciar, 77:6.

propheta, profeta, 52 bis:16.

propinquis: *[de] p.,* de parientes, 62:19, 63:10.

propria, propia, 36:9, 67:15; misma, 77:57; *p. mente,* propiamente,

46:20; *pp.*, propias, 108:5. V.
uoluntate.
propriam, propia, 67:14.
proprietatibus: *De p. rerum*, De las
propiedades de las cosas (título de
una obra de D'Ascholi), 33:22.
proprios, propios, 2:3; sus, sus propios, 61:32; próximos, 98:3.
propter, a causa de, mediante, 60:57;
por, 65:5; *p. hoc*, por esto, 87:35.
prosas, composiciones literarias,
33:24; himnos, 51 bis:33.
prossa, composición, himno, 20:16.
prouada, probada, demostrada, 105:2.
prouado, probado, 15:89.
prouadol, probado le, 105:26.
prouando, probando, 74:21, 102:29.
prouar, probar, 15:65.
prouara, probara, o sea: demostra-
ra, 21:28.
prouare, probare, 102:31.
prouáuale, probábale, 35:19.
proueher, proveer, disponer, 121:22.
proueydo, proveído, 112:5; *pp.*,
78:11.
prouinçia, provincia, 33:30.
prout, según, así como, 60:55.
prueva, prueba, 29:1.
publjcament, públicamente, 112:4.
públicas, mujeres públicas, 37:49.
publigo, público, 98:20.
puçal, pozal, 39:5.
puderen, pudieren, 10:13.
pudet, puede, 15:13.
pudiera, había podido, 23:35.
pudiesse, pudiese, 103:8.
puede, hiede, 27:32.
puede'l, puede le, 74:37.
puey, v. pueyo.
pueya, poya, 76:30.
pueyo, puey, cabezo, monte pequeño, 89:20, 24.
puerta: *esta p.*, esta (es) puerta,
59 bis:17; *pp.*, ¿puertas de la
ciudad donde se juntan los men-
digos?, 51 bis:17.
pues, desde que, 18:57; puesto que,
73:13; después, luego, 95:25;
¿puesto que?, ¿con tal que?,
119:2, 11; *de p.*, después, 10:7;
p. que, después que, 21:7; puesto que, 43:15.
pueš, puesto que, 54:32.
puesca, pueda, 96:8, 98:15.
puescan, puedan, 96:18.
puesto, v. sol 68:9.
pugna, batalla, pelea, 60:6.
puyar, subir, 108:10, 114:13, 120:11.
puyen, suban, 108:16.
puyo, subió, 114:42.

puysquen, puedan, 72:36.
pulgada, porción que se puede coger
de una vez con el pulgar y el
índice, 14:132.
pulsare, acusar: *iudicio p.*, ¿plei-
tear?, 63:10.
pullero, potro, 92:7. (V. *Or.*, 317.)
punentes, picantes, 16:32.
punga, batalla, contienda, 61:13.
punnientes: *barua p.*, barba incipiente, 18:115.
punto, v. numero.
pupilla, pupila: huérfana menor de
edad, respecto de su tutor, 109:7.
puriedes, podríais, 101:10.
purification, purificación, 68:8.
pus, pues, 15:102.
puse: *que p.*, que puse como, 59
bis:25.
puseron, pusieron, o sea: instalaron,
38:3.
pusiesse, pusiese, 81:67.
pusmi, puse mi, 18:33.
puso, entiéndase *me puso*, 25:33;
(las) puso, 59 bis:3; *p. a.*, hizo
de, 59 bis:19.
pusol: *p. nombre Urgel*, la llamó
Urgel, 21:10.
pusso, puso, 21:6.
pusto, puesto, 15:110.
putei, del pozo, 66:10.
puxar, pujare, 45:19.

Q

qasi, casi, 77:38.
qe, que, 20:2, 77:6, 44.
qebrantava, conmovía, 20:60; *q. los
sábados*, no cumplía, los sábados, con sus deberes religiosos,
20:67.
qerie, quería, 20:58.
qerria, querría, 20:43.
qoalqiere, cualquiera, 77:44. V. cual.
qu'el, que el, 102:40.
qu'ela, que ella, 18:125.
qu'esta, que esta, 70:22.
qua, porque, 38:8. Cf. ca.
qua, alguna, 61:19.
quada, cada, 71:5, 24.
quadragesimo, cuadragésimo, 69:26.
quadrúpeda, cuadrúpedo, 74:24.
qual, qué, 15:1; cualquier, 24:20;
cuál, 37:3; cualquiera, 50:18; el
cual, 60:45, ¿102:25?; ¿que?,
74:12; pues, 102:16; lo cual,
105:9; *por tal q.*, para que,
8:8; *q. hora*, (que a) cualquier
hora, 12:2; *q. merecio*, cual

mereció, 20:67; *q. quier*, cualquier, 24:14; quienquiera, 24:18; cualquiera, 27:43; *q. quiere*, cualquier, 104:16; *al q.*, a quien, 29:18; *tal don q.*, cualquier don que, 52 bis: 5; *la q.*, la cual, 71:28; *el q.*, el cual, 112:28; *qq.*, cuáles, 20:23, 71:12; *qq. quier*, cualesquiera, 26:20; *qq. quiere*, cualesquiera, 103:33; *qq. tolliot*, las cuales quitó, 61:4; *los qq.*, los cuales, 100:5, 102:15; *las qq.*, las cuales, 107:4. Cf. **qualquier. V. kual.**

quale, cualquier, 8:22; *cum q.*, ¿con lo cual?, 6:8.

qualesquier, cualesquier, 33:29.

qualesqujere, cualesquiera, 121:4. Cf. **quoalesquiere.**

qualiscumque: *q. fuerit*, fuere quien fuere, 7:23.

qualquier, cualquier, 32:30. Cf. **qual** 24:14.

qualquiera, cualquier, 35:9.

qualquiere, cualquier, 71:18, 108:3. V. **cual.**

quallemiseran: *por q.*, ¿por lo que le habían nombrado, designado?, 8:10.

quam, que, 7:1; *tam ... q.*, tanto ... como, 7:2, 17:2; o ... o, 63:10; *plus ... q.*, más ... que, 60:15. V. **sibe.**

quamo, como, 92:28.

quamuis: *q. docta*, por docta que sea, 61:49.

quan, cuando, 18:21, 40:16a. V. **kan.**

quando, cuando, 10:15; *de q.*, desde que, 14:127; *cada e q.*, cuandoquiera que, 117:22. V. **ata** 60:55, **kan.**

quano, cuando, 92:23. V. **kan.**

quant, cuando, 18:98; cuánto, 18:131; *tant q.*, todo lo que, 72:20. V. **kan.**

quanta: *hereditate q.*, cuanta heredad, 41:3; *qq.*, cuantas, 23:19.

quanto, cuanto, 11:10, 68:25; cuánto, 102:34; *q. i a*, cuánto tiempo hace, 15:96; *q. que*, cuanto tiempo, 18:81; *q. otro omne dier por ela*, cuanto (dinero) que diere otro hombre por ella, 41:11; *q. tempore*, por cuanto tiempo, 61:7; *ya q.*, algo, bastante: *sobre IIII pies en alto ya q. sea posado que*, sea colocado sobre cuatro pies bastante altos para que, 105:5 (cf. *FT*, 67); *qq.*, cuántos, 81:13; *qq. que*, cuantos, 14:92. Cf. **yaquanto. V. ojo.**

quantum, cuanto, 62:8.

quarta, ¿la cuarta parte (del precio)?, 49:10; cuarta, 80:37; *la q.*, la cuarta parte, 48:3.

quarteres, cuarteles, plural de *cuartel*, 'contribución que las cortes del reyno de Navarra concedían al rey para las urgencias del erario' (Yanguas, *DHPT*, 229, s. v. *quarteles*), 79:3. Cf. **quoarteres.**

quartero, medida de vino o de pan, 25:41, 42:7.

quarto, cuarto, 11:14.

quas, que (*nominativo*), 65:7.

quasi, casi, 80:26; ¿casi?, ¿o sea?, 86:24.

quatorzeno, décimocuarto, 79:20.

quatre, cuatro, 115:6.

quatro, cuatro, 14:67, 69:8. V. **mas** 31:4.

quatuor, cuatro, 7:5; *la q. euangelia*, los cuatro Evangelios, 12:8.

que, lo que, 21:57, 51:9; quien, 52 bis:52; *q. ouiesse*, entiéndase 'pidiendo que tuviese', 13:6. V. **ke, toto.**

que'l, que le, 74:59. Cf. **quel.**

queadeliçio, que a delicio, o sea: que con regalo, 14:125.

quecumque: *q. uolueris*, lo que quieras, 64:11.

queda, quieta, 25:10, 32:76.

quedo, pienso, 16:2; quieto, 52 bis:81.

quees, que es, 73:14.

quel, que le, 14:61; que el, 23:9, 48:15, 99:11; quien le, 52 bis:6; *a q.*, aquél, 14:26; *o q.*, o que le, 17:5; *d'a q.*, de aquel, 18:22; *por q.*, para que le, 21:27; *ante q.*, antes de que le, 40:4a, 4b, 40b; *de q.*, de lo que le, 52 bis:31. Cf. **que'l.**

quela, que la, 22:14.

quele, que le, 51 bis:12.

quelo, que lo, 24:10, 49:11. V. **fierga** 51 bis:42.

quem, que, 7:28; qué me, 14:103; ¿qué?, ¿a quien?, 60:75; *q. admodum*, como, 60:61.

quemcumque, cualquier, 7:22.

quemdam, cierto, 60:10.

quemo, como, 13:8, 60:60. V. **kom.**

quen, quien, 47:21; ço q., lo que de ellos (¿ellas?), 99:20. V. **end.**

quendes, condes, 16:30. Cf. **cuende.**

quepindrado, que prendado, 40:53a. V. **pindrado.**

quera, querrá, 15:69.

querades, queráis, 15:81, 71:13.

queran, querrán, 28:33.

queredes, queréis, 14:84, 18:138, 73:18.

quereedes, queréis, 16:1.

quereloso, querellante, 40:35a.

querellante: *nullo q.*, sin reclamación por parte de otro, no habiendo quien reclamara, 87:5.

querelloso, querellante, 40:21b.

querendo, queriendo, 110:8.

querie, quería, 21:60.

queriedes, queríais, 14:106.

queryes, querrías, 18:97.

queriesse, v. apegar.

querimonia, queja, 94:7.

queriš, quieres, 53:4.

querriades, querríais, 111:5.

ques, de modo que se, 10:11; que es, 14:84.

quese, que se, 23:34.

queser, quisiere, 40:19a, 47:21.

queserdes, quisiereis, 51:9.

quesiel, quisiere, 40:40a.

quesier, quisiere, 40:10b.

quesierdes, quisiereis, 49:12.

quesiere, quisiere, 40:32b.

quesir, quisiere, 40:20a.

queso, v. assadero.

quesoluessent, que soltasen, 8:10.

quespiseron, que expendieron, o sea: que gastaron, 38:7.

question, pleito, 78:55, 83:13.

questos, que estos, 28:27.

queta, pena, 20:47.

quetaillaren, que fijaren, 40:38a.

queuaia, que vaya, 40:48a.

quexa, aflicción, 27:2.

quexándose, quejándose, 31:15.

quexar, estar aquejado, 51 bis:21 (v. Coro., III, 937 b 46); *se q.*, quejarse, 121:31.

quexase: *se q.*, se afligiera, 23:17.

quexauase, sufría, 21:49. (V. Coro., III, 937 b 26.)

qui, quien, 60:30, 87:41, 98:15, 100:26, 104:6, 118:10; (*acusativo*) 74:7, 102:26; quienes, 61:36, 112:19; los que, 87:7; que, (*masculino*) 15:24, 42:1, 60:34, 70:21, 82:19, 111:19, 113:10; (*femenino singular*) 1:10, 94:18; (*femenino plural*) 87:6, 93:16; *a q.*, aquí, 14:36; *desa q.*, desde ahora, 14:42; *q. en,* ¿quien?, 60:3; *el q.*, el que, quien, 74:22; el cual, 111:13; *q. quiere,* quienquiera, 98:15. ¿Hay que leer *que* en *dixo nos q.*, 97:11? V. aqui 103:28, ki, condicion, equi, quier, quil, quils, quis 40:8a, saquella.

quia, que, 60:69, 74; porque, 64:6.

quiçá, quizá, 31:57.

quicumque, quienquiera, 7:6.

quid, lo que, 60:72; que, 87:25 (cf. *LM,* 187n.). V. **condemnandi, nisi.**

quidam, cierto[s], 60:3, 36.

quidquid, todo lo que, 3:6; *omnia q.,* cuantoquiera, 3:2.

quien, v. qui 60:3.

quyenquier, quienquiera, 52 bis:36.

quier, quiere, 21:10; *qui q. se sea,* quienquiera que sea, 102:19. Cf. **quiere.** V. aqual, commo, como, qual, qui.

quiere: *cual q., qual q.,* cualquier, 98:2, 104:16; *qui q.,* quienquiera, 98:16; *si q.,* o, 104:10. Cf. **quier.**

quiérome: *q. soffrir,* quiero sufrirme, o sea: quiero aguantarme, 37:21.

quietam, sin disputa, 64:12.

quieti, (?), 60:13. (Cf. *quiete* 'tranquilamente', y *quietum,* supino de *quiesco,* que puede significar 'permitir'; y v. Coro., III, 964 b 51.)

quil: *q. matar,* que le matare, 17:8.

quils, que los, 96:16.

quin, quien, 15:20.

quinnan, derecho de posesión (palabra hebraica), 56:4.

quinta: *q. del pan,* quinta parte del pan, 43:11.

quiras, quieras, 114:21.

quirios, kiries, 51 bis:33.

quiro, quiero, 15:53.

quis, quise, 18:55.

quis, que se, 40:8a; *q. quiere,* cualquiera, 18:83; *si q.* [*aliquis homo*], si alguien, 61:2, 62:19; *si q. christianus,* si algún cristiano, 61:4.

quiscataqui, cada uno, 60:27.

quiscun, cada, 98:9.

quisere, quisiere, 10:17.

quisier, quisiere, 42:11. V. se 43:13.

quisies, quisiese, 48:17.

quisiessemos, quisiésemos, 78:12. Cf. **quisisemos.**

quisiessen, quisiesen, 77:47.

quisisemos, quisiésemos, 117:14. Cf. **quisiessemos.**

quisist, quisiste, 16:21.

quislibet, cualquier, algún, 61:51.

quisose: *q. confesar,* quiso confesarse, 81:48.

quisso, quiso, 9:10.

quita, exenta, 17:10.

quitacio, quitacion, sueldo, salario, paga, 99:3, 13.

quito, libre, exento, 75:42.
quitos, exentos, 22:24. V. **chantado.**
quo, en que, 7:13, 67:8; *cum q.,* con quien, 8:21. V. **iudicio.**
quoal, cuál, qué, 77:1; cual, como, 82:16; *del q.,* del cual, 86:10; *las qq.,* las cuales, 77:11; *los qq.,* los cuales, 80:42. Cf. **quoalles.** V. **kual.**
quoales, v. **quoal.**
quoalesquiere, cualesquier, 78:40; cualesquiera, 80:13. Cf. **qualesqujere.**
quoalque, cualquier ... que, 75:59.
quoalles: *las q.,* las cuales, 83:38; *los q.,* los cuales, 83:43. Cf. **quoales.**
quoanto, cuanto, 74:84.
quoarteres, cuarteles, 82:8. V. **quarteres.**
quoatro, cuatro, 74:73.
quod, lo que, 3:10, 60:13, 16, 31, 37, 42; 87:17, 41; ¿que (*relativo*)?, 3:17; que (*conjunción*), 8:5, 64:11, 13; 87:27 (cf. *LM*, 185); para que, 87:17, 88:9; *pro q.,* porque, puesto que, 88:3. V. **eo, modo.**
quodquod, ¿quienquiera?, 3:17.
quoygoalles, iguales, 80:27.
quomo, como, 8:4.
quomodo, como, 62:21; *q. aqua vertit,* ¿siguiendo la divisoria de las aguas?, ¿agua abajo?, 89:10, 12, 29. V. **sic.**
quos, los que, 7:3, 88:12.

R

rabbī, mi señor, 53:15.
raçion, prebenda, 77:23; *rr.,* 80:28.
racionero, prebendado, 80:40, 120:2; *rr.,* 77:9.
raçon, racon, razón, 100:26, 103:5, 35.
raçone, ¿abogue por?, 100:24.
rafechs, aleros, 120:34.
rafez, rahez, 52:5.
rahīma, v. 'l-rahīma 53:5.
rraýdas, raídas, 31:28.
rayo: *r. de mañana,* ¿rayo del alba?, 53:5.
ranculo, quejó, 40:8*a.*
rancura, rrancura, queja, 40:1*a*, 1*b.*
rancurar, rrancurar: *elo r., lo rr.,* [y] le acusare, 40:3*a,* 3*b.*
rancuroso, rrancuroso, querellante, 40:5*a,* 5*b; ye rr. de ti,* se querella contigo, 40:8*b.*
rranquen, arranquen, 76:31. (Cf. *FAr,*

542, s. v. *rencar,* y v. *NRFH,* XII, 70.)
rason, razón, 34:18.
rastado, quedado, 14:65.
rrávanos, rábanos, 31:30.
razon, cosa, opinión, 14:19; poema, 18:2; *en alguna r.,* de alguna manera, 14:102; *boca a r.,* ¿boca bien proporcionada?, 18:65; *en r. que,* puesto que, 22:5; *su r.,* su plática, conversación, 37:60, 58:1; *šu r.,* su petición, 54:44; *por r.,* por causa, 76:22, 80:2, 109:10; *por r. que,* puesto que, 78:6; *de r.,* razonable, 111:19; *rr.,* palabras, 37:39; *habláuale rr.,* le decía palabras, 35:16.
re, palabra que sirve para encabezar los títulos de las varias partes de una obra, 81:14.
real, sitio en que está la tienda del rey o del general; campamento, 85:4.
realencas, realengas, 75:45.
realenco, realengo, patrimonio real, 83:33.
rebata, sobresalto, susto, 14:85.
rebelation, revelación, 81:70.
rebolujda, revuelta, 112:31.
rrecabdado, preso, 27:48.
recabdadores, recaudadores, 28:34.
recabdo, ganancia, 20:52, 24:20; *con grand r.,* con prevenciones muy severas y precisas, 14:24; *grant r.,* gran discreción, 14:45.
recaudo, ¿razón?, 101:10.
recebidas, recibos, 99:10.
recebido, recibido, 21:76, 79:2, 103:2.
recebidor, recibidor, 78:50.
recebiemos, recibimos, 111:6.
reçebieron, recibieron, 58:25.
rreçebimos, recebimos, recibimos, 24:7, 48:8.
recebir, recibir, 37:45, 82:8, 104:11; recibiere, 50:19.
recebudas, recibos, 99:7.
recibient, recibiente, o sea: que recibe, 103:28.
rreçibierdes, recibiereis, 24:23.
rreçibiessen, recibiesen, 26:25.
recibu, recibo, 49:8.
recognosciolo, le reconoció, 81:61.
recomiendo, encomiendo, 114:10.
recorrjdo, recurrido, acudido, 121:7.
rrectores, gobernantes, 52:31.
recudedes, recudéis, o sea: respondéis, 14:112.
rechola, ladrillo, 120:12. (Cf. *RFE,* XXII, 142, s. v. *regola.*) Cf. **richolas.**

red, jaula, 14:72.
reddendo, dando, pagando, 64:15.
redempciones, redenciones, exenciones, 116:16.
redemptor, redentor. 114:34.
rredoblar: *r. lie,* le redoblaría, 54:38.
redrar, defender la causa, 19:13; arredrar, 100:3.
reduga, reduzca, 112:27.
reduytos, reducidos, 112:27.
reduptable, formidable, 82:1.
rees, reyes, 15:134.
referire, devolver, restaurar, 6:9.
refrescar, renovar, 20:26.
regalias, prerrogativas, 84:15.
reganno, ¿regadío?, 11:14. (Cf. Löfstedt, 76.)
rregara, regará, 76:22.
rege, rey, 38:8; *de r.,* del rey, 6:19; *ante r.,* ante el rey, en el tribunal del rey, 87:21; *ad r.,* al rey, 87:23; *a r.,* 88:2, v. **a** 88:2.
rregidente, (?), 27:35. ¿Hay que entender 'diligente', como indica el MS. N del *Rimado?*
rregimiento, ¿régimen?, 27:3.
regimine, dominio, 1:4.
regina, reina, 65:3.
regis, [d]el rey, 62:22, 111:34.
registrata, registrada, 121:35.
regnando, reinando, 49:19.
regnante, reinando, 5:21.
regnaua, reinaba, 95:7.
regne, reino, 72:9.
regno, reino, 21:66, 82:17, 83:5, 111:21; reinó, 95:1.
regressum, salida, 3:8.
regueyfas, hogazas, 47:17.
regula, regla, 87:29; *in r.,* bajo la regla, o sea: en el monasterio, 5:4.
regulantes, miembros del monasterio, 5:7.
regum, de [los] reyes, 87:47.
rei, rey, 13:8.
rei: *huius r.,* de esta cosa, de esto, 66:5.
reyal, real, 117:24; *rr.,* 116:16.
reynna, reina, 75:30; ¿especie de juego de azar?, 106:8. Cf. **barreta.**
reys, reis, reyes, 21:69, 58:25.
relaxaste, relajaste, aliviaste, 114:18.
releuados, exonerados, aliviados, 103:1.
releuamiento, alivio, 82:16.
rellia, reja (del arado), 104:12.
rem: *mea r.,* mis bienes, 4:3.
reman, ¿forma truncada del verbo *remanecer,* 'quedar'?, 99:11.

remaneant, queden, 88:11.
remaneciere, quedare, 10:14.
remanes, queda, 46:11.
remanezca, quede, o sea: pase, 13:15; quede, 45:20.
remansit, quedó, 62:9.
remaso, rremaso, quedó, 48:14, 95:23. V. **tras.**
remenbrança, remembranza, 68:2.
remenbrancia, ¿inventario, memorándum?, 44:22.
remenbraza, remembranza, 94:4.
remeso, remitido, eximido, 118:11.
remission, remisión, 116:1.
ren, cosa, 48:14. V. **tras.**
rencura, rencor, 114:9.
rendas, rentas, 84:15.
render, devolver, 102:33.
rendido, devuelto, 102:2.
rendiendo, entregando, 75:43; devolviendo, 102:33.
rendudo, rendido, 69:19; *rr.,* 69:16.
renonbre, renombre, 34:27.
rrenunçiamos, renunciamos, 24:8.
repente, súbitamente, inesperadamente, 60:4.
repienten: *se r.,* se arrepienten, 114:18.
repila (nombre propio), 51:2.
repleuimur, nos llenaremos, 60:66.
rrepoyas, repudias, 52:11.
reprehendíale, reprendíale, 35:14.
reptando, increpando, 20:50.
repuesta, respuesta, 111:15.
reputatiba, (?), 60:75. (Cf. latín *putativus,* 'supuesto', 'imaginario'.)
requerimiento, solicitación, 77:57; *rr.,* 37:46.
requestado, requerido, 29:30.
requien, réquiem, 51 bis:26.
requirio, ¿examinó judicialmente?, ¿notificó una demanda?, 109:5.
rerum, v. **proprietatibus.**
res, reyes, 16:30.
res, nada, 72:38, 119:17; cosa, 120:36; *no r. menos,* asimismo, igualmente, 117:25.
resçebido, recibido, 33:40.
resçibe, recibe, 28:25.
respaldos, ¿contrafuertes?, 120:9.
respondeant, respondan, 88:14.
respondeas, respondas, 88:10.
rresponder: *del r.,* de responderle, 23:9. V. **desesperança.**
respondiera, había respondido, o sea: respondió, 58:16.
respondit, respondió, 60:5.
respondunt, responden, 60:63.
resposta, respuesta, 110:11.
respuit, rechaza, 60:18.

ressuçitarya, resucitaría, 18:50.
restan, faltan, 82:8.
restant, restante, 112:36.
restaurabimus, restauramos (pretérito), 5:10.
restituat, restituya, 61:4.
rresucitava, resucitaba, 52 bis:23.
resusçitar, resucitar, 114:12.
resuscitare, resucitaré, 114:34.
retenemos, reservamos, 116:5.
retenen, retienen, 72:34.
retentationis: r. causa, a fin de retener, 63:10.
retinere, retener, 61:52.
retiuo, retuvo, difirió, 81:64.
retorissadas, rectificadas, 103:6.
retornamjentos, entradas, 45:6.
retraen, cuentan, 21:68.
retraer, vituperar, 14:126.
retrahen, reprochan, 74:47.
retreyto, reproche, 74:49.
retro, ¿atrás?, 92:32. V. arra, tabola.
reuelation, revelación, 81:65.
Reuerent, Reverendo, 81:1.
reuocamiento, revocación, 103:16.
rex, rey, 2:2, 62:27; el rey, 87:27.
rezjo, reciamente, 25:33.
ribo: r. en, llegó a, 81:45.
richolas, ladrillos, 120:24. Cf. rechola.
richome, ricohombre, 75:48.
ridientes, rientes, 18:64.
rigo, río, arroyo, 88:8.
ryko, rico, 57:6.
rimo, rima, 33:14.
ri(?)sudos, restantes, 112:9.
rixando, riñendo, peleando; mediante la riña o la pelea, 60:25.
rrobados: auia ... r., había robado, 23:13.
roboration, confirmación, 63:6.
roborauerunt, confirmaron, 62:32.
roboravi, confirmé, 87:47.
roborauimus, confirmamos, 62:31.
robra, alboroque, 19:12.
robracion, confirmación, 49:9.
robrad, confirmad, 56:5.
robrados, confirmados, 56:2.
robramos, confirmamos, 46:21.
robraron, confirmaron, 8:27.
robratione: in ... r., en ... confirmación, 62:35.
robredo, robledo, 14:109.
robro: r. & conffirmu, confirmo, 49:24.
rocin, caballo de trabajo, 118:6. (V. FAr, 550.)
rroda, impuesto que se pagaba sobre el ganado, 25:20. (V. Coro., III, 1029 a 54.)

rodeome, v. fonda.
rogar: r. lo e, le rogaré, 15:59.
rogasse, rogase, 81:50.
rrogaxe, rogase, 54:45.
roido, ruido, 20:35.
rroyn, ruin, 25:9.
royso, multa impuesta por el rapto de una mujer, 7:27.
romanga, permanezca, 103:37.
romanjentes, restantes, 112:44.
ropado, robado, 102:2.
rropas, ropa, 31:27.
rostro, rrostro, hocico, 14:89; cara, 25:2. V. asomada, finco 14:89.
rouo, arroba, 75:24, 76:15.
ruala: dAlba r., de Alberuela, 92:25.
ruinam, ruina, destrucción, 60:73.

S

s. (abrev.), sueldos, 69:2. Cf. sl., sol. 99:13, soldos, solidos, solos, sols, soltz, ss.
s'acordoron, se acordaron, 95:23.
s'io, si yo, 18:96.
...sa, (?), 89:13.
sabado: un s. esient, al fin de un sábado, 16:3. V. qebrantava.
sabam, sepan, 50:1.
saban, sepan, 43:1.
sabato, sábado, 8:30.
sabedes, sabéis, 15:88.
sabelo, saberlo, 15:53.
saber: es a s., esto es, 79:12, 99:13.
šaber: fizo a š., hizo saber, 54:9.
sabet, sabed, 18:54.
sabiades, sabíais, 111:11.
šabidor, sabedor, 54:26.
sabidora, sabedora: era s. de, sabía, 86:40; ss., 29:37.
sabidores, sabedores, 22:23.
sabidoria, noticia, conocimiento, 96:2.
šabieron, supieron, 54:10.
sabor, placer, 18:128. V. conseio.
sabudament, a saber, 74:40.
sabudo, sabido, 21:23.
saca, desempeña, redime (imperativo), 40:27b.
sacala, desempéñala, redímela (imperativo), 40:27a. En el 41:5 debe entenderse sacarla, es decir, un infinitivo con valor de imperativo (cf. dallo 41:12).
sacalle, sacarle, 31:47.
sacare, redimir, 41:5.
sacauades, sacabais, 14:107.
sacerdos, sacerdote, 61:28.
sacerdotis, de un sacerdote, 60:3.
sagrament, juramento, 83:21, 93:8.
sagramentos, juramentos, 83:23.

sagudado, ¿hay que leer *segudado,* perseguido?, 7:11.

sayellada, sellada, 71:27.

saille, sale: *s. a,* conduce a, desemboca en, 78:31.

sayllja, salía, 73:6.

sayllido, salido, 75:28.

sajones, sayones, o sea: cobradores de tributos, 39:2.

saysarach, palabra indígena usada para denotar una especie de ave oriental, 113:11.

salbador, salvador, 30:7.

šalban, salvando, 54:43.

salbatore, Salvador, 38:8, 60:45.

salbetate: *de s.,* de seguridad, 90:5. (V. Ibarra, 269, s. v. *saluetate.*)

salbo, salvo, 81:69; salvó, 85:6.

salidas, v. **teras.**

salios, salióse, 14:58.

saliosse, salióse, 21:51.

salir: *s. atierra,* desembarcar, 23:25.

salsa, lugar lleno de sal, 66:4.

saltara, había saltado, 23:19.

saltare, bailar, 61:38.

saltatione, baile, 61:38.

salto: *dio s.,* montó, 14:46; saltó, 21:50; *dieron s.,* salieron, 14:48.

salua, saluda, 29:42; ¿(mujer) casta, inocente?, 35:20; salvo, 68:23; *haziendo la s.,* saludando, 29:9.

saluant, v. **fe.**

saluat, salvado, excusado, 72:24.

saluatoris, del Salvador, 60:41.

saludes, saludos, 29:13.

saluo: *no este que s.,* no (es) éste sino, 59 bis:16.

salut, salud, 111:4, 121:5.

salute, la salud, 60:15. V. **anime.**

salutis, de salud, de salvación, 60:56.

saluum, salvo, intacto, 67:12.

sallid, salid, 122:10.

sallidlas: *s. a ver,* salid a verlas, 122:18.

sallieron, salieron, 81:58.

sam, san, 50:8.

ssana: *fazemos s.,* hacemos buena, 24:19.

sanamiento: *fiador de s. de sanar,* ¿fiador encargado de hacer reparación de perjuicio seguido a tercero?, 19:13. (Cf. *THD,* 880, s. v. *sanadores.*)

sanar, v. **sanamiento.**

šanarad, sanará, 53:16.

Sancta, santa, 10:1; *s. Marie,* de Santa María, 1:12. V. **Maria.**

Sanctam: *ad S. Mariam,* a Santa María, 2:11.

Sancte: *uocabulo S. Marie,* por nombre Santa María, 1:3; *s. et indiuidue Trinitatis,* de la santa e individua Trinidad, 2:1; *eglesie s.,* a (la) santa iglesia, 3:1; *s. Marie,* de Santa María, 64:2.

Sancti: *S. Emeteri,* San Emeterio, 1:9; *Spiritus S.,* del Espíritu Santo, 2:2; *de s. Christobal,* de San Cristóbal, 62:18; *ad s. adtrium,* a la iglesia del santo (o quizá 'a la santa iglesia'), 87:33. V. **episcopi.**

sanctissime: *s. pater,* oh, santísimo padre, 62:3.

sancto, santo, 60:44; *ad S. Petro,* a (la iglesia de) San Pedro, 3:9; *S. Dominico,* a(l monasterio de) Santo Domingo, 66:1.

sanctorum, de los santos, 60:64. V. **habitationes.**

Sanctum: *S. Emeterium,* San Emeterio, 2:6.

sanchetez, sanchetes, 72:33.

sangre, sentido, 20:42.

sanguinem: *quod nequaquam deberi s. comedi,* que la sangre no debe de ninguna manera comerse, 61:57; *s. comedi projbuit,* prohibió que la sangre se comiera, 61:58.

sanguinum, de sangres, o sea: de sangre, 60:7.

sanyya, saña, ira, 57:30.

sant, San, 19:6; *S. Michael,* la fiesta de San Miguel, 10:5; *por la s. Miguel,* por la fiesta de San Miguel (29 de setiembre), 17:14.

Santandres, San Andrés, 49:4.

santillan, Santullán, o sea: San Julián, 25:17.

šanturero, santo, 54:6. (V. Coro., IV, 142 b 37.)

santz, santos, 106:2.

sapiendo, sabiendo, 61:66.

saque, redima, 41:4.

saquela, redímala, 41:6.

saquella: *s. sos fillos el qui,* sáquela (o sea: redímala) aquel (de) sus hijos que, 41:8.

saquen, rediman, 41:10.

saquent, saquen, 7:23.

saquoron, sacaron, 9:5.

sara, será, 52 bis:35.

sarças, zarzas, 115:10.

sarre, tape, cubra, 74:37.

sas, sus, 93:12, 96:12. Cf. **ses, seu, so** 9:10, **son, sua, sue, suo.**

sasso, terreno de cultivo extenso y llano, campo extenso y llano, 89:4. (V., empero, *EDA,* 194.)

satisfactionem: *post s.,* después de dar satisfacción, 61 : 7.

satisfer, satisfacer, pagar, 103 : 31.

Savan ... (¿nombre propio?), 89 : 18.

saujan, sabían, 80 : 20.

savidor: *so s.,* soy sabedor, o sea: sé, 20 : 17.

sazon, tiempo, 95 : 7.

scaleras, escaleras, 108 : 9.

scelus, crimen, 61 : 22.

sçiençia, doctrina, 77 : 8; *de nuestra çierta s., de scierta s.,* con toda seguridad, 78 : 21, 103 : 9, 121 : 23; *ss.,* ciencias, 33 : 2.

scierta, cierta. V. **sçiençia.**

sçiunt, saben, 94 : 21.

scolares, estudiantes, 80 : 4.

scondida, escondida, oculta, 118 : 4.

screbir, escribir, 81 : 1.

scribere, escribir, 87 : 41.

scripsit, (lo) escribió, 46 : 23.

scripta: *s. est,* está escrita, 94 : 18.

scripto, escrito, o sea: carta, 46 : 12; escrito, 81 : 4.

scriptori: *tibi ... s.,* a ti, ... escritor, a ti, ... secretario, 64 : 5.

scriptum, escrito, 60 : 31.

scriptura, escritura, 61 : 55. V. **firmitatis.**

scrisi, escribí, 93 : 13.

scrita, escrita, 110 : 11.

scrjuan, escriban, 112 : 1.

scriuanos, escribanos, 15 : 121.

scubjerto, descubierto, 112 : 28.

scuto: *con s.,* con escudo, 7 : 32.

sdeuenjra: *se s.,* sucederá, 116 : 7.

se, si, 6 : 8, 44 : 11, 49 : 12, 52 bis : 74; (que) si, 43 : 20; *s. lela quisier comprar,* si quiere comprársela (cf. *Cid,* I, § 177 (1)), 43 : 13; *s. non véndala,* si no, véndala, 43 : 13; *s. non deleysela,* si no, déjela, 43 : 19; *s. porauentura,* si por ventura, 45 : 15.

še, si, 54 : 6, 31.

sea, suceda, 28 : 19. V. **feido.**

seacosto, ¿se arrimó?, ¿se recostó?, 73 : 3. (V. *Dicc. hist.* (2), 531a.)

seades, seáis, 44 : 8.

seal: *etornaron s.,* y tornáronse al, o sea: y regresaron al, 14 : 93.

seam, séame, 14 : 40.

seclo, mundo, 15 : 85.

secretament, s e c r e t a m e n t e , 81 : 71, 113 : 7.

secula, [los] siglos: *jn s. seculorum, per infinita* [*seculorum*] *s., per s. cuncta, per omnia s. seculorum,* por siempre jamás, 60 : 44, 64 : 16, 67 : 15, 65 : 16, 67 : 16.

seculorum, de los siglos. V. **secula.**

secum, consigo, 61 : 52.

secundo: *s. idus may,* el 16 de mayo, 8 : 1.

sed, sino, 61 : 47.

sede: *vicarios generales ... s. vacante enel obispado,* vicarios generales ... hallándose vacante la sede del obispado, 22 : 4; *ante illa s.,* delante de la catedral, 93 : 17.

seder, ser, 10 : 6, 105 : 31. V. **esser.**

sedere, ser, 61 : 34. V. **esser.**

sedzeno, decimosexto, 76 : 30.

seed, sed (*verbo*), 56 : 4.

seer, ser, 15 : 13, 56 : 7; *s. lo,* serlo, 58 : 23.

séérdes, (vosotros) ser, o sea: seréis, 47 : 12. Cf. **leuaren.**

sega, sea, 92 : 19.

segamus, seamos, 60 : 48.

segar: *de messe s.,* para segar la mies, 39 : 12.

segat, sea, 92 : 5.

seglo, mundo, 15 : 43.

segnorio, señorío, 45 : 13.

segon, según, 98 : 10. Cf. **segont, segund, segundo, segunt, ssegunt.**

segona, segunda, 101 : 4.

segont, según, 71 : 15. V. **segon.**

segudol, siguióle, o sea: persiguióle, 21 : 2.

seguie, seguía, 21 : 56.

segujentes, siguientes, 80 : 34.

seguir: *s. se a,* se seguirá, 36 : 17.

segun: *s. que,* del mismo modo que (eres), 29 : 30.

segund, ssegund, según, 22 : 21, 26 : 11, 76 : 22, 109 : 11, 116 : 7; *s. que delas,* como lo son los de las, 22 : 21; *s. mas e menos,* ¿algunas más, otras menos?, 31 : 1. V. **segon.**

segundo: *s. como ujrem o͞mes bonos,* como vieren (o sea: en la opinión de) buenos hombres, 50 : 12. V. **bono, segon.**

ssegunt, segunt, según, 26 : 12, 78 : 13, 102 : 40, 120 : 6; *sj e s.,* según y conforme, 121 : 29. V. **segon.**

segurament, seguramente, 108 : 8.

seguridat, seguridad, 71 : 10, 83 : 15.

seguro: *bien s.,* muy seguro, 18 : 140.

sey, era, o sea: estaba, 14 : 68.

sey, sé, 29 : 45.

seia, era, o sea: estaba, 9 : 20.

seya, seia, sea, 48 : 15, 50 : 11, 70 : 11.

seydas: *son s. feytas,* han sido hechas, 83 : 64 (cf. **feyta** 83 : 52); *han s.,* han sido, 107 : 4.

20

sseido, seydo, sido, 78:16, 83:28, 121:7, 18; *era s.,* había sido, 114:1; *son ss.,* han sido, 83:62.

seiellar, sellar, 68:30.

seyendo, siendo, 23:4, 75:54.

šeyendo, siendo, 54:12.

seyentes: *bienes s.,* bienes sedientes, 103:20.

seyer, ser, 83:2, 107:5; *ayan s.,* (que) sean, (que) queden, 83:53. V. **esser.**

seignor, señor, 98:13. Cf. **seynnor, seinnor, seynor, seinor, senigor, senior, s e n y o r, sennyor, sennor, senor, sire.**

seyllada, sellada, 70:23.

seyllar, ¿acostumbrada a la silla?, 75:18.

seyllo, sello, 71:28.

seynaladament, señaladamente, 86:23.

seynnal, señal, marca para indicar propiedad, 74:29.

seynneros, señeros, 70:16.

seynnor, seinnor, señor, 70:13, 74:2, 99:18, 106:2. V. **seignor.**

seynnoria, señoría, 72:7.

seynnoriu, señorío, 106:6.

seynor, seinor, s e ñ o r, 71:19, 97:5, 99:2, 4. V. **seignor.**

seynora, señora, 71:3.

seyt, sed (*verbo*), 18:140.

sela, si la, 41:5, 43:19.

sella, silla, 39:3.

sem, sin, 47:13.

sembla: *en s. con,* junto con, 43:3. Cf. **ensembla.**

semblant, semejante, 104:15, 116:1. Cf. **senblant.**

semblantes, semejantes, 104:12.

semble: *en s.,* juntos, en común, 74:14; *en s. con,* j u n t o con, 112:15, 43. V. **ensemble.**

semdero, sendero, 6:2.

semeǧa, parece, 57:17.

semeias, semejase, o sea: pareciese, 16:14.

semeio, pareció, 21:9.

semeiol, semejol, semejóle. o sea: parecióle, 21:3, 52 bis:54.

semen, prole, sucesión. 59 bis:8.

semient, simiente, 102:16. Cf. **simient.**

semnadores, sembradores. 76:24.

semper, siempre, 8:19; *s. erit bibo,* mientras viva, hasta que muera, 92:15.

sempnar, sembrar. 75:55.

sempre, siempre, 18:80. 47:20. 96:26. Cf. **siempre, sienpre. V. tot.**

sen, sentido, 18:93.

sen, sin, 61:29, 70:10, 20. Cf. **senes** 68:5, **sens, siense, sines, sinse.**

senblant, apariencia, 55:5. Cf. **semblant.**

sende: *s. jua,* se iba, 111:14. V. **end.**

seneiras, sernas, tierras de sembradura, 3:8. Cf. **senra.**

senes, sin, 68:5, 96:19. V. **sen.**

senes, viejos, 87:13.

senyal: *el s.,* la señal, 114:39.

senices, viejos, 4:10.

senyero, señero, solo, 57:24.

senigor, señor, 92:1. V. **seignor.**

senior, senyor, señor, 15:6, 83:6, 91:9, 120:3. V. **seignor.**

senyora, señora, 84:4.

senyoria, señoría, 83:63.

sennal, señal, 15:13.

sennaladamente, ¿c l a r a m e n t e?, 52 bis:54.

senneros, señeros, 70:19.

sennyor, señor, 82:1, 103:30. V. **seignor.**

sennyoria, señoría, 82:2.

sennor, señor, 8:17, 21:26, 83:4, 102:9. V. **seignor.**

sennora, señora, 20:17.

sennoria, señoría, 80:37.

sennorio: *ouo ... tornada en so s.,* hubo vuelto a poner bajo su dominio, 21:20.

senon, sino, 41:10.

senor, señor, 18:130; *la mia s.,* mi señora, 18:98. V. **seignor.**

senora, señora, 18:20.

senorio, señorío, 47:13.

senra, serna. 4:7. Cf. **seneiras.**

sens, sin, 115:12. V. **sen.**

šenu, seno, 53:7.

seña, bandera, 14:48.

šeñalado: *laš ỹenteš š.,* la gente señalada (o sea: distinguida), 54:11.

seo, catedral, 123:18. Cf. **seu.**

sepades, sepáis, 111:16.

seppan, sepan, 79:1.

septem, siete, 61:24.

septentrion: *a S.,* hacia el norte, 59 bis:10.

sepultura, ¿hay que leer *sepulturam,* 'sepultura'?, 61:18.

sepultus, sepultado. 88:16, 89:36.

serbitjo, servicio. 60:48.

serbiunt, sirven, 87:35. V. **nisi.**

serya: *oram s. de tornar.* me sería hora de regresar. 18:136.

seriades, seríais. 101:7.

serie, sería. 20:32.

sermo, sermón. 60:26.

sernam: *non faciat s.,* no labre la serna, 7:14.

serra, sierra, 39:6.

seruada, observada, guardada, 116:4.

seruado, observado, guardado, 84:20.

seruiçio, serujcio, seruicio, servicio, 23:18, 77:47; *in s.,* en (nuestro) servicio, 3:18.

seruicium, servicio, 65:5.

seruideros, servidores, 77:4.

servientes, sirvientes, 58:21.

serujr, servir, 77:51.

seruiredes, serviréis, o sea: proveeréis, 44:17.

seruisio, servicio, 97:13.

seruitio, servicio, 40:18a.

serum, ¿error del copista por *serra,* 'sierra'?, 6:3.

ses, sus, 106:2. **V. sas.**

sesffuerçen, se esfuercen, 77:41.

sesmo, sexto, 11:12.

sesso, seso, o sea: sentido, 20:45.

set, sino, 60:24; pero, 60:40.

set, sed, 114:9.

setanta, setenta, 78:60.

seu, su, 40:29a; catedral, 120:2. Cf. **seo. V. sas.**

seuil (nombre propio), 108:2.

sexu, sexo, 118:3.

si, así que, por lo cual, 78:49; se, 96:8. **V. ad** 8:18, **empero, non** 6:15, **otro** 10:4, **quiere** 104:10, **quis** 61:2, **segunt** 121:29, **tanto.**

si'l, ¿si lo?, 74:31.

sia, sea, 55:12, 72:40, 83:13, 96:13, 118:4; *s. stado,* haya sido, 117:12.

sian, sean, 83:22, 96:23, 120:38.

sibe, y (v. *LM,* 179), 3:8; *s. et,* y (v. *LM,* 180), 3:14; *s. ... quam et,* ¿tanto ... como?, 3:16; *s. ... s. etiam,* tanto ... como (v. *LM,* 180), 3:17; *s. ... siue,* ya ... ya, 60:55. Cf. **sive.**

sic, así, 1:2, 4:1; *s. ... quomodo,* así ... como, 62:20.

sicut, [así] como, 60:59, 67:15.

sīdī, (mi) señor, 53:3.

sieculos, siglos, 60:47.

sied, villa en que el rey tenía un alcaide o merino, tribunal, 75:3.

siedes, estás (¿'estás sentado'?), 60:71.

siegat, sea, 61:49.

sieglo, mundo, 56:14, 74:13, 98:12; *a ss.,* nunca, 56:11; *enel s.,* por siempre jamás, 56:17. **V. con** 56:13.

siegro, siglo, o sea: mundo, 51 bis:22. **V. pora** 51 bis:22.

sieylla, silla: *de primera s.,* dícese de la bestia que lleva la silla el primer año, 75:18.

sieyllo, sello, 70:23. Cf. **siello.**

siellar, sellar, 78:58.

siello, sello, 78:59, 111:32; *ss.,* 68:31. Cf. **sieyllo.**

siempre, v. tot. **V. sempre.**

sien, sean, 72:36.

sienpre, ssienpre, syenpre, siempre, 23:13, 24:12, 57:12. **V. sempre.**

siense, sin, 100:27. **V. sen.**

siera, sierra, 115:14.

syerbe, sirve, 57:11. **V. del** 57:11.

sierben, sirven, 61:15.

syerbo, siervo, 57:12.

sierço, cierzo, 75:56.

sierra: *somo s.* (nombre propio), 25:15.

sieruan, sirvan, 77:12.

siesta, la hora de sexta, 20:68.

siet, siete, 115:9.

sificieremus, si hiciéremos, 60:14.

sig: *s. no,* signo, 77:59.

sigen: *con s.,* acompañan, 14:61.

signal, signo, 98:22.

signo: *sinose del s. de la cruz,* se santiguó, 23:40.

signum, signo, 62:31.

sygo: *con s.,* consigo, 59:10.

sigueran: *se s.,* sucederán, se causarán, 76:21.

siguie, seguía, 21:56.

sil, si le, 15:63; si el, 40:13a.

sila, si la, 41:11.

silo, si lo, 103:26.

silum, silo, 66:2.

simaes, si más, 48:14.

simient, simiente, 76:23. Cf. **semient.**

simile, parecido, 6:10.

similes, semejantes, 62:23.

similia: *ela s.,* ¿la semejanza?, 61:39. **V. hi** 61:41.

similiter, igualmente, 7:9; semejantemente, 60:7.

simple, mera, 80:7.

sympleza, sencillez, 57:28.

simulant, fingen, 61:40.

sin: *s. fallen,* si de ellos faltan algunos, 99:21. **V. end.**

sine, sin, 7:23.

sines, sin, 15:38, 95:23, 117:19, 28; *s. della,* prefiriendo la otra a ella (cf. **sobrella** 55:10), 55:10; *s. dellos,* sin ellos, 112:16. **V. ᶜidda, sen.**

singulares, particulares, individuos, vecinos, 83:20, 117:3.

siniestra, a la izquierda, 14:12; izquierda, 32:15.

sino: *que s. faga lo que,* uso pleonástico de *sino;* entiéndase 'que haga lo que', 59 bis:13.

sino, si no, 81:36.

sinoga, sinagoga, 78:26.

sinon, sino, 34:12; si no, 40:19a, 41:7.

sinose, v. **signo.**

synple, sencillo, 27:42.

sinse, sin, 83:23. V. **sen.**

sint, sean, 3:18.

sintryades, sentiríais, 18:42.

siquer, si quiere, 40:33a.

siquiere: *s. ... s.,* o ... o, 70:3.

sirca, ¿silo?, 89:13.

sire, señor, 71:16. V. **seignor.**

sisa, impuesto, especialmente sobre vino y carne, 103:12.

sit, sea, 3:15, 7:11; *notum s.,* sea notado, 17:1.

sive: *s. ... s.,* sea ... sea, 7:29. Cf. **sibe.**

siuo, fue, o sea: estuvo, 81:48, 72.

sl. *(abrev.),* sueldos, 69:7. V. **s.**

so, su, 9:10, 48:5, 56:3, 66:6, 95:6, *(femenino)* 68:18, 102:20; *un s. sobrino,* un sobrino suyo, 21:26; *ss.,* 11:7, 68:6, 95:3. V. **pagados** 97:13, **sas.**

so, soy, 15:37, 114:5; *yo s.,* soy yo, 52 bis:83.

so, bajo, 15:110, 27:56. Cf. **su.**

sobeio, grande, 20:53.

sobr'el, sobre el, 102:38.

sobr'ell, sobre el, 18:59.

sobras, de sobra, 57:10.

sobre, junto a, 14:75; además de, 21:46; con respecto a, 55:1, 56:4; *s. todo esto,* en todo esto, 49:24. V. **dito, leyto, moleo, plet, suxtare.**

sobredicta, sobredicha, 96:23.

sobredictos, sobredichos, 120:7.

sobredissa, sobredicha, 55:7.

sobredisso, sobredicho, 55:7.

sobredita, sobredicha, 51:11; *ss.,* 101:13, 117:17.

sobredito, sobredicho, 50:10; *ss.,* 77:34, 108:1.

sobrejunters, presidentes de los *junteros;* estos últimos formaban la junta (asamblea judicial, alto tribunal para toda la población), 72:1. (V. Chaytor, 117.) Cf. **juncta.**

sobrel, con respecto a él, 55:3; sobre el, o sea: cerca del, 56:1.

sobrella, en preferencia a ella, 55:10, 11; con respecto a ella, 55:5, 21.

sobrello, sobre ello, 121:22; *ss.,* 56:16. V. **suxtare.**

sobrenompnatz, sobredichos, 72:1.

sobresto, después de esto, 97:9, 100:9.

sobreuienta, sobrevienta, sobresalto, sorpresa, 14:71, 20:41.

soç, bajo, 75:15.

sodes, sois, 15:52, 22:11, 52 bis:59, 73:13.

soey, soy, 49:24.

soffrir: *quiérome s.,* quiero sufrirme, o sea: quiero aguantarme, 37:21.

soffrirle, sufrirle, o sea: aguantarle, 37:28.

sofria, sufría, 52:30.

sofrimiento, sufrimiento, 37:56.

sofrio, sufrió, 52:29.

sofrir, sufrir, 20:43, 114:11.

sofryran, sufrirán, 28:29.

soga, v. **yran.**

sogra, suegra, 93:8.

sol, debajo del, 14:58.

sol, sólo, o sea: siquiera, 18:48, 129.

sol: *de s. a s. puesto,* de sol a sol, 68:9.

sol. *(abrev.),* sueldos, 99:13. V. **s.**

sola, bajo la, 26:18; *s. canpana de,* en la parroquia de, 46:5. V. **tan.**

solament, solamente, 113:2. V. **tan.**

soldada, sueldo, 20:40.

soldos, sueldos, 46:10. V. **s.**

solempne, solemne, 103:27.

solent, suelen, 60:38.

solepnizar, solemnizar, 33:31.

solgan, ¿suelan, error por 'suelen'?, 70:7.

soljades, solíais, 73:11.

solidos, sueldos, 8:15. V. **s.**

solie, solía, 21:2.

solien, solían, 16:31.

solies, solías, 16:29.

solos, sueldos, 92:8. V. **s.**

sols, plural de *sol,* 'sueldo', 72:47, 96:6. V. **s.**

soltz, sueldos, 106:9. V. **s.**

solvi, ¿pagué?, 93:9.

solum, ¿solo?, 3:19.

solumodo, solamente, 6:11.

solla, bajo la, 63:4.

soma: *per s. penna,* por la parte más alta de la peña, 2:4.

somberado, dependencia, 48:5.

somitido, sometido, 52:12.

somo: *s. sierra* (nombre propio), 25:15.

somos: *onde s.,* del cual estamos, 46:10. V. **acordados.**

son, su, 72:13. V. **sas.**

sonberado, dependencia, 48:15.

sonrriendo, sonriendo, 25:46.
sopido, sabido, 111:23.
sopiemos, supimos, 111:7.
sopiese, había de saber, 23:21; supiese, 27:47.
sopiesse, supiese, 14:26.
sopiessedes, supieseis, 111:12.
šopo, supo, 54:36.
soprino, sobrino, 38:7.
sororem, hermana, 61:52.
sort, v. part.
sortes: *eitassen s.,* echasen suertes, 12:7.
sortita, v. part.
sospieita, sospecha, 96:2.
sospiran, suspiran, 51 bis:37.
sospiro, suspiró, 14:6.
sospiros, suspiros, 37:17.
sossegado, sosegado, 37:54.
sossiego, sosiego, 37:41.
sostener, pagar, 103:34.
sosteniando, sosteniendo, 98:5.
sostiengas, sufras, 102:7.
sota, baile, 61:39; bajo, 83:33.
sotare, bailar, 61:38.
soto (¿nombre propio?), 91:6.
sotos: *s. aluos* (nombre de lugar), 25:5.
sotsmesos, súbditos, 107:8.
souarunt, sobaron, abofetearon, 39:17.
soueijos, sobeos, 39:8.
souent, muchas veces, 106:3.
souno: *de s.,* juntamente, 13:20. V. coianlo.
sovo, quedó, 20:37.
sous, sus, 47:7.
spaynoles, españoles, 81:18.
spannia, España, 81:3.
spatleras, espaldarones, 115:3.
special, especial, 78:20; *en s.,* especialmente, 110:4, 121:15.
speciem, semejanza, 60:59.
specieria, especiería, 109:18.
sperans, esperando, 60:58.
spesa, expensas, 120:37.
Spirito, Espíritu, 111:31.
spiritu, espíritu, alma, 29:46; [*cum* ...] *S. Sancto,* [con ... el] Espíritu Santo, 60:44.
spiritual, espiritual, 70:8.
Spiritus, v. Sancti 2:2.
spolia, despojos, 120:26.
spontanea, v. libenti.
squerra, izquierda, 108:20. V. entrada.
Srahel, de Israel, 60:61.
ss. (*abrev.*), sueldos, 47:16. V. **s.**
sse, se, 76:13.
ssea, sea, 76:6.

ssean, sean, 76:3.
ssi, sí, 80:40.
sta (*abrev.*), santa, 77:23.
stada: *era s.,* había sido, 107:9; *son ss.,* ha habido, 119:8.
stado, estado, 117:12. V. **sia.**
stalyo: *a s.,* a destajo, 120:5. Cf. **estalyo.**
stan, están, 83:33.
stando, estando, 61:20.
stanyada, ¿estañada, soldada?, 104:19.
stantes, presentes, 56:2, 109:19.
star, estar, 117:5.
steterit, estuviere, 61:7.
stipulant, estipulante, o sea: que estipula, 103:27.
strangero, ¿extranjero? ¿forastero?, 119:5, 16.
stranglatos, estrangulados, 61:59.
stranguilantur, se estrangulan, 61:59.
strechamente, estrechamente, 119:13.
strela, estrella, 15:2.
strelero, astrólogo, 15:37.
stridor: *s. dentium,* crujir de dientes, 60:53.
studiante, estudiante, 121:12; *ss.,* 121:10.
studio, estudio general, o sea: universidad, 121:6. Cf. **estudio.**
su, bajo, o sea: en, 43:24. Cf. **so.**
sua, su, 7:16; *pro s. anima,* por su alma, 62:16; *de omni parentela s.,* de todos sus parientes, 87:34; *ela s., era s.,* la su, o sea: su, 60:48, 92:15; *ss.,* sus, 6:15, 87:9, 92:12. V. **sas.**
sua, suda, 27:30.
suabe, suave, agradable, 60:62.
suam, su, 6:24.
sub, bajo, en, 1:1; *s. era,* en la era de, 63:13, 87:44; *s. eius imperio,* bajo su dominio, 63:14. V. **nomine.**
subientes: *s. y desçendientes,* subiendo y bajando, 59 bis:5.
subla: *s. campanna,* bajo la campana, o sea: en la parroquia, 51:4.
submersi, sumergí, 60:8.
subscripto, subscrito, 101:5.
substantia: *ex Dei s.,* de la substancia de Dios, 61:45.
subtus, bajo, 1:12.
subuertere, trastornar, 60:38.
succedexca, suceda, 83:10.
succesores, sucesores, 116:11.
succession, sucesión, 83:5.
successiuament, sucesivamente, 84:6.
successores, sucesores, 70:15.

suceyr, suceder, 86:30.
sucessiba, sucesiva, 86:13.
sue, su, 12:3; *s. domus*, de su casa, 66:2. V. sas.
suert, suerte, 12:8, 77:44.
sufficientes, suficientes, aptos, 77:41.
suffra, sufra, 105:24.
sufierto, sufrido, 114:9.
sufriot, sufrió, 60:57.
suis, v. fructibus.
sulco, lindero entre heredades, 74:41.
sultura, soltura, o sea: absolución de pecados, 14:35.
sum: *per s. Penna*, por la parte más alta de la peña, 1:7.
suma: *en s.*, en breve, 37:67.
sumantur, que se coman, 61:64.
summa, suma, pena pecuniaria, 96:19.
sumus, somos, 69:23.
sunt, son, 4:10. V. id.
suo, su, 5:13, 61:28; suyo, su, 61: 20; suyo, 92:5; *lo s.*, lo suyo, 92:19. V. sas.
suorum, v. parentum.
suos, sus, 1:10; suyos, sus, 61:24.
super, sobre, 2:9; encima de, 5:19; después de, 8:15.
superauit, superó, 8:33.
superius, arriba, 94:18.
supido, sabido, 123:8.
supiesse, supiese, 33:35.
ssupiestes, supisteis, 18:107.
suplicaua, suplicaba, 35:21.
suplicáuale, suplicábale, 35:17.
supplicacion, suplicación, 117:15.
supplicado, suplicado, 117:12.
supplicar, suplicar: *s. lo e*, le suplicaré, 110:4.
supra, arriba, 80:1.
supradictas, sobredichas, 65:11.
sursum: *ad s.*, arriba, 6:17.
suscitabi, moví, 60:6.
suso: *de s.*, arriba, 43:21, 69:15, 71: 15; encima, 105:20; *del molino de s.*, del molino que está en la parte de arriba, 12:2; *de s. dita*, susodicha, 49:25; *de part[e] de s.*, arriba, 62:6, 112:5.
suspeyta, sospecha, 112:41.
susso, arriba: *s. dicha*, susodicha, 121:33.
sustinuit, sostuvo, toleró, 60:57.
suus, su, 87:27.
suxtare: *s. sobrellos sobre la uendida esta*, ¿se opusiere a ellos con respecto a esta venta?, 56:16.
suziedad, suciedad, 31:28.
suzio, sucio, 14:81.

T

T, mil, 90:8.
t'amaray, te amaré, 53:1.
t'maldizre, te maldeciré, 16:13.
ta', (en) tan, o sea: (en) muy, 16:25.
taᶜāla, el exaltado, 55:3.
tabernacula, tabernáculos, 60:64. V. habitationes.
tabler, tablero, 106:11.
tabola, ¿tabla?, 92:32. V. arra, retro.
tacxadores, tasadores, 103:3.
tafurs, tahures, 106:3.
tajada: *t. y trastaiada*, dividida en porciones, 56:10. (*Trastajada* es forma intensiva de *tajada*.) Cf. affirmad.
tajador, tallador, 27:51.
tal: *por t. cke*, para que, 8:9; *por t. que*, para que, 75:47, 112:39, 41; 116:4; *por t. qual*, ¿para que? (cf. *LM*, 192), 8:8; *tt.*, las siguientes, 114:31. V. qual 52 bis:5.
talayu: *la t.*, (?), 89:19. (Cf. *talaya*, 'atalaya' en Oels., s. v., y catalán *talaiot*, 'atalaya pequeña'.)
talant, talante, 100:21.
tale, tal, 62:24, 63:1.
tali, v. modo.
talia, tales cosas, 60:35. V. plura.
taliaron, tajaron, 38:6.
talis, tal, 60:30.
tall, tal, 18:38.
talla: *t. et medja*, impuesto personal, capitación, 103:4. Cf. tallya.
tallar, tajar, 115:10.
tallaren, fijaren, 40:37*b*.
talle, (que) fije, 40:28*b*.
tallen, corten, 76:31.
tallya: *t. et medja*, impuesto personal, capitación, 103:4. Cf. talla.
tallyo, tajo, 104:21.
tam, v. quam 7:2.
tambien: *t. ... com*, tanto ... como, 99:8.
tamen, sin embargo, 60:58.
tan, muy, 14:7, 44; 16:9; tanto, 53:1; *t. bien*, también, 22:8; 75:22; *t. solament*, *t. sola ment*, solamente, 80:7, 102:38, 103:20, 106:13. V. ben 18:92.
tanbien, también, 16:37.
tanda: *de así a t.*, ¿de poco valor?, 31:27.
tangrande, tan grande, 73:9.
tannio, tocó, 52 bis:20.
tant, tan, 52 bis:22, 119:13. V. quant, troa.
tanta, tanto: v. benturo.

tanto: *si non a t. que,* ¿con tal que?, 88:12. V. **ata** 77:50, **usque** 92:16.

tantost, enseguida, 113:15.

tantu, tanto: v. **dubre.**

tantum, tanto, 7:18. V. **ende** 61:22.

tanut, ribazo, 89:9.

tardarsan, ¿se tardarán?: *t. por jnplire,* se retrasan o descuidan en cumplirlo, 60:34.

taulas, tablas, 115:13.

te: *ad t.,* ¿ante?, 39:18 (v. **ad** 39:18); *t. arremetas,* arremetas, 25:11; *t. torna,* tórnate, o sea: vete, 25:15.

tectus, ¿hay que leer *tectos,* plural de *tectum,* 'techo'?, 5:9.

telas, v. **coraçon.**

telya, teja, 120:33; *tt.,* 120:24.

temeroso, temible (es), o sea: tremendo (es), 59 bis:16.

templi, del templo, 60:72.

templum, [el] templo, 60:70.

tempore, v. **quanto** 61:7.

tenallas, tinajas, 109:22, 115:9. Cf. **tinallas.**

tenda, tienda, 69:11; *tt.,* 93:2.

tendrien, tendrían, 72:48.

tene, tiene, 10:21, 92:4.

teneas, tengas, 88:9.

teneatis, v. **justitia.**

tenebant, tenían, 87:7.

tenebre, tinieblas, 60:52.

tenedes, tenéis, 18:117.

tenella, tenerla, 31:11.

tenencia, ¿prenda?, ¿posesión?, 69:3, 9. Cf. **tenentias.**

tenente: *est t.,* ¿tiene?, 67:8; *estis tt.,* ¿tenéis?, 65:12. V. **cum** 67:8.

tenentias, ¿prendas?, ¿posesiones?, 69:21. Cf. **tenencia.**

tener, custodiar, 86:23; *t. te he,* te tendré, 25:27. V. **bien** 55:2.

tenere, tener, 61:53.

tenes, tienes, 88:7.

tenex, tienes, 59:18.

tengades, tengáis, 27:57, 71:17.

tenia, juzgaba, 81:40.

tenian: *t. con,* tomaban el partido de, eran partidarios de, 81:24.

tenido: *en los quales ... les era t.,* los cuales se veía obligado a pagarles, 109:12; *tt. fazer,* obligados a hacer, 83:45. Cf. **tenudo.**

tenie, tenía, 18:44.

tenien, tenían, 21:33, 113:4.

teniendo, siendo propietarios de, 49:20.

teniente: *lugar t.,* lugarteniente, 27:33.

tenir, tener, 71:5; contener, 115:2.

tenplo, templo, 49:21.

tenpramiento, templanza, moderación, 27:1.

tenra, tendrá, 98:15.

tenrra, tendrá, 76:14.

tenudo: *t. de,* obligado a, 76:6. Cf. **tenido.**

tenuerit, tuviere, 64:13.

tenuimus: *non t.,* no tuvimos, o sea: nos faltaron, 39:14.

tenuit, tuvo, 87:2.

teras: *t. entradas & salidas,* ejidos, o sea: campo común de todos los habitantes de un pueblo, y lindante con él, donde suelen reunirse los ganados y establecerse las eras, 49:7. Cf. **exidos.**

tercera, v. **linar** 46:7.

terciam, tercera, 3:6.

tercio: *por su t.,* en tres partes iguales, 76:26.

terenal, terrenal, 57:17.

termeno, término, 49:5.

terminis: *cum t. nominatis,* con los términos nombrados, 2:11; *t. vestris,* (¿en?) vuestros términos, 89:4.

termino, límite, 87:2, 10; lugar, paraje, 87:16, 29. (En 17:6 tiene el sentido de 'lugar donde linda un pueblo con otro'. Solían suceder en tales sitios riñas sobre pastos, etcétera). V. **illo** 87:16.

terminum, termino(s?), 1:7 (cf. 2:3); lugar, 87:9; *t. dilectum,* ¿lugar predilecto? (cf., empero, *AHDE,* V, 257), 87:4. V. **illo** 87:9.

terne, tendré, 15:18.

ternedes, tendréis, 44:10.

terra, tierra, 10:2; *de t.,* terrenal, 15:66; de la tierra, 87:16; *Yngla t.,* Inglaterra, 23:10.

terras, tierras, 3:3, 87:5.

terreros, ¿cerros?, 89:13.

terris: *cum ... t.,* con ... las tierras, 65:8.

tertius, el tercero, 60:9.

teruelo, bola hueca donde se incluye el nombre de uno que entra en suerte, 112:36.

terzero, tercero, 60:9.

terzidas, secadas, secas, 105:18. (V. la nota al texto.)

testamentum, instrumento que confirma una donación, 87:47.

teste, testigo, 93:7.

testes, testigos, 19:15, 62:32, 80:28.

testibus: *sine ... t.,* sin testigos, 61:29.

testificarunt, testificaron, 87:13.

testimonia, testigo, 93:6; *tt.,* 68:31, 74:43.

testimonio, prueba, 71:23, 79:13; ¿testimonio?, 61:29; *de bon t.,* fidedignos, 74 : 51; *tt.,* testigos, 79:14.

testis, testigo, 5:20.

testo, texto, ¿o sea: caso?, 27:44.

tenier, tuviere, 48:19. V. **uoz** 48:19.

texida, tejida, 52 bis:54.

thesero, tesorero, recibidor general, 78:49, 79:7.

thesorero, tesorero, 22:3.

thoros, toros, 79:4, 11.

ti: *a ti-loado,* entiéndase 'seas loado', 18:130.

tiampus, tiempos, 49:2.

tib, ti, 53:4.

tibi, a ti, te, 63:2; *ad t.,* a ti, 62:3; *t. dompno S.,* a ti, don S., 64:5.

tiega, tenga, 92:4. Cf. **tienga.**

tiempo, (el) período, 83:22; *por t.,* en el futuro, 78:24; en tiempos pasados, 83:28. Cf. **tienpo, timpo.** V. **dentro** 83:16, **yaquanto, luengo** 22:11.

tien, tyen, tiene, 18:72, 57:8.

tiene: *t. del dicho officio,* ejerce dicho oficio, 119:16.

tienet, tiene, 60:46.

tienga, tenga, 74:69. Cf. **tiega.**

tiengala, téngala, 98:2.

tiengan, tengan, 68:26, 74:15.

tiengutz, tenidos: *t. de la summa,* obligados a pagar la multa, 96:23.

tienpo, tyenpo, tiempo, 23:32, 46:22, 59:29; *algunt t.,* alguna vez, 27:7; *muy grand t. avya,* hacía mucho tiempo, 52 bis:43. V. **tiempo.**

tiera, tierra, 58:15.

tierra: *los desfarie de toda su t.,* les desharía de, o sea: confiscaría, toda su tierra, 21:62; país (del profeta), 52 bis:29.

tiesta, cabeza, 16:22; *en grameo la t.,* ¿sacudió la cabeza?, 14:13.

tiestes, testigos, 61:29.

tiesto, v. **frecho.**

timeo, temo, 60:15.

timpo, tiempo, 15:4. V. **tiempo.**

tinallas, tinajas, 115:2. Cf. **tenallas.**

tine, tiene, 15:20.

tingen, tiñen, 61:40.

tiniebras, tinieblas, 52:32.

tirar, quitar, 83:44.

tjrare, tirar de, arrancar, 73:5.

tirate, quítate, 25:14.

tiraz: *inpanno t.,* ¿de paño bordado?, 39:7.

tiro: *t. ... para,* se dirigió ... hacia, 85:12.

tirose: *t. a una parte,* se retiró a un lado, 52 bis:81.

tirra, tierra, 15:23.

titulum: *in dotis t.,* ¿como dote?, 3:3.

tive, ti, 88:3, 5.

tiuo, tuvo, 74:45. V. **voz.**

to, tu, 16:31, 40:27a; *(femenino)* 102:5; *el t.,* tu, 102:2; *tt.,* tus, *(masculino)* 16:20, 102:3, *(femenino)* 102:4; *los tt.,* tus, 102:5. Cf. **tua, tue.**

toboše, túvose, 54:42.

tocara, v. **condicion.**

tocas, tocase, 18:18.

toccar, tocar, 20:18.

toco, toque, 75:47.

tod, todo, 18:132; toda, 21:8; *e-t.,* he todo, o sea: t e n g o todo, 18:132; *t. qui,* todo el que, 56:13.

toda, se usa sólo para dar énfasis en la frase *non toda la peyor,* 18:54.

todala, toda la, 45:10.

todavia, siempre, 84:6.

todo: *sin t. danno,* sin ningún daño, 21:54; *dando te t.,* entregándote totalmente, 52:12; *t. en t.,* ¿sin duda alguna?, 52:24; *en t. lo que andaras,* en todo lugar en que andarás, o sea: adondequiera que vayas, 59 bis:12.

toler, quitar, 52 bis:47.

tolios, quitóse, 18:126.

tolleracionem, uso, responsabilidad, 3:15.

tollidos, quitados, llevados, 102:18.

tollieronli, quitáronle, 20:65.

tolliot, quitó, 61:4.

tomara, había tomado, 27:48.

tomaria: *t. Dios,* sería prestado a Dios, 23:37.

tomaron: *t. duda,* cayeron en duda, 23:25.

tomello, (que) tome el, 40:44b.

tomeste, tomaste, 52:25.

tonsorias, tijeras, 39:6.

tordegas, túrdigas, 39:8.

tore, torre, 38:5.

tormentorum, de tormentos, 60:53.

torna: *te t.,* tórnate, o sea: vete, 25:15.

tornad, volved, 15:104.

tornada: *ouo ... t. en,* hubo ... puesto bajo, 21:19.

tornado, devuelto, 31:26; *sere t.,* habré vuelto, 110:8.

tornan, regresan, 31:26.

tornar, tornare, o sea: regresare, 40:16*a*, 16*b*; devolver, 54:40, 99:12; *t. en ella,* oponerse a ella, 56:10. V. **oram.**

tornaras, serás convertido, 60:74.

tornare, entiéndase *me tornare,* 59 bis:24.

tórnase, se vuelve, 31:33.

tornaše, devolviese, 54:37.

tornassemos, tornásemos, 97:6.

tornassen, devolviesen, 8:14.

tornate, vuélvete, 58:20.

tornaua, tornaba, o sea: volvía, 14:2.

tornavan, tornaban, o sea: volvían, 20:52.

tornelo, devuelva el, 40:45*a*.

tornerad: *se me t.,* volverá a mí, 53:15.

tornet, regrese, 40:45*b*; torne, devuelva, 61:4.

torno: *se t.,* regresó, 14:62.

tornoron, tornaron, 95:14.

torrillon, ¿torrejón?, 89:20.

torto, tuerto, 50:19.

tos(dos), léase *tos,* o sea: tus, 16:20.

tot, todo, 72:8; *t. siempre, per t. sempre,* por siempre jamás, 16:13, 96:26. Cf. **tota, tuto; totes, totz, toz.**

tota, toda, 4:3, 6:18, 60:21, 72:5, 110:5; *tt.,* 4:4, 88:14, 92:12, 96:12, 99:7. V. **tot.**

totam, toda, 6:24.

totes, todas, 72:7. V. **tot.**

toti, todos: v. **condemnandi.**

totius, v. **posteritatis, uiribus.**

toto: *cum t. que,* con todo lo que, 65:11.

totum: *t. concilium,* todo el concejo, 8:20.

totz, todos, 72:26, 96:11. V. **tot.**

tovajas, toballas, toallas, 52 bis:43.

touidos, tenidos, 120:38.

toujerdes, tuviereis, 24:13.

toviere, touyere, tuviere, 27:9, 76:1.

tovieren, tuvieren, 70:18.

touieron, tuvieron, 14:99.

touiesse, tuviese, 26:24.

touo, tuvo, 23:8. V. **voz** 51 bis:4.

toz, todos, 94:3. V. **tøt.**

tractado, dispuesto, 86:41; discutido, 123:10.

tracto, gestionó, dispuso, 86:29.

tradecando, ¿tragando?, 61:62. (V. Coro., IV, 528 b 51.)

tradidi, entregué, 5:5.

tradidit, entregó: *quando t.,* entiéndase 'pues cuando entregó', 87:31.

traditore: *cum ... t.,* con ... traidor, 87:43.

traedes, traéis, 15:128.

traer: *t. lo,* traerlo, o sea: llevarlo, 57:13.

traes, traéis, 52 bis:59.

tragar: *a t. a las bestias,* a ser tragado por las bestias, 52:15.

traham, lleve, o sea: llevaré, 94:15.

trahen, llevan, 85:20.

traher, llevar, 85:19.

trayades, traigáis, 30:2.

trainantes, colgantes, 16:33.

trayo, traigo, 18:121.

traysyon, traición, 59:1.

trallera: *siera t.,* sierra para cortar ramas gruesas, 115:14.

tramare, tramar, 60:40.

transivit, murió, 87:6.

transmiserit, enviare, entregare, 61:5.

transportara, transferirá, 83:6.

transtornare, trastornar, 60:38.

tras: *t. vos nulla ren non remaso,* ¿no quedó ninguna obligación más allá de vos?, 48:13.

trasmudamiento, transmutación, 21:31.

trasnuyta, pernocta, 74:24.

trasoro, tesoro, 81:16.

trastaiada, v. **tajada.**

trastorna, vuelve, 25:15.

trastornod, trastornó, 9:21.

tratava, trataba, 29:7.

traua: *en t.,* entraba, 14:15.

trauallosse, se trabajó, se esforzó, 81:39.

traujessa, traviesa, 25:49.

trax, traje (*verbo*), 25:14.

traxol, trájole, 52 bis:42.

trebalyo, trabajo, 120:29. Cf. **treballos, treuajos.**

treballos, trabajos, 110:10. V. **trebalyo.**

trebeios, diversiones, burlas, 16:20.

tredze, trece, 15:98. Cf. **tretze.**

treire: *t. de pengnora,* desempeñar, 93:4.

trenas, cintas o galones, 27:39.

trencada, rota, 107:10.

trenta, treinta, 99:12.

trestiçido, entristecido, 52:29.

trete: *t. con mjgo,* ven conmigo, 25:31.

tretze, trece, 99:6. Cf. **tredze.**

treuajos, trabajos, miserias, penalidades, 86:5. V. **trebalyo.**

treugas, treguas, 68:10.

treuguas, treguas, 68:2.

trezientas, trescientas, 82:10.

tribuat, otorgue: *nobis* (¿hay que leer *uobis*?) *t.,* nos (¿os?) otorgue, 60:41.

tribuatur, que se conceda, otorgue, 61:25.

Trinitatis, de la Trinidad, 2:1.

tristicia, tristeza, 20:18.

tritico: *de t.,* de trigo, 91:7.

triunphos, triunfos, 33:21.

tro, hasta, 111:15; *t. al,* hasta el, 95:18; *t. en,* hasta, 99:11; *en t.* [a], hasta, 107:4, 110:7. V. **entro.**

troa, hasta, 102:11; *t. tant que,* hasta que, 72:22; *t. qu'el,* hasta que el, 102:40. V. **entro.**

trobada, hallada, 102:21, 105:30.

trobados, hallados, 109:15.

trobar, trovar, 18:112.

trobara, hallará, 120:25.

trobare, encontrare, 102:35.

trobaren, hallaren, 77:38.

trobo, encontró, 81:25.

trociere, cruzare, 8:35.

trocieron, cruzaron, 8:2.

trociese, cruzase, 8:35.

tronçones, trozos de madera, 115:13.

troxiera, había traído, 21:13.

trubada, hallada, 15:35.

trueba, halla, 81:4, 102:19.

truxiese, trajese, llevase, 23:32.

tu, ti, 114:9.

tua, tu, 8:19, 41:2; tuya, 63:3. V. **domo, to.**

tubo, tuvo, 86:2.

tue: *domus t.,* de tu casa, 60:67; *uite t.,* de tu vida, 64:13. V. **to.**

tueleisco, tú mismo, 60:70.

tumercede: *sea t.,* ten la merced, la bondad, 8:17.

tunc, luego, entonces, 60:51.

tunon, tú no, 60:72.

tuos, tus, 64:13. V. **dies** 88:9, **post** 64:13.

turavan, duraban, 58:11.

turo, duró, 81:13.

tuto, todo, 92:20. V. **tot.**

tutu, todo, 90:4.

U — V

.U., cinco, 38:2; *.v. ss.,* cinco sueldos, 47:18.

hu, donde, o sea: en el lugar que, 50:5. V. **iaz** 50:5.

ua: *esto u.,* esto es, a saber, 113:3.

vadant, vayan, 7:7, 88:13.

uadit, va, 6:3.

vaga, queda vacante, 22:18.

vagadas, veces, 112:32. Cf. **vagades, ueçes, vegada, uegades, uetz, vezes.**

vagades, veces, 117:23. V. **vagadas.**

uaia, uaya, vaya, 40:4a, 4b; *u. sua karrera,* siga su camino, o sea: márchese, 40:21a.

vaya, baya, 85:5.

uaialo, vaya el, 40:11a.

vayan: *v. se,* (que) se vayan, 52:1.

vaiše(?), ¿se va?, 53:15.

ual, val, ¡vale!, 15:33; vale, 48:14, 57:24.

ual, val, valle, 4:6, 89:11. V. **lena, paul.**

uala: *u. li,* válgale, 40:12a.

valan, valgan, 26:10.

ualde, fuerte o firmemente, 8:38.

valedes: *menos v. vos,* valéis menos, 14:111. 'Menos valer' significaba 'incurrir en infamia', y la acusación constituía el denuesto precursor del reto. (V. *Cid,* II, 883.)

ualedors, valedores, 96:25.

ualement, valimiento, 96:5.

valença, f a v o r, protección, ayuda, 118:5.

valente, valedero, 49:2.

valer: *v. y a,* valdría, 27:40.

valo: *v. consejar,* va a aconsejarle, 51 bis:11.

uallan, valgan, amparen, 96:13.

uallatar, valladar, 89:13.

uallem, valle, 2:7, 89:8.

valles, vallados, 113:4.

ualleziello, vallecillo, pequeño valle, 6:3.

uallilio, pequeño valle, 1:13.

uallilium, pequeño valle, 2:12.

uallo: *ka u.,* caballo, 39:3.

vallor, valor, 70:22, 103:38.

uamne, hombre, 60:31. V. **hom.**

uandicto: *de u.,* susodicho, 46:19.

vanyar, bañar, 58:6.

vanidat, vanidad, 52:7.

variamiento, variación, 77:21.

varraganas, concubinas, 14:119.

uarua: *ad sua u.,* por su barba, 39:17.

uasalos, vasallos, 47:12.

vasals, vasallos, 72:12.

vassalo, vasallo, 14:20; *vv.,* 110:3.

vassallos, vasallos, 14:61.

vatalla, batalla, 85:2.

uatannas, badanas, 39:9.

vaxjello, vasija, 112:4.

uazias, vacías, desocupadas, 14:4.

vazio, vació, 59 bis:19.

ubi, donde, 3:13.

vços, puertas, 14:3.

udio, judío, 56:15.

ve: *v. a buena ventura,* ve con buena suerte, 58:19.

ve..., (?), 89:10.

huebos, necesidades, cosas necesarias; 101:8. V. **obs.**

ueçes, veces, 75:47. V. **vagadas.**

veçinos, vecinos, 77:25. Cf. **uezin, uezino.**

uedado, terreno acotado o cerrado, 74:68.

vedes, veis, 15:54, 32:27.

vediendo, viendo, 100:4.

vee, ve, 28:22.

ueer, ver, 74:4; *u. lo e,* lo veré, 15:46.

vegada, v e z, 15:46, 18:96; *vv.,* 113:6, 114:36; *muchas de vv.,* muchas veces, 70:3. V. **vagadas.**

uegades, veces, 97:20. V. **vagadas.**

vegitar, visitar, 51 bis:7.

huey, hoy, 72:6. Cf. **úúoy.**

ueyan, vean, 102:4.

ueida, vista, o sea: visto, 15:3, 100.

ueido, visto, 15:30.

veyendo, viendo, 70:3.

ueyendolo, viéndolo, 21:51.

veyer, ver, 122:6.

veynte: *onbre de v. lanças,* v. **lança.**

hueyto, ocho, 109:23.

ueiza, ¿difícilmente?, 60:10. (V. *Or.,* 4 y 370.)

uel, y, 1:5, 3:8, 5:16. (V. *LM,* 179.)

veladas, mujeres legítimas, 14:120.

uelamen, velo, 60:60.

veles: *jn v.,* ¿error por *inútiles?,* 110:10.

uelut, así como, 60:18.

uello, ojo, 60:60.

uemici, ¡*vae mihi!,* o sea: ¡ay de mí!, 60:51.

uemne, hombre, 16:6. V. **hom.**

uence, sobrepuja, 74:70.

uençudo, vencido, 21:1.

vendades, (que) vendáis, 49:11.

uendecion, venta, 45:16.

vendemus, vendemos, 48:7.

uendere, vender, 67:13.

uenderem, vendiera, 63:2.

vendicion, uendicion, v e n t a, 48:2, 49:3.

uendida, vendida, venta, 24:20, 56:9. V. **enfuercen** 56:12, **suxtare** 56:16.

uendiemos, vendimos, 56:9.

uendita, vendida, 62:21.

vendition, venta, 78:41.

uendiui, he vendido, vendí, 62:2.

uendran, venderán, 103:23.

venela, callejón, pasadizo o patio entre casas, etc., 78:30.

uener, viniere, 40:3a.

venerint, vinieren, 88:12.

veneritis, viniereis, 89:31.

uenerunt, vinieron, 8:7.

vengades, vengáis, 59:28.

vengança, venganza, 29:21.

ueni, vine, 1:2, 93:8.

venid, viene, 53:10.

venida: *era v.,* aconteció, 20:41.

uenides, venís, 15:80.

uenido, manifestado, 15:95; *u. en mano de,* llegado a la mano de, 33:2.

ueniens, que venía, 60:4.

venjentes, v. prima 110:7.

venier, uenier, uenjer, viniere, 43:10, 45:17, 46:11.

ueniermos, viniéremos, 45:17.

veniessedes, vinieseis, 101:7.

venjmos: *onde nos v.,* nuestros progenitores, 26:10.

uenir, viniere, 40:52a.

venir: *an por v.,* vendrán, 43:2.

uenire, venir, 6:7.

veniš, venis, vienes, 53:17, 60:5; viniese, 72:9.

venissen, viniesen, 72:9.

uenit, vino, 38:8, 40:42b.

ueniunt, vienen, llegan, 93:19.

ueno, vino, 40:42a.

uenot, vino, 60:10.

vent', vente, 53:3.

ventura: *por v.,* por c a s u a l i d a d, 107:9. V. **ve.**

uenutiones, entiéndase *venationes,* 'la caza', 61:43.

ver: *por u.,* por decir verdad, 15:15; *se auia de v. con,* había de entrevistarse con, 86:37.

uera, verdadera, 95:3; *u. palabra,* ciertamente, 14:26.

verbos, palabras, 25:6.

uerdade, verdad, 73:14.

uerdat, verdad, 29:39, 76:13, 111:12.

Verdiach (¿nombre propio?), 89:21.

uere, viere, 18:79.

vereda: *pasaras la v.,* pasarás por la vereda, 25:12.

veredes, veréis, 51 bis:23.

vergonço: *en v.,* (se) avergonzó, 14:88.

vergonyantes, vergonzantes, 117:6.

uerguença, vergüenza, 82:2.

uermeio, rojo, 18:16.

vermello, bermejo, 109:27.

vernad: *me v.,* vendrá a mí, 53:9.

vero, verdad, 14:101; veras, 15:28; [pero] en verdad, 60:13. A veces tiene poca fuerza significativa este adverbio, sirviendo más bien para marcar transiciones.

verran, verán, 70:2; vendrán, 70:15.

uertad, verdad, 15:10.

uertaris, seas convertido, seas reducido, 60:73.

uertat, verdad, 41:12.

vertit, vierte: v. **quomodo.**

uerum, verdad, 60:37.

vesitamiento, visita, 55:15.

vesitar, visitar, 55:13.

uestiareyro, encargado del vestuario, 50:21.

vestimienta, vestidura, 98:6.

uestra, vuestra, 48:19; *corpora u.,* vuestros cuerpos, 60:70.

uestram, vuestra, 67:14.

uestre, de vuestra, 60:22. V. **anime.**

uestri, vuestros, 65:15; *non estis u.,* no sois vuestros, 60:75.

uestris, v. **filiabus, terminis** 89:4.

uestro, v. **cognato.**

vestrum, de vosotros, 7:29.

vetulo, viejo, 89:6.

uetz, veces, 72:7. V. **vagadas.**

uexatus, acosado, hostigado, 61:16.

uez, porción, 8:37. V. **bez.**

vezes, veces, 23:7, 75:46. V. **portant, vagadas.**

uezin, vecino, 96:1. V. **veçinos.**

vezindad, vecindad, o sea: los vecinos, 31:32.

vezindat, vecindad: *buena v., bona v.,* buenas relaciones, 55:4, 110:3.

uezino, vecino, 17:8, 70:13; (el) vecino, 40:44a. V. **veçinos.**

vezos, ¿avezóse?, ¿presentóse?, 14:115.

uj, vi, vi, 73:9; seis, 75:27, 111:32.

uia: *in u.,* en el camino, 6:6.

vjandant, viandante, 112:31.

uiba, vivos, 61:61; *u. las,* ¿vivas las?, 61:61.

uibire, vivir, 61:30.

uibiturus: *si ... u. est,* si ... va a vivir, 61:30.

huic: *h. prefate ecclesie,* a esta sobredicha iglesia, 2:3.

vicario, párroco, 81:51.

uices, veces, 10:13.

uicinos, habitantes, 5:16.

uiçios, vicios, 34:26.

uide, ve, mira, 60:72.

uidebis, verás, 60:59.

uidebunt, verán, 60:61.

uiderunt, vieron, 8:4; ¿tuvieron por bien?, 87:17.

vidi, vi, 20:46.

uidia, veía, 18:99.

uidieron, vieron, 68:32.

vido, vio, 23:16, 59:12, 73:2. Cf. **loujdo.**

uieias, viejas, 21:71.

vieillo, viejo, 98:14.

ujejo, viejo, 73:16; *uu.,* 21:71.

viella, vieja, 109:21, 115:5.

viello, viejo, 109:24, 115:10; *vv.,* antiguos, anteriores, 112:40.

ujene, viene, 80:33.

uienga, venga, 74:8, 96:3, 117:24.

uiengan, vengan, 75:48.

viengo, vengo, 100:21.

vieniera, había venido, 20:63.

uieno, vino, 40:41b.

viera, había visto, 23:13.

ujerbos, palabras, 56:17.

uies, viese (*tercera persona*), 18:38; viese (*primera persona*), 18:96.

viestes, visteis, 14:97, 18:63.

viga: *v. lagar,* viga de lagar, 14:80.

uila, villa, 44:7, 68:24, 106:10.

uilano, villano, 18:75.

viles, villas, 72:5.

villa, uilla: *in v.,* en (la) villa, 7:17; *de u.,* de (la) villa, 40:47a.

uillam, villam, villa, 6:7. V. **extra, intus.**

uillis: *de alteris u.,* de otras villas, 6:13.

uinas, viñas, 44:6.

Vincarola: *illa V.* (¿nombre propio?), 89:6. (Cf. Coro., IV, 741 a 18-21.)

Vincaroli (¿nombre propio?), 89:6. V. **Vincarola.**

vincio, venció, 81:15.

uinea, viña, 4:6.

uineam, viña, 67:10.

uinet, viene, 15:19.

vingades, vengáis, 101:12.

uinia, viña, 38:4.

vinias, viñas, 3:3.

uinier, uinjer, viniere, 40:3b, 51b.

vinieran, habían venido, 20:52.

ujnjere, viniere, 56:13.

viniesse, viniese, 81:50.

uinna, viña, 11:10; *vv.,* v. **porterminos** 51:5. V. **doble.**

vjno, sucedió, 25:28.

vinosas, ¿manchadas por el vino?, 115:9.

vinose, fue, llegó, 81:25.

vint, veinte, 103:29.

vinte, veinte, 79:12.

uinu, vino, 42:8.

vinum, vino, 7:7.

huyo, oyó, 114:41.

uiolato: *de ... u.,* acerca de ... la violación, 61:1.

uirem, ujrem, vieren, 50:1. V. **segundo.**

ujren, uiren, vieren, 44:1, 47:1.

Uirginis, *Sancte Marie U.,* [de] Santa María la Virgen, 1:3; *gloriosisime Sancte Marie U.,* gloriosísima Santa María la Virgen, 3:6.

uiribus: *totius u.,* ¿con las fuerzas del hombre entero?; o quizá haya que leer *totis uiribus,* 'con todas las fuerzas', 60:21.

virjen, virgen, 55:18.

virjenidat, virginidad: v. **enseñorear.**

uiriis, hombres, 4:10.

uiron: *omres que u. & oyron,* hombres que (esto) vieron y oyeron (leer), o sea: testigos, 46:22.

uiros, hombres, 61:50.

uirtutem, v. **fecit.**

uis, v. **aliquis.**

uisibiliter, visiblemente, 61:17.

uist, visto, 72:39. V. **ben** 72:39.

uistes, visteis, 15:96.

uistiduras, vestidos, 18:35.

visto: *que v. les seran,* que les (¿le?) parezcan oportunas, 83:39. (Cf. 78:13.)

uita, vida, 15:76; (¿nombre propio?), 89:9.

uitam, vida, 60:16.

uite: *u. tue,* de tu vida, 64:13.

vitoria, victoria, 32:8.

vivireyu, viviré, 53:13.

huius, v. **rei** 66:5.

uix, difícilmente, 60:10.

uizino, vecino, 40:29a.

vltra: *a v. puertos,* más allá del Pirineo, 86:37.

ulla: *sine u. ...,* sin ninguna ..., 7:23.

ullo: *ab u. homine,* por ningún hombre, por nadie, 7:12.

um, un, 50:4.

humil, humilde, 78:17, 82:18. Cf. **umill.**

humilment, humildemente, 82:10, 117:12.

umill, humilde, 32:61. Cf. **humil.**

...un, (?), 89:18.

hun, un, 81:29, 119:5.

una: *u. cum,* junto con, 62:29.

unam, una, 8:6.

hunc, este, 61:17.

unde, ¿de dónde?, 60:5; donde, por donde, 93:19.

unidat, unidad, unión, 107:8.

hunitat, vnitat, unidad, unión, 72:3, 37; 96:8.

vniuersalmente, universalmente, 33:6.

vnjuersidat, universidad, conjunto de personas que forman una corporación, 121:6.

uno, huno, un, 15:8, 39; 63:7; *en u.,* junto, 17:2; en unión, 21:33; de acuerdo, 52:11; *la h.,* [el] uno, 120:10. V. **castello.**

unoquoque, v. **anno** 7:5.

unquam: *u. magis non ...,* nunca más ..., 94:14.

uns: *cada u.,* cada uno, 72:40.

unum, un, 7:30.

unus, uno, 60:4.

unusquisque, cada uno, 7:29, 60:27.

uo, voy, 15:62.

uo, ¿hay que entender *uos,* 'vos'?, 15:136.

uobis, a vosotros, 41:2; a vos, os, 65:4, 67:3. V. **dompne.**

voç, voz, 77:19. Cf. **voçe, uoz.**

uocabulo, por nombre, 1:3.

uocas, bocas, 15:147.

voçe, pleito, demanda judicial, 9:24. V. **adduxerit, voç.**

uocitant, llaman, 1:2.

vocor, llamo, 88:4.

uolebant, querían, 6:23.

uolen, quieren, 106:12.

volentat, voluntad, 71:25.

uolente, v. **deo** 65:6.

volia, quería, 72:18, 96:6.

voltam, riña, alboroto, 7:29.

uolueris, quisieres, 64:11. V. **quecumque.**

uoluerit, quisiere, 61:12.

uolumtate, v. **libenti.**

uoluntad: *a u.,* cuando le daba la gana, 34:21; *con u.,* de acuerdo, 44:3.

uoluntaria, ¿libremente, de buena gana?, 60:42.

uoluntas, la voluntad, 63:2.

uoluntat, voluntat, voluntad, 21:57, 43:4, 119:18.

uoluntate: *ex propria u.,* voluntariamente, 62:2; *de bona v.,* de buena voluntad, 88:6. V. **libenti.**

uoluntatem, voluntad, 67:15.

vome, me voy, 25:5.

vortos, huertos, 45:5.

uos, os, 15:52, 16:1, 43:4. V. **mereçi.**

uostra, vuestra, 45:2.

uostros, vostros, vuestros, 15:81, 43:7.

uotas, bodas, 61:37.

uotro, otro, 43:23.

voz, uoz, demanda judicial, 9:17, 45:18; *en u. del,* en representación de él, 13:13 (cf. 71:20); *vuestra u. teuier,* tuviera vuestra voz, o sea: litigara en vuestro nombre (cf. 74:45), 48:19; *la u. del rey peyge C. morabedis,* al rey peche cien maravedís, 49:15; *touo la v. del cauallero,* habló a favor del caballero (cf. 74:45), 51 bis:4. V. **caya** 49:17, **voç.**

uozero, abogado, 74:43.
ūn̄a (*abrev.*), vuestra, 47:9.
vros (*abrev.*), vuestros, 116:3.
vsado, acostumbrado, 77:45; *aue-*
mos v. de, hemos tenido costumbre de, 77:20.
usasse: *u. del,* usase de él, o sea: lo
usase, 21:86.
usassen: *u. dell,* usasen de él, o sea:
lo usasen, 21:63.
vsos: *buenos v.,* buenas usanzas,
26:7.
usque, hasta donde, 6:14; *u. a[d],*
hasta, 1:7, 65:12, 69:20, 89:5;
u. dum, hasta que, 61:63; *u. al,*
hasta el, 89:21, 25; *tanto u. ...*
poscan, ¿mientras puedan?,
92:16; *u. ke,* hasta que, 92:25.
hussada, usada, 24:6.
ussant, usante, 104:10.
usuale: *omnia u.,* todas las cosas, o
sea: los edificios usuales, 5:4.
ut, para que, 7:3, 65:14, 89:32;
que, 60:21, 87:9, 15; para,
60:25; como, 61:18, 80:31.
uuellos, ojos, 102:5. Cf. **ollo.**
vuestro, el vuestro, 82:16.
huuia, llega, 74:69.
vuyllgua, quiera, 72:43.
vulgar, (lengua) vulgar, 33:11.
vulto, rostro, cara, 37:54.
uvo, hubo, 52 bis:82.
úúoy, hoy, 45:11. Cf. **huey.**
uxor, esposa, 41:2.
uxorem: *duxerit u.,* fuere casado,
7:14.

W

welyos, ojos, 53:2.

X

xamet, jamete, tela de seda, 18:71.
xico, chico, pequeño, 115:5.
xpo: *jhu x.,* Jesucristo, 77:8.
Xristo: *Ihu X., Ihesu X.,* Jesucristo,
77:3, 81:1.

Z

zeno: *z. doto,* Zenodoto, erudito griego, 36:11.
zerte, ciertamente, sin duda, 60:69.
zetare, echare, 61:5.
zo: *z. che,* lo que, 96:21. V. **aço.**

&

&, ¿error del copista por *i,* o sea:
'allí'?, 49:18; *&ternan,* léase
eternam, o sea: eterna, 51 bis:26.
&. ç. &., etcétera, 23:47.
&apretelo, y que le apriete, o sea:
apremie, 40:47a.
&daiel, y déle el, 40:28a.
&digalo, y diga el, 40:6a.
&eldefora, y el de fuera, o sea: y el
forastero, 40:52a.
&siluezino, y si el vecino, 40:50a.

ÍNDICE

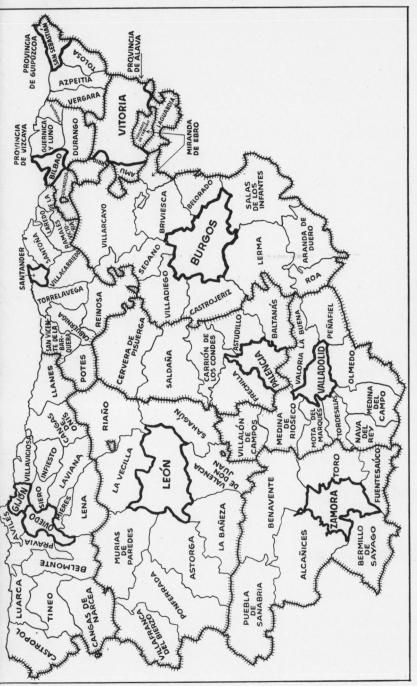

PARTIDOS JUDICIALES (I)

PARTIDOS JUDICIALES (II)